La Ville des couteaux

Du même auteur
chez le même éditeur

Labyrinthe de miroirs
Tarot
Le Rêve des chevaux brisés

William Bayer

La Ville des couteaux

Traduit de l'anglais (États-Unis)
par Gérard de Chergé

Collection dirigée par
François Guérif

Rivages/Thriller

Titre original : *City of Knives*

© 2006, William Bayer
© 2006, Éditions Payot & Rivages
pour la traduction française
106, boulevard Saint-Germain – 75006 Paris
ISBN : 2-7436-1557-5
ISSN : 0990-3151

1

UN CADAVRE À RECOLETA

Tout en roulant dans les rues de Buenos Aires, Marta sentait l'odeur de fer et d'asphalte, l'odeur d'humidité de la ville par une chaude et pluvieuse nuit d'été. Bien qu'il fût une heure du matin, la circulation était fluide, ce qui la surprit. Ç'aurait dû être le summum de l'animation nocturne, l'heure de pointe dans les bars et les boîtes de nuit. Toutefois, n'étant pas noctambule, elle ne s'y connaissait guère en la matière.

Dans les rues rendues glissantes par l'averse du début de soirée, elle passa à vive allure devant des blocs et des blocs d'immeubles délabrés, fonça à travers des flaques qui reflétaient les réverbères et les façades, qu'elles déformaient comme des miroirs de fête foraine. Tout le monde semblait rouler vite, cette nuit. Les phares des voitures venant en sens inverse s'élargissaient avant d'éclabousser son pare-brise. Des sacs-poubelle en plastique noir, luisants, étaient empilés au bord des trottoirs. Par la vitre baissée, elle entendait les bennes à ordures faire leur ramassage dans les rues transversales.

En arrivant à Recoleta, elle remarqua une différence : ici, l'odeur était plus suave, adoucie par le parfum des plantes à éclosion nocturne et par l'arôme des fleurs fanées, abandonnées en tas aux carrefours, près des boutiques de fleuristes fermées. Elle dépassa des petits restaurants chics où on servait encore des clients, malgré l'heure tardive, et des magasins d'antiquités où des objets de valeur brillaient d'un éclat aguichant dans les vitrines protégées par des grilles. Elle passa devant de beaux immeubles qui, disait-on, ressemblaient à ceux de Paris, puis devant l'Alvear Palace, un hôtel de luxe fréquenté par des stars de cinéma, des chanteurs pop, des émirs du pétrole et les souverains espagnols.

La terrasse de La Biela était déserte. L'immense *gomera* qui formait une voûte de verdure au-dessus des tables inoccupées dégoulinait encore de pluie. Au passage, Marta aperçut par les fenêtres plusieurs couples assis à l'intérieur. *Sans doute en train de savourer le café le plus cher de tout Buenos Aires,* se dit-elle.

Le mur blanc du cimetière de Recoleta apparut. Elle vit ensuite des véhicules de police – motos, voitures de patrouille, fourgonnettes du médecin légiste et de la brigade criminelle – garés pêle-mêle le long du petit parc triangulaire marquant la séparation entre le cimetière et les cafés et restaurants de Junin.

Elle s'arrêta à hauteur du barrage. En descendant de voiture, elle reconnut le bruit du générateur qui alimentait les lumières crues qu'on utilisait, la nuit, pour éclairer les scènes de crime. Un policier en uniforme, sur le point de la refouler, lui fit signe de passer en voyant l'insigne agrafé à son blouson.

Marta pénétra dans la zone délimitée, se dirigea vers les projecteurs installés sur des trépieds, à proximité du mur du cimetière, et repéra le crâne rasé de Héctor Ricardi. Le chef de la Criminelle parlait dans son portable. Marta s'approcha et resta plantée devant lui jusqu'à ce qu'il note sa présence d'un signe de tête.

– Ce sont des connards finis ! siffla-t-il dans son téléphone.

Elle devina, à son ton méprisant, qu'il parlait au commissaire du Q.G. de la police fédérale.

– Ils ont tranché les liens de la victime avant même notre arrivée ! Ça ne fait pas d'eux des connards finis, peut-être ?

Ricardi était un homme grand, massif, qui faisait environ le double du poids de Marta et avait des manières que les gens qualifiaient d'autoritaires. Malgré cela, Marta ne l'avait jamais entendu crier. La plupart du temps, il parlait dans un murmure rauque, bourru.

– Ce que j'attends de vous ? dit-il à son interlocuteur. Que vous appreniez la discipline à ces trouducs. Est-ce trop demander ? (Il croisa le regard de Marta, secoua la tête.) Je vous en remercie. Oui, bien sûr, je vous tiendrai au courant.

D'un geste brusque, il ferma son portable et se tourna vers Marta.

– Bien réveillée, maintenant ?

– Quand vous avez appelé, je rêvais que je nageais au milieu des cygnes.

– Sympa. Ici, la situation n'est pas aussi agréable.

Marta scruta la pénombre, devant elle.

– Il doit bien y avoir trente flics qui piétinent les lieux.

– Oui. Ils s'emploient à bousiller la scène du crime. À croire qu'on les a fait venir exprès pour ça. Ils avaient à peu près fini de tout foutre en l'air quand leur gouine de commissaire a eu la brillante idée de nous informer qu'elle avait un cadavre sur les bras.

Marta connaissait un peu la commissaire du secteur, une femme robuste nommée Liliana Méndez, fille d'un policier à la retraite de la province de Buenos Aires, père et fille réputés aussi malfaisants et corrompus l'un que l'autre. Méndez était championne de boxe de la police fédérale, catégorie poids lourds. Marta l'avait vue s'entraîner au gymnase, frapper le sac de sable, se mesurer à des collègues masculins, qu'elle cognait comme un flic brutal cuisinant un suspect. Marta, qui pesait seulement cinquante-cinq kilos, ne boxait pas. Elle pratiquait le tir à la cible. Elle était capable de faire régulièrement d'excellents cartons de la main droite, de la main gauche ou à deux mains. Lors des concours, ses tirs groupés étaient presque toujours les meilleurs.

– Qui est la victime ?

Ricardi émit un grognement.

– Une belle jeune femme. On ignore encore son nom. Le tueur l'a laissée dans une position... bizarre, disons. (Il fit signe à Marta d'avancer.) Venez jeter un coup d'œil.

Comme ils se dirigeaient vers le mur du cimetière, Marta aperçut Liliana Méndez, poings aux hanches, qui aboyait des ordres. En reconnaissant Marta, la commissaire grimaça un sourire et vint à leur rencontre. Ils se rejoignirent juste sous le faisceau des projecteurs.

– Il paraît que vous avez des réclamations, dit-elle à Ricardi.

– Bordel, c'est un cafouillage de première grandeur ! Vous ne supervisez jamais le travail de vos hommes ?

– On ne trouve pas souvent de cadavres de ce côté-ci du mur du cimetière. Si on m'avait appelée plus tôt, je n'aurais laissé personne toucher la victime.

– Et pourquoi ne vous a-t-on pas appelée plus tôt ?

– Impossible de me joindre. Je dormais chez ma copine. (Elle se rapprocha, agressive.) Ça vous pose un problème, Ricardi ?

– Je n'ai rien à branler de votre vie privée, Méndez. Quand des flics de commissariat tombent sur un homicide, ils doivent boucler le périmètre et nous appeler, point barre.

– Apparemment, cette fois, nous n'avons pas fait ce qu'il fallait. Portez plainte contre moi, je m'en fous éperdument.

9

– Pourquoi donc ? intervint Marta.

Méndez la toisa comme si elle n'était qu'un vulgaire grain de poussière. Marta y était habituée. Son enquête sur l'affaire Casares lui avait valu la célébrité, mais aussi le mépris des flics de terrain. Ceux-ci la détestaient pour la raison même qui faisait que la presse l'avait surnommée « la Incorrupta ». En faisant fi des menaces, en refusant les pots-de-vin et en arrêtant à elle toute seule le fils d'un sénateur, pour le viol et le meurtre de sa petite amie, elle avait démontré que la corruption du système judiciaire n'était pas une fatalité.

– Pourquoi ? Je vais vous le dire. (Méndez empestait le parfum bon marché, une odeur de violette, artificielle et entêtante.) À cause de l'identité de votre victime, tout simplement. Un de mes gars l'a reconnue. Elle s'appelle Silvia Machinchose et c'est une call-girl qui faisait les hôtels rupins. Un métier plein de risques. De toute façon... tout le monde s'en moque, non ?

– Sûrement pas sa mère, dit Marta.

Méndez la fixa avec des yeux ronds, s'esclaffa et s'éloigna. Son parfum s'attarda dans son sillage. *Comme un brouillard déplaisant,* pensa Marta.

– Elle dormait chez sa copine, grogna Ricardi. Et alors ? Ils pouvaient parfaitement la joindre. Elle a un portable comme tout le monde.

Marta s'avança pour regarder la victime, allongée à plat dos sur un poncho jaune de la police. À genoux, un assistant du médecin légiste examinait le corps à la lumière d'une torche.

– Salut, Jorge, dit-elle.

L'assistant leva la tête.

– Salut, inspecteur. Content de vous voir.

Marta détailla la fille. Jeune, menue – et belle, comme l'avait observé Ricardi –, elle avait un teint de porcelaine et des traits délicats. Par ailleurs, ses vêtements étaient coûteux, ses cheveux bien coiffés, ses ongles manucurés.

– Quel est le topo ? s'enquit Marta.

– Ils l'ont trouvée en position assise, appuyée contre le mur du cimetière. Elle avait les mains attachées derrière le dos et reliées à un nœud coulant passé autour du cou. Les flics du commissariat ont coupé les cordes et l'ont allongée par terre. (Jorge roula des yeux excédés.) À les en croire, ils craignaient qu'elle s'étrangle ! En fait, elle était déjà morte quand on l'a déposée ici. Apparemment, elle a aussi été torturée : elle présente des petites entailles au couteau sur les cuisses, le ventre et les seins. Autre chose : la première page d'un journal était enfoncée dans sa bouche. Je viens de la retirer. (Jorge indiqua un sac en plastique destiné à recueillir les indices.) Je suis prêt à l'emmener maintenant si vous êtes d'accord, chef, conclut-il en se tournant vers Ricardi.

Celui-ci hocha la tête et prit le sac en plastique.

– Je garde ça.

Ils se tinrent en retrait pendant que deux autres assistants soulevaient le corps, le plaçaient dans un sac en polyuréthane, tiraient la fermeture Éclair et l'emportaient.

– Il n'y a plus rien pour nous ici, dit Ricardi. Allons discuter devant un café.

Il se dirigea vers La Biela, puis, se ravisant, tourna dans une galerie commerciale de Vincente Lopez où il y avait, à l'entresol, une brasserie ouverte toute la nuit. La plupart des tables, non débarrassées, étaient encore jonchées de serviettes froissées et de restes de pizza dans des assiettes en carton. Ils finirent par trouver une table propre près de la vitrine, offrant une bonne vue sur la scène du crime en contrebas. Marta distingua les toits des mausolées qui dépassaient du mur du cimetière.

Comme la plupart des *Porteños* [1], elle connaissait bien cette nécropole. C'était le plus célèbre cimetière de la ville. Toutes les grandes familles – ou prétendues telles – y possédaient des mausolées, merveilles architecturales miniatures édifiées pour abriter leurs défunts. De souples panthères à face blanche régnaient sur les allées, des fauves aux yeux rusés, tels des danseurs de tango à l'affût de partenaires. Autrefois, la mère de Marta l'amenait souvent ici. Elle trouvait « reposant », disait-elle, de se promener parmi les tombes. Marta se rappelait avoir vu des femmes pleurer devant le caveau de la famille Duarte. Elles versaient des larmes, des années après, sur la mort précoce de leur soi-disant « sainte », Eva Perón, enterrée parmi les riches du Barrio Norte qu'elle avait détestés et qui l'avaient exécrée encore davantage. Une inscription était gravée sous le nom d'Evita : *Je reviendrai et serai des millions.* Nombreux étaient ceux qui, en Argentine, croyaient encore à cette prédiction.

– Vous savez pourquoi je vous ai appelée ? demanda Ricardi.

– Franchement, non, chef. À première vue, c'est un crime sexuel. Pas ma spécialité.

_____

1. Habitants de Buenos Aires. (*N.d.T.*)

— Je sens la grosse affaire.

— Qu'est-ce qui vous fait dire ça ? Le fait que Méndez se soit arrangée pour que ses gars saccagent la scène ?

— Oui... et aussi le journal. (Ricardi posa le sac à indices sur la table.) La première page d'*El Faro*. Pourquoi ce journal particulier ? C'est un message. On a tué cette fille pour l'empêcher de rouspéter.

Ça se défendait. *El Faro* était un journal de gauche indépendant qui possédait la meilleure équipe de journalistes d'investigation d'Argentine, celui qui démasquait les officiels menteurs et les mensonges officiels, celui vers lequel les gens se tournaient pour exprimer leur rogne. Marta le connaissait bien. Pendant son enquête sur Casares, *El Faro* avait fait d'elle une héroïne nationale. Raúl Vargas, le journaliste le plus perspicace du quotidien, était devenu son ami, échangeant des informations avec elle, lui rendant hommage par écrit quand elle avait refusé de se laisser acheter, l'applaudissant quand elle avait tenu tête au sénateur Casares, la portant au pinacle quand elle avait finalement arrêté le fils du sénateur.

— La scène est dévastée. Il n'y a pas d'indices à exploiter.

Ricardi haussa les épaules.

— Vous n'êtes pas du genre à collectionner les indices matériels, vous êtes une enquêteuse. Vous pouvez déterminer qui était cette fille, qui elle connaissait, pourquoi on s'est donné la peine de disposer son corps dans un lieu public en lui fourrant dans la bouche une page d'un journal spécialisé dans les révélations politiques. Pourquoi l'a-t-on torturée ? Que cherchait-on ? S'il s'agit simplement d'un meurtre sexuel, pourquoi le mettre en scène de cette manière, au risque de se faire prendre ? Tout ça, vous pouvez le découvrir. Personne ne vous mettra de bâtons dans les roues, vous êtes trop connue. Vous êtes l'inspecteur Marta Abecasis, alias « la Incorrupta », de la brigade criminelle. (Ricardi s'adossa à la banquette, sourit.) En plus, pour les interrogatoires, vous êtes la plus douée. Avec vous, les gens vident leur sac. Vous pouvez résoudre cette affaire, j'en suis persuadé.

Il se donnait beaucoup de mal pour la convaincre, et elle se demanda pourquoi. Elle regarda par la vitrine. Les flics du commissariat démontaient les projecteurs, nettoyaient les lieux.

— Vous avez une intuition ? s'enquit-elle.

— Méndez a tout fait pour saccager la scène du crime. Pourquoi ? Ça sent la politique à plein nez. C'est aussi pour cette raison que je vous veux sur le coup.

Il la fixait. Marta lui rendit son regard. Elle aimait bien Ricardi, était heureuse d'avoir sa confiance, appréciait le fait qu'il ne lui ordonne pas purement et simplement de prendre l'affaire. C'était la preuve qu'il la respectait, mais peut-être cela cachait-il autre chose ? Si ça se trouvait, il se *servait* d'elle, il en savait plus qu'il ne le disait, ce n'était pas uniquement son instinct de policier qui lui soufflait que ce meurtre de call-girl était beaucoup plus important qu'il y paraissait.

— Casares était sans ambiguïté, lui rappela-t-elle. Les faits parlaient d'eux-mêmes. Tout ce que j'avais à faire, c'était briser le mur de la peur. En l'occurrence, si vous voyez juste, l'affaire est plus opaque. Si je la prends, j'aurai besoin d'aide.

— Naturellement. Qui voulez-vous ?

— Personne de la Criminelle. La plupart de nos hommes sont bons, mais si cette histoire se révèle politique, je ne pourrai faire confiance à aucun d'eux.

— Qui, alors ?

— Mon cousin, Rolo Tejada. Il travaille aux Stups. Si vous pouvez le faire affecter à l'enquête avec moi, je marche.

Ricardi la scruta. Elle devina ce qu'il pensait : la brigade des stupéfiants était notoirement corrompue, peut-être plus encore que n'importe quel autre département de la police fédérale.

— Votre cousin ?

— Le fils de la sœur de ma mère.

— Il n'est donc pas du côté juif ?

— Cela ferait-il une différence ? demanda Marta en souriant.

Ricardi secoua la tête.

— On croirait entendre Méndez : « Ça vous pose un problème, Ricardi ? » Non, Marta... pour moi, ça ne fait pas un pet de différence. Mais je ne mettrai pas deux Juifs sur la même affaire. Non pas pour des raisons d'efficacité, mais à cause de l'impression que ça fera si jamais les tentacules atteignent des sphères plus hautes que prévu. Là, à tous les coups, ça soulèvera la polémique. On parlera de « complot juif ». Bon Dieu, je ne devrais pas être obligé de vous expliquer ça !

— *Bon Dieu,* rien ne vous y oblige ! répliqua Marta, ce qui fit rire Ricardi. Pour votre information, Rolo est un bon petit chrétien, il connaît la rue, il n'accepte pas les pots-de-vin, c'est un excellent enquêteur – et, pour couronner le tout, il m'est totalement loyal.

— Dans ce cas, dit Ricardi, il est à vous.

Il tendit le bras, obligeant Marta à sceller leur accord par une poignée de main.

Il était presque trois heures du matin lorsqu'elle regagna le *barrio* [1] où elle habitait, à quelques blocs de l'imposant édifice du Congrès national. Elle adorait ce quartier et son mélange architectural : des maisons délabrées, occupées par des squatters, voisinaient avec des immeubles naguère élégants, datant des années vingt, époque où Buenos Aires était une ville riche, destination de prédilection des immigrants européens. Le Congreso avait quelque chose de spécial avec son méli-mélo d'arcades, de colonnes, de grilles, de balustrades brisées, et ses balcons des deux premiers étages encombrés de plantes en pots entretenues avec soin. Derrière nombre de maisons se cachaient des petits jardins à la végétation luxuriante. C'était un quartier poussiéreux, un quartier qui fascinait Marta.

Elle trouva à se garer sur Bartolomé Mitre et marcha vers son immeuble, humant en chemin des bouffées du Río de la Plata, l'odeur légèrement acide du fleuve qui, certaines nuits, imprégnait la ville.

Elle grimpa le vieil escalier usé, entra dans l'appartement avec sa clef, se dirigea tout droit vers la chambre de Marina, ouvrit la porte en faisant le moins de bruit possible et contempla avec émerveillement sa délicieuse fille, plongée dans le sommeil satisfait d'une enfant de onze ans.

Elle se pencha pour l'embrasser sur le front avant de gagner sa propre chambre, où elle retrouva Leon endormi à peu près dans la même position. C'était un grand gaillard aux cheveux bruns indisciplinés et aux grands yeux marron, si doux et affectueux qu'il arrivait parfois à Marta, en plein travail, de sortir sa photo et d'avoir les larmes aux yeux rien qu'à les regarder.

Elle rangea son pistolet, se déshabilla, prit une douche rapide et se glissa dans le lit, nichée contre son mari. Il se tourna légèrement et lui posa une main sur le flanc, comme pour s'assurer qu'elle était bien rentrée. Elle sourit, ferma les paupières et essaya de reprendre le fil du rêve qu'elle faisait au moment où elle avait été réveillée, des heures plus tôt, par le coup de téléphone de Ricardi : le rêve dans lequel elle nageait au milieu des cygnes.

---

1. Quartier. (*N.d.T.*)

Le lendemain matin, Leon et elle firent l'amour avec tendresse, sans bruit afin de ne pas déranger Marina qui dormait dans la pièce voisine. Après, il se leva pour faire du café, préparer le petit déjeuner de Marina, s'assurer qu'elle était bien habillée pour l'école. Puis il l'amena dans leur chambre pour que Marta puisse l'embrasser.

– Passe une très bonne journée, ma chérie.

Elle adorait les grands yeux de sa fille, l'innocence qu'ils exprimaient, les boucles châtain clair qui formaient une auréole autour de sa tête, tout comme la tignasse hirsute de Leon formait un cercle autour de la sienne.

Quand il se pencha pour lui donner un baiser, Marina chuchota :

– Merci. Tu es mon champion.

– Et toi ma championne, répondit-il sur le même ton en lui caressant la joue.

Leon déposait Marina à l'école avant de se rendre à son travail. Il était la moitié d'un duo d'entrepreneurs de menuiserie spécialisé dans les rénovations d'appartements. Il exécutait la plupart de ses chantiers dans le Barrio Norte, où résidait la grande bourgeoisie de la ville. Son associé et lui avaient une petite équipe d'ouvriers, qu'ils payaient équitablement, et ils réalisaient d'honnêtes bénéfices. Entre son affaire et le salaire de Marta, ils étaient suffisamment à l'aise pour posséder un pick-up Toyota d'occasion (à lui), une Ford de cinq ans (à elle) et pour offrir à Marina des leçons de tango, sa passion du moment.

Une fois seule, Marta téléphona à son cousin Rolo pour lui annoncer qu'il allait enquêter avec elle sur un meurtre.

– Va à la morgue, lui dit-elle, prends des polaroids de la victime et montre-les dans le secteur de Recoleta. Il nous faut son nom complet, son adresse et tout ce que tu pourras dégoter sur elle.

Cela fait, elle essaya de se rendormir. N'y parvenant pas, elle se leva, mangea un morceau et se rendit elle-même à la morgue.

Depuis quelque temps, Leon la poussait à démissionner de la police pour se lancer dans la politique. « Les gens ont désespérément envie de voter pour quelqu'un d'honnête. Tu ferais une candidate sensationnelle. Les hommes comme les femmes t'apprécient. Je suis persuadé que, si tu tentais le coup, tu réussirais. »

Mais Marta n'était pas prête pour la politique... et ne le serait peut-être jamais. Elle était gênée par la célébrité, n'aimait pas être reconnue, savait se montrer persuasive en tête à tête mais se sentait mal à l'aise pour s'adresser à une foule. De surcroît, elle adorait son métier d'enquêteuse. Travailler sur une affaire, creuser de plus en plus profondément jusqu'à découvrir la vérité : elle ne connaissait rien de plus exaltant que cette expérience. Les instants d'illumination, quand toutes les pièces du puzzle trouvaient leur place, lui procuraient un tel plaisir qu'elle en oubliait la fastidieuse routine policière. En outre, elle voulait montrer aux gens, pas uniquement à l'opinion publique mais aussi à ses collègues, que le métier de flic pouvait être une occupation honorable et pas seulement une autre forme de criminalité.

À la morgue, dans la salle d'examen en sous-sol, elle put voir pour la première fois sa victime de près. La femme était allongée, nue, sur une table de dissection en inox, sous la lumière des lampes chirurgicales.

Marta détestait venir ici : l'éclairage était trop cru, l'air trop froid et la salle empestait le formaldéhyde. Quelle atroce façon de finir, exhibée ainsi, vulnérable, prête à être charcutée par des inconnus ! Les rigoles prévues pour l'écoulement du sang et des fluides corporels témoignaient de la brutalité des opérations pratiquées. Elle contempla la jeune femme, essayant de l'imaginer vivante. Riait-elle beaucoup ? Allumait-elle en entrant dans une pièce ? Aimait-elle quelqu'un ? Était-elle aimée en retour ? S'intéressait-elle à ses clients, même si elle couchait avec eux pour de l'argent ? Ses traits délicats, d'une finesse de porcelaine, rayonnaient encore de beauté. Les entailles au couteau, sur son corps, et les marques de strangulation sur son cou étaient hideuses.

Jorge déclara à Marta que la victime avait indubitablement été torturée. Les blessures n'étaient pas suffisamment profondes pour affecter des organes vitaux.

– Vous voyez comme elles sont bien espacées, inspecteur ? Cette femme a été cuisinée par des experts. En plus, elle était ligotée. (Jorge montra, sur les poignets et les chevilles, des lésions provoquées par des cordes.) Cause de la mort : strangulation lente. Elle était attachée de telle sorte que, plus elle se débattait, plus elle étouffait. Une fois ligotée, ils l'ont piquée un peu partout pour la forcer à se trémousser, jusqu'au moment où elle s'est elle-même privée d'air.

– Comment le savez-vous, puisque les flics avaient tranché ses liens ?

– J'ai déjà vu ce type de cas. Enfin... seulement dans des manuels, à vrai dire. C'est une vieille technique d'interrogatoire militaire. (Jorge lui lança un regard appuyé.) Les tortionnaires l'utilisaient à l'époque du Processus.

El Proceso de Reorganización Nacional : la seule mention de cette période remplissait la plupart des Argentins de chagrin et de honte. De 1976 à 1983, le pays avait été dirigé par une junte militaire sous l'autorité de laquelle des milliers d'innocents avaient été arrêtés, torturés et assassinés. C'était à cette époque, alors que Marta était au collège, que le verbe « être disparu » avait trouvé un usage courant. Elle se souvenait du jour où son professeur de maths, señor Gontero, avait été arrêté. Quatre hommes l'avaient embarqué dans une voiture grise. On ne l'avait plus jamais revu à l'école. « Ces salopards l'ont disparu », murmuraient dans les couloirs les élèves les plus âgés.

– Je veux voir les photos qui illustrent vos manuels, Jorge.

– Je vous les photocopierai.

– Donc, la morte a quelque chose à nous apprendre ?

Jorge acquiesça.

– Elle nous dit quel genre d'individu a fait ça.

– Militaire ou policier, si je comprends bien ?

– C'est ce qu'elle suggère.

– Et sur le plan sexuel ?

– Pas de sperme. Aucune trace de rapports récents. Elle a pris hier un déjeuner léger, steak et salade.

– Un dîner ?

– Aucun signe. Elle a été tuée en début de soirée. Entre huit et neuf heures, selon mes estimations.

– Elle était très belle, vous ne trouvez pas ?

Jorge approuva d'un signe de tête.

– Quel âge ?

– Vingt-deux ou vingt-trois ans, je dirais.

– D'après la commissaire Méndez, elle se prénommait Silvia et était call-girl de luxe à Recoleta.

– La commissaire Méndez a peut-être raison. Je pense par ailleurs que la commissaire est une fonctionnaire extrêmement médiocre.

Marta acquiesça, puis indiqua la victime.

– Pourquoi a-t-elle l'air de sourire ?

– Le visage des défunts prend parfois cette expression.

– Elle devait pourtant être terrifiée.

– Pour sûr, inspecteur. Pour sûr.

17

Marta traversait le hall du bâtiment lorsque son portable sonna. C'était Rolo.

– Elle s'appelle Silvia Santini. J'ai une piste prometteuse. Retrouve-moi pour déjeuner. Je connais un petit restau sur la Plaza Recedo. Il est bon, pas cher et tout près du domicile de son mac.

Le petit boui-boui se révéla un élégant restaurant tout neuf avec un immense tableau accroché au mur : une femme nue allongée sur un divan, Freud assis derrière elle comme s'il la psychanalysait.

Rolo attendait Marta, qui sourit en le voyant. Elle le considérait toujours comme son adorable cousin : grand, mince, il avait des traits fins et des cheveux noirs, lissés en arrière, qui lui conféraient la séduction d'une star de cinéma. C'était le premier garçon qu'elle eût jamais embrassé. À l'âge de douze ans, sur la suggestion de Rolo, ils s'étaient « entraînés » ensemble. « Ça ne comptera pas, lui avait-il assuré. Mais on a intérêt à apprendre comment faire pour ne pas se couvrir de ridicule le moment venu. »

Elle savait bien ce qu'il avait derrière la tête, naturellement, mais ça ne la gênait pas. Avec le recul, elle pensait qu'ils étaient à l'époque aussi affamés de sexe l'un que l'autre. Bien entendu, ils ne s'en tinrent pas aux baisers sur la bouche. Ils prirent l'habitude de s'éclipser en douce, lors des réunions familiales, pour poursuivre leurs « expériences ». Et ils ne tardèrent pas à forniquer sérieusement. Après, ils en plaisantaient. Marta disait d'un ton pénétré : « Nous ne devons pas transgresser le tabou de l'inceste. » À quoi Rolo répliquait : « Hein ? C'est quoi, ça ? » Elle le pinçait, ils éclataient de rire et s'en allaient rejoindre la famille.

– La soupe de maïs est extra, lui dit-il. Les *empanadas* aussi.

Marta commanda les deux, puis indiqua le mur.

– Que signifie ce tableau ?

– Isabel connaît la propriétaire des lieux. (Isabel, la femme de Rolo, était psychothérapeute pour enfants.) Avant, elle était psy. Quand elle a ouvert ce restaurant, elle a voulu introduire une référence à Freud en souvenir de son ancienne profession. Sur son ordinateur, elle a combiné *La Maja nue* de Goya – la femme sur le divan – avec une photo de Freud, elle a fait agrandir le montage et a engagé un artiste pour le peindre.

La soupe était épicée, les *empanadas* nourrissantes. Marta eut du mal à les faire descendre.

– J'ai fait la tournée des grands hôtels de Recoleta, lui dit Rolo. Tous les portiers, sauf un, ont nié connaître la victime. J'ai ensuite interrogé deux chasseurs, qui ont vidé leur sac quand je leur ai offert un pourboire. Silvia était une fille sophistiquée, ce qu'ils appellent une *gata,* une poule de luxe. Selon eux, elle travaillait pour un Yougoslave, un immigrant nommé Ivo Granic. Il a apparemment un petit réseau de *gatas,* trois belles filles et un joli garçon. Il propose un service coûteux, haut de gamme, très discret. Il organise aussi des parties fines chez lui. Mais il faut montrer patte blanche ; un simple coup de fil ne suffit pas.

– Il habite près d'ici ?

– À deux blocs. Je viens de repérer sa maison. Difficile d'en voir grand-chose de la rue. Hauts murs hérissés de tessons. D'après les voisins, il reçoit beaucoup. Dans ces occasions-là, on voit des voitures luxueuses, y compris des voitures officielles avec chauffeurs, garées en double file dans la rue transversale. La voisine déclare avoir vu, une nuit, un couple de vedettes de cinéma sortir de la maison : Juan Sabino et Juanita Courcelles. On peut difficilement faire plus chic.

– Beau travail, Rolo, dit Marta avec satisfaction.

– J'essaie d'impressionner ma nouvelle patronne.

– Il y a des fois, tu sais, où j'ai envie de te serrer dans mes bras. Mais, sur cette enquête, ce genre de choses sera proscrit.

– Hélas !

Elle lui demanda des nouvelles d'Isabel et de leur fils Manuel.

– Le cabinet d'Isabel marche bien. Toutefois, avec la crise économique, elle a dû réduire ses honoraires.

– Elle devrait peut-être ouvrir un restaurant.

Rolo eut un rire appréciateur.

– Manuel, lui, travaille bien à l'école. Soit dit en passant, il est raide dingue de Marina. C'est sa partenaire préférée aux cours de tango.

– On a intérêt à les surveiller. Faudrait pas qu'ils s'entendent trop bien.

Rolo sourit jusqu'aux oreilles.

– Ah, *non* ! Pas question que ça devienne une tradition familiale !

Après le déjeuner, quand ils se levèrent, Marta le regarda en souriant.

– Et puis zut ! Je vais quand même te serrer sur mon cœur.

Ce qu'elle fit.

Ils se rendirent à pied à la maison de Granic. Le quartier, Palermo Viejo, que Marta avait trouvé miteux lors de sa dernière visite, commençait à prendre un aspect élégant, haut de gamme. Elle remarqua de nouvelles boutiques, des galeries, des restaurants et des petits bars coquets, ainsi que des équipes d'ouvriers occupés à restaurer de vieux cottages délabrés. Elle vit de séduisantes jeunes femmes poussant des landaus et un jeune homme promenant un groupe de chiens de race.

Avec l'économie en pleine tourmente et le chômage qui battait des records, Marta fut surprise de cette poussée rénovatrice. Elle se souvint alors de ce que son père disait autrefois : « Même dans les périodes les plus difficiles, il y aura toujours des gens à Buenos Aires qui gagneront de l'argent. »

— Je parlerai de ce quartier à Leon, dit-elle. Là où il y a des promeneurs de chiens, les yuppies sont arrivés.

— La maison de Granic dépasse de loin la catégorie yuppie.

Rolo avait raison. La demeure était la plus grande de tout le secteur. Elle avait même un jardin entouré d'un haut mur, avec des caméras de surveillance installées à chaque angle. Il y avait une autre caméra au-dessus de la porte extérieure, et encore une autre au-dessus du garage.

— C'est une véritable chambre forte, dit Marta. S'il y a des gens à l'intérieur, ils sont déjà au courant de notre présence.

Rolo appuya sur la sonnette. Ils entendirent le carillon se répercuter de l'autre côté de la porte. Il sonna de nouveau, puis, au bout de trente secondes, tourna la poignée avec précaution. Le panneau pivota sur ses gonds.

— Hello ! dit-il d'une voix forte.

N'obtenant pas de réaction, il hurla :

— Ohé ! Il y a quelqu'un ?

Seul l'écho lui répondit. Il regarda Marta, haussa les épaules.

— Bon, dit-elle, allons-y.

Sitôt entrée dans le hall au dallage blanc, elle eut un mauvais pressentiment. Voyant plus loin un salon en contrebas, elle s'en approcha prudemment, puis s'arrêta pour regarder Rolo qui avait écarté le pan de sa veste, dégageant son pistolet. Elle inclina la tête. Il dégaina alors son arme et s'avança en la tenant à deux mains, bras tendus devant lui, dans la posture classique du flic des Stups.

Le salon, austère, était garni de coûteux meubles contemporains aux angles nets. Il y avait des tableaux abstraits, des divans en cuir noir qui se faisaient face et une table basse en verre, aux pieds chromés, sur laquelle étaient disposés des livres d'art. Le décor faisait penser à l'une de ces pièces luxueuses, sans âme, comme on en voit dans les magazines de décoration : tout était immaculé, parfaitement arrangé, sans le moindre indice quant à la personnalité de l'occupant.

— Système de sécurité ultrasophistiqué, porte d'entrée déverrouillée et personne à domicile. Je ne pige pas, chuchota Rolo.

— Il y a peut-être quelqu'un. Peut-être qu'il prend une douche. À ton avis, où est la station de contrôle de toutes ces caméras ?

— Dans la cuisine ?

— Allons voir.

Ils traversèrent une salle à manger décorée dans le même style moderne, luxueux, puis entrèrent dans une cuisine avec plan de travail et garnitures en inox, d'une propreté impeccable, chaque objet à sa place, comme si la pièce n'avait jamais servi.

— Pas de provisions, dit Rolo en ouvrant le réfrigérateur.

En revanche, des bouteilles étaient alignées avec soin sur les clayettes : vin blanc, champagne, vodka et gin.

— On dirait le minibar d'un hôtel gigantesque, dit Marta.

— Toute la maison fait penser à un hôtel. Récemment nettoyé, en plus. On sent encore l'odeur de détergent.

En continuant leur inspection du rez-de-chaussée, ils découvrirent deux W.-C. voisins et une bibliothèque aux étagères remplies de livres n'ayant apparemment jamais été ouverts. Un bureau était installé devant une fenêtre donnant sur le jardin. Il n'y avait rien dessus, à part un téléphone lustré en acier brossé.

Marta s'arrêta au pied de l'escalier recouvert d'un tapis.

— Je n'entends pas de bruit de douche. J'ai l'impression que nous allons trouver quelque chose là-haut.

— Ouais, quelque chose de moche.

— En tout cas, on ne touche à rien.

— D'acc.

Elle dégaina son revolver et s'engagea dans l'escalier, Rolo sur ses talons. À l'étage, il y avait un couloir moquetté sur lequel donnaient quatre portes, toutes fermées. Trois ouvraient sur des chambres vides, avec placards et salles de bains vides, toutes aussi immaculées, luxueuses et impersonnelles que le reste de la maison. La quatrième porte révéla un petit couloir avec, au bout, un étroit escalier menant à une autre porte close.

21

Marta monta avec circonspection, certaine que, s'il y avait quelque chose à découvrir, ce serait en haut de ces marches. À la porte, elle s'arrêta pour écouter. Un faible bourdonnement lui parvint à travers le bois.

D'une brusque poussée, elle ouvrit le panneau. Face à elle, contre le mur du fond, un homme était assis, nu, dans une flaque de sang séché. Bien que mort, il avait les bras levés, écartés de chaque côté. Des mouches bourdonnaient autour de son cadavre et l'odeur de la pièce commençait à devenir irrespirable. Le torse de l'homme, comme celui de Silvia, était criblé de petites entailles au couteau ; mais, contrairement à Silvia, il n'arborait pas un semblant de sourire. Marta s'approcha tout en plaquant un mouchoir sur son nez. Elle vit alors, avec horreur, ce qui retenait en l'air les bras du mort : il avait les paumes clouées au mur.

Cette fois, décida Marta, pas question de laisser des flics de quartier saccager la scène du crime. Suivie de Rolo, elle regagna le rez-de-chaussée pour appeler la brigade criminelle, après quoi ils attendirent l'arrivée du service médico-légal.

La première camionnette mit vingt minutes à rappliquer. Marta et Rolo conduisirent l'équipe d'experts dans la pièce du meurtre, qui faisait partie d'une suite de trois petites chambres de bonne en enfilade : cabinet de travail, chambre à coucher, salle de bains – apparemment, les seules pièces habitées de la maison. Il y avait des vêtements dans les placards, des papiers épars sur le bureau, un téléphone à trois lignes, un passeport de la République argentine dans un tiroir du secrétaire.

D'après la photo du passeport, Marta put établir que le mort était Ivo Granic, le mac de Silvia Santini. Elle nota cependant qu'il manquait certains objets importants : pas de portable, pas d'ordinateur, pas de carnet d'adresses ni d'agenda indiquant des rendez-vous ou des « réservations » pour les *gatas* de Granic. Et il n'y avait toujours aucune trace des écrans de télévision permettant de commander les caméras de surveillance.

– Cherchons la station de contrôle, dit Marta à Rolo. Les experts pourront se débrouiller tout seuls là-haut.

Ils fouillèrent de nouveau la maison de fond en comble, puis le garage. Celui-ci pouvait contenir deux voitures, mais il n'y en avait qu'une seule, un SUV américain tout neuf. Le jardin était bien entretenu, avec une table et des chaises, ainsi qu'un barbecue-rôtissoire aussi immaculé que la gazinière et les fours de la cuisine.

– Il devait avoir une femme de ménage et un jardinier à plein temps pour que tout soit aussi nickel, dit Rolo. Je n'ai jamais vu un garage aussi propre.

– Nous passons à côté de quelque chose, murmura Marta.

Elle fit deux fois le tour de la maison, retourna à l'intérieur, parcourut lentement toutes les pièces du rez-de-chaussée, puis ressortit faire un nouveau circuit autour de la maison.

– De l'extérieur, on voit plus d'espace que n'en comporte la surface au sol, dit-elle à Rolo. Examinons encore le premier étage.

Ils commencèrent par la bibliothèque, tapant sur les murs, cherchant des rayonnages susceptibles de dissimuler une porte. Ils sondèrent les murs de l'office, attenant à la cuisine, et inspectèrent les miroirs des W.-C. du bas. Finalement, Rolo entendit un son creux quand il frappa le mur du fond d'un placard à vêtements, dans le hall.

– Il y a quelque chose derrière, dit-il à Marta. Je n'ai qu'à démolir la cloison à coups de pied.

Marta ne voulut pas procéder de cette manière. Elle insista pour qu'ils trouvent l'entrée.

Il leur fallut une demi-heure. À plusieurs moments, nota-t-elle, Rolo perdit patience. Comme la plupart des flics des Stups, il aimait bien enfoncer les portes. Elle fit de son mieux pour le calmer. Elle était fascinée par le problème et excitée à la pensée de ce qu'ils allaient découvrir. Si les allées et venues dans la maison avaient été filmées, dit-elle à Rolo, ils seraient en mesure d'élucider leur affaire cet après-midi même.

Ce n'était pas par le placard proprement dit qu'on accédait à la cachette. Le mur du fond ne pivotait pas, il n'y avait pas de mécanisme secret. On n'y accédait pas non plus par le plancher du vestiaire de la chambre, juste au-dessus. Il fallait passer par en dessous : dans le garage, une trappe donnait sur un étroit boyau aboutissant à la chaufferie, dont la porte du fond ouvrait sur la station de contrôle.

La pièce n'était pas grande, mais Marta fut impressionnée par ce qu'elle contenait : un bureau surmonté d'étagères abritant vingt moniteurs TV, plusieurs avec magnétoscope intégré, qui révélaient bien davantage que des vues de l'extérieur. En fait, chacune des chambres à coucher était surveillée par quatre moniteurs séparés. Elle envoya Rolo au premier étage afin de tester le système. Assise dans la petite pièce, elle put voir tout ce qu'il faisait, entendre tout ce qu'il disait, aussi bien dans les chambres que dans les salles de bains, grâce à des caméras et à des micros miniatures qu'ils n'avaient pas remarqués, dissimulés dans les plafonds et dans les murs.

– Ce n'est pas un simple poste de surveillance, lui dit-elle quand il la rejoignit. C'est un nid d'espion. Suppose que des visiteurs célèbres, comme Sabino et Courcelles, viennent ici pour une soirée. Granic présente Sabino à l'une de ses *gatas*. Et, peut-être, Courcelles à son joli garçon. Les couples bavardent, fument un peu d'herbe, puis montent s'envoyer en l'air dans l'une des chambres. D'ici, Granic – ou une personne travaillant pour lui – enregistre toute la scène. Selon le degré de vulnérabilité de ses victimes, il peut ensuite exiger pratiquement n'importe quel prix en échange des bandes compromettantes.

– Je serais certainement tenté de tuer un type qui essayerait de me faire ce coup-là.

– Ouais, un type versé dans ce genre d'activités se ferait un tas d'ennemis. Mais où sont les bandes ? Et où est l'ordinateur qui centralise toutes les données et les enregistre sur disque dur ?

– Granic a été torturé. Il leur a parlé de cette pièce, ils y sont descendus et l'ont nettoyée.

– Ils l'ont drôlement bien nettoyée. Elle est aussi immaculée que le reste de la maison. Je vais demander aux experts de rechercher d'éventuelles empreintes, mais quelque chose me dit qu'ils ne trouveront rien.

L'équipe d'experts travailla jusque tard dans la nuit. Dès le lendemain, certaines conclusions pouvaient être tirées :

Granic avait été tué dans la pièce où Marta et Rolo l'avaient découvert. Heure approximative de la mort : dix-huit heures la veille au soir, peu avant l'assassinat de Silvia Santini.

Il n'y avait sur les lieux aucune trace du sang de Silvia, ce qui signifiait qu'elle avait été torturée et tuée ailleurs.

La maison était totalement dépourvue d'indices : pas d'empreintes, pas de fibres, pas de traces laissées par des intrus.

Deux couples de voisins déclarèrent à Rolo qu'une camionnette foncée était entrée dans le garage la veille au soir et que les fenêtres étaient restées éclairées toute la nuit. Une autre voisine, qui promenait son chien vers six heures du matin, avait vu une camionnette foncée sortir en trombe du garage. Le véhicule ayant des vitres noircies, elle ne pouvait préciser combien de personnes il y avait à l'intérieur.

– C'était l'équipe de nettoyage, avança Rolo.

Marta opina du chef.

– Et qui dit équipe de nettoyage dit conspiration.

Ils prenaient un café dans un bistrot pour étudiants, sur la Plazoleta Olazábal, à deux blocs de l'immeuble de la police scientifique où se trouvaient les locaux de la brigade criminelle. La plupart des jeunes gens assis aux tables voisines tiraient sur une cigarette, plusieurs étaient plongés dans des manuels, d'autres discutaient politique, d'autres encore travaillaient studieusement sur leurs ordinateurs portables. Le soleil se reflétait sur une sculpture en bronze toute proche, un assemblage de nus baptisé *Canto al Trabajo*. De l'autre côté de la Plazoleta, on voyait une rangée de colonnes imposantes, la façade de la Faculté d'ingénierie, anciennement quartier général de la Fondation Eva Perón, immense édifice monolithique bâti dans le pompeux style fasciste italien que chérissaient tant les péronistes.

Le ciel était gris, l'air chaud et poisseux. Marta se languissait des douces journées d'automne typiques de Buenos Aires.

– Il est temps de se répartir les tâches, dit-elle. Tu te renseignes sur Silvia, je m'occupe de Granic. Découvre tout ce que tu pourras sur elle, et surtout où elle habitait... parce que c'est sans doute là qu'on l'a tuée. Qui étaient ses amis ? Où a-t-elle mangé ce steak le jour de sa mort ? Tout. Pendant ce temps-là, je vais vérifier le dossier d'immigration de Granic, l'acte de propriété de sa maison et tutti quanti. Mais je vais d'abord essayer un raccourci. Nous avons les noms d'un couple de stars de cinéma. Je vais les cueillir à froid, cet après-midi, pour voir ce qu'ils ont à dire sur le señor Granic et ses orgies nocturnes.

La propriété se trouvait à Pilar, une banlieue située à une trentaine de kilomètres du centre de Buenos Aires. On y trouvait un club équestre très fermé, un club de polo, une excellente école privée et une petite galerie marchande comportant des succursales de magasins et de boutiques sophistiquées de la ville.

La maison, baptisée « Casa de la Felicidad [1] », était protégée par de hautes grilles en fer forgé. Deux caméras de surveillance étaient installées derrière, ainsi qu'un haut-parleur par le biais duquel une voix sévère, masculine, accueillit Marta :

---

1. « Maison du Bonheur ». (*N.d.T.*)

– Exposez le motif de votre visite.

– Police fédérale, brigade criminelle. Je viens voir le señor Sabino et la señora Courcelles.

– Montrez votre insigne.

Marta s'exécuta. Les deux caméras pivotèrent, l'une zoomant sur son visage, l'autre sur son insigne. Suivit une longue pause.

– Vous pouvez entrer. Roulez jusqu'à la maison et garez-vous sur le devant. Une escorte vous conduira.

Les grilles s'ouvrirent. Marta les franchit. Les formalités d'entrée, surtout la voix désincarnée et rébarbative, évoquaient davantage une base militaire qu'une résidence privée.

La route sinueuse, bordée d'eucalyptus parfaitement espacés, grimpait en pente douce. C'était le début de l'automne, mais les prairies qui s'étendaient de chaque côté étaient encore roussies par l'intense chaleur estivale.

Lorsqu'elle aperçut la maison, celle-ci lui parut de prime abord rien moins que grandiose. Toutefois, à mesure qu'elle en approchait, elle commença à en saisir la subtile beauté. Ce n'était pas un château de conte de fées, comme certaines grandes *estancias* de la pampa, mais une structure contemporaine en pierre et en verre, de plain-pied, qui semblait enlacer le terrain environnant. Parfaite demeure, pensa Marta, pour un couple moderne de vedettes de cinéma dont les visages suffisaient à faire sensation. Les milliardaires du bétail importaient des châteaux d'Europe, pierre par pierre, parce que le seul moyen pour eux de faire sensation était d'étaler leur richesse.

Son « escorte » se révéla être Juanita Courcelles. L'actrice, toute menue, n'avait rien à voir avec l'héroïne super glamour que Marta avait vue si souvent à l'écran. Elle n'était pas maquillée et portait une tenue toute simple : T-shirt noir, short noir en nylon et baskets. Malgré son front luisant de sueur, sa beauté était évidente ; on retrouvait les pommettes hautes et les célèbres yeux en amande, grands et sombres, qui suscitaient la sympathie du public quel que fût le rôle qu'elle jouât.

– Bonjour, je suis Juanita, dit-elle en tendant la main. Je sais qui vous êtes. Nous avons suivi votre enquête sur Casares. Quelle aubaine de vous rencontrer en chair et en os !

Malgré son désir de maintenir une distance professionnelle, Marta ne put s'empêcher d'être flattée. Non seulement Juanita Courcelles s'était donné la peine de se présenter, mais elle faisait comme si c'était Marta la célébrité et non l'inverse.

– Nous étions en train de jouer au basket avec les enfants. Juan y est encore. Venez sur la terrasse, que je vous présente toute la bande.

Juanita la précéda dans la maison, traversa le vestibule et entra dans un spacieux salon extrêmement haut de plafond, avec une cheminée en granit et un sol en pierre à chaux. Le mobilier, d'apparence confortable, était sans prétention. Juanita la guida d'un pas rapide vers des portes vitrées coulissantes qui occupaient tout un mur, mais Marta eut le temps d'apercevoir au-dessus du divan un grand tableau de Botero.

Les portes ouvraient sur une large terrasse en pierre d'où on avait une bonne vue sur les plaines avoisinantes. Il y avait en contrebas une grande piscine rectangulaire avec pavillon de bain, un court de tennis d'un côté, un demi-terrain de basket de l'autre. Juan Sabino, en short, le devant et le dos de son débardeur tachés de transpiration, courait sur le terrain avec quatre enfants d'une dizaine d'années. Marta avait lu des articles sur ces gosses, tous adoptés, originaires de pays différents : une Chinoise, une Mexicaine, un beau Soudanais et un Péruvien de pure extraction indienne.

– Limonade ? proposa Juanita.

Accoudée à la balustrade de la terrasse, Marta observa le match. Tous paraissaient bien s'amuser. Juan Sabino dribblait, esquivait, zigzaguait au milieu de ses enfants, faisait des grimaces, multipliait les feintes. Quand il se décida enfin à lancer le ballon, il manqua le panier et, pour rire, menaça du poing les gamins qui poussaient des cris ravis. Marta aurait pu croire, s'il avait eu conscience de sa présence, qu'il en rajoutait spécialement pour elle. Mais il semblait totalement accaparé par les enfants. Elle ne put s'empêcher de sourire en entendant leurs gloussements de joie. *On dirait presque une scène bien réglée,* pensa-t-elle. *Une famille dynamique et unie en train de s'éclater.*

Plus tard, après avoir escorté les gamins jusqu'à la piscine, Sabino grimpa sur la terrasse. Avec ses bras velus, son visage raviné, ses yeux étincelants et sa moustache broussailleuse, il n'était certes pas un adonis. Si les fanzines le surnommaient « le Clark Gable argentin », c'était à cause de son allure ultra-virile, son côté séducteur. Il avait une façon bien à lui de plisser les yeux quand il souriait, et il affichait une expression ironique laissant entendre qu'il était un aventurier, qu'il en était conscient – et que, de surcroît, il savait que les femmes l'adoraient pour cette raison.

Comme Juanita, il parla de l'admiration avec laquelle ils avaient suivi le travail de Marta sur l'affaire Casares. Il n'y avait apparemment rien d'artificiel chez lui, aucune insincérité manifeste. Pour autant, Marta n'oublia pas qu'elle était en présence de deux acteurs extrêmement talentueux, réputés pour leur capacité à séduire les gens, à s'attirer leur sympathie.

Allongé sur un transat, Sabino sirotait un verre de limonade avec une paille.

– Nous savons pourquoi vous êtes venue, dit-il. C'est ce pauvre Ivo, n'est-ce pas ?

– Vous le connaissiez bien ? s'enquit Marta.

– Très bien. Il a été notre garde du corps personnel pendant deux ans. Il s'occupait de notre sécurité. Un type charmant. Les enfants l'adoraient. Mais, au bout d'un moment, nous nous sommes aperçus qu'il ne convenait pas pour des gens qui mènent une vie comme la nôtre. Ne vous méprenez pas : c'était un pro accompli, nous n'avions rien à lui reprocher. Il prenait son boulot au sérieux et l'exécutait à la perfection.

– C'était justement là le problème, intervint Juanita.

– Je ne suis pas sûre de comprendre.

– Nous avons un style de vie informel. D'accord, nous sommes des acteurs riches et célèbres, mais nous tâchons de faire en sorte que ça influe le moins possible sur notre existence. Ivo était trop strict sur les questions de sécurité. Il se comportait comme si nous étions traqués en permanence, comme si toute personne qui nous approchait représentait une menace. Son attitude effrayait nos admirateurs. Nous l'aimions beaucoup, mais ce n'était pas reposant de l'avoir à nos côtés. Il rendait tout le monde... nerveux.

– Nous avons finalement décidé de nous en séparer, conclut Sabino. Ce fut, je suis heureux de le préciser, une séparation à l'amiable. La relation avec un garde du corps est extrêmement intime. Ivo connaissait tous nos défauts, nos manies. Quand il est parti, il aurait très bien pu fourguer nos petits secrets aux tabloïds. Mais il ne nous a jamais trahis, n'a jamais parlé de nous à qui que ce soit. Nous avons été tristes, le jour de son départ. Encore plus tristes ce matin, en apprenant qu'il avait été tué. Nous ne l'avons pas encore dit aux enfants.

– Dans quelles circonstances l'aviez-vous engagé ?

– Nous l'avions recruté par une agence. Il avait d'excellentes références.

– Avait-il de l'expérience en matière de sécurité ?

– Oui. En Yougoslavie, il s'était occupé de la sécurité du président. Ce qui se passait dans son pays ne lui plaisait pas. Quand son mariage a coulé, il a décidé de s'installer ici pour démarrer une nouvelle vie.

– Il disait que c'était ici ou l'Australie, n'est-ce pas, chéri ?

– Je crois, oui. Quelque chose dans ce genre-là.

Marta les observa. *Mentaient-ils ?* Elle n'avait aucun moyen de le savoir. Toutefois, son instinct lui disait qu'ils s'étaient confiés à elle un peu trop rapidement, avec une familiarité excessive.

– Qu'a-t-il fait après avoir quitté votre service ? demanda-t-elle.

– Il a ouvert une sorte d'agence de tourisme, je crois.

– Vous n'en êtes pas sûre ?

Juanita haussa les épaules.

– Nous ne l'avions pas revu depuis un an et demi. Ce n'était pas faute d'en avoir envie, comprenez-moi bien, mais nous sommes des gens occupés. Nous avons un emploi du temps chargé.

– Nous pouvions difficilement le rencontrer dans un cadre mondain, ajouta Sabino. Ç'aurait été embarrassant pour nous trois.

Dans la mesure où des témoins avaient vu le couple sortir de la maison de Granic, Marta savait maintenant qu'ils mentaient. Contrariée, elle décida de les pousser à s'enferrer dans des mensonges encore plus spécifiques.

– Parce qu'il connaissait vos secrets de famille ?

Sabino lui lança un regard acéré.

– Parce qu'il avait été notre employé. On ne fréquente pas sur le plan personnel d'anciens domestiques. C'est tout bonnement gênant.

– Cette agence de tourisme qu'il avait lancée... vous ne saviez pas que c'était un service de prostitution haut de gamme ?

Juan et Juanita échangèrent un coup d'œil.

– Vous plaisantez !

Marta secoua la tête. Leur numéro commençait à cafouiller. Elle les trouvait exaspérants mais décida de n'en rien montrer.

– Votre ancien garde du corps était devenu un maquereau. (Elle utilisa délibérément le terme vulgaire.) D'après ce que nous savons, il organisait aussi des partouzes chez lui. Des gens célèbres ont été vus entrer et sortir de sa maison : politiciens, chanteurs d'opéra, des personnalités de ce genre... On raconte également qu'il enregistrait les ébats et se servait ensuite des vidéocassettes pour faire chanter les participants.

– C'est horrible ! s'exclama Juanita.

– Franchement difficile à croire, ajouta Sabino.

– Malheureusement, c'est vrai. Où croyez-vous qu'il avait trouvé l'argent pour s'acheter cette superbe maison ?

Elle surprit un bref regard de complicité entre eux. Mais ils étaient intelligents et ne tombèrent pas dans le piège.

– Nous n'avons jamais vu sa maison, répondit Sabino en retirant ses baskets et ses chaussettes. Excusez-moi, je vais me rafraîchir dans la piscine. Faut que je surveille un peu les gamins.

Il se leva et ôta sa chemise, dévoilant les muscles saillants de son torse. Puis il piqua un sprint et plongea dans le bassin. Les enfants l'ovationnèrent quand il toucha l'eau, puis ils entreprirent tous les cinq de s'éclabousser à grands cris.

– Je crois que j'ai irrité votre mari, dit Marta.

– Nous ne savions rien de tout cela. (Juanita marqua une pause.) Vous êtes sûre qu'Ivo se livrait à cette activité ?

– Sûre et certaine. (Marta consulta sa montre.) Il faut que j'y aille.

Les deux femmes se levèrent et il y eut un moment d'embarras : Juanita parut sur le point de dire quelque chose, puis se ravisa. Elle insista pour raccompagner Marta à sa voiture.

– Allez-vous souvent en ville ? questionna Marta tandis qu'elles traversaient la maison en sens inverse.

– Pas très, non. Quand nous ne sommes pas en tournage, nous passons le plus clair de notre temps ici. Pour rompre le rythme, je vais voir des amies une fois par semaine. Nous nous retrouvons au gymnase, nous faisons des exercices ensemble, puis nous déjeunons et je rentre à la maison. Juan et moi sortons rarement le soir. Contrairement à la plupart des gens du métier, nous sommes un couple très famille, à l'ancienne. Nous préférons les plaisirs simples. (Elle sourit à Marta.) Vous avez des enfants ?

– Une fille.

– Quel âge ?

– Onze ans.

– Super ! Ayant vous-même un enfant, vous comprenez certainement ce que je veux dire.

Marta acquiesça mais ne répondit pas. Tout en démarrant, elle pensa : *Un couple très famille ! Menteurs !*

*

Trois jours plus tard, l'enquête en était au point mort.

Marta avait découvert que Granic avait payé sa maison deux cent mille dollars cash, et bien plus encore pour la faire rénover. Mais à la question de savoir où Granic s'était procuré l'argent, son notaire répondit par un haussement d'épaules.

Les deux autres filles et le garçon qui se prostituaient pour Granic demeuraient introuvables. Même chose pour ses domestiques. À croire que tous ceux qui avaient un lien quelconque avec lui avaient quitté la ville ou se cachaient, effrayés.

Rolo localisa l'appartement de Silvia Santini, qui se révéla aussi nickel que celui de Granic : ni empreintes, ni portable, ni répertoire d'adresses, ni ordinateur. De surcroît, il n'y avait aucun indice suggérant que Silvia eût été tuée chez elle. De toute évidence, l'équipe de nettoyage en camionnette foncée était également passée par là.

– *Qui* sont ces gens ? interrogea Marta.

– Personne ne parle, dit Rolo.

– Pour l'instant, au fond, nous n'avons guère que deux vedettes de cinéma qui mentent.

Ils étaient dans la voiture de Marta, en route pour San Telmo où leurs enfants respectifs prenaient des cours de tango ensemble. Il avait plu tout l'après-midi, si fort par moments que les essuie-glaces avaient du mal à suivre.

Comme Marta tournait au coin de Piedras et de l'Avenida San Juan, elle faillit être éjectée de la route par un bus. Rolo baissa sa vitre et hurla :

– Connard !

Il ajouta en maugréant :

– Ces chauffeurs de *colectivo* sont complètement bourrés !

Pour apaiser la colère de son cousin, Marta alluma l'autoradio. Il y avait une émission que Rolo aimait bien, *Radio La Colifata*, dans laquelle un interviewer imperturbable interrogeait des pensionnaires de l'hôpital psychiatrique de Borda sur les événements d'actualité.

– ... nous vivons dans une république bananière, disait l'une des pensionnaires. Mais où sont les bananes ? Voyez-vous, c'est ça le grand mystère argentin. *Les bananes ! Où sont* les bananes ?

– Elle a autant de bon sens que les politiciens ! s'esclaffa Rolo.

Ce qui était vrai, songea Marta. Et là, au moins, ils pouvaient en rire.

– Nous avons le choix entre deux méthodes, dit-elle à Rolo. Embarquer tous les protagonistes au quartier général, les coller dans des petites salles d'interrogatoire putrides et les intimider jusqu'à ce que quelqu'un se mette à table. Ou alors, trouver un témoin plus vulnérable, faire appel à ses nobles instincts, le convaincre de nous aider à résoudre deux horribles meurtres avec tortures.

– Aux Stups, on utilise toujours la première méthode.

– Je préfère la seconde, dit Marta. Parmi les gens que tu as interrogés, qui serait susceptible de coopérer ?

Rolo réfléchit.

– Je n'en vois qu'un seul : le portier de jour du Royal. Il était le lien entre l'hôtel et Granic. Il m'a fait l'effet d'un type correct. C'est lui qui m'a donné les prénoms des autres call-girls et m'a parlé des partouzes. Bien aiguillé, il pourrait en dire davantage.

– J'irai le voir dans la matinée. Pendant ce temps-là, tu retourneras interroger les voisins de Granic. Je veux savoir quelles autres célébrités ils ont vu fréquenter cette maison. Surtout des membres du gouvernement. Des gens qui ne peuvent pas se permettre un scandale.

Le cours de tango, qui se tenait dans une ancienne salle d'exposition de meubles, se terminait juste quand ils arrivèrent. En fiers parents, ils restèrent contre le mur à regarder leurs enfants achever la brève *tanda*[1] qui marquait traditionnellement la fin du cours. Quand les professeurs, un homme et une femme, congédièrent les élèves, Marina et Manuel s'élancèrent vers eux, les yeux brillants, le visage empourpré.

– Cousin Manuel m'a écrasé le pied ! annonça Marina.

– Le professeur a dit que cousine Marina dansait trop sexy ! rapporta à son tour Manuel.

Tout le monde rit, après quoi on s'entassa dans la voiture. Marta déposa Rolo et Manuel devant leur immeuble de Monserrat, puis ramena sa fille à la maison.

La pluie avait cessé lorsqu'elle se gara dans une grande flaque, sur Bartolomé Mitre. Marina et elle allèrent acheter dans une épicerie des pommes, des carottes, des patates et un poulet rôti pour le dîner, puis montèrent à pied les trois étages jusqu'à l'appartement.

Comme Marta ouvrait la porte, Marina indiqua le plancher.

– Regarde, maman. Quelqu'un a déposé un paquet.

---

1. Au bal, série de quatre ou cinq danses entre deux intermèdes musicaux. (*N.d.T.*)

Marta le ramassa. C'était une enveloppe grand format sur laquelle étaient écrits, en lettres capitales, les mots : POUR « LA INCORRUPTA ».

Elle envoya Marina se débarbouiller dans sa chambre, emporta les provisions dans la cuisine, puis s'assit pour voir ce que contenait l'enveloppe.

Elle y trouva cinq grandes photographies en couleurs, extrêmement obscènes, parfaitement explicites, montrant deux femmes séduisantes en train de faire l'amour. Sur quatre des clichés, les têtes étaient coupées par le cadrage ; en revanche, sur le cinquième, on reconnaissait clairement Silvia Santini. Il y avait également un petit instantané d'un couple en maillot de bain sur une plage.

Le mot d'accompagnement était rédigé, lui aussi, en lettres capitales :

CHÈRE INCORRUPTA,
LES PIÈCES JOINTES DEVRAIENT VOUS INTÉRESSER. LA PREMIÈRE FEMME, VOUS LA CONNAISSEZ DÉJÀ. SON CORPS A ÉTÉ RETROUVÉ IL Y A QUATRE JOURS À RECOLETA. LA FEMME QU'ELLE ENLACE EST GRACIELA VIERA, ÉPOUSE DE NOTRE TRÈS AMBITIEUX MINISTRE DES FINANCES. CI-JOINT UN PETIT INSTANTANÉ POUR VÉRIFICATION. IL A ÉTÉ PRIS LE MOIS DERNIER SUR LA PLAGE DE PUNTA DEL ESTE. DANS L'ESPOIR QUE VOUS JUGEREZ CES DOCUMENTS UTILES À VOTRE ENQUÊTE.
RESPECTUEUSEMENT VÔTRE,
UN ADMIRATEUR

N'eût été l'instantané, Marta aurait considéré cet envoi comme du matériel porno bon à jeter. Mais la photo sur la plage, montrant Viera et sa femme en maillot de bain, révélait sur l'omoplate droite de la señora Viera un petit tatouage qui coïncidait parfaitement avec celui que portait l'inconnue sur les photos de lesbiennes. Ledit tatouage représentait un cœur percé d'une flèche, avec les initiales entrelacées des Viera : G et J. D'autre part, l'arrière-plan des photos correspondait, dans le souvenir de Marta, au décor d'une des chambres de la maison de Granic.

Ce soir-là, une fois Marina couchée, ses devoirs terminés, Marta et Leon firent l'amour. Ensuite, lorsqu'ils furent allongés côte à côte, sous le ventilateur de plafond qui tournait lentement, Marta montra les photos à Leon.

– Bon Dieu ! s'exclama-t-il en se redressant. L'obscénité n'a vraiment pas de bornes. Apparemment, quelqu'un a surpris Graciela au moment où elle prenait son pied !

– Ces photos peuvent-elles faire des dégâts ?

Leon sourit.

– Sur le plan politique, c'est de la dynamite.

– Pourquoi, dis-moi ?

– Parce que, comme c'est écrit dans le message, José Viera est ambitieux. Beaucoup de gens pensent qu'il va se lancer dans la course à la présidence. Il se positionne depuis des mois.

– Vu la situation économique catastrophique, comment le ministre des Finances peut-il briguer la présidence ?

– Il prétendra qu'il n'est pas responsable, qu'il fait juste son devoir de patriote au sein d'un gouvernement de transition. Il dira qu'il a décidé de se présenter parce qu'on ne l'a pas laissé prendre « les mesures nécessaires ». Il va bientôt donner sa démission... tu verras. La campagne sera acharnée, peut-être même sanglante. Les éditorialistes nous expliquent déjà que nous sommes mûrs pour « la politique de la violence ».

– Mais quel rapport entre sa candidature et sa femme ? Qu'est-ce que ça peut faire qu'elle soit bisexuelle ou lesbienne ?

– Marta chérie... tu es une âme si pure ! (Il l'embrassa, lui caressa la joue.) La politique présidentielle est toujours fondée sur le machisme. Une révélation comme celle-là serait désastreuse pour Viera, surtout dans les provinces. Un ministre d'État dont l'épouse entretient une liaison homosexuelle, c'est déjà assez gratiné. Mais avec une call-girl, en plus ! Ça dit au monde entier qu'elle a dû payer pour être satisfaite. Si Viera se présente à la présidence et que cette histoire sort dans la presse, ça fera de lui un cocu de la pire espèce. Il sera la risée de l'opinion.

Le lendemain matin, elle n'alla pas directement à l'hôtel Royal interroger le portier. Elle se rendit d'abord chez Granic, se fit ouvrir par le policier de garde et monta à l'étage.

La décoration de l'une des chambres coïncidait parfaitement avec l'arrière-plan des cinq photos grand format. Étant assurée que les clichés avaient bien été pris dans cette pièce, elle regagna son bureau, fit une copie couleur de chacune des photos, puis deux copies de l'instantané des Viera sur la plage – l'un non retouché, l'autre avec les visages masqués.

Elle alla remettre les originaux et la copie tronquée de l'instantané à Irma Mariani, une photo-analyste du service scientifique. Elle appela ensuite le ministère des Finances pour solliciter un rendez-vous le jour même avec Hugo Charbonneau, homme de confiance et chef de cabinet de José Viera.

Quand la secrétaire de Charbonneau lui demanda l'objet de sa requête, Marta lui répondit que cela concernait « une affaire extrêmement sensible se rapportant à une enquête sur un meurtre ».

Elle entendit la secrétaire lâcher un petit hoquet.

– Très bien, inspecteur. Le señor Charbonneau vous recevra à seize heures.

Le portier de jour de l'hôtel Royal, Antonio Beltrán, était un jeune homme de petite taille, chaleureux, avec un front dégarni et une fine moustache. Il n'avait pas grand-chose à dire sinon qu'il connaissait le call-boy qui travaillait pour Granic, un garçon prénommé « Eduardo ». Celui-ci fréquentait un dancing de Recoleta appelé Contramano.

– Comment savez-vous qu'il fréquente cet endroit? s'enquit Marta.

– Je l'y ai rencontré un certain nombre de fois.

– Vous êtes gay?

– Oui.

– Avez-vous dansé avec lui?

– Oui.

– C'est un bon danseur?

– Un merveilleux danseur. Bien plus doué que moi. C'est pourquoi je n'ai pas eu souvent l'occasion d'être son partenaire. L'univers des clubs est cruel, señora inspecteur.

– Je l'imagine. Comment s'appelait l'agence de Granic?

– « Las Bellezas. »

– Vous avez dit à mon coéquipier que Granic organisait des partouzes. Y avez-vous assisté?

– Non, mais j'en ai entendu parler.

– Par Eduardo?

– Oui.

– Cet Eduardo... sortait-il indifféremment avec des hommes et des femmes?

– Il avait des talents variés, oui.

– « Eduardo » est un prénom très répandu. C'est tout ce que vous pouvez me dire sur lui?

Beltrán ferma les yeux plusieurs secondes.

– Il est grand, très mince, très joli garçon, et il a de très beaux yeux. (Il regarda Marta, sourit avec douceur.) Et quelles que soient les autres personnes présentes, il sera toujours le plus joli garçon du club et le meilleur danseur sur la piste.

Alors qu'elle traversait la Plaza de Mayo, la pluie se mit à tomber dru. Une manifestation de moyenne importance était en cours : des employés du téléphone brandissaient des banderoles, un camion sonorisé diffusait un discours inintelligible, plusieurs dizaines de flics montaient la garde derrière une série de barricades qui étaient peut-être les plus souvent utilisées d'Amérique du Sud.

Beaucoup d'événements historiques avaient eu lieu sur cette place. Quelques mois plus tôt, des milliers d'hommes et de femmes en colère s'y étaient rassemblés pour donner dans la nuit un concert de casseroles et d'ustensiles de cuisine. La nuit suivante, quand la police montée avait tenté de déloger les émeutiers de la Plaza, il y avait eu six morts, deux par balles, quatre piétinés par les chevaux. Le lendemain, le gouvernement tombait. Mais cet après-midi, quand l'averse s'abattit, tout le monde – y compris les flics – détala pour se mettre à l'abri.

Marta courut vers Hipólito Yrigoyen, manquant entrer en collision avec une paire de manifestants qui cherchait refuge sous un palmier trempé. Des éclairs zébraient le ciel. D'un pas pressé, elle se dirigea vers la porte du ministère des Finances, à côté de laquelle était apposée une plaque rappelant le mitraillage aérien qui avait provoqué la chute du premier gouvernement Perón : « Les cicatrices sur ce marbre furent le fruit de la discorde et de l'intolérance. Leur empreinte aidera la nation à préparer un glorieux avenir. »

Un coup de tonnerre retentit à l'instant même où elle entrait dans le bâtiment. Le grondement parut la propulser à l'intérieur. Pendant quelques secondes, les lumières du hall faiblirent. Quand elles brillèrent de nouveau, Marta se retrouva, cheveux et blouson trempés, devant un bureau surélevé. Le réceptionniste la toisa d'un air méprisant.

– Il n'est pas permis d'utiliser le ministère comme abri, señora.

Marta exhiba son insigne.

– Veuillez informer le secrétariat du señor Charbonneau que l'inspecteur Abecasis, de la police fédérale, attend d'être reçue.

Changeant aussitôt d'attitude, le réceptionniste décrocha un téléphone et annonça l'arrivée de la visiteuse. Deux minutes plus tard, une jeune femme en tailleur élégant vint chercher Marta pour l'escorter à l'étage. C'était la première fois qu'elle venait au ministère, mais elle se l'était toujours imaginé comme un endroit gris, terne, où des milliers de bureaucrates, tout aussi gris et ternes, fixaient les interminables rangées de chiffres défilant sur leurs écrans d'ordinateurs.

Hugo Charbonneau avait des cheveux gris coupés très court, style militaire, mais il n'y avait rien de terne chez lui. Ses yeux, d'un bleu glacier, étaient les plus perçants que Marta eût jamais vus. Assis à son bureau, il la scrutait avec impatience à travers une paire de lunettes à fine monture dorée. Âgé d'environ cinquante-cinq ans, il émanait de lui une certaine dureté, une aura qui parlait d'auto-discipline intransigeante, peut-être même de mortification personnelle. *Il fait penser à un prêtre entre deux âges, intelligent, rusé et très coriace,* songea-t-elle.

— Parlez, inspecteur. (Il fit craquer ses jointures, pianota des deux index sur son bureau.) Ici, tout le monde est très occupé. Vous avez demandé à me voir en urgence. Veuillez en venir au fait.

OK, tu l'auras voulu.

— Il y a cinq jours, une femme a été retrouvée assassinée contre le mur du cimetière de Recoleta. Elle était ce qu'on appelle une *gata,* une call-girl de luxe. Nous avons retrouvé son mac, tué le même soir à son domicile. Les deux victimes avaient d'abord été torturées par des gens utilisant une technique d'interrogatoire pratiquée, m'a-t-on dit, à l'époque du Processus. Il y avait dans la maison un système de surveillance, des caméras et des micros installés dans les chambres pour filmer et enregistrer tout ce qui s'y passait. Hier, j'ai reçu d'une source anonyme une série de photographies montrant deux femmes en train de faire l'amour dans l'une de ces chambres. L'une des femmes est facile à identifier : c'est la victime du meurtre. Peut-être pourrez-vous identifier l'autre.

Même quand elle posa l'enveloppe sur son bureau, Charbonneau continua de la fixer sans ciller.

— Qu'est-ce qui vous fait croire que je connaîtrais cette personne ?

— Jetez donc un coup d'œil, pour voir.

— Serait-ce un piège, inspecteur ?

— Il s'agit d'une enquête criminelle. J'attends de vous que vous coopériez.

Charbonneau regarda l'enveloppe. Marta avait enfermé l'original dans son bureau, mais avait photocopié sur celle-ci la mention

POUR « LA INCORRUPTA » avant d'y glisser les copies des photos.

— Peut-être devrais-je consulter notre conseiller juridique.

— Libre à vous de le faire, auquel cas nous irons tous ensemble au palais de justice pour conduire cet interrogatoire devant un juge.

Charbonneau lui dédia un sourire très pincé.

— J'ai entendu parler de vous, inspecteur. Je suppose qu'il y a des gens qui vous craignent.

— Oh ! en réalité, je suis un amour, dit Marta.

Cette fois, le sourire de Charbonneau se dégela un peu.

— Ouais, une vraie fliquette sentimentale, je n'en doute pas. (Il lança un coup d'œil sur l'enveloppe, la prit.) Voyons ce que vous avez là.

Il sortit les photos, les regarda, émit un gloussement et les jeta sur son bureau.

— Je ne vois pas comment on pourrait identifier la seconde femme, puisqu'on ne voit pas son visage.

— Avez-vous remarqué les initiales entrelacées sur son omoplate ?

Charbonneau examina de nouveau les photos, les yeux plissés.

— On dirait un « G » et un « J ».

— À présent, veuillez regarder ceci. (Elle lui passa la copie intacte de l'instantané sur la plage.) Vous reconnaissez la femme ?

Charbonneau se redressa brusquement.

— Bien entendu !

À cet instant, un autre coup de tonnerre fit décliner les lumières de la pièce.

— Et le tatouage qu'elle a sur l'omoplate... n'est-ce pas le même ?

Charbonneau, maintenant sur le qui-vive, regardait Marta, les yeux remplis de colère.

— C'est un outrage !

Marta inclina la tête.

— Je suis d'accord. C'est un outrage, en effet. Mais de quel genre, je n'en suis pas encore très sûre. Deux personnes ont été assassinées. D'après ce que nous savons, l'une d'elles était un maître chanteur. Je viens de vous montrer des documents compromettants concernant l'épouse d'un ministre en exercice. Quelles conclusions devons-nous en tirer ?

— Des *conclusions* ! Vous me parlez de « *conclusions* » ! Ce que vous m'avez montré, c'est bon pour la poubelle. (Il était tellement furieux, sembla-t-il à Marta, que son autodiscipline de fer était sur le point de craquer.) Ces photos qui prétendent...

Par la fenêtre, Marta vit un éclair déchirer le ciel. Charbonneau, nota-t-elle, ne tiqua pas. Il était trop enragé.

– Ce sont des *faux* ! J'ignore qui vous les a envoyés, mais l'expéditeur cherche à se servir de la police. Il tente aussi de ridiculiser le ministre en avilissant son épouse avec un scandale qui n'a jamais existé. Et ça, inspecteur, c'est *intolérable* !

– Si ces photos sont des faux, je suis complètement d'accord avec vous. C'est pourquoi je vous les ai apportées. Une seule autre personne – une photo-analyste – les a vues, avec une copie de l'instantané sans les visages. Si elle détermine que ce sont des faux, personne d'autre ne les verra. Dans le cas contraire...

– Soyez très prudente, inspecteur, avant de proférer des menaces.

– Je remarque simplement...

– Je sais ce que vous remarquez. Écoutez attentivement. Comme c'est écrit dans la Loi, tout le monde a son « jardin secret » : ses peccadilles personnelles, sa vie sexuelle, tout ça. Tant qu'un homme ou une femme n'ouvre pas la grille de son jardin, on doit respecter son intimité. Les activités privées de l'épouse du ministre ne concernent qu'elle et personne d'autre. Toutefois, la connaissant comme je la connais, je puis vous assurer que ces photos ont été truquées. J'ignore comment on s'y est pris mais, croyez-moi, l'explication est là. À présent, la question qui se pose est celle-ci : *pourquoi ?* Pourquoi irait-on utiliser des documents aussi minables pour impliquer une innocente dans une affaire de meurtre ? Je vous laisse le soin de le deviner. Mais voyez-vous, même s'il est prouvé que ces photos sont des faux, il restera le soupçon, la souillure que représente pour une haute personnalité publique le fait que son épouse cherche le plaisir en dehors du mariage. Et c'est ce soupçon qui peut faire le plus de dégâts. La question évidente est : qui gagnerait à répandre ce genre de rumeur vicieuse ? À votre place, je chercherais la réponse du côté des ennemis politiques de mon ministre.

Il s'adossa à son siège. Il était redevenu le prêtre rigide, parfaitement sous contrôle.

– Et maintenant, inspecteur, l'entretien est terminé.

Ricardi éclata de rire.

– Mais, Marta... Hugo Charbonneau *est* prêtre ! Il l'était, tout au moins. Il a abandonné son poste d'aumônier militaire quand Viera l'a embauché.

Marta avait été convoquée dans le bureau de Ricardi pour expliquer sa visite au ministère des Finances. Le patron de la police fédérale avait fermement conseillé à Ricardi de freiner les ardeurs de sa célèbre détective. Marta n'en fut pas surprise ; elle avait bien pensé que Charbonneau se plaindrait. Cependant, quand elle montra au chef les photos de Silvia Santini, celui-ci reconnut qu'elle avait eu la bonne réaction.

– Si vous aviez soumis ces clichés directement à la señora Viera ou au ministre, ils auraient eu des raisons de protester. Vous avez bien fait d'aller voir l'homme de confiance de Viera. Mais... (Ricardi secoua la tête)... il reste un problème.

– Lequel ?

– Avez-vous vu ça ?

Il lui passa un exemplaire ouvert de la dernière édition d'*El Faro*. Il avait encerclé un entrefilet non signé, en deuxième page, dans la rubrique « potins politiques » :

> Des rumeurs concernant une curieuse série de photographies circulent dans les milieux politiques. Lesdites photos montreraient l'épouse d'un possible candidat à la présidence dans des positions compromettantes avec une autre femme. Il est probable que personne n'y prêterait attention si la seconde femme, inconnue, n'était la victime d'un meurtre récent non encore élucidé...

Marta savait que cette fuite ne pouvait provenir d'Irma, puisque la photo-analyste n'avait vu que l'instantané avec les visages découpés des Viera. Elle en déduisit que son « admirateur » anonyme avait également envoyé les clichés à *El Faro*.

– Charbonneau a laissé entendre que nous étions manipulés, que ces photos étaient truquées par les ennemis politiques de Viera.

– Un « coup tordu » politique... ouais, c'est possible, mais il aurait fallu que l'auteur ait accès aux enregistrements de Granic. Pour commencer, il faut savoir si ces photos ont été falsifiées ou non.

– On vient de me prévenir que l'analyse est terminée. J'allais justement au labo quand vous avez appelé... Vous avez examiné le rapport de Jorge, du bureau du médecin légiste ?

Ricardi acquiesça.

– Vous aviez raison : vos victimes ont été torturées selon une technique utilisée à l'époque du Processus.

– Une technique militaire, exact ? Or vous me dites que Charbonneau a été aumônier militaire. Je trouve ce détail intéressant.

Ricardi murmura sa réponse d'une voix rauque :

– Je vous l'ai toujours dit, Marta : quand vous avez une intuition, suivez-la.

Elle se rendit tout droit au labo d'analyse photographique. Irma Mariani ferma aussitôt la porte derrière elle, baissa les stores, déroula un écran et alluma une paire de projecteurs installés côte à côte.

– J'ai fait des diapos de vos photos. Regardez bien cette tache de naissance. (Au moyen d'un pointeur laser, Irma indiqua une zone située plusieurs centimètres au-dessous du tatouage.) Maintenant, regardez la même zone sur la copie de l'instantané que vous m'avez confiée. (Elle projeta l'image du couple sur la plage.) Vous ne voyez pas de tache de naissance sur celle-ci, n'est-ce pas ?

Marta fit un signe de dénégation.

– Peut-être que la femme portait une lotion solaire et que le soleil brillait très fort. C'est une explication plausible. Ou encore, puisqu'il s'agit d'une copie, la tache de naissance n'a simplement pas rendu. Mais maintenant, observez bien le tatouage. (Elle utilisa de nouveau le pointeur.) Sur cette photo prise dans la chambre, il est dans la même position. Mais sur celle-là... (Elle passa une autre diapositive)... il apparaît sous un angle différent. Sur les troisième et quatrième photos, le tatouage retrouve sa place normale. Et puis, sur la cinquième, il est de nouveau de travers.

– Qu'est-ce que ça signifie ?

Marta avait tablé sur le fait que les photographies étaient authentiques. Il était clair, à présent, qu'elles ne l'étaient pas.

– Ça signifie qu'un expert en cyberphotographie, utilisant un logiciel informatique – sans doute Photoshop –, a ajouté les tatouages après. Dans l'ensemble, il a fait un excellent travail. Mais, étant donné que les femmes se contorsionnaient au moment où les photos ont été prises, il lui était difficile d'insérer à chaque fois le tatouage au bon endroit. Il aurait mieux fait de vous envoyer uniquement les trois clichés qui coïncidaient. Pour moi, l'absence de tache de naissance sur l'instantané confirme que la série de photos dans la chambre a été trafiquée.

Irma regarda Marta dans les yeux.

– Je vous sens contrariée, Marta. Peut-être déçue. Mais vous avez une bonne piste pour découvrir l'auteur de ces faux : le monogramme d'une entreprise, visible en filigrane dans le papier. (Irma lui remit un agrandissement des initiales : RC.) Je suis persuadée que si vous montrez ça à des gens du métier, vous trouverez rapidement la personne qui a truqué ces images.

Ce n'était pas de la déception qu'éprouvait Marta en regagnant son bureau. C'était de la colère.

Quelqu'un se sert de moi ! Je suis manipulée !

2

BIENVENUE À BUENOS AIRES

Beth Browder arriva à Buenos Aires par une matinée torride et nuageuse de la fin mars, en provenance de L.A., après douze heures de vol. Elle était épuisée, ayant à peine dormi dans l'avion, mais tout excitée d'avoir enfin atteint la ville de ses rêves.

Dans le taxi qui l'emmenait vers le centre, elle contempla l'immensité de l'endroit, se demandant ce qu'elle espérait y trouver. L'immersion totale dans le tango argentin, bien sûr ; des tas d'aventures tango ; le plus possible d'« extases tango » ; et aussi, quelques éclairages qu'elle pourrait introduire dans l'article universitaire qu'elle envisageait d'écrire sur le fascinant pouvoir de cette extraordinaire danse argentine.

Son taxi la déposa devant la Residencia Europa, dans le quartier du Congreso, un petit hôtel recommandé par son professeur de tango californien. « Ils accueillent les étrangers passionnés de tango, lui avait-il dit. Ils vous aideront à démarrer, vous orienteront vers les meilleurs clubs. » Et, de fait, ce fut exactement ce que lui proposa l'employé lorsqu'elle s'inscrivit à la réception.

– Il y a une autre Américaine qui séjourne ici, une *milonguera* accomplie. Je me ferai un plaisir de vous la présenter.

– Merci, lui dit Beth, mais j'ai d'abord besoin de récupérer.

Le réceptionniste, hochant la tête d'un air compréhensif, lui remit la clef de sa chambre.

– Reposez-vous bien, señora. Et bienvenue à Buenos Aires !

Une fois dans sa chambre, Beth prit une douche rapide, ferma les rideaux et se coucha. Tout en glissant dans le sommeil, elle se remémora rêveusement l'aventure tango qui l'avait amenée ici : sa rencontre avec un inconnu, en novembre précédent, dans une boîte de

San Francisco où ils avaient dansé jusqu'à l'extase avant de passer ensemble une nuit d'extase...

Le dancing, à North Beach, se trouvait en haut d'un raide escalier donnant directement sur la rue. Il y avait des murs bleu foncé, un plafond noir supportant une lampe rouge tournoyante, de nombreux miroirs placés aux endroits stratégiques. Pour compléter l'atmosphère exotique, brumeuse, il y avait une superbe sono et un jeune DJ qui connaissait ses tangos, alternant chansons classiques et enregistrements récents d'artistes argentins contemporains.

Beth, qui fréquentait la boîte depuis deux ans, connaissait de vue tous les habitués. Elle adorait ces *milongas* [1] du dimanche soir où les amoureux de tango argentin venaient des quatre coins de la Baie pour se retrouver et danser. Cinq jours sur sept, elle enseignait à l'université de San Francisco. Pour elle, les dimanches soirs étaient le meilleur moment de la semaine.

Elle remarqua l'inconnu bien avant qu'il ne la remarque... du moins fut-ce son impression. D'emblée, il se distinguait du lot. Grand, les cheveux noirs, il était extraordinairement beau ; plus important encore du point de vue de Beth, c'était un fabuleux danseur. Depuis presque une heure, il dansait avec différentes partenaires, toutes jeunes et séduisantes. Il dansait si bien qu'il les faisait paraître plus douées qu'elles ne l'étaient.

Dès qu'elle le vit, elle eut envie de danser avec lui. Et le seul moyen de se faire inviter, elle le savait, était de surpasser toutes les autres danseuses de la pièce.

À un moment donné, désireuse de se reposer, elle trouva une chaise vide contre le mur. Les hommes étaient occupés à quadriller la piste, en quête de nouvelles partenaires pour la *tanda* suivante. Elle baissa les yeux afin d'éviter leurs regards. Quand elle releva la tête, elle vit l'inconnu qui se dirigeait droit sur elle.

À moins qu'il n'en ait repéré une autre ?

C'était le seul côté fâcheux de ces *milongas* du dimanche soir : les intrigues étaient souvent cruelles. Beth avait trente-trois ans, était séduisante et faisait une fantastique partenaire de tango ; mais ici, à North Beach, le narcissisme régnait et la jeunesse était bien plus prisée que le talent.

L'inconnu s'arrêta devant elle. La musique démarrait juste.

---

1. *Milonga* : bal populaire, lieu où on danse le tango. Une *milonguera* est une habituée des *milongas*. (*N.d.T.*)

– Voulez-vous ? demanda-t-il.

Beth sourit, inclina la tête.

– Certainement...

Quand il l'enlaça, la prit pour la première fois dans ses bras, elle sentit le début de cette extase bien particulière qu'elle recherchait dans le tango et qu'elle trouvait rarement, mais qui l'attirait ici tous les dimanches soirs : un état de grâce qu'elle appelait la Magie du Tango... et ils n'avaient même pas encore commencé à danser !

Elle ferma les yeux, se laissa emporter par la musique. Et puis la chose arriva. Son nouveau partenaire guida la marche, puis une série d'*ochos*, lui donnant tout l'espace dont elle avait besoin. Elle se mit alors à danser très bien, peut-être même à un niveau de compétition : elle ressentait la musique, l'exprimait de tout son corps, transcendait les figures, ne faisait qu'un avec son partenaire et avec la chanson.

Elle n'aurait su dire combien de *tandas* ils dansèrent. Elle se souvenait qu'ils s'étaient arrêtés au moins deux fois pour commander des rafraîchissements au bar ; la seconde fois, ils étaient montés sur l'étroit balcon sombre, au-dessus de la piste, pour siroter leurs drinks en observant les danseurs en contrebas. C'était là qu'ils avaient échangé leur premier baiser.

– Vous êtes une danseuse sensationnelle, lui dit-il. Vous le savez, en plus.

Elle lui dédia un demi-sourire coquet. De nouveau, il l'embrassa.

– Je vous ai repérée dès le début. Je voulais vous inviter à danser, mais pas tout de suite. Je voulais d'abord faire mon show. Et puis, quand *vous* avez commencé à faire le vôtre... j'ai pensé que vous le faisiez pour moi.

Le sourire de Beth était un aveu.

– Je suis vraiment content d'être venu ce soir, reprit-il. On m'avait parlé de cet endroit. Où que j'aille, j'essaie de trouver une bonne *milonga*. Pour la plupart, elles sont couci-couça. Pas grand-chose à se mettre sous la dent à L.A. Par contre, New York est bien. Miami aussi.

– Oui, j'ai dansé à New York. Mon rêve est de danser à Paris.

– C'est chouette, là-bas. Beaucoup de possibilités. Amsterdam, c'est bien aussi. Mais le mieux...

– Je sais... le mieux, c'est Buenos Aires.

Il eut un sourire épanoui.

– Unique au monde. Cinq mille danseurs, tous passionnés, qui vont dans les clubs tous les soirs. Si vous êtes une fervente *milonguera*, vous adorerez.

– Oh ! je suis bel et bien une fervente *milonguera*, dit-elle en riant. Ma conception de la félicité serait de prendre une année sabbatique et de vagabonder autour du monde avec des souliers de tango dans mon sac à dos.

– Voilà qui est parlé comme une vraie fana de tango !

Ils dansèrent pendant encore une heure, puis elle l'invita chez elle. C'était une chose qu'elle faisait rarement à North Beach : draguer un type et s'offrir à lui. D'habitude, quand elle entamait une liaison, c'était avec un homme qu'elle fréquentait depuis un moment. Mais cette nuit, c'était différent ; cette nuit, c'était magique. Et puis de toute façon, ça ne serait pas « une liaison ».

Ce bel inconnu, qui dansait incroyablement bien et qui l'avait transportée au septième ciel du tango, devait quitter la ville le lendemain à l'aube. Ce serait donc une histoire d'une nuit.

Cela faisait des années qu'elle ne s'était pas accordé ce genre de caprice. Cette nuit, elle en avait envie. Il était jeune, beau, il l'avait enivrée, et si le fait de danser avec un inconnu revenait à se lancer dans une aventure, elle ne voyait aucune raison de ne pas poursuivre cette aventure en dehors de la piste.

Il lui était arrivé trop souvent de rencontrer un bon partenaire, de s'engager dans une liaison amoureuse de six minutes – le temps d'une *tanda* – et de quitter la piste, souriante, avant de rentrer seule chez elle, en larmes. *Cette* nuit, ce serait différent. L'aventure se prolongerait. Trop de chansons de tango évoquaient *« lo que pudo ser y que no fue »* : « ce qui aurait pu être mais jamais ne fut ». Demain matin, se prit-elle à espérer, il n'y aurait pas de regrets.

Elle habitait Russian Hill, à un kilomètre et demi de North Beach. Bras dessus bras dessous, ils gravirent dans la fraîcheur nocturne de novembre la côte raide de Greenwich Street. Il ôta sa veste pour en couvrir les épaules de Beth. Il portait une chemise noire ajustée, un pantalon noir moulant, un ceinturon noir style western avec boucle en argent ouvragée. Il était grand – environ un mètre quatre-vingt-cinq –, mince comme un athlète, avec d'épais cheveux noirs qui, soigneusement peignés en arrière au dancing, étaient maintenant ébouriffés par le vent. Tout en marchant, elle retira sa barrette afin de libérer sa chevelure. Il y passa les mains.

– J'aime tes yeux, dit-il.

Il ne lui demanda pas son nom et ne précisa pas le sien. Beth en fut heureuse ; ça allait de pair avec l'aventure. Elle se rappela avoir lu une description du tango argentin par une femme de lettres anglaise : « Bien dansé, il doit être aussi passionné, et en même temps aussi dénué d'amour, qu'une aventure d'une nuit. »

Mais pourquoi nécessairement dénué d'amour ? se demanda-t-elle, prenant dans ses bras son ténébreux inconnu.

La meilleure partie de la chose, ce sera l'étrangeté.

Rencontrer un homme qu'elle n'avait jamais vu, se fondre dans une profonde étreinte, sentir contre elle son visage et son corps, puis l'intime entrelacement des jambes qu'était le tango : ce qui allait maintenant se passer entre eux ne serait qu'une continuation de leur danse.

Il faisait l'amour comme un ange. Ou peut-être comme un démon, tant sa technique était subtile. Elle aimait son corps : bras musclés, peau tannée, poitrine soyeuse. Elle lui donnait vingt-cinq ou vingt-six ans ; mais, outre la joie juvénile qu'elle percevait chez lui, il y avait aussi, elle le sentait, une certaine gravité. C'était peut-être cela qui faisait de lui un si fameux danseur, car le tango était une danse tout à la fois joyeuse et tragique.

Elle se sentit caressée par ses yeux d'un noir farouche, qui semblaient la peindre de leur seul regard. Souvent, ils cherchèrent ceux de Beth et s'y arrimèrent. Il lui répéta combien il aimait ses yeux. Dans un murmure, elle lui dit combien les siens étaient beaux.

Son bas-ventre la brûlait. Elle s'abandonna à la luxure. Il la fit hoqueter, crier, encore et encore. À un moment, elle le surprit à sourire. Elle lui rendit son sourire... et le fit hoqueter à son tour.

Aux premières lueurs de l'aube, elle se réveilla pour le trouver déjà levé. Il s'habillait sans bruit, se préparant à s'en aller.

— Tu es obligé de partir si tôt ?

— Oui. Mon avion décolle dans trois heures.

Il vint s'asseoir à côté d'elle sur le lit, se pencha, lui frôla les lèvres d'un baiser. Elle l'observait.

— Tu es fabuleuse, dit-il. Je suis intoxiqué.

— Dis-moi... est-ce que nous nous reverrons un jour ?

— Oui, j'en suis convaincu. Il suffira que l'un de nous deux aille à une *milonga*, se renseigne sur celui ou celle qui danse vraiment bien dans la boîte, et on lui indiquera forcément l'autre.

— Où ? Quand ?

Il la regarda dans les yeux.

— À l'automne, dit-il.

— Nous sommes en automne.

– Ici, oui. Mais là-bas, c'est le printemps.

– Là-bas ?

– À Buenos Aires. J'y serai à l'automne. Si tu viens, nous nous trouverons. Oui, c'est ça : donnons-nous rendez-vous là-bas dans six mois, tout en bas du globe. Qu'en dis-tu ?

Elle réfléchit à la proposition. Ça paraissait presque trop romantique. D'un autre côté, elle avait un demi-congé sabbatique qui approchait. Elle en avait plus qu'assez de livrer les guerres de l'enseignement : collègues amers, étudiants ironiques, séminaires rasoirs sur la théorie de la critique littéraire, jargon des études de genres.

– Oui, dit-elle, c'est d'accord. J'irai là-bas et, si je ne te trouve pas... (Elle sourit)... je trouverai peut-être quelqu'un d'autre.

Il lui rendit son sourire, l'embrassa de nouveau.

– Ne t'en fais pas, je te trouverai.

Sur ce, il partit.

Elle se rendormit.

Lorsqu'elle se réveilla, des heures plus tard, elle songea à quel point la rencontre avait été irréelle, presque onirique. Elle se rappela une vieille chanson sur un amant parti, une ballade que sa mère chantait autrefois : *Quand reviendra mon Rêve d'Amour.*

Oui, c'est bien ce qu'il a été... « mon Rêve d'Amour ».

Beth dormit à poings fermés jusqu'à deux heures de l'après-midi. Quand elle se réveilla, affamée, les bruits et les odeurs de Buenos Aires lui parvinrent de la rue : coups de klaxon ; pétarades de scooters ; grincements de vitesses de bus et de camions ; arômes de café, de chorizo et de bœuf grillé. Elle entendit de la musique diffusée par haut-parleurs, et des voix teintées de cet accent chantant propre à l'Argentine, si différent de l'espagnol castillan qu'elle avait étudié et enseigné.

Elle écarta les rideaux. La lumière du jour inonda la pièce. Regardant par la fenêtre, elle fut heureuse de contempler une vue qu'elle connaissait d'après les guides touristiques : la pointe de l'obélisque, au croisement de l'Avenida Corrientes et de l'Avenida 9 de Julio, « le kilomètre zéro », le centre de la ville.

Lorsqu'elle descendit dans le hall, le réceptionniste lui indiqua une femme rousse, au visage semé de taches de rousseur, vêtue d'un débardeur foncé sans manches et d'une jupe sombre. Assise sur un divan, elle feuilletait un magazine.

– C'est celle dont je vous ai parlé. Elle s'appelle Sandi et vient de Chicago. Voulez-vous faire sa connaissance ?

– Bien sûr...

Quand Beth s'approcha, la femme, qui semblait à peu près du même âge qu'elle, leva la tête avec un sourire amical.

– Bonjour ! Sandi Barnett. (Elle tendit la main.) Jorge me dit que vous êtes danseuse.

Beth lui rendit son sourire.

– Il me dit que vous aussi.

– Ça fait six semaines que je suis là. Je repars demain. Ce soir, ce sera ma dernière nuit en ville. Vous voulez qu'on visite ensemble certains clubs ? Le moins que je puisse faire, c'est de cornaquer une nouvelle venue.

Quoiqu'un peu surprise par la rapidité de cette proposition, Beth accepta volontiers. Quand elle avoua à Sandi qu'elle avait l'estomac dans les talons et qu'elle s'apprêtait à sortir manger un morceau, Sandi lui proposa de l'accompagner.

– J'ai faim, moi aussi. Je viens juste de me lever. Ainsi va la vie d'une *milonguera*. (Elle brandit son sac.) Montez, prenez vos souliers de tango et je vous emmènerai dans un restaurant sympa. Ensuite, nous irons à la Confitería Ideal, la meilleure *milonga* du jeudi après-midi en ville.

Tandis qu'elles longeaient le trottoir encombré, bordé de bars et de magasins de musique, Sandi déclara à Beth qu'elle s'était réveillée juste au bon moment.

– Si vous êtes venue ici pour danser, vous regagnerez rarement votre chambre avant l'aube. Ensuite, au programme : bain de pieds, un peu de sommeil, réveil vers deux heures, déjeuner sur le pouce, puis c'est tout le cycle infernal qui recommence.

Sandi était avocate. Elle avait travaillé les sept dernières années comme adjointe du district attorney de Cooks County, poste qu'elle avait accepté pour acquérir une expérience des tribunaux. Dans deux jours, elle devait prendre un nouvel emploi de responsable du contentieux dans une entreprise privée.

– Je m'étais arrangée pour avoir ce congé de six semaines, le temps d'explorer la scène du tango de B.A., histoire de me purger le système. Et vous, qu'est-ce que vous faites dans la vie ?

Beth répondit qu'elle enseignait la littérature espagnole et sud-américaine à l'université de San Francisco.

– Intéressant.

– En réalité, le milieu universitaire est exécrable. Et le juridique, c'est comment?

Sandi sourit.

– Tout aussi exécrable. Mais au moins, on gagne bien sa croûte.

Après avoir traversé l'Avenida 9 de Julio, en courant pour passer au rouge, Beth fut tout excitée de repérer la Casa Rosada au bout de l'Avenida de Mayo. La façade rose du palais présidentiel luisait au soleil. Au milieu des nombreux immeubles imposants qui l'entouraient, on aurait presque dit une maison de poupée.

– Vous voyez le balcon, à gauche? lui dit Sandi en pointant l'index. C'est de là-haut qu'Evita haranguait les foules. C'est génial, non, de le voir pour de vrai? La première fois, j'en ai eu la chair de poule. *« Don't cry for me, Argentina...* [1] *»* Les gens sont toujours fous d'elle, ici.

Sandi l'emmena au Tortoni, un café de style européen que Beth adora d'emblée : dallage en marbre ; tables installées entre de sombres piliers carrés ; austères serveurs élégamment vêtus. Des artistes discutaient en gesticulant et un couple de Chinois âgés sirotait du thé en silence, sans se regarder. Les murs étaient couverts de miroirs, de dessins, de caricatures, de photos d'écrivains et de cantatrices, de poèmes dédicacés et de feuillets d'anciens livrets d'opéra.

– Le plus important que vous devez savoir sur la scène locale, lui dit Sandi lorsqu'elles eurent commandé du thé et des gâteaux, c'est que la plupart des *tangueros,* ceux qui sortent tous les soirs, sont un ramassis de types peu recommandables. Ils traquent les femmes comme nous, les *gringas* cultivées qui ont de l'argent. Ils sont beaux gosses, ils dansent comme des dieux mais, en dehors de la piste, la majorité d'entre eux se révèlent des crétins. Vous allez en rencontrer cet après-midi, des types qui vivent littéralement de la danse. Dans les stations de ski, on voit toujours des célibataires mignons qui se prétendent « moniteurs de ski », vous savez? Eh bien! ici, ils sont tous « professeurs de tango ». (Sandi gloussa.) Ils dansent avec vous, ils vous flattent, essaient toutes les ruses du catalogue pour vous attirer au lit. Leur rêve, c'est d'être emmenés aux States à titre de gigolo. Une avocate de mes amies en a ramené un au pays l'année dernière, qu'elle a gardé chez elle comme un animal de compagnie. Il n'a jamais appris l'anglais. Tout ce qu'il savait faire, c'était danser et baiser. Au bout de quatre mois, elle s'est lassée de

---

1. *Ne pleure pas pour moi, Argentine.* Titre de l'une des chansons de la célèbre comédie musicale *Evita.* (*N.d.T.*)

lui et l'a renvoyé au bercail. Il continue à traîner dans les clubs en espérant se faire payer un autre voyage. Je vous le montrerai quand nous arriverons à l'Ideal.

Apparemment, six semaines à Buenos Aires avaient rendu Sandi cynique. Pourtant, elle s'en défendit quand Beth lui en fit la remarque.

– J'étais venue ici sans illusions. Depuis l'université, je fréquentais la scène du tango aux États-Unis. J'adore la danse, je voulais m'immerger dedans. Deux ou trois fois, je m'étais dit : « Hé ! Je pourrais faire ça éternellement ! » Moyennant quoi, six semaines m'ont suffi. Je serais parfaitement incapable de soutenir le rythme. Les cours l'après-midi, les *practicas* [1] en début de soirée, les *milongas* toute la nuit, la danse, les potins, la baise... ça vous met sur les rotules. Vous passez tout votre temps avec des gens qui ne parlent de rien d'autre. C'est uniquement tango-tango-tango. Ça va bien un moment, mais vous finissez par avoir diantrement envie d'une conversation un peu intelligente. En plus, la situation politique est tendue. Les gens sont au bout du rouleau. Leurs économies se sont évaporées. Si jamais ils repèrent un politicien qui se promène, ils l'engueulent en pleine rue. On sent dans l'air une ferveur quasiment prérévolutionnaire. Mais ça, les tangomaniaques n'en parlent jamais. Ils en ont à peine conscience. La vie nocturne est la seule qu'ils connaissent. (Elle regarda Beth.) Combien de temps comptez-vous rester ?

– Trois ou quatre mois. Je suis en demi-congé sabbatique.

Sandi soupira.

– Si vous tenez le coup aussi longtemps, vous êtes une meilleure *milonguera* que moi !

Sitôt entrée dans le salon de danse de la Confitería Ideal, au premier étage, Beth reconnut les lieux. Dans un certain sens, elle y était venue bien des fois, car c'était *le* salon de tous les films de tango qu'elle eût jamais vus, de tous les rêves de tango à Buenos Aires qu'elle eût jamais faits. Elle en retrouvait même l'odeur.

La pièce était remplie de couples de danseurs, jeunes, âgés, entre deux âges. Ici, pas de novices, et on dansait bien mieux qu'à North Beach. Les murs du salon jaunissaient, la peinture des colonnes s'écaillait, le sol en marbre était fissuré, les ventilateurs de plafond

---

1. Ce terme désigne aussi bien le lieu où on s'entraîne que la séance de travail elle-même. (*N.d.T.*)

tournaient lentement, voire pas du tout, et la moitié des ampoules étaient grillées. Il y avait des hommes d'aspect miteux, le costume imprégné d'une odeur de tabac, des hommes chics aux cheveux gominés, de grandes femmes minces aux yeux prédateurs. Le DJ avait une barbiche en pointe ; en voyant Beth, il lui dédia un sourire lascif. Il manquait un morceau de plafond et – l'avertit Sandi – il y avait un dangereux trou dans le sol, derrière le pilier numéro sept, qui avait fait trébucher plus d'une nouvelle venue.

Elles trouvèrent une table tout au fond de la salle – le côté réservé aux femmes, expliqua Sandi. Elles se déchaussèrent, enfilèrent leurs souliers de tango et s'installèrent confortablement pour regarder.

– Vous êtes en jean, observa Sandi. Ici, c'est OK. Au moins, vous avez les souliers adéquats. Vous n'avez pas besoin d'escarpins de tango, notez bien, mais les gars d'ici s'attendent à ce que vous en portiez. Et ils aiment aussi leurs femmes en jupe. Si vous ne jouez pas le rôle de la parfaite *milonguera*, vous n'aurez pas beaucoup de chances de danser.

Elle entreprit de décrire à Beth certains des habitués :

– Vous voyez ce type, là, celui qui est défiguré ? On l'appelle « la Bête ». Le type à queue-de-cheval, en chemise blanche et pantalon noir... méfiez-vous de lui. On l'appelle « la Griffe ». Là-bas, c'est Rodolfo, le mec dont je vous ai parlé, celui que mon amie avocate avait ramené chez elle. Il est gentil et complètement con. Sa partenaire, la fille qui porte un boléro pour exhiber son piercing au nombril, vient de New York. Je déteste ces pantalons en simili peau de serpent. Franchement, elle devrait revoir ce falzar...

Beth vit une femme sexy à la peau brillante, chaussée de souliers rubis, danser avec un type aux cheveux hirsutes qui ressemblait à Che Guevara.

– Elle porte toujours ces souliers-là, dit Sandi. Je la surnomme « Miss Gros Sabots ». (Puis, indiquant une petite femme grassouillette :) Elle, je l'appelle « Miss Trouillarde ».

Une fille de haute taille, d'allure altière, le dos très droit, dansait avec un homme beaucoup plus petit qu'elle.

– Celui-là, poursuivit Sandi, je l'ai eu deux fois pour partenaire. Je redoutais de devoir danser avec lui, parce qu'il m'arrivait aux genoux. Avec les mecs petits, faut vraiment se plier en deux. Mais finalement, il s'est révélé un danseur fantastique. Il m'appelait sa « petite choute », ce qui, compte tenu de nos tailles respectives, était passablement amusant. Je crois qu'il se prénomme Roberto... quelque chose comme ça.

Sitôt la *tanda* terminée, Beth sentit sa compagne se raidir. Les gens retournaient s'asseoir, puis se livraient à une quête visuelle si caricaturale que Beth ne put s'empêcher de sourire. C'était la fameuse « danse des yeux » de Buenos Aires, le code local des *milongas* : échanges de regards appuyés et de signes de tête tandis que les danseurs cherchaient à s'apparier pour la *tanda* suivante.

Les regards étaient tellement insistants que, si jamais l'un d'eux se braquait sur elle, il lui serait impossible de l'ignorer purement et simplement. L'étiquette était compliquée. Sandi lui expliqua que, si un homme l'invitait du regard et qu'elle lui rendait son regard, elle serait alors obligée de danser toute la *tanda* avec lui. Le laisser tomber entre deux chansons serait interprété comme une insulte. Néanmoins, si l'homme faisait un geste déplacé – s'il essayait de la peloter, par exemple –, elle ne devait pas hésiter à l'abandonner.

– Les sales mecs y sont habitués et tout le monde les connaît. Ici, les gentlemen ne font pas ce genre de trucs. Comme vous êtes nouvelle, vous serez sans doute la cible d'un ou deux enfoirés. Dans ce cas, plaquez-les sur-le-champ. Vous ferez ainsi clairement comprendre aux autres enfoirés que vous ne tolérerez pas leurs conneries.

Tout en parlant, Sandi flirtait avec quelqu'un qui se trouvait de l'autre côté de la salle. Un homme grand, à moitié chauve, les épaules un peu voûtées, sourit avant de se diriger vers leur table. Sa haute taille et son port de tête rappelèrent à Beth le général de Gaulle.

– Arturo est professeur. Très digne. Je lui parlerai de vous. Il sera ravi d'apprendre que vous êtes une collègue, murmura Sandi.

Elle se leva et le rejoignit sur la piste. En quelques secondes, le chaos qui régnait dans la pièce – regards, signes de têtes, allées et venues, mouvements divers – se fondit en une masse homogène. Lorsque la musique reprit, l'ordre était rétabli et cent cinquante couples commencèrent à évoluer en un cercle harmonieux, dans le sens contraire des aiguilles d'une montre.

Restée seule, Beth s'adossa à sa chaise pour observer le spectacle. *Je me plais déjà ici !*

Elle voulait que son premier partenaire de tango à Buenos Aires soit un homme dont elle se souvienne, un homme avec qui elle puisse même avoir éventuellement la chance d'atteindre une extase tango. Trois *tandas* passèrent avant qu'elle laisse un homme accrocher son regard. Celui que Sandi avait baptisé la Griffe fit une tentative, mais elle le snoba. Tout comme elle ignora Rodolfo « le con » et un type aux yeux porcins qu'elle supposa être l'un des « sales mecs » de la boîte. Celui qu'elle accepta finalement était un étranger comme elle, un jeune Africain jovial portant une chemise et un pantalon corsaire de style hawaïen. Elle l'observa, séduite par sa façon de danser et par le fait qu'il changeait de partenaire à chaque fois. Quand il lui lança un regard implorant, elle y répondit franchement et lui retourna son sourire. Comme elle se levait pour le rejoindre, Sandi lui donna une petite tape sur les fesses.

— Allez, fifille ! l'encouragea-t-elle.

À défaut de Magie du Tango, Jean-Pierre se montra un bon danseur et un partenaire à la hauteur. À l'Ideal, nota-t-elle, les hommes n'exécutaient pas de crochets de jambes ; elle adopta donc ce qu'elle jugea être le style maison : collé-serré. Jean-Pierre, avec qui elle échangea à peine deux mots une fois les présentations faites, arbora un visage radieux du début à la fin. Quand il la guida vers le pilier numéro sept, elle se rappela le conseil de Sandi et évita soigneusement de fourrer son talon dans le trou infamant. Cette esquive parut faire la joie de Jean-Pierre. Tandis qu'ils s'éloignaient du piège en virevoltant, il éclata de rire comme s'il avait conduit Beth ici pour la tester.

Dès qu'elle se fut rassise, les regards commencèrent à affluer.

— Faites attention de ne pas regarder n'importe qui, l'avertit Sandi. Si quelqu'un se méprend et s'approche, vous serez obligée de le suivre. À ce stade, refuser d'un signe de tête serait une insulte encore pire que d'abandonner votre partenaire sur la piste. Le mieux, c'est que vous me regardiez. Je vous dirai si un type décent est intéressé.

Quand Sandi lui annonça que le professeur qui ressemblait à de Gaulle venait dans leur direction, Beth tourna la tête vers lui et croisa son regard.

— Excellent choix ! Arturo est un monsieur. Maintenant qu'ils ont vu que vous savez danser, ils vont tous vouloir vous essayer. (Sandi gloussa.) Moi, je suis une marchandise usée. Allez-y, amusez-vous ! Je vais faire un tour aux toilettes. Ça pue l'encens et la pisse de chat... mais que voulez-vous y faire ?

Le sosie du Général dansait dans un style raffiné qui rappelait la façon de danser dans le Paris des années trente, à une époque où

Carlos Gardel envoûtait la Ville lumière et où le tango argentin faisait fureur. À la fin de la *tanda*, il reconduisit Beth à sa table, inclina le buste, sourit et s'éloigna discrètement.

– Très vieille école, hein ? dit Sandi.

– Incontestablement. Vous le connaissez bien ?

Sandi haussa les épaules.

– Il m'a invitée une fois à prendre le café. Ce qui signifie, en langage codé : « Voulez-vous baiser ? » Quand j'ai accepté, il m'a emmenée chez lui... ce qui était carrément *inattendu*, car la plupart de ces types habitent des petites chambres minables et s'attendent par conséquent à ce que vous les rameniez à votre hôtel. Le professeur, lui, avait un bel appartement avec de superbes meubles d'époque, des parures en dentelle sur les bras des fauteuils, des gravures anciennes sur les murs. L'ennui, c'est qu'il était aussi vieille école au lit que sur la piste. Aucun problème si vous aimez faire l'amour avec un homme qui vous serre contre lui en gardant ses chaussettes et son maillot de corps. Comme si c'était un trop gros effort de se mettre à poil. (Sandi éclata de rire.) Un peu trop « vieille école » pour moi !

Beth dansa avec le type qui ressemblait à Che Guevara et avec un homme en chemise vert fluo. Elle dansa ensuite de nouveau avec Jean-Pierre, et aussi avec un gentleman plus âgé, aux cheveux blancs lissés en arrière, qu'elle surnomma intérieurement « Monsieur le Galant » et avec qui elle n'échangea pas un seul mot, pas même leurs prénoms.

Pour finir, elle accorda un tour de piste à Rodolfo-le-con. Elle eut pitié de lui en voyant son air blessé chaque fois qu'elle déclinait ses tentatives d'approche. Il se révéla un magnifique partenaire, peut-être le meilleur danseur de la boîte. Dans ses bras, elle comprit pourquoi l'amie de Sandi l'avait ramené chez elle à titre d'homme de compagnie. Mais elle eut un mouvement de recul quand, avant même la fin de la *tanda*, il lui proposa de prendre un café.

– *No, gracias,* répondit-elle le plus gentiment qu'elle put.

Il eut un pauvre sourire et ses yeux se mouillèrent légèrement pour exprimer à quel point le dédain de Beth lui brisait le cœur.

Ce joli garçon a le mot ENNUIS écrit en gros sur le front !

Une fois rassise, l'épuisement la terrassa. Sandi s'en aperçut tout de suite.

– Holà, Beth, vous paraissez sur le point de tourner de l'œil ! C'est le décalage horaire. Venez, je vais vous mettre dans un taxi.

Sandi la prit par le bras, l'aida à descendre l'escalier donnant sur la rue, héla un taxi noir et jaune et ordonna au chauffeur de conduire sa passagère à la Residencia Europa.

– Suivez mon conseil et tâchez de dormir. Je vous appellerai vers onze heures. Si vous êtes d'attaque, nous déjeunerons ensemble avant de faire la tournée des clubs.

– Oh ! je serai d'attaque, promit Beth.

Dans le taxi, fermant les yeux, elle songea : *C'est pour ça que je suis venue. Je ne manquerais ça pour rien au monde !*

Sandi lui ayant recommandé de se faire élégante, Beth enfila un débardeur foncé à fines bretelles, qui dévoilait en grande partie son dos, et une jupe courte foncée avec des bas résille pour couvrir ses jambes nues. Sandi portait une robe à fleurs bleues et vertes, moulante, fendue sur le côté, qui allait bien avec ses cheveux roux et exposait toute la partie supérieure de son buste tacheté de son.

– Hé, je trouve que nous avons fière allure ! dit-elle quand, après le dîner, elles se détaillèrent dans le miroir du restaurant. Même si nous portons encore nos baskets.

En fait, avait-elle expliqué à Beth, les chaussures de tennis étaient de rigueur dans la rue tandis que les souliers de tango devaient être transportés dans un sac en toile.

– Prochain arrêt : Noche del Tango. Et quand on commencera à s'ennuyer, on ira au Niño Bien ! et peut-être aussi à l'Almagro, s'il nous reste un peu d'énergie.

Beth s'aperçut que les clubs ouverts tard étaient plus « habillés » que les salons de l'après-midi : femmes en robe ajustée, la plupart des hommes en costume croisé, chemise de soirée et cravate. L'éclairage était flatteur, les murs tapissés de miroirs, l'atmosphère d'une élégance sophistiquée.

Ce formalisme plut à Beth car, à ses yeux, il s'harmonisait avec le côté stylisé de la danse. À North Beach, trop de danseurs s'habillaient n'importe comment. Mais ce qui l'impressionna le plus, ce fut la qualité de la danse, la pratique du tango considéré comme une forme d'art. Elle déclara à Sandi que jamais, de toute sa vie, elle n'avait vu tant de bons danseurs réunis sur une seule et même piste.

– Ouais, ici il faut être bon, répondit Sandi. Dans un endroit comme celui-là, les novices se font éjecter.

– Mais comment font-ils pour apprendre ?

– Comme nous. Cours et *practicas*. Ici, l'enseignement du tango est une industrie majeure. Ce qui explique sans doute le nombre excessif de « professeurs de tango ». Il y en a à peu près autant que de psys. Ce qui me paraît révélateur de la société : dansez jusqu'à épuisement, puis allongez-vous sur le divan. (Elle rit.) Goût des plaisirs et culpabilité : c'est tout Buenos Aires.

Il y avait cinq mille danseurs en ville, lui apprit Sandi, pas seulement des gens qui pratiquaient le tango, mais de véritables *tangueros*, qui s'y adonnaient toutes les nuits. Sur ce nombre, environ six ou sept cents formaient une population perpétuellement changeante de danseurs étrangers – venus d'Amérique, d'Angleterre, d'Allemagne, de Hollande, de Suède, de France, d'Italie, de Russie, du Japon, d'Afrique du Sud – qui, tous, voulaient faire l'expérience du tango, « le vrai de vrai ».

– « On n'a pas dansé le tango tant qu'on ne l'a pas dansé à Buenos Aires. » C'est le Paradis du Tango. (Sandi scruta la salle du regard.) Hé ! Voilà un type que je connais ! Un danseur extra ! À plus tard !

À deux reprises, pendant qu'elle dansait, Beth crut apercevoir son Rêve d'Amour. Mais, chaque fois, c'était quelqu'un d'autre. Tant de partenaires, tant de *tandas*... elle fut prise de tournis à mesure qu'elle devenait partie intégrante du tourbillon de couples élégants qui virevoltaient sur la piste.

Elle transpirait d'épuisement. Comme la plupart des autres danseurs, elle avait le visage luisant. Elle sentait l'arôme des corps en mouvement, auquel se mêlaient les parfums de femmes et l'odeur des savons utilisés par les hommes. *Lascivité latine,* pensa-t-elle.

Le parquet du Noche del Tango était agréablement souple, contrairement au vieux sol en pierre fissuré de l'Ideal. Et les partenaires masculins étaient moins classiques. Certains exécutaient des *adornos* (fantaisies) qui la conquirent : *boleos* (petits battements des jambes) ; *barridas* (balayages du pied) ; *ganchos* (crochets) ; *caricias* (caresses avec les jambes) ; *enrosques* (voltes). D'autres étaient des maîtres du *tango liso* (tango sans fioritures), la guidaient dans de superbes *caminandos* (marches), *ochos* (figures en huit) et *molinetes* (tourniquets). Beth adorait les *molinetes*, caracoler autour de son partenaire, exécuter des *ochos* avant et arrière pendant qu'il pivotait au milieu de la roue. Vu que chaque homme dansait différemment, c'était à elle d'interpréter ses signaux. Chaque nouveau partenariat donnait lieu à une conversation différente où lancers de jambes et jeux de pieds remplaçaient la parole.

Elle dansa avec des partenaires qui pratiquaient la *viborita* (vipère), la *cadena* (chaîne), la *caída* (chute). Certaines de ces figures étaient trop théâtrales pour son goût, mais elle prit néanmoins plaisir à les essayer. Presque tous ceux avec qui elle dansa la remercièrent avec effusion en la raccompagnant à sa table. Leurs compliments étaient très latins : « Vous êtes délicieuse ! » ; « Vous dansez comme une vraie *tanguera* » ; « Vous avez des jambes absolument adorables ! » ; « Veuillez vous joindre à moi pour un café ».

Ce qu'elle aima le plus, au total, c'était que la danse requérait toute son attention, exigeait sa présence pleine et entière. Cette intense concentration suscitait un état de disponibilité presque zen, un état où il n'y avait ni ego ni pensées, seulement de pures sensations libérées de la prison du moi.

Il y avait dans le tango argentin d'autres aspects qui l'avaient toujours intriguée et qui, ici, dès sa première nuit à Buenos Aires, semblaient particulièrement prononcés. Tout d'abord, la composante mélancolique : le fait que les danseurs paraissaient se complaire dans leur mélancolie. Elle tenta, avec certains de ses partenaires, de rompre le charme en les regardant soudain bien en face, au mépris de la convention des yeux baissés, puis en esquissant un sourire. Mais, chaque fois qu'elle adopta cette attitude, son partenaire devint un peu nerveux, au point qu'elle sentit une certaine tension dans son étreinte.

Chaque danse, comprit-elle, était une histoire créée par deux personnes sur elles-mêmes : une histoire faite d'amour et de tendresse, de pauses et d'ornementations, de propositions et de contre-propositions, de prêtés et de rendus, d'autorité et de soumission, de joie et de mélancolie, de séduction et de désir, de force et de vulnérabilité, d'harmonie... et le bouquet final, l'étreinte figée qui résumait tout ce qui avait précédé, l'ultime pose à la fin d'une chanson qu'elle considérait toujours comme « une fin amère ».

Son problème particulier, qu'elle espérait traiter dans son article, était de comprendre comment une femme comme elle, forte, indépendante, passionnée de danse, devait, dans le tango, se limiter au rôle de suiveuse.

Mais c'est OK, se dit-elle, *parce que dans le tango il n'y a ni futur ni passé. Uniquement le présent, l'ici et maintenant...*

Sandi et elle n'allèrent pas plus loin que le Niño Bien!, le deuxième club de la liste. La danse était de trop bonne qualité, la séduction trop intense.

Dans le taxi qui les ramenait à la Residencia Europa, à cinq heures du matin, Beth demanda à Sandi ce qu'elle cherchait dans les clubs.

– Ma foi, l'homme que nous recherchons toutes : le Roi du Tango, le partenaire idéal... Ici, à plusieurs reprises, j'ai bien cru l'avoir trouvé. Mais, comme il fallait s'y attendre, la suite m'a donné tort. Et vous ? Vous l'avez trouvé à San Francisco ?

– En fait, oui, une fois, admit Beth. Il y a seulement quelques mois. Je suis venue ici, entre autres raisons, pour essayer de le retrouver. Il m'a dit qu'il serait ici à l'automne.

– Comment s'appelle-t-il ?

Beth éclata de rire.

– C'est ça le hic : j'ignore son nom et il ignore le mien. Je lui en ai donc inventé un. Je veux bien vous le dire, mais c'est un peu embarrassant.

– Oh, allez !

– Bon... vous connaissez cette vieille chanson des années trente : *Quand reviendra mon Rêve d'Amour ?*

Beth fredonna la mélodie, puis entonna le premier couplet :

– « Mes rêves s'en vont à la dérive/sur une mer teintée d'argent. Et moi, j'attends sur la rive/celui que j'adore tant. Quand reviendra mon Rêve d'Amour/mes rêves regagneront le port. »

Sandi hocha la tête.

– Quel est le refrain, déjà ? « Nous serons amants pour toujours quand reviendra mon Rêve d'Amour » ?

– C'est ça !

– Donc... vous l'appelez « Rêve d'Amour » ?

– « *Mon* Rêve d'Amour », pour être exacte. J'utilise l'expression au second degré, évidemment.

– Laissez tomber le second degré. Je trouve ça extraordinairement romantique.

– Ça l'était bel et bien, dit Beth en se détournant pour que Sandi ne voie pas l'émotion briller dans ses yeux.

Sandi lui prit la main.

– Vous avez bien de la chance, Beth, d'avoir éprouvé ce sentiment, de l'avoir ressenti avec tant de force. Moi, je suppose que je suis tout aussi heureuse de ne pas l'avoir connu... du moins, pas ici.

Trop de risques d'être blessée. Je suis heureuse de repartir comme je suis arrivée, sans entraves. Comme le chantait la petite Française rabougrie : *Je ne regrette rien.*

Elles déjeunèrent ensemble le lendemain ; c'était le dernier repas de Sandi à Buenos Aires. Elles allèrent dans un petit restaurant, près de l'hôtel, se perchèrent sur de hauts tabourets et mangèrent des *picadas* au bar en buvant du sherry.

Sandi remit à Beth plusieurs pages couvertes d'une fine écriture.

– Je vous ai établi une liste. Où vous faire coiffer, où acheter de bons souliers de tango, un bon gymnase si l'exercice vous tente, deux bons cybercafés... ce genre de choses. J'ai aussi annoté la liste de clubs de tango que l'hôtel met à votre disposition. Ce sont juste mes opinions... pour ce qu'elles valent. Le paysage change tout le temps. La boîte en vogue ce mois-ci sera peut-être une maison de retraite le mois prochain. Le tango est vivant. Il vit et change. C'est ce que j'aime tant ici.

Beth fut touchée.

– Vous allez me manquer, Sandi. Nous nous connaissons seulement depuis vingt-quatre heures, mais je vous considère déjà comme une amie.

– Oui, le tango crée de véritables liens. C'est notre mode de vie. Nous sommes droguées, esclaves de la danse. Je reste parfois des semaines sans avoir d'expérience magique sur la piste, et puis, coup de chance, j'en ai trois en une seule soirée. C'est ce qui me pousse toujours à revenir. (Elle sourit.) En tout cas, je penserai à vous de temps à autre, en train de passer vos nuits à danser. S'il vous plaît, pensez quelquefois à moi, dans la Cité Venteuse, en train de patauger dans les dépositions.

De retour à l'hôtel, Beth aida Sandi à charger ses bagages dans un taxi. Elles s'embrassèrent sur le trottoir, Sandi monta à l'arrière et lui fit un dernier signe de la main tandis que le véhicule démarrait. Lorsqu'il fut hors de vue, Beth tourna les talons et se dirigea vers les rues piétonnières, Florida et Lavalle, pour explorer la ville, se perdre dans la foule.

Elle eut l'impression de marcher pendant des heures. Elle se sentait minuscule dans le flot, une parmi des millions, observant les visages et les gestes des piétons, saisissant au passage des bribes de conversation. Elle absorbait les vibrations, s'efforçait de sentir la ville, de sentir son pouls. Buenos Aires était une grande métropole : les gens l'appelaient « le Paris d'Amérique du Sud ». Et, comme toutes les grandes métropoles, si elle générait et diffusait de l'énergie, elle provoquait aussi un sentiment de solitude.

Beth était seule, ne connaissait personne, et l'unique amie qu'elle s'était faite venait juste de s'en aller. Elle se sentait néanmoins partie intégrante d'une sorte de réseau. Quelle expression avait utilisée Sandi en parlant d'elles ? « Esclaves de la danse. » Une meilleure manière de décrire cette addiction était peut-être d'y voir l'attachement fervent à une forme d'art, une forme de danse extrêmement particulière et raffinée.

Et ça, se dit-elle, ce serait la clef pour trouver ici le bonheur : le fait de savoir que, même si elle n'était qu'une parmi des millions, noyée dans le flux des piétons qui se croisaient dans les rues encombrées, il y avait parmi ces millions cinq mille danseurs passionnés comme elle, qui se retrouvaient la nuit pour se toucher, communiquer, tourbillonner, et qui, par leurs mouvements syncopés, leurs corps pressés l'un contre l'autre, leurs jambes entrelacées, cherchaient un remède à la solitude.

3

ÉCRAN DE FUMÉE

Marta Abecasis retrouva Rolo Tejada près de l'ascenseur de la Galería Güemes, une galerie marchande du centre-ville où on trouvait des vêtements bon marché, des boutiques de bibelots touristiques, des magasins de photo discount et un cybercafé défunt.

Marta se souvenait que, dans son enfance, sa mère l'avait amenée bien des fois à la Galería ; celle-ci lui avait alors paru merveilleuse, véritable caverne d'Ali Baba aux alcôves remplies de trésors chatoyants. Aujourd'hui, les gens de la classe moyenne n'y venaient plus : on trouvait des articles de meilleure qualité dans les centres commerciaux des quartiers résidentiels. Ces dernières années, la Galería Güemes était devenue un repaire d'adolescents camés, de prostituées et de dealers.

Marta et Rolo prirent l'ascenseur jusqu'au deuxième étage et enfilèrent un long couloir bordé de cabinets médicaux où on pratiquait des tarifs réduits : dentistes, pédiatres, masseurs – et un spécialiste qui, à en croire sa plaque, traitait les maladies vénériennes « dans la plus grande discrétion ».

– Les loyers doivent être très bas ici, commenta Marta.

Vers le bout du couloir, ils passèrent devant les locaux de plusieurs petites compagnies d'informatique. Sur l'avant-dernière porte, ils virent la mention CYBER-FOTOGRAFÍA / REINALDO COSTAS avec, dessous, le monogramme « RC », celui-là même qui apparaissait en filigrane dans le papier des cinq photos pornos de Silvia Santini et Graciela Viera.

Le bureau était sombre, les stores baissés, l'unique source de lumière provenant des écrans d'ordinateurs alignés sur une longue table. Marta reconnut, contre le mur, un chevalet technique servant à photographier des photographies. Une jeune Asiatique travaillait dessus. Rolo indiqua un homme d'une vingtaine d'années, grand et rasé de près, attablé devant l'un des ordinateurs.

— Voilà Costas.

Entendant son nom, l'homme se leva et s'approcha. Rolo fit les présentations.

— Croyez-moi, inspecteur, dit Costas à Marta, j'étais loin de me douter que ça deviendrait une affaire de police.

Marta le scruta et lui trouva une expression un peu trop candide.

— Vous n'avez pas fait un si bon boulot que ça, dit-elle.

Costas sourit.

— L'angle que j'ai donné au tatouage ?

— Vous l'avez fait exprès ?

— Naturellement ! Et je n'ai pas reproduit la tache de naissance de l'autre femme.

— Mais *pourquoi* ?

— Les types qui m'ont confié ce travail ne me plaisaient pas trop. Ils m'ont demandé de fabriquer des photos de lesbiennes truquées pour faire une farce à un ami. Je me suis dit que, s'il s'agissait d'une plaisanterie, il ne fallait pas que les photos soient convaincantes à cent pour cent. Autant laisser quelques défauts. Je ne voulais pas que quelqu'un ait des ennuis par ma faute, et je ne voulais en aucun cas être impliqué dans un conflit conjugal.

— Maintenant, vous êtes impliqué dans une enquête criminelle, dit Rolo.

— Je sais, je sais... Je regrette tellement...

Il avait fallu moins d'une heure à Rolo pour retrouver l'auteur des fausses photos. Sans le monogramme, il n'y serait jamais parvenu. Marta avait appris que des dizaines de milliers de gens possédaient le logiciel approprié et savaient l'utiliser sur un ordinateur familial.

— Gardez vos regrets pour vous, dit Marta, et parlez-nous de ces hommes. Qui étaient-ils ?

Costas, remis à sa place, secoua la tête.

— Du genre pas commode. Ils n'ont pas donné leur nom et ont payé en liquide. Ils avaient apporté les photos originales avec eux et les ont récupérées quand j'ai eu terminé.

— « Du genre pas commode », ça ne me suffit pas.

— Ils *n'étaient pas* commodes, inspecteur, je peux vous l'assurer. Si vous me permettez de le dire, ils faisaient penser à des flics... ou à des militaires. Beaucoup de flics de rang inférieur se comportent comme des truands. Je ne parle pas de vous ni de votre collègue, bien évidemment. J'espère que vous n'êtes pas offensée.

– Je veux que vous me donniez un signalement très précis de ces hommes.

Costas entreprit de les décrire, puis s'interrompit.

– J'ai une meilleure idée. J'ai un excellent logiciel d'identification. Accordez-moi quelques minutes, je vais vous sortir des portraits-robots.

Il s'installa à l'un des ordinateurs, chargea un CD-ROM et se mit au travail. En vingt minutes, il avait réalisé les portraits de deux hommes aux allures de gangsters. Marta ne fut guère impressionnée : ils ne présentaient aucun signe particulier.

– Désolé, dit Costas d'une petite voix. C'est le mieux que je puisse faire.

En rebroussant chemin vers l'ascenseur, Rolo se demanda tout haut pourquoi Costas n'avait pas utilisé son logiciel lors de leur première entrevue.

– Il a une bonne excuse pour justifier son boulot bâclé, dit Marta. Reste à savoir s'il voulait éviter de causer des ennuis à quelqu'un ou si on l'a payé pour saboter le travail.

Elle arrangea un rendez-vous avec Raúl Vargas, le jeune journaliste d'investigation d'*El Faro* avec qui elle avait travaillé sur l'affaire Casares, celui qui l'avait baptisée « la Incorrupta ».

Raúl, aussi brillant que paranoïaque, se montrait extrêmement prudent dans le choix des endroits où il rencontrait les gens, même ceux en qui il avait confiance. Il avait une façon bien à lui d'organiser les entrevues : « Promène-toi à quinze heures du côté ouest de Corrientes ; je te rattraperai », disait-il à Marta. Ou encore : « Trouve-toi à midi sur le marché du Retiro, devant la gare ; je te repérerai. » Il déboulait alors sur sa Kawasaki, appelait Marta, qui sautait en selle, il lui tendait un casque, puis démarrait sur les chapeaux de roue ; la destination était généralement un bistrot communiquant avec une station-service, dans un quartier obscur, où il choisissait toujours une table d'angle. Là, ils échangeaient des informations en avalant rapidement un café.

Marta l'appela sur son portable, seul moyen de le joindre directement.

– Je dois te parler de l'entrefilet politique qui a paru dans *El Faro*.

– Lequel ? Hier, il y en a eu six.

Aux bruits de circulation qu'elle entendait en fond sonore, elle devina qu'il fonçait dans la ville à moto.

– Celui sur les photos obscènes de l'épouse d'un éventuel candidat à la présidence.

– Ah, celui-là ! C'est moi qui l'ai rédigé. Je comptais t'appeler à ce sujet.

Il lui demanda de la retrouver à seize heures près du mur nord du cimetière de Recoleta.

– L'endroit paraît tout indiqué, non, Marta ? Mets un pull noir si tu en as un.

Gros malin !

– Tourne au coin de la Calle Guido, longe le mur en direction de la Plaza Francia. Je te...

– Ouais, Raúl, je sais... tu me ramasseras au passage.

Comme d'habitude, il surgit par-derrière, vira sur le trottoir devant elle, puis, sans se retourner, attendit qu'elle saute sur le siège. Il portait son habituel uniforme tout noir : casque noir, blouson en cuir noir, T-shirt noir, jean noir, bottines noires, appareil photo tout noir accroché au cou.

Quel adorable garçon romantique ! pensa Marta. Elle grimpa derrière lui et prit le casque qu'il lui tendait. À peine avait-elle eu le temps de le coiffer et d'agripper la poignée qu'il démarrait en trombe.

– Prends-tu toutes ces précautions pour des raisons de sécurité, ou est-ce simplement l'idée que tu te fais d'un journaliste d'investigation ? lui cria-t-elle à l'oreille.

– J'ai reçu deux menaces de mort le mois dernier, répondit-il sur le même ton. Cramponne-toi, je vais faire du slalom.

Sans doute avait-il réellement reçu des menaces de mort, bien qu'il en exagérât certainement le nombre. En Argentine, le journalisme d'investigation était une profession dangereuse. Au cours des douze derniers mois, deux reporters et un photographe de presse avaient été assassinés.

Cinq minutes plus tard, il s'engagea dans une ruelle, à proximité du jardin botanique, s'arrêta dans un crissement de pneus, ouvrit la porte d'un garage au moyen d'une télécommande, fit vrombir son moteur et rentra sa moto.

– Ça ne ressemble guère à une station-service, Raúl.

Il retira son casque.

– Mes parents habitent au-dessus.

– Tu vis chez eux ?

65

– Non, je garde l'appartement en leur absence. Ils sont aux States. (Il indiqua une porte.) Elle mène à l'ascenseur de service.

Quand elle lui demanda pourquoi il l'avait amenée dans cet immeuble cossu, il expliqua que ses parents avaient fait l'acquisition d'un nouveau percolateur, ce qui lui permettrait d'offrir à Marta une tasse de bon café, pour changer.

– Tu es à peu près la seule personne que j'aurais l'idée d'amener ici, dit-il.

– Pourquoi donc ?

– Nous avons vécu beaucoup de choses ensemble, toi et moi.

C'était vrai. L'affaire Casares avait été un énorme scandale. Raúl avait sorti l'histoire et Marta avait élucidé le meurtre.

Elle le suivit dans un dédale de pièces de stockage. Il y avait un seau et une serpillière dans l'ascenseur de service. Il poussa le bouton du dernier étage, l'appartement en terrasse.

Durant la montée, elle se tourna vers lui :

– Ainsi donc, tes parents habitent la Villa Freud.

Elle utilisait l'appellation courante du quartier, ainsi nommé à cause de la quantité de psychanalystes qui y vivaient et recevaient leurs patients à domicile.

– Ouais, ils sont tous les deux psys. Moi aussi, je suppose, à ma manière. Remarque, je ne pige pas exactement ce qu'ils font. (Il secoua la tête.) Leurs explications pour tout sont tellement... alambiquées.

Ils entrèrent dans l'appartement par la cuisine. Il ôta son blouson de cuir, le jeta sur le plan de travail et entreprit de préparer du café. En le regardant faire, elle remarqua la maigreur de ses bras. C'était un jeune homme très séduisant, avec de longs cheveux qui lui donnaient l'air gamin et un corps filiforme, sous-alimenté. Il était si mince que cela éveilla en elle un instinct maternel ; elle aurait voulu l'exhorter à se nourrir davantage, à se remplumer. Bien qu'ils eussent travaillé ensemble, elle ne savait pratiquement rien de sa vie privée. C'était pour elle une révélation d'apprendre que ses parents étaient psys.

Après avoir préparé deux express parfaits, il la précéda dans un salon ensoleillé dont les fenêtres donnaient sur le parc Las Heras.

– Bon, parle-moi de ces photos de lesbiennes que tu as reçues, dit-il en se laissant choir dans un fauteuil.

– Et si *tu* m'en parlais ? répliqua-t-elle en s'asseyant sur le canapé.

Ils commençaient toujours ainsi leurs conversations, feignant la méfiance avant d'échanger des informations.

– J'ai reçu un message téléphonique, répondit Raúl. Voix masculine, électroniquement déguisée. Pas d'appels ultérieurs, pas de confirmation. C'est pour ça que nous avons publié l'info sans signature.

Marta décrivit les photos, sa visite au ministère pour les montrer à Charbonneau, puis la révélation qu'elles avaient été truquées – imparfaitement – par un professionnel.

– Je pensais, conclut-elle, que les gens qui avaient glissé ces photos sous ma porte étaient ceux-là mêmes qui avaient tué Granic et la fille, qu'ils voulaient m'amener à la conclusion erronée que les meurtres avaient eu pour but d'empêcher la circulation des clichés compromettants. Ça semblait coller avec le fait que la première page de ton journal était fourrée dans la bouche de Silvia Santini. Mais pourquoi m'envoyer des photos truquées et te mettre dans le coup dès lors qu'on peut prouver que ces photos sont des faux ? Le type qui les a falsifiées affirme avoir délibérément bâclé le job. Je me demande si Charbonneau n'avait pas raison, s'il ne s'agit pas d'un coup tordu mis au point par les ennemis politiques de Viera.

– Hugo Charbonneau est un ex-aumônier militaire sans scrupules, dit Raúl. C'est aussi un responsable politique sans scrupules. Suppose que lui, ou un autre fidèle de Viera, soit à l'origine des photos ? Ils se sont arrangés pour qu'on puisse détecter le trucage, de manière à pouvoir faire porter le chapeau aux adversaires de Viera. Ça leur permettait de s'attirer la sympathie de l'opinion en montrant que les ennemis de Viera étaient prêts, dans leur infamie, à souiller la réputation de sa jeune et jolie épouse innocente. Pas vraiment un coup tordu, donc, mais un *faux* coup tordu, orchestré par ceux-là mêmes à qui il était censé nuire.

C'était du Raúl pur sucre, songea Marta, dans la droite ligne de sa vision paranoïaque du monde. Dans sa tête, tout événement faisait partie d'un complot politique multidimensionnel ; ou alors, c'était un écran de fumée camouflant autre chose. Les tentacules de puissances concurrentes s'enroulaient les uns autour des autres – au point, parfois, de faire des nœuds inextricables.

C'était sous cet angle qu'il avait examiné l'affaire Casares, alors que Marta l'avait vue comme un homicide pur et simple. Un jeune homme trop gâté, fils de sénateur, avait drogué et violé une fille issue d'une famille pauvre avant de la tuer quand elle avait menacé de porter plainte. Pour Marta, la seule complication avait résidé dans le brouillage des pistes : autopsie délibérément bâclée, flics soudoyés, témoins potentiels menacés ou achetés. Convaincue que la persévérance débloquerait l'enquête, elle s'était montrée extrêmement insistante, faisant appel à la sensibilité et au sens de la justice des témoins, parvenant finalement à en persuader plusieurs de se présenter à la barre.

Raúl, pour sa part, avait envisagé l'affaire en termes strictement politiques. Pour lui, ce viol suivi de meurtre était un exemple typique de lutte des classes, tandis que le brouillage de pistes était un exemple de ce qu'il appelait « notre système d'*in*justice fondé sur l'autodéfense ». Abordant l'affaire sous deux angles opposés, ils avaient néanmoins réussi à travailler ensemble. En l'occurrence, Marta se demanda s'ils pourraient de nouveau collaborer ou si, cette fois, la paranoïa galopante de Raúl les diviserait.

– Tu crois vraiment qu'il s'agit d'un faux coup tordu ? demanda-t-elle.

Raúl haussa les épaules.

– Sais pas, mais je vais te dire une bonne chose : selon mes sources, Silvia Santini était une call-girl de luxe spécialisée dans les politiciens, et Granic était un homme beaucoup plus complexe qu'en apparence.

– C'était un maquereau et un maître chanteur. Tu aurais dû voir le système vidéo sophistiqué installé chez lui.

– Il était assurément l'un et l'autre. Mais, à ce qu'on raconte, c'était aussi une sorte d'agent étranger. Il enregistrait des gens en train de se livrer à des pratiques sexuelles embarrassantes, après quoi il leur proposait d'échanger les cassettes contre des informations.

Des informations et non de l'argent : Marta n'avait pas songé à cette hypothèse.

– Quel genre d'informations ?

– Tout dépend pour qui il travaillait. Il était d'origine yougoslave. Si c'était un agent croate, il avait peut-être mis sur pied un trafic d'armes. Si c'était un agent brésilien, il pouvait s'agir d'informations sur les stupéfiants. S'il travaillait pour les gringos, il recherchait peut-être des informations politiques confidentielles.

À l'écouter, elle fut prise de tournis.

– Si Granic était un espion, Raúl, j'ai besoin de savoir à la solde de qui.

– J'ai une source qui pourrait bien le savoir. Je suis disposé à passer un marché avec elle si tu promets de me tenir au courant.

– Je le ferais de toute manière. Mais tu dois t'engager à ne rien écrire sans mon feu vert.

– D'acc, comme d'hab. Et je reste à ta disposition pour lancer des échos anonymes.

Elle lui sourit.

– À titre de curiosité, qui est ce « elle » dont tu parlais ?

Il eut un rictus.

– Je ne devrais pas te le dire, Marta, mais je vais le faire quand même... uniquement parce que je t'aime. Elle s'appelle Caroline Black. Elle est représentante de la CIA à l'ambassade des États-Unis. Gentille fille, quoiqu'un peu sotte. À ce qu'on dit, elle paie trop cher et obtient trop peu en retour. Typiquement américain, non ? Avec moi, c'est différent : elle ne me donne pas d'argent et je lui apporte beaucoup, de sorte qu'on s'entend très bien. Évidemment, elle ne me dira pas si Granic travaillait pour elle... mais, dans l'affirmative, son silence sera tout aussi éloquent.

Marta secoua la tête.

– Comment t'y prends-tu, Raúl ? Est-ce qu'elle t'aide parce que tu es beau garçon ? Ou alors, as-tu avec elle des rapports de petit frère à grande sœur ? Peut-être que vous faites l'amour ensemble... Je brûle de curiosité !

Il éclata de rire.

– Marta ! Quelles insinuations ! Là, nous abordons un terrain trop glissant.

Il la raccompagna à la porte d'entrée de l'appartement, lui dit de descendre par l'ascenseur principal et de sortir en passant devant le portier. Lui, il descendrait par l'ascenseur de service et repartirait sur sa Kawasaki, via le garage.

Ils s'étreignirent, puis elle l'embrassa sur le front.

– Sois prudent, Raúl. Je me fais du souci pour toi.

– Et moi pour toi. L'espérance de vie, pour un flic honnête, est de six mois à un an. Alors fais bien attention à toi, Marta... et j'en ferai autant.

Elle alla voir Ricardi. Le chef occupait un bureau d'une taille proportionnelle à son rang hiérarchique, mais c'était un homme tellement massif qu'il donnait l'impression de remplir toute la pièce.

Il était assis à son bureau, devant des fenêtres donnant sur le vieux port de Buenos Aires. Ici, l'eau était rouge, colorée par le lit d'argile rouge du Río de la Plata. Par les fenêtres ouvertes, Marta put sentir l'odeur du fleuve. Pour elle, cette odeur était celle de sa ville.

Ricardi, fanatique de jazz, avait dans son sanctuaire une radio réglée sur une station entièrement jazz, qu'il écoutait en sourdine à longueur de journée. Avec cette musique en fond sonore, Marta exposa ses théories, y compris sa conviction que les photos truquées étaient destinées à être présentées comme des faux. Quand elle eut terminé, le chef s'adossa à son fauteuil pivotant. Le soleil se reflétait sur son crâne rasé, le faisant briller comme du cuivre.

– Ce que vous avez là, Marta, c'est beaucoup de fumée sans feu.

– Ce que j'ai, c'est un écran de fumée.

– Alors, que comptez-vous faire ?

– Tenter de dissiper la fumée.

– Comment ?

– En jouant la provocation.

Ricardi hocha la tête.

– Je peux vous aider ?

Elle lui tendit des copies des portraits-robots exécutés par Costas sur son ordinateur.

– J'aimerais que vous les fassiez distribuer au service du personnel. Pour voir si on peut les rapprocher de flics inscrits dans les fichiers.

Les yeux plissés, Ricardi étudia les dessins.

– Effectivement, ils ont un peu des têtes de flics. Ou de truands. (Il dévisagea Marta.) On fait pression sur moi pour que je confie Granic/Santini à quelqu'un d'autre.

– Qui fait pression ? Charbonneau ?

– Je n'en suis pas encore sûr, mais le fait est là. Chaque fois qu'il y a un homicide, les pressions peuvent être de deux sortes : « Élucidez l'affaire » ou « N'élucidez pas l'affaire ». En l'occurrence, je penche pour la seconde hypothèse. Dès le début, je vous ai dit que, selon moi, des gens haut placés étaient impliqués dans cette histoire, vous vous rappelez ? Et vous l'avez plus ou moins démontré en découvrant que les victimes avaient été torturées suivant une technique utilisée à l'époque du Processus. C'est maintenant votre enquête, je vous l'ai confiée et, quoi qu'on puisse dire, je ne vous la retirerai pas. Mais soyez prudente, Marta. Soyez prudente avec ceux que vous provoquez. Il y a un moment pour harceler et un moment pour relâcher la pression.

Elle avait atteint la porte et s'apprêtait à sortir quand elle se retourna.

– Une autre idée, concernant ces portraits de truands. Quelqu'un devrait vérifier s'il y a un duo de ce genre sous les ordres de Liliana Méndez.

– Ma fliquette préférée ! dit Ricardi en riant. OK, je m'en occupe.

Marta fut contente d'apprendre par Rolo que Juanita Courcelles était à son luxueux gymnase pour femmes, à Recoleta.

– Excellent ! dit-elle. Aujourd'hui, on donne un coup de pied dans la fourmilière.

Tandis qu'ils roulaient vers la salle de gym en écoutant *Radio La Colifata*, Rolo indiqua une sorte d'échauffourée sur le trottoir. Un homme entre deux âges, en survêtement, tenant un afghan en laisse, courait pour échapper à une douzaine de personnes qui le pourchassaient.

Marta baissa sa vitre.

« Tortionnaire ! Assassin ! » scandaient les poursuivants.

– C'est une *escrache*, dit Rolo avec excitation. Ils mettent ce salopard au pilori. J'ai vu sa photo dans les journaux.

Les *escraches* – humiliations publiques – étaient suffisamment rares pour susciter l'intérêt de Marta. L'année précédente, elle avait été témoin d'un de ces affrontements dans un bus. Un vieil homme d'aspect bienveillant, qui se révéla être un ancien officier de marine, fut apostrophé par une vieille dame assise de l'autre côté de l'allée. Après l'avoir dévisagé un moment, elle se leva brusquement, le doigt pointé sur lui, et l'accusa d'avoir tué son fils. Il réagit à cette agression verbale en regardant droit devant lui, fixement, allant même jusqu'à lever le menton. Lorsqu'il descendit du bus, à l'arrêt suivant, tous les passagers avaient repris la litanie : « Tueur ! Assassin ! Honte ! Honte ! » Marta, qui observait l'homme, avait eu l'estomac chaviré par son arrogance.

Elle éteignit l'autoradio.

– Il paraît suffisamment vieux pour en être. Lequel est-ce ?

– Celui qu'on surnommait « l'Amant », dit Rolo, à cause des mots tendres qu'il murmurait à ses victimes avant de les torturer. À ce qu'on raconte, il les embrassait, les caressait, leur disait combien il les aimait, combien il était navré de devoir leur faire du mal. Ensuite, il les « travaillait » au chalumeau ou aux tenailles. Il s'appelle Chamarra ou Chamorra, un nom dans ce genre-là. Seigneur, j'espère qu'ils vont le coincer !

Marta l'espérait aussi, tout en souhaitant qu'il n'y ait pas de blessés. Parfois, quand un meurtrier militaire de l'ère du Processus était acculé par la foule, il dégainait un revolver et le brandissait autour de lui. Les régimes post-Processus avaient accordé l'amnistie à ces hommes sous prétexte qu'ils n'avaient fait qu'obéir aux ordres. Bon nombre d'entre eux vivaient dans les plus beaux quartiers de la ville et recevaient une généreuse pension militaire. Un bourreau à la retraite en survêtement qui promenait son afghan méritait bien d'être désigné à la vindicte publique, pensa-t-elle. Mais quel dommage qu'il n'ait pas eu ce qu'il méritait *vraiment* : une condamnation à vie dans une prison militaire.

L'homme musclé, en T-shirt, qui tenait la réception du gymnase se leva pour les empêcher de passer.

– Vous ne pouvez pas monter, dit-il à Rolo. Cet endroit est réservé aux femmes.

– Je suis accompagné d'une femme et nous appartenons à la police fédérale, alors poussez-vous, répliqua Rolo.

Ils trouvèrent Juanita Courcelles, en débardeur blanc à côtes et short succinct, qui s'exerçait sur un appareil de résistance. Perchée sur un siège, jambes ouvertes, elle s'employait à écarter avec les avant-bras des bras mécaniques.

Marta se dirigea droit sur elle.

– Debout ! ordonna-t-elle.

– Qu'y a-t-il ? Que faites-vous ici ?

– Passe-lui les menottes ! enjoignit Marta à Rolo.

Des femmes qui s'entraînaient sur d'autres appareils s'interrompirent pour observer la scène.

– Comment *osez*-vous ? cria Juanita.

Son visage était déformé par la colère, sa peau exposée virait rapidement au rouge.

– C'est un délit de mentir à un officier de la police fédérale.

– Je veux mon avocat !

– Vous l'appellerez de la prison. Magnez-vous !

– Je ne peux pas sortir dans cette tenue.

– Vous êtes mieux habillée que la plupart de nos détenues, dit Rolo. Ne vous en faites pas, une blouse vous sera fournie quand vous serez sous les verrous.

Ce fut très probablement l'allusion à la blouse qui emporta le morceau, en offrant à Juanita une image de ce qui l'attendait : une cage commune, puante et encombrée, remplie de prostituées et de camées, un endroit peu agréable pour une célèbre star de cinéma, fût-ce pour seulement quelques heures. Puis les photographes qui la guetteraient à sa sortie, quand son avocat serait enfin parvenu à la faire libérer, et qui se presseraient autour d'elle en se léchant les babines, l'aveuglant de leurs flashs. Tout le monde voudrait voir son expression, sa honte mêlée d'indignation, voir comment cette femme riche et adulée, mariée à un homme pour qui les autres femmes auraient commis un meurtre, réagissait à cette épreuve. Même ses fans les plus fidèles, elle le savait, prendraient plaisir à la voir dans cette situation, trouvant dans sa détresse la preuve que la vie n'était pas un feuilleton à l'eau de rose et que les riches eux-mêmes pouvaient avoir des raisons de pleurer. Oui, c'était l'image de la blouse de prisonnière, se dit Marta, qui incita Juanita à changer d'attitude.

– Pourrions-nous parler dans un endroit privé, s'il vous plaît ? demanda-t-elle d'une voix humble.

– Parler de quoi ? répliqua Marta.

– Vous dites que j'ai menti...

– C'est un fait !

– S'il vous plaît, laissez-moi vous expliquer. *Je vous en prie !*

Avec une feinte réticence, Marta finit par accepter. Il y avait un petit bureau vitré qui donnait sur le gymnase. Elle suggéra de s'y retirer.

Juanita protesta, les larmes aux yeux :

– Mais tout le monde nous verra !

– Ils ne nous entendront pas. Remarquez, si vous préférez aller au commissariat... nous avons de charmantes salles d'interrogatoire.

Lorsqu'ils furent dans le bureau vitré, Juanita resta debout, docile, les bras collés au corps comme pour se protéger de leur regard.

– Vous avez déclaré n'avoir jamais revu Granic après qu'il eut quitté votre service. En réalité, vous avez été vue à plusieurs reprises, avec votre mari, entrer dans sa maison ou en sortir, tard dans la nuit. Que faisiez-vous chez lui et pourquoi m'avez-vous menti sur ce point ?

– Nous sommes allés à quelques soirées, c'est tout.

– Des partouzes ?

– Je suppose qu'on peut les appeler comme ça.

– Qu'est-ce qu'une partouze ? Qu'est-ce qui s'y passe ?

Juanita serra les bras encore plus fort.

– Les gens font connaissance, flirtent. Et puis, si ça les tente, ils montent faire l'amour à l'étage.

– Dans les chambres où sont cachés des micros et des caméras ?

– Ça, nous l'ignorions à l'époque.

– Vous et votre mari, participiez-vous à ces activités ?

– Lui, oui. Pas moi.

– Qu'est-ce que vous faisiez ?

– J'observais ce qui se passait.

– En quête d'un rôle ? (Juanita détourna les yeux.) Y avait-il sur place des prostituées, des filles qui travaillaient pour Granic ?

Juanita fit « non » de la tête.

– Comment le savez-vous ?

– En fait, je n'en sais rien.

– Qui étaient les autres invités ?

Juanita marqua une hésitation.

– Ça, je ne peux pas vous le dire.

– Parce que vous ne voulez pas ? Ou parce que vous ne savez pas ?

– C'étaient des inconnus. Certains portaient des masques.

– Des masques d'horreur en caoutchouc ?

– De simples dominos comme on en porte à un bal costumé.

– Qui étaient ces gens masqués ?

– Sans doute des célébrités.

– Des personnalités politiques ?

– C'est bien possible.

– Vous et Juan, vous portiez des masques ?

– Oui. Ça n'aurait pas servi notre réputation d'être vus dans ce genre de soirée.

– Deux personnes ont été assassinées. Pourquoi ne m'avez-vous pas dit tout ça l'autre jour ?

– C'était trop embarrassant. (De nouveau, elle évita leur regard.) Et nous ne savions rien sur ces meurtres.

– Granic a-t-il tenté de vous faire chanter ?

– Absolument pas ! Nous étions amis !

– D'après votre mari, vous ne jugiez pas convenable de fréquenter un ancien employé. Il mentait en disant ça ?

– Oui.

– C'était stupide de me mentir, non ?

– Très stupide, convint Juanita.

Ayant soutiré cet aveu, Marta estima qu'il était temps d'atténuer la pression. Elle indiqua une chaise à Juanita et demanda à Rolo d'aller lui chercher une bouteille d'eau.

– Ne soyez plus stupide à l'avenir, Juanita, dit-elle d'un ton radouci. Je vais vous donner une deuxième chance. Si vous me dites tout, je passerai l'éponge sur le faux témoignage. Je veux tout savoir sur les manœuvres de chantage de Granic. Tout : qui, quoi, quand et comment.

Devant l'expression de terreur de l'actrice, Marta crut qu'elle allait se mettre à table. Au lieu de quoi Juanita se mit à pleurer.

– Je ne sais rien. Je vous en prie, croyez-moi : ni Juan ni moi n'étions au courant de rien. Par la suite, nous avons entendu dire qu'il faisait des enregistrements et exerçait une espèce de chantage. Un homme collaborait avec lui. Il assistait aux deux soirées où nous sommes allés. Selon certaines rumeurs, il était l'encaisseur de Granic, celui qui s'occupait de collecter l'argent.

– Son nom ?

– Les gens l'appelaient « l'Étalagiste ».

– L'Étalagiste ?

– Il décore des vitrines, comme un décorateur de cinéma. Il travaille pour les meilleures boutiques, celles du Retiro et de l'Avenida Santa Fe. C'est un génie dans son domaine, à ce qu'on dit. Il compose des petites scènes avec des mannequins pour attirer la clientèle.

– Quel genre de scènes ?

– J'en ai vu une dans une boutique qui vendait de la literie d'importation... je ne me rappelle plus son nom. Il y avait une raclette de laveur de vitres et une ceinture à outils qui traînaient par terre, comme si quelqu'un avait nettoyé la devanture. Et on voyait une piste de vêtements – parmi lesquels un slip d'homme – qui conduisait à un lit, comme si le laveur les avait bazardés au fur et à mesure. Des dessous féminins très coûteux se mélangeaient aux vêtements tout simples du laveur. La literie était froissée et on voyait des taches sur les draps, comme si lui et la propriétaire venaient de s'envoyer en l'air. Sur la table de chevet, il y avait un cendrier rempli de mégots tachés de rouge à lèvres. L'idée était de...

– Ouais, je vois l'idée, l'interrompit Marta.

Juanita se déclara prête à jurer devant un juge qu'elle ne savait rien d'autre. Elle était certaine, dit-elle, que Juan ferait de même.

Elle déclara qu'ils avaient été naïfs sur le compte de Granic, qu'ils lui avaient confié leur vie et celles de leurs enfants, mais qu'ils avaient rompu tout contact avec lui en apprenant que c'était un maître chanteur. Elle déclara qu'ils avaient eu la certitude, à l'annonce de son assassinat, que le mobile était le chantage. Elle déclara que, lorsque Marta s'était présentée à la grille de leur résidence, ils avaient décidé de ne rien dire, de peur d'être impliqués dans un scandale.

– Nous vous devons de plates excuses, conclut-elle. Nous connaissons votre réputation. Nous avons beaucoup de respect pour vous. Je suis sincèrement désolée d'avoir essayé de vous tromper, et je sais que Juan l'est aussi.

Marta acquiesça à peine. Elle n'était pas d'humeur à accepter les excuses de Juanita. Si les Sabino étaient « sincèrement désolés », c'était uniquement parce qu'elle les avait pris en flagrant délit de mensonge.

En quittant le gymnase, elle donna instruction à Rolo de retrouver « l'Étalagiste ».

– S'il existe, ça ne devrait pas être difficile. Tu n'as qu'à te renseigner dans les luxueuses boutiques de literie sur un décor de vitrine mettant en scène une dame et un laveur de vitres.

Après le travail, elle rentra chez elle, gara sa voiture et passa à son épicerie de quartier. Ce soir, c'était au tour de Leon d'aller chercher Marina à son cours de tango. Le temps qu'ils reviennent, Marta leur aurait préparé le dîner.

Ses courses terminées, elle rebroussa chemin vers son immeuble. Elle venait de passer devant le petit hôtel où descendaient les danseurs de tango étrangers, quand elle fut abordée par un homme d'âge moyen, au visage bienveillant, coiffé d'un feutre gris.

Il souleva son chapeau pour la saluer, comme le faisaient les gentlemen de Buenos Aires vingt ans auparavant.

– Inspecteur Abecasis ? s'enquit-il d'une voix douce.

Elle croisa son regard. Il paraissait inoffensif.

– Nous nous connaissons ? demanda-t-elle.

Il sourit.

– Je regrette... mais non.

Il se rapprocha un peu, ce qui la rendit nerveuse car elle avait les mains occupées par ses paquets.

– J'ai quelque chose pour vous, dit-il en exhibant un exemplaire plié de l'édition du matin d'*El Faro*.

Sur le moment, elle pensa : *Ça y est. Il a un revolver caché à l'intérieur. Je vais être assassinée.*

L'inconnu était si près qu'elle pouvait voir ses dents en or. Elle n'avait pas le temps de dégainer son pistolet, enfoui dans son sac à main. Il mit doucement le journal plié dans l'un des sacs de provisions de Marta, puis recula.

– Qu'est-ce que c'est ? demanda-t-elle.

– Un journal. Quand vous serez rentrée, s'il vous plaît, jetez un coup d'œil à l'intérieur.

Elle secoua la tête.

– Montrez-moi plutôt ce qu'il y a à voir.

Il s'approcha, sortit le journal et l'ouvrit discrètement, révélant une épaisse liasse de billets de cent dollars américains retenus par un élastique.

– C'est en quel honneur ?

– Pour vous inciter à mettre un terme à votre enquête.

– Quelle enquête ?

– Je crois que vous le savez, inspecteur, dit-il d'une voix très douce. Il vous suffit de la laisser pourrir, faute de pistes, comme tant d'affaires de nos jours.

– Tentative de corruption d'un officier de la police fédérale... savez-vous quelle peine vous encourez ?

– *Pardon, señora ?*

– Dix ans. Veuillez tenir mes sacs, le temps de sortir mes menottes et de vous arrêter.

Il la regarda avec de grands yeux, comme si elle était folle. Elle soutint son regard sans broncher pour lui montrer qu'elle ne plaisantait pas. Finalement, il hocha la tête, replia son journal et le fourra sous son bras.

– Comme vous voudrez, señora.

Il souleva de nouveau son chapeau, tourna les talons et s'éloigna à grandes enjambées.

– Viens voir un peu Viera, dit Leon ce soir-là, faisant signe à Marta de le rejoindre devant la télévision.

José Viera, ministre des Finances, était interviewé sur la crise économique. Marta repéra Charbonneau, lunettes luisantes, assis derrière lui, légèrement en retrait, comme il convenait à une éminence grise.

Viera fit à Marta l'impression d'un personnage familier, ce que les gens appelaient « un politicien charismatique » : charmeur, rusé, rayonnant de puissance, un homme aux traits réguliers, avec une épaisse chevelure gris fer et un profil énergique qui serait du meilleur effet sur les affiches électorales.

L'interviewer, pugnace, essayait de forcer Viera à endosser la responsabilité de l'économie en ruines. Mais Viera, avec une grande habileté, refusait d'entrer dans le jeu.

– Je fais partie d'un gouvernement de transition, déclara-t-il, et j'ai été le seul membre à accepter le plus vilipendé de tous les ministères. Je le fais par amour de mon pays. Ce n'est pas moi qui décide de la politique économique ; c'est le cabinet dans son ensemble. Si j'avais les coudées franches, nous conduirions la nation sur une voie différente. Je m'en expliquerai plus tard, en temps opportun. Dans l'immédiat, je garde mes projets pour moi.

– Donc, vous réfutez les critiques en arguant de votre courage personnel ? dit l'interviewer.

Viera sourit.

– Je n'ai jamais prétendu être courageux. Néanmoins, il fallait bien que quelqu'un prenne en charge le portefeuille des Finances. Oui, c'est une tâche ingrate, mais les tâches ingrates ne m'ont jamais fait peur.

– Selon certaines rumeurs, vous envisageriez de vous présenter à la présidentielle. Des commentaires ?

– Quand je prendrai cette décision – si je la prends –, il y aura un communiqué officiel. Pour le moment, je m'efforce de servir de mon mieux le peuple argentin, quelles que soient les difficultés de ma position actuelle.

– On vous a associé à des éléments situés à l'extrême droite de l'échiquier politique. Vous considérez-vous comme un extrémiste ?

– Si un patriote est aujourd'hui considéré comme un extrémiste, alors oui, j'en suis un. En vérité, je me vois comme un rassembleur, un homme capable de concilier des points de vue divergents. J'ajouterai une chose : la situation ne peut pas continuer ainsi ; la nation a besoin d'un grand nettoyage. Si nous voulons surmonter nos difficultés – et ne nous y trompons pas, cette crise est grave –, il nous faudra un pouvoir fort, capable de prendre des décisions. Faute de quoi, le pays s'enfoncera encore davantage dans le marasme.

L'interview était terminée. Leon éteignit le poste.

– Comment le trouves-tu ? demanda Marta.

Leon secoua sa tête bouclée.

– Je crois qu'il veut tellement la présidence qu'il peut déjà en goûter la saveur.

Ou tuer pour l'avoir, pensa Marta.

Le téléphone de l'appartement sonna au milieu de la nuit. Marta tendit le bras par-dessus Leon pour décrocher le combiné. Personne ne parla, mais elle entendit une respiration haletante au bout du fil.

– Vous êtes vraiment à plaindre, murmura-t-elle avant de raccrocher.

Quelques secondes plus tard, son portable sonna. Elle se leva pour répondre. Elle entendit la même respiration bruyante. Le message était clair : son correspondant – quel qu'il fût – connaissait son numéro personnel, savait comment la joindre de multiples façons.

– Qui était-ce ? s'enquit Leon.

– Juste un connard, dit-elle en se recouchant.

– Je croyais t'avoir entendue dire qu'il était à plaindre.

– C'était pour être aimable. Il est deux heures du matin, chéri. Rendormons-nous.

Elle conduisait Marina à l'école quand son portable sonna. C'était Raúl Vargas. Elle entendit les bruits de la circulation en fond sonore pendant qu'il parlait.

– J'ai rencontré hier soir mon amie nord-américaine. Elle a promis de creuser l'affaire... et elle vient juste de me rappeler. J'ai été rudement surpris par ce qu'elle m'a dit. Je pense que tu le seras aussi.

– Qu'a-t-elle dit ?

– Il semble que ta victime, le señor Granic, était bel et bien un agent étranger, mais pas pour l'un ou l'autre des pays que nous avons évoqués.

– Accouche, Raúl !

– Pardonne-moi, mais c'est tellement délectable que je fais durer le suspense. Granic travaillait pour les Israéliens. Et attends : ce n'était pas simplement un de leurs meilleurs agents de renseignements. Il était employé ici à plein temps pour une mission d'infiltration en profondeur. Tu vois ce que ça signifie ?

– Le Mossad, dit-elle.

Marta entendit le rugissement de la Kawasaki qui accélérait, puis Raúl coupa la communication.

Elle passa une bonne partie de la journée à essayer de joindre l'ambassade d'Israël. À deux reprises, on la mit en attente avant de la déconnecter. À la troisième tentative, on lui passa un homme qui se présenta comme un employé aux affaires consulaires mais refusa de décliner son identité. Il dit à Marta que tout contact entre un représentant du gouvernement argentin et l'ambassade israélienne devait se faire par l'intermédiaire du ministère des Affaires étrangères. Il ajouta que tous les diplomates israéliens jouissaient de l'immunité diplomatique et que le gouvernement israélien avait pour politique de ne pas répondre aux questions concernant le personnel diplomatique.

Elle téléphona au ministère des Affaires étrangères, où elle finit par joindre le bureau israélien. Un employé lui expliqua qu'elle devait déposer une demande écrite par le biais du comité de liaison de la police fédérale. Quand Marta lui objecta que c'était impossible en raison de la nature confidentielle de sa requête, il rétorqua qu'elle lui faisait perdre son temps et raccrocha.

Elle rappela l'ambassade d'Israël et demanda qu'on lui passe le service des affaires consulaires. Elle tomba sur le même homme que précédemment, qui lui répéta – de manière encore plus abrupte – ce qu'il lui avait déjà dit, ajoutant : « Nous sommes très occupés. Si vous ne pouvez pas utiliser les filières normales, nous vous serions reconnaissants de ne pas rappeler. »

Elle téléphona à Rolo, le mit au courant des révélations de Raúl et lui dit qu'elle était maintenant convaincue que les gens qui avaient passé la nuit dans la maison de Granic, avant de repartir à l'aube dans la camionnette aux vitres noircies, étaient des agents israéliens chargés de nettoyer les lieux.

– Renseigne-toi pour savoir qui a réclamé le corps de Granic, lui dit-elle. Et aussi celui de Silvia, tant que tu y es.

Peu après quatre heures, elle reçut un appel sur son portable. Une femme dont elle ne reconnut pas la voix lui demanda si elle était bien l'inspecteur Abecasis.

– Et vous, qui êtes-vous ? s'enquit Marta, car peu de gens avaient son numéro de portable.

– Vous avez dérangé beaucoup de monde aujourd'hui, inspecteur, et posé beaucoup de questions. Retrouvez-moi dans vingt minutes au coin d'Arroyo et de Suipacha, vous obtiendrez peut-être quelques réponses.

Marta se précipita vers sa voiture et se rendit directement à l'endroit indiqué, sachant précisément où il se trouvait et comprenant parfaitement sa signification. Il s'agissait de Memorial Plaza, qui marquait le lieu de l'attentat à la voiture piégée contre l'ambassade d'Israël, en mars 1992, explosion qui avait détruit le bâtiment en faisant vingt-neuf victimes, et dont le père de Marta, encore vivant à l'époque, disait que c'était le pire acte antijuif jamais perpétré en Argentine.

Nico Abecasis n'avait pas vécu suffisamment longtemps pour voir les ravages d'une attaque encore plus meurtrière : le bombardement en juillet 1994 de l'AMIA, le centre de la vie culturelle judéo-argentine, dans lequel quatre-vingt-six personnes avaient trouvé la mort. Marta, elle, les avait vus. Elle était alors une jeune recrue de la police, réquisitionnée avec bien d'autres pour dévier la circulation pendant que des unités spécialisées organisaient les secours. Ç'avait été une matinée qu'elle n'oublierait jamais, un tournant décisif dans son identité culturelle de Juive argentine. Avant l'attaque, elle se considérait comme une jeune femme totalement laïque dont la mère se trouvait être catholique et le père juif. Depuis lors, chaque fois qu'elle rencontrait quelqu'un, elle s'arrangeait pour lui faire connaître ses origines dans l'heure qui suivait les présentations. Elle tenait à faire savoir sans ambiguïté qui elle était et qu'elle ne tolérerait aucun antisémitisme, y compris sous forme de plaisanteries.

Elle se gara sur Pellegrini, dans une zone réservée à la police, et fit cent mètres à pied jusqu'à Memorial Plaza, dans Arroyo, où un policier solitaire montait la garde dans une guérite.

Le mémorial était austère. La silhouette de l'ancienne ambassade était dessinée sur le mur, à l'arrière-plan ; sur une dalle en pierre, protégée par du verre blindé, était gravée en espagnol, en anglais et en hébreu, une description des événements du 17 mars 1992. Vingt-neuf arbres symbolisant les victimes étaient plantés sur deux rangs parallèles. Tandis qu'elle attendait devant la barrière métallique, Marta remarqua que les piétons avaient tendance à accélérer le pas et à détourner le regard en passant devant le monument. Une évocation si puissante de ce qui s'était passé en ce lieu n'était manifestement pas de celles que les *Porteños* souhaitaient regarder en face.

Au bout d'un quart d'heure, elle était sur le point de partir quand un taxi se rangea contre le trottoir. Une femme baissa la vitre arrière et s'enquit :

– Inspecteur Abecasis ? Montez, je vous prie.

La femme, d'une quarantaine d'années, avait des cheveux noirs coupés ras et dégageait une énergie farouche. Elle ne se présenta pas, n'indiqua aucune destination au chauffeur. Celui-ci conduisit en silence sur la longueur de quelques blocs, se gara sur Libertad, mit pied à terre et resta posté là, dos à la voiture, comme pour la surveiller pendant qu'elles parlaient.

– C'est un véritable chauffeur de taxi ? demanda Marta.

– Bien sûr que non, répondit la femme en regardant Marta droit dans les yeux. Je voulais vous rencontrer pour vous dire tout net que le señor Ivo Granic était un citoyen argentin, immigré de Yougoslavie il y a quelques années, et qu'il n'avait pas le moindre lien avec l'ambassade d'Israël.

– Ce n'est pas ce qu'on m'a dit, répliqua Marta. Je tiens d'une excellente source, appartenant à la mission diplomatique, que Granic était un agent du Mossad infiltré.

– Vous avez été mal informée. Je vous suggère de trouver une source plus fiable avant de déranger des gens occupés en leur posant des questions ineptes.

La femme y allait très fort. Son expression était sévère, ses yeux rivés sur Marta sans ciller.

Bien trop sévère et péremptoire, songea Marta. *Comme si elle cherchait à faire passer un message tout en disant le contraire.*

– Il aurait été facile de m'expliquer cela au téléphone, observa Marta. On m'a raccroché au nez plusieurs fois. Certains de vos collègues sont parfaitement grossiers.

– Veuillez vous abstenir de toute supposition concernant mes éventuels collègues. Et veuillez vous rappeler que les Israéliens n'ont pas une affection débordante pour la police fédérale de Buenos Aires. Vous en savez certainement les raisons.

Marta hocha la tête. Même si les deux attentats antijuifs avaient été attribués à des agents du Hezbollah opérant à partir de la zone des trois frontières du nord de l'Argentine, du Paraguay et du Brésil, où était installée une communauté d'immigrés arabes, on pensait que la police locale avait également été impliquée.

– Je sais, bien sûr, que la camionnette provenait du garage du beau-frère d'un flic.

– Et l'avertissement par radio ?

Là encore, Marta acquiesça. Elle savait que, deux minutes avant l'explosion de la voiture piégée, les flics en faction devant l'ambassade avaient été éloignés par un appel radio de la police. On n'avait jamais pu retrouver l'origine de l'appel.

– Justice n'a pas été faite en ce qui concerne ces deux attentats, martela la femme.

Agacée par son attitude, Marta répondit :

— Écoutez, qui que vous soyez, ne me faites pas la morale. Mon père était juif. Moi-même, je me considère comme une Juive argentine.

— Je le sais. C'est uniquement pour cette raison que je discute avec vous. Je connais également votre réputation. S'il vous plaît, inspecteur Abecasis, écoutez-moi attentivement : le gouvernement israélien ignore tout de cet homme, Ivo Granic. En outre, « le Mossad » est une vue de l'esprit.

— Alors là, pardon !

— « Le Mossad » n'existe pas. C'est un fantasme d'auteur de romans d'espionnage.

— Vous voulez me faire croire qu'Israël n'a pas de services de renseignements ? interrogea Marta d'un ton ouvertement railleur.

La femme esquissa un bref signe de tête.

— J'espère avoir répondu à toutes vos questions.

Elle toqua à la vitre, le chauffeur remonta dans le taxi et les ramena à Memorial Plaza.

— Je vous suggère de rester un moment ici, dit la femme en indiquant la plaque commémorative fixée au mur. Pensez à ce qui s'est passé et aux criminels qui ont commis cet acte. Il faut les débusquer et les châtier. Un tel acte ne doit plus jamais être perpétré sur le sol argentin.

Marta attendit un instant avant de descendre.

— C'est tout ? demanda-t-elle.

— C'est tout, répondit l'inconnue.

Marta la regarda fixement.

— Je n'aime pas être traitée avec condescendance. Toutefois, j'apprécie votre aide.

La femme soutint son regard, puis détourna vivement la tête.

Dès que Marta fut sur le trottoir, le taxi repartit à vive allure. Elle se tourna vers la plaque, relut l'inscription, puis inclina la tête à la mémoire de ceux qui étaient morts ici.

À la brigade criminelle, Rolo l'attendait pour lui apprendre qui avait réclamé les corps des victimes.

— Silvia Santini a été réclamée par sa mère, qui l'a ramenée dans la province de Mendoza pour l'enterrement. Ivo Granic l'a été par le consulat yougoslave, agissant au nom de son ex-épouse, Sofia Granic. Le corps a été expédié à New York pour être ensuite rapatrié à Belgrade.

Rolo souriait de toutes ses dents.

– Eh bien quoi ?

– En travaillant aux Stups, Marta, j'ai appris une chose importante : ne jamais se fier aveuglément à un manifeste des douanes. Le cercueil de Granic a bien été livré à New York... mais là, il s'est passé quelque chose d'inhabituel. Un nouveau contrat de transport aérien a été établi, le cercueil a été remis à la compagnie El Al, puis expédié à Tel-Aviv par le premier avion.

Voilà qui règle la question, pensa-t-elle.

En rentrant chez elle au volant de sa voiture, Marta s'avisa que les Israéliens avaient une curieuse façon de procéder :

Un de leurs agents est tué. Ils nettoient sa maison de fond en comble, mais laissent son cadavre à notre disposition. Quand je demande s'il est israélien, non seulement ils le nient, mais ils vont jusqu'à nier l'existence de leurs services secrets. C'est apparemment leur manière de dire que, oui, il était bien leur agent, et que, non, ça ne les intéresse pas de coopérer avec moi. Ce qui signifie sans doute qu'ils comptent régler l'affaire par eux-mêmes et que, de leur point de vue, je suis hors du coup.

De quoi faire enrager Marta.

Elle se dirigeait vers son immeuble, marchant parmi les ombres, quand une voix masculine l'interpella.

– Señora ! Señora inspecteur !

Elle se retourna et reconnut l'homme. Il tenait une petite boutique de serrurerie au coin de la rue. Il courait pour la rattraper.

– S'il vous plaît, señora... venez à la boutique avec moi. Ma femme a quelque chose d'important à vous dire.

Marta lui emboîta le pas. Le marché de la serrurerie, elle le savait, était florissant aujourd'hui : c'était l'un des rares métiers qui prospéraient, avec l'économie en ruines et l'épidémie de cambriolages qui ravageait la ville.

La femme du serrurier, qui limait une clef pour un client, termina sa tâche et encaissa le paiement. Elle attendit que son client fût sorti avant de se tourner vers Marta.

– Je préfère vous mettre au courant, señora inspecteur. Deux hommes sont venus hier matin poser des questions sur vous. Des durs. Au début, j'ai pensé qu'ils étaient flics.

– Que voulaient-ils ?

— Ils ont posé toutes sortes de questions sur vos habitudes : vos allées et venues, où vous faites vos courses, où vous garez votre voiture, le métier de votre mari, où il travaille, où votre fille va à l'école... Naturellement, je ne leur ai rien dit. Vous et votre mari, vous avez toujours été gentils avec nous. Vous êtes des clients auxquels nous sommes attachés. Mais je dois vous dire qu'ils n'ont pas interrogé que nous. Ils ont passé une bonne partie de la matinée à se renseigner chez tous les commerçants de la rue.

La femme s'interrompit. Marta sentit qu'elle avait autre chose à dire, quelque chose de difficile qui la faisait hésiter.

— Continuez, je vous en prie, dit-elle avec douceur.

— Ils ont posé aussi une autre question.

La femme jeta un coup d'œil à son mari. Marta s'adressa à lui :

— Laquelle ?

Le serrurier la regarda d'un air gêné avant de répondre, dans un murmure :

— Ils ont demandé si vous étiez juive, señora. Ma femme leur a répondu qu'elle n'en savait rien.

Oui, pas étonnant qu'ils veuillent savoir ça... évidemment !

Marta montra à la femme une copie des portraits-robots de Costas.

— Ressemblaient-ils à ça ?

Les yeux plissés, la femme examina les dessins.

— Peut-être un peu. Mais l'un d'eux avait une moustache et l'autre une grande cicatrice sur la figure... J'espère que nous avons fait ce qu'il fallait, señora ?

— Absolument. Merci de m'en avoir parlé.

Marta se pencha pour embrasser la femme du serrurier sur la joue.

4

UN APPEL DANS LA NUIT

Le Dr Tomás Hudson, incliné dans son fauteuil de thérapeute, dans son cabinet de consultation de la Villa Freud, écoutait attentivement son patient, Claudio Gillabel, déverser sa rage contre ses parents adoptifs.

Claudio, talentueux peintre de vingt-deux ans, était le fils de militants de gauche qui avaient été arrêtés à l'époque du Processus et « disparus » par la suite. Sa mère l'avait mis au monde en prison. Aussitôt après, il lui avait été arraché pour être adopté par José et Prudencia Soler, un couple de militaires conservateurs, sans enfants.

— Ils voulaient un garçon blond aux yeux bleus, vous comprenez, pour que ça colle avec leur héritage nord-européen.

Quand il était agité, Claudio avait le tic de ramener répétitivement en arrière la mèche de cheveux blonds qui lui tombait sur le front. En l'occurrence, il se livrait à une description cinglante des Soler, qu'il ne pouvait se résoudre à appeler « papa » ou « maman », mais uniquement « il », « elle » ou « ils » – pronoms qu'il énonçait avec une telle aversion que, par moments, il les crachait littéralement.

— Je les imagine faisant leur shopping à la maternité de la prison, passant méthodiquement d'un lit à l'autre, secouant la tête devant les bébés de type trop italien. Hors de question que *leur* enfant ait le teint basané ! Ou qu'il montre la moindre trace de sang indien ! Ou que ce soit une fille. « Pas de pisseuse pour nous ! » Ou un Juif ! « Un bébé juif ! *Espantoso* ! » Non ! Ils savaient exactement ce qu'ils cherchaient, et quand le capitaine Merdeux, l'enfoiré qui était chargé de nous dispatcher, les a amenés à mon berceau, ils ont quasiment pissé dans leur froc. « Est-il donc adorable ! » « Si mignon ! » « Un ange de tendresse ! » « Il nous ressemble tellement ! » « Il fera un parfait petit soldat ! » « Un élève officier remarquable ! » « Nous le prenons, le charmant bambin. » « Inutile de l'envelopper. Nous le prenons en l'état ! »

« Là-dessus, le pompeux lieutenant a glissé en catimini un billet de cent pesos au capitaine Merdeux. « Pour vous dédommager de votre peine, cher ami. » « Oh ! merci, José. Et si jamais vous avez besoin d'un parrain pour lui, je suis sûr que le colonel Suce-bite sera très fier de remplir ce rôle. »

Le jeune homme fut pris d'une quinte de toux. Il s'épuisait, mais Tomás ne l'interrompit pas. Le fantasme de Claudio était pour lui un moyen de libérer son venin ; avec un peu de chance, cela lui permettrait de déblayer le terrain, d'arriver enfin à une évaluation plus objective des Soler – une évaluation qui, Tomás en était convaincu, l'amènerait à considérer ses parents adoptifs comme des gens médiocres et non comme des incarnations du mal complètement disproportionnées.

Tomás traitait Claudio depuis six mois, à raison d'une séance par semaine de thérapie face à face. Le jeune homme se présentait systématiquement aux séances en T-shirt et jean noirs, « en signe de deuil pour mon enfance saccagée », comme il le disait lui-même.

Aux yeux de Tomás, le cas de Claudio était exemplaire dans la mesure où sa crise identitaire d'orphelin adopté parasitait son œuvre. C'était un peintre immensément doué : cela, Tomás l'avait compris d'emblée. Mais le développement artistique de Claudio était maintenant entravé par sa rage, qu'il pouvait exprimer uniquement dans un cycle de portraits dévastateurs où il représentait ses parents adoptifs la tête cernée d'une auréole, ou agenouillés devant un autel, ou recevant la communion, ou dans toute autre posture de piété ostentatoire – piété démentie par les contorsions de leurs mains, la cruauté de leurs yeux et le petit sourire féroce, satisfait, qui étirait leurs lèvres pincées.

Une galerie de Palerme, qui avait exposé les toiles de Claudio, avait réussi à en vendre plusieurs. Néanmoins, Claudio était frustré. Comme il le déclara à Tomás au début de la thérapie : « Je n'ai pas envie de peindre de jolis tableaux. Suis-je condamné pour autant à passer ma vie à illustrer *leur* moralisme bidon ? »

C'était un cas difficile, car le jeune homme semblait incapable de trouver une issue. Ses mains, observa Tomás, tremblaient sans arrêt – sauf quand il peignait ou dessinait. Claudio avait également des difficultés à entretenir des relations amoureuses suivies. Il était beau et attirait les filles ; pourtant, ses aventures sentimentales échouaient systématiquement. Tôt ou tard, sa compagne se plaignait de sa froideur ou n'arrivait pas à supporter son stress permanent. Et pourtant, confia Claudio à Tomás, il souhaitait par-dessus tout avoir une petite amie stable.

Souvent, Tomás avait le cœur déchiré en écoutant Claudio exprimer sa souffrance. Il voulait désespérément lui fournir les armes nécessaires pour mener une vie normale et s'accomplir en tant qu'artiste. Au fil des mois, il avait guidé Claudio dans le labyrinthe des événements qui, dans son enfance, l'avaient amené à comprendre qu'il n'était pas vraiment le fils des Soler. Puis son euphorie quand, à l'âge de seize ans, il avait découvert qui étaient ses parents biologiques : María Gillabel, première danseuse du Ballet national, et Inigo Gillabel, chef décorateur de la compagnie.

– C'étaient des *artistes* ! Des *artistes*, docteur Hudson ! Autrement dit, les pulsions créatives que je ressentais depuis toujours étaient dans mes gènes, relevaient de cette « mauvaise graine » que *lui* et *elle* détestaient tant chez moi...

Ayant appris sa véritable identité, Claudio retrouva sa tante et lui demanda de le recueillir, ce qu'elle fit avec joie. Puis elle livra une bataille juridique contre les Soler pour la garde du jeune garçon, bataille qu'elle remporta. Claudio, reprenant le nom de ses parents, ne voulut même pas adresser un signe de tête aux Soler au tribunal.

– Le plus ironique, dit-il à Tomás avec un grand sourire, c'est qu'ils dénigraient toujours mes œuvres parce que, sachant que mes vrais parents avaient été artistes, ils craignaient que j'aie hérité de leurs idées politiques.

Pour Tomás, cette utilisation du mot « ironique » était l'élément le plus prometteur de la séance. Si Claudio parvenait à trouver de l'ironie dans le comportement des Soler, peut-être pourrait-il entamer le processus consistant à les « recadrer » dans son imagination.

– Vous savez, lui dit Tomás, il y avait des hommes, parmi les tortionnaires et les assassins – et nous savons que le lieutenant Soler était un simple bureaucrate, rien de plus –, qui recevaient la sainte communion des mains d'un aumônier militaire avant de martyriser et de tuer leurs prisonniers. Songez à cela. C'était diabolique, certes, mais voyez-vous aussi la dimension pathétique ? La certitude morale de bien faire ?

– Évidemment ! s'exclama Claudio. C'étaient des imbéciles ! Bien sûr que je trouve ça pathétique ! (Il dévisagea Tomás.) N'empêche, je les tuerais si je le pouvais. Et le prêtre aussi, en commençant par lui.

– Bon, vous avez développé tout à l'heure un fantasme fécond : vos parents adoptifs faisant l'emplette d'un bébé... Voyons maintenant si vous pouvez imaginer une scène différente. Imaginez-les vous présentant leurs excuses, implorant votre pardon.

– Des excuses pour m'avoir trompé, pour m'avoir élevé dans le mensonge ?

Tomás acquiesça.

– Quelle serait votre réaction ?

Après une longue pause, Claudio esquissa un sourire.

– Je crois que j'aurais envie de leur casser les dents.

La séance touchait à sa fin. Tomás ne voulait pas qu'elle se termine sur une note d'agressivité.

– Voici une suggestion. Essayez de dessiner leurs visages – juste un petit croquis, rien d'important – en imaginant qu'ils sont en train de vous demander pardon... même si, entre nous, il est fort peu probable qu'ils le fassent un jour.

Claudio ne fut pas emballé par l'idée.

– À quoi ça servirait ?

– À voir si vous pouvez trouver en vous-même la capacité de dépeindre leur côté pathétique. Vous êtes venu me trouver, rappelez-vous, dans le but de vous libérer de votre obsession. Si vous arriviez à le faire avec votre crayon... ce serait déjà un début.

Claudio réfléchit un moment. Finalement, il haussa les épaules.

– D'accord, j'essaierai. Peut-être qu'il en sortira quelque chose...

Après le départ de Claudio, Tomás arpenta son bureau. C'était un classique cabinet de consultation de psychothérapeute : sièges inclinables, confortablement rembourrés, pour le thérapeute et le patient ; divan en cuir beige pour les patients qui suivaient une psychanalyse standard ; assortiment de masques sur l'un des murs pour favoriser les associations d'idées ; pendule à affichage numérique, discrètement placée, pour permettre au thérapeute et au patient de savoir quand la séance touchait à son terme.

Les orphelins étaient la spécialité de Tomás. Il en traitait actuellement cinq : trois jeunes femmes et un jeune garçon en plus de Claudio. Les séances avec eux étaient souvent épuisantes, mais leur intensité le comblait.

Il avait de l'affection pour tous ses patients. Il aurait même été jusqu'à dire qu'il les aimait. Parmi eux, Claudio, le plus doué, le plus perturbé à certains égards, était son préféré à cause de l'extrême vulnérabilité qu'il sentait sous sa colère.

Dans le cas de Claudio, il y avait un problème particulier : José Soler ne correspondait pas, extérieurement, au prototype du tortionnaire meurtrier. Il n'était ni brutal ni ignorant ; il n'avait pas la bedaine, le regard vide et le rictus sadique de rigueur. Par-dessus le marché, il n'avait jamais levé la main sur le jeune garçon. Soler était juste un ancien officier de type nordique, aux convictions simples, dont la personnalité falote ne pouvait se prêter aux images démoniaques de Claudio.

Tomás contempla par la fenêtre les rues de Buenos Aires. La ville paraissait solitaire en ce grisâtre après-midi d'automne : un labyrinthe dans lequel des millions de gens évoluaient et se croisaient, toujours isolés, toujours seuls.

Tandis qu'il regardait, une pensée lui traversa l'esprit : peut-être était-ce uniquement dans certains recoins étranges de la ville – bordels, clubs de tango, salles de torture, cabinets de psychanalystes – que les *Porteños* arrivaient pleinement à communiquer.

Planté derrière le pupitre, Tomás parcourut du regard son public. Chaque siège de l'auditorium était occupé, il y avait des gens debout au fond, d'autres entassés sur les marches des premier et deuxième étages ou encore dans la pièce voisine, la salle du conseil d'administration, où des haut-parleurs transmettraient sa conférence.

Il connaissait bon nombre de ceux qui étaient assis devant lui : collègues, étudiants, amis de longue date. Son très cher mentor et analyste, Carlos Peña, était installé au milieu du premier rang, à côté de Victoria Fabiani, son associée. Deux rangs derrière se trouvait Ana Moreno, qui avait longtemps été la maîtresse de Tomás. Regardant plus loin, il repéra deux autres femmes avec qui il avait été intime : Leonore Guzman et Beatriz Cohen, qui comptaient parmi les plus brillantes jeunes analystes de l'Institut.

Presque toutes ses relations étaient présentes ce soir. Il y avait également des inconnus, membres d'instituts rivaux – disciples de Jung, de Lacan –, et aussi des gens extérieurs à la profession. Son cabinet avait été submergé de coups de téléphone et d'e-mails depuis l'annonce de la conférence. Car, dans les milieux psychanalytiques de Buenos Aires, qui aurait pu résister à son titre : *Orphelins de l'époque du Processus : traitement psychothérapeutique des fils et filles de disparus* ?

90

Il était vingt heures trente. Le brouhaha commençait à s'apaiser. Tomás attendit le silence complet, marqua une pause... puis commença son discours :

– Les orphelins dont je vais vous entretenir ce soir sont prisonniers de l'Histoire, victimes de notre politique autoritaire. Je veux parler des jeunes gens à qui on a volé leur identité, qui ont été englués dans une toile de mensonges. Certains ne peuvent même pas se résoudre à discuter de leur situation. D'autres ne peuvent en parler qu'avec fureur. D'autres encore souffrent de symptômes sévères, tant physiques que mentaux : obésité, anorexie, maladies de peau incurables, dépression débilitante, fantasmes obsessionnels de vengeance et de suicide.

« Au fil des années, nous avons lu beaucoup d'études sur ces jeunes gens tragiques qui approchent aujourd'hui des vingt-cinq ans : des ouvrages racontant comment ils furent, selon l'expression d'un témoin, « cédés comme des chatons » à ceux-là mêmes qui avaient arrêté leurs parents biologiques, allant parfois jusqu'à les torturer et les assassiner.

« Comme nous le savons tous, les mères de ces enfants furent bientôt ramenées dans leurs cellules, au sein du même bâtiment, où elles connurent un terrible destin. Toutes furent « disparues », sans qu'on sache où leurs corps étaient enterrés. Et leurs bébés, nés en captivité, remis entre les mains des ennemis de leurs parents, reçurent une éducation destinée à en faire des enfants de militaires obéissants et bien élevés... du moins était-ce l'espoir de leurs parents adoptifs.

« Ces parents adoptifs furent rarement sincères avec eux. Souvent, les orphelins découvrirent leur véritable identité par le seul fait du hasard : un lapsus, une histoire qui ne tenait pas debout, les regards curieux posés sur eux par leurs « grands-parents » et « cousins », les murmures entendus quand leurs parents adoptifs les croyaient endormis.

« Quand, devenus jeunes adultes, ils viennent nous trouver avec leur poids de souffrances, il nous appartient non seulement d'essayer de panser leurs plaies, mais aussi de faire émerger la vérité sur les crimes commis à leur encontre. C'est nécessaire pour que chaque situation puisse être examinée par les parties concernées : les orphelins, les membres survivants de leur famille biologique, et même les parents adoptifs dans les rares cas où ceux-ci sont disposés à écouter. La nation tout entière doit entendre ces histoires. Ces relations entre orphelins et parents adoptifs découlent de meurtres qui n'ont fait l'objet d'aucune poursuite. Tant que les multiples emballages du secret n'auront pas été arrachés, notre nation continuera à être malade.

Tomás s'interrompit. Il parlait sans notes. Son intention n'était pas de prononcer une froide conférence ni de présenter des stratégies de traitement efficace. Il souhaitait plutôt atteindre ses auditeurs dans les recoins les plus vulnérables de leur psyché. Il voulait, par-dessus tout, s'adresser à eux avec une éloquence à la hauteur de la douleur qu'éprouvaient ses patients.

Il commença par expliquer comment cette catégorie de patients était devenue sa spécialité. Typique histoire de pratique psychanalytique : un client envoyé par un confrère, suivi par hasard d'un autre, envoyé par un collègue différent ; un discours prononcé sur le sujet ; un séminaire organisé sur ce thème ; un article publié puis largement commenté. Quand le bruit se répandit qu'il avait mis au point des traitements efficaces, certaines « grands-mères de la place de Mai » commencèrent à le recommander. Finalement, il se retrouva avec tellement de patients-orphelins qu'il fut contraint d'en refuser.

Dans un monde idéal, dit-il à son auditoire, de nombreux thérapeutes accompliraient ce travail. Malheureusement, seuls quelques-uns étaient disposés à traiter ce genre de cas. Et ce, pour de multiples raisons : les patients étaient jugés difficiles, les chances de guérison faibles, les implications politiques sérieuses, et le complexe de culpabilité ainsi engendré était sévère.

– Nombre d'entre nous, dit-il, qui ont vécu les années du Processus, se rappellent la neutralité lâche de cet Institut envers les crimes de la junte militaire. Résultat, bien des amitiés de toujours furent brisées. Des groupes dissidents se formèrent. Les tragédies individuelles des disparus et des orphelins furent reléguées au second plan par la tragédie collective de notre communauté, elle-même n'étant que le microcosme d'une vaste tragédie nationale qui reste encore à résoudre.

« Et pourtant, comment pouvons-nous espérer reconstruire notre communauté et notre nation si nous n'essayons pas de guérir ceux qui en sont probablement les plus grandes victimes encore en vie ?

Il marqua une nouvelle pause, but une gorgée d'eau, prit une profonde inspiration pour raffermir sa voix.

– Certains d'entre vous connaissent mon histoire personnelle... Ma femme bien-aimée, le Dr Sarah Shahar, que j'avais connue lors d'un séminaire dans ce bâtiment même, fut « disparue »...

À présent, le silence était total. Les auditeurs étaient raidis sur leurs sièges. Si beaucoup de gens, dans l'assistance, connaissaient l'histoire de Sarah, Tomás n'y avait encore jamais fait allusion en public. Il savait néanmoins qu'on en parlait souvent à voix basse dans son dos : « Ah, vous suivez le séminaire de Hudson ? Vous savez certainement ce qui est arrivé à sa femme ? » C'était comme un nuage noir qui l'accompagnait partout. Certains trouvaient que cela lui conférait une aura tragique. D'autres étaient moins charitables : « Hudson s'occupe des orphelins à cause de ce qui est arrivé à sa femme. Il est enlisé dans le passé. »

Si Tomás avait décidé d'évoquer ce soir le nom de Sarah, ce n'était pas pour réagir à de telles remarques mais plutôt pour suggérer que la disparition de sa femme lui avait fourni un précieux outil thérapeutique : la faculté de s'identifier à ceux qui avaient le sentiment d'avoir été victimes d'une énorme injustice, une injustice que le pays n'avait pratiquement rien fait pour réparer.

Il en arriva ainsi à la principale leçon qu'il voulait faire passer : la nécessité, pour ses confrères qui traitaient ce genre de cas, de mettre de côté l'orthodoxie, de ne pas adhérer à la technique conventionnelle, mais de se laisser guider par l'empathie et la compassion afin de partager le sentiment de révolte de leurs patients.

– On a dit de notre spécialité qu'elle est à la fois une science et un art : elle est fondée sur des principes scientifiques objectifs mais doit être dispensée aux patients avec chaleur, avec art. Ma position, dans le cas particulier de ces orphelins, est que l'art est tout et la science pratiquement insignifiante.

Il sentit un frémissement parcourir la salle. Certains, dans l'assemblée, risquaient de prendre cette profession de foi comme un affront personnel. Alors même qu'il enchaînait, deux anciens administrateurs de l'Institut prirent ostensiblement la porte – des collègues à qui il n'avait pas adressé la parole depuis vingt ans.

Il s'interrompit au milieu d'une phrase pour que chacun remarque bien leur départ. *C'est ça, partez, je vous en prie !* pensa-t-il... car ces deux hommes avaient été de ceux qui, arguant de la neutralité professionnelle, lui avaient opposé un refus quand il avait supplié le conseil d'administration d'intervenir après la disparition de Sarah.

Lorsqu'ils eurent effectué leur sortie, il décrivit brièvement ses cinq cas d'orphelins, abordant non seulement les succès du traitement mais aussi ses échecs. Il évoqua ses réactions personnelles devant ces jeunes gens perturbés, les hauts et les bas par lesquels il passait, ses efforts acharnés pour créer des liens de transfert qui transcendent les relations analytiques de la pratique psycho-thérapeutique classique, fondée sur le parental. Il expliqua que, même dans les cas où les patients étaient recueillis par leurs grands-parents ou d'autres membres survivants de la famille, ces « sauveteurs » avaient souvent eux-mêmes des problèmes personnels profondément enracinés.

Finalement, il conclut sur un appel :

– C'est triste à dire, mais bien que nous ayons eu ici une prétendue « commission pour la vérité », nous n'avons jamais réglé comme il convient le problème de la Justice. Contrairement à d'autres pays où des régimes autoritaires ont également provoqué des psychoses de masse, nous n'avons pas su créer une situation permettant à ceux qui ont pratiqué le mal de se confesser publiquement et de manifester du remords. Au lieu de ça, nos hommes politiques ont – d'une façon que je juge criminelle – signé des lois d'amnistie sans instaurer aucune des conditions préalables nécessaires : confrontation publique, aveux publics, remords public.

« En tant que psychanalystes, nous devons non seulement donner la priorité absolue à la guérison de ces patients, mais aussi rechercher la vérité et la réconciliation au sein de notre profession. À cette seule condition, nous pourrons regagner notre propre estime. Et ensuite, peut-être servirons-nous d'exemple à notre nation, l'encourageant à satisfaire *son* besoin de vérité et de réconciliation.

Il avait parlé un peu moins d'une heure. Lorsqu'il eut terminé, il regarda son auditoire d'un air timide, ne sachant trop à quel accueil s'attendre. Peut-être des applaudissements polis, assortis de quelques ovations d'admirateurs et de *hou ! hou !* d'ennemis professionnels.

Rien ne l'avait préparé au silence absolu qui suivit. Lentement, les spectateurs des premiers rangs se levèrent, battant des mains de manière rythmée, de plus en plus fort – jusqu'au moment où se déchaîna un tonnerre d'applaudissements qui fut repris par les gens massés dans la salle du conseil et dans les escaliers. Puis le public tout entier se dressa, sans cesser d'applaudir, hommes et femmes essayant d'accrocher son regard, lui faisant face sans chercher à cacher les larmes qui coulaient sur leurs joues.

Il lui fallut un moment pour s'extraire de la foule. Apparemment, tout le monde tenait à le féliciter. Plusieurs jeunes membres de l'Institut profitèrent de l'occasion pour présenter leur carte et lui demander de leur adresser des patients. Des membres plus âgés le remercièrent d'avoir enfin dit en public ce que tant d'entre eux savaient déjà, à savoir que la communauté psychanalytique elle-même avait grand besoin de panser ses plaies.

Quand il parvint enfin à sortir du bâtiment, il s'éloigna en toute hâte, ne trouvant le soulagement qu'après avoir tourné au coin de la rue.

Son discours l'avait vidé. Les visages de ses auditeurs lui avaient paru inexpressifs, attentifs mais dénués d'affect. Seul Carlos Peña avait semblé réceptif, l'encourageant de discrets signes de tête, rivant sur lui ses yeux toujours chaleureux. Pourtant, Tomás s'apercevait maintenant qu'il avait mal senti l'assemblée, que, ce soir, ils étaient des centaines à avoir été émus.

C'était la peur, jugea-t-il, qui l'avait aveuglé : la peur de l'échec, du rejet.

Il parcourut rapidement les quelques blocs jusqu'à Los Immortales, où il avait donné rendez-vous à ses confrères et amis les plus proches. Ils étaient déjà rassemblés à l'attendre quand il franchit le seuil : Carlos Peña, Victoria Fabiani, Ramón Cafiero, Hugo et Tanya Vargas, Ana Moreno.

– Tomás ! lança Ana. Par ici !

Le restaurant, décoré de photos d'époque de Gardel, Bing Crosby, Charlie Chaplin et autres « immortels », était bondé. La table des psys était dans un angle de la grande salle. À l'approche de Tomás, ses amis se levèrent pour l'accueillir. Chacun le serra dans ses bras et l'embrassa plusieurs fois.

– Tu as été fabuleux, Tomás !

– Sensationnel !

– La meilleure conférence depuis des années !

– Un tournant décisif pour l'Institut, espérons-le.

– Tu as vu la tête de Bukovsky quand il a quitté l'amphi avec Weissman ?

– J'ai été très fière de toi ce soir, lui dit Ana. Très fière de ce que tu accomplis.

Il vit, à ses superbes yeux humides, qu'elle parlait en toute sincérité. Il l'étreignit, caressa les beaux cheveux gris qui lui encadraient le visage, huma son parfum familier. Combien de fois étaient-ils restés allongés côte à côte, à se caresser mutuellement après l'amour ? À cinquante ans, elle était encore extrêmement séduisante... tout comme l'aurait été Sarah, sa meilleure amie, songea-t-il.

– J'essaie simplement de recoller les morceaux, lui dit-il d'un ton léger, de sauver quelque chose des ruines de ce pays meurtri.

– Je regrette que Javier ne soit pas venu. Il aurait été fier de toi.

Tomás haussa les épaules.

– Javier et moi sommes en délicatesse ces temps-ci. Espérons que ça s'arrangera bien vite.

– Ah, les fils ! s'exclama Tanya Vargas.

Elle et son mari, Hugo, étaient rentrés juste la veille d'un voyage à New York.

– Notre fils est incroyablement susceptible avec nous. Pour lui, soi-disant « homme de gauche », tout est politique.

– Tandis que pour nous, évidemment, tout est dû à l'inconscient ! ajouta Hugo Vargas.

Rire général.

– Qu'est-ce qui nous arrive avec nos enfants, pauvres psys que nous sommes ? interrogea Victoria.

– Peut-être qu'ils sont jaloux de nos patients, dit Hugo.

– Remarque, mets-toi à leur place, intervint Ana. Que dirais-tu de vivre dans une maison où des inconnus perturbés défilent sans arrêt ?

– Un gosse regarde des patients entrer dans une pièce avec l'un ou l'autre de ses parents, dit Tanya. La porte se referme... et quand les patients ressortent, le gosse peut voir qu'ils ont pleuré ou piqué une crise de nerfs. Quel cauchemar ! Il y a de quoi donner des envies de fugue à n'importe quel gamin !

Tous éclatèrent de rire. Tomás en profita pour s'asseoir entre Ana et Carlos Peña.

La fierté de Carlos se lisait sur son visage.

– Vous avez fait une énorme impression, murmura-t-il. Tout le monde était très ému.

– Ma foi, vous m'avez bien formé, répondit-il sur le même ton.

C'était lors d'un séminaire de Carlos sur la psychopathologie des adolescents que Sarah et lui s'étaient rencontrés. Carlos avait été l'analyste de Tomás. Pendant des années, Tomás l'avait considéré comme son « père idéal », l'homme qu'il aimait et respectait par-dessus tout. Carlos était un personnage charismatique à l'Institut. Les gens étaient subjugués par lui, d'autant qu'il avait un peu l'allure du Grand Homme : tête léonine, épaisse chevelure grise ramenée en arrière sur les oreilles, voix envoûtante, idées d'une clarté cristalline. De tous les membres du conseil vers qui Tomás s'était tourné pour avoir de l'aide, au moment de l'enlèvement de Sarah, Carlos était celui qui s'était donné le plus de mal, lui témoignant une solidarité sans faille dans cette épreuve.

Mais Tomás était venu à Los Immortales pour échapper au sujet de son discours – pour manger, boire, rire un peu si possible – et ses amis en étaient bien conscients. Ils passèrent bientôt à table, commandèrent le vin et les pizzas qui faisaient la réputation du restaurant. Puis Ana et Victoria entreprirent de raconter à tour de rôle les dernières blagues de psychanalystes en vogue à Buenos Aires, la plupart commençant par l'une ou l'autre accroche : « Un psy entre dans un bar... » ou « Un homme entre dans un bar et s'assied à côté d'un psy... »

Tomás et ses amis les écoutèrent, pliés en deux de rire.

Plus tard, Ana leur rappela que, souvent, les analystes d'autres pays souriaient avec condescendance quand ils discutaient du mouvement psychanalytique en Argentine. Ils trouvaient amusant que les Argentins soient nombrilistes au point d'avoir le plus fort pourcentage d'analystes du monde par habitant, un pourcentage trois fois plus élevé qu'à New York.

– S'ils nous voyaient en ce moment, conclut-elle, ils verraient que nous n'avons rien de prétentieux.

Carlos secoua la tête.

– Ils ne le verraient pas. Ils persisteraient à nous considérer comme des provinciaux assoiffés de plaisirs. J'aurais aimé que certains d'entre eux soient là ce soir pour entendre le discours de Tomás. Ils auraient alors commencé à comprendre, je crois, ce que nous sommes en profondeur.

Peu avant minuit, après avoir échangé baisers et accolades devant le restaurant, le groupe se dispersa. Ana se montra particulièrement tendre avec Tomás.

– Dînons ensemble un de ces soirs, lui dit-elle dans un murmure.

Il sonda ses yeux d'un gris profond, inhala le parfum de sa peau, repensant aux nombreuses heures qu'ils avaient passées dans les bras l'un de l'autre au fil des années.

Depuis des mois, il était tenté de lui proposer de reprendre leur liaison, qui s'était terminée quatre ans plus tôt sur une note de colère. Après la rupture, ils ne s'étaient pas adressé la parole pendant un an ; puis, peu à peu, ils avaient renoué des relations confraternelles. Mais il n'avait pas osé l'inviter, de peur qu'elle refuse d'un charmant signe de tête.

Carlos lui proposa de le déposer Villa Freud, mais Tomás déclina l'offre.

– Merci, je préfère marcher un peu.

Carlos sourit.

– J'oubliais combien vous aimez vous promener la nuit. C'est le moment où vous pouvez le mieux cogiter, n'est-ce pas ? (Comme Tomás acquiesçait, il ajouta :) Encore merci pour votre merveilleux discours. Vous nous avez fourni sacrément matière à réflexion.

Il adorait parcourir la ville après minuit, arpenter les rues, « le grillage labyrinthique », selon la formule de Borges, et voir la ville artificiellement éclairée, vidée de toute couleur. Malgré sa grande admiration pour l'œuvre de Borges, il ne cherchait pas à imiter celui qui était dans son esprit « le Poète de la Ville » : il se promenait la nuit parce qu'il aimait ça, tout simplement. C'était pour lui le meilleur moyen de se détendre.

Pourtant, ses balades étaient souvent hantées par l'esprit du Poète qu'il avait vu peut-être quatre fois au fil des ans, généralement au Retiro, traînant les pieds entre son appartement et le Gran Hotel Dorá où, pratiquement tous les après-midi, il prenait le thé dans le plus pur style anglais. Un an avant la mort de Borges, Tomás l'avait rencontré par hasard, tard le soir, en train de se promener du côté de l'ambassade de France, soutenu par María Kodama, la jeune femme à moitié japonaise qu'il avait épousée vers la fin de sa vie.

Tomás aurait voulu lui dire quelque chose à ce moment-là, le remercier pour ses merveilleux contes et poèmes, la fluidité de sa langue, la puissance et la concision de ses métaphores. Il aurait également voulu lui demander s'il avait eu l'intention d'explorer dans ses œuvres son propre subconscient, tant ses écrits étaient peuplés d'images récurrentes : labyrinthes, miroirs, intrus, cauchemars, poignards. Mais une telle question eût été indiscrète, et Kodama s'était montrée rien moins qu'avenante.

Sur l'Avenida Santa Fe, il passa devant des boutiques de luxe où les articles étaient disposés avec art : chaussures élégantes, sacs à main de belle facture, vêtements de cuir sophistiqués. Ces étalages, agrémentés de mannequins aux poses suggestives, lui rappelèrent le côté enfant gâté de ses compatriotes *Porteños* : leur fascination pour les achats coûteux, pour la beauté chirurgicalement assistée et les aventures sexuelles sans lendemain.

Il s'arrêta devant la vitrine d'un libraire fermé pour la nuit et y chercha des ouvrages littéraires. Tout ce qu'il put trouver, c'étaient de multiples exemplaires du best-seller du moment, *Libérez-vous du stress en trente jours.*

Plutôt en trente ans, songea-t-il.

Il tourna à l'ouest, vers le cœur de la ville. Avisant les mots « *Evita Vuelve* [1] *!* » griffonnés sur le mur d'une banque, il ressentit une bouffée de dégoût. Pourquoi les gens continuaient-ils à idolâtrer cette femme qui avait réclamé à grands cris la justice sociale en affichant un demi-sourire névrotique, absent, comme épinglé sur les lèvres ?

Un taxi se rangea près du trottoir, hélé par deux jeunes femmes – des *milongueras* étrangères, manifestement, au vu de leur tenue vestimentaire. Tomás supposa qu'elles se rendaient à l'un ou l'autre des clubs ouverts toute la nuit, où elles danseraient, transpireraient, glisseraient leurs jambes entre celles de partenaires inconnus, recherchant le contact tout en y résistant, jusqu'au moment où, ivres de danse, elles rentreraient chez elles, épuisées, aux premières lueurs de l'aube.

Sarah et lui avaient adoré danser. Aux débuts de leur rencontre, ils fréquentaient assidûment les salons de tango. Sarah, danseuse supérieurement douée, l'avait initié, encouragé, puis envoyé suivre des *practicas* dans l'espoir qu'il devienne son égal sur la piste.

Il pensait souvent à elle lors de ses balades nocturnes. C'était une façon de se retrouver en sa compagnie, de revivre leurs moments de bonheur. Bien que dix-neuf années se soient écoulées depuis son enlèvement, en pleine nuit, dans la ville peuplée d'ombres surréalistes, les souvenirs revenaient en force.

Sur l'Avenida 9 de Julio, il s'arrêta pour observer un groupe de *cirujas*, ainsi nommés à cause de la précision chirurgicale avec laquelle ils entaillaient les sacs-poubelle en plastique noir contenant les déchets de la ville. C'étaient de pauvres gens des bidonvilles, camouflés dans les interstices de la capitale, qui sortaient la nuit pour écumer les avenues en quête d'un trésor.

L'un des *cirujas* leva soudain les yeux, vit Tomás qui l'observait, soutint son regard pendant plusieurs secondes, puis inclina la tête et se remit à sa tâche. Tomás, remarquant une croix gammée peinte sans vergogne sur un immeuble, juste derrière lui, se hâta vers les

---

1. Evita, reviens ! (*N.d.T.*)

99

rues animées et remplies de musique, Corrientes et Lavalle, pour se perdre dans les foules gorgées de café qui hantaient les cinémas et les salles de billard ouvertes toute la nuit.

Au coin d'Esmeralda et de Corrientes, il croisa un imitateur de Gardel, un homme vieillissant qui chantait en play-back sur une vieille bande crachotante diffusée par un magnétophone à piles calé entre ses pieds. Les passants l'ignoraient. La soucoupe en plastique, devant lui, ne contenait que quelques pièces. Malgré cela, le vieil homme faisait semblant de bramer d'anciens tangos des années trente : des chansons qui parlaient d'amour, de tourment, de destinée et de rêves brisés.

À qui s'adressait, en fait, ma conférence de ce soir ? À mes confrères, à mes ennemis... ou à moi-même ?

Dans un certain sens, peut-être s'était-il adressé directement à Ana, car il avait souvent croisé ses yeux attentifs pendant son discours. Il n'avait pas fixé son regard sur elle, ç'eût été grossier. Néanmoins, il lui avait lancé de fréquents coups d'œil pour s'assurer qu'il avait toute son attention.

Marchant rapidement au sein de la foule qui déambulait dans le Microcentro, il se dirigea vers la Plaza de Mayo. Hormis les policiers et les militaires de garde, le parvis de la cathédrale était désert. Il s'engagea dans la Diagonal Norte, songeant à ce qui était arrivé à cette grande ville où il était né, où il avait vécu toute sa vie, et qu'il continuait à aimer malgré tous ses défauts.

C'était à bien des égards une ville louche, mais élégante – voire majestueuse – dans sa décadence : une ville de « bons airs » qui embaumait, avec des édifices publics aux somptueuses façades, de splendides boulevards bordés d'arbres, et peut-être le plus magnifique opéra jamais construit. Pourtant, en dépit de sa grandeur, c'était à ses yeux une ville d'errants solitaires comme lui, qui luttaient pour trouver leur chemin dans ce fantasme luxueux et parfois criminel appelé « Argentine ».

Il s'arrêta. Il détestait les lamentations apitoyées sur la « fatalité nationale » telles que les égrenaient les intellectuels argentins dans les talk-shows télévisés. « Pourquoi sommes-nous donc tellement mélancoliques ? » s'interrogeaient-ils inévitablement. « Qu'est-ce qui ne va pas sous nos latitudes ? »

C'était ce « sous nos latitudes » que Tomás trouvait toujours bizarre, comme si les Argentins, vivant dans la zone tempérée de l'hémisphère Sud, étaient pour on ne sait quelle raison plus nonchalants, plus mélancoliques et corrompus que les peuples des pays civilisés du Nord.

Oh, Ana! Il aurait aimé aller chez elle, là, maintenant, et passer la nuit dans ses bras. Mais c'était absurde d'espérer qu'elle l'accueille avec bienveillance après tant d'années.

Comme le jeune Claudio Gillabel, pensa-t-il, *j'ai désespérément besoin d'une amante compréhensive. Et, peut-être aussi comme Claudio, je ne suis pas sûr d'en mériter une.*

À deux heures du matin, en entrant dans son appartement obscur de la Villa Freud, il remarqua que le voyant rouge de son répondeur téléphonique clignotait.

Qui a bien pu appeler si tard? Un confrère me félicitant pour mon discours? Un de mes patients-orphelins réveillé par un cauchemar?

Il alluma l'appareil et écouta le message. La voix, masculine, ne lui était pas familière, mais elle le glaça. Il y perçut la même combinaison d'arrogance atone et de servilité qu'il avait rencontrée à cette époque effroyable, des années auparavant, où il avait fait la tournée des cabinets ministériels, allant d'un bureaucrate à un autre dans ses efforts frénétiques pour retrouver la trace de Sarah. Mais, en écoutant parler son correspondant, il fut encore plus glacé d'effroi, car ce qu'il entendait était bien pis qu'une menace contre sa propre vie :

« Docteur, vous ne me connaissez pas, mais j'étais présent dans votre auditoire ce soir. J'ai trouvé votre conférence extrêmement intéressante. J'ai une précieuse information pour vous – à savoir, le nom de la personne qui a dénoncé votre épouse. Si nous parvenons à un arrangement, c'est-à-dire à nous mettre d'accord sur un prix en rapport avec cette inestimable information, soyez assuré que je serai en mesure de prouver mes dires et de vous fournir des garanties sur les moyens par lesquels j'ai obtenu ladite information. La perspective de devoir payer une révélation de ce genre vous répugne peut-être. Mais monsieur, nous ne sommes pas tous médecins! Nous n'en avons pas les moyens! En cette période difficile, certains d'entre nous arrivent tout juste à survivre. Nous sommes forcés de vendre nos meubles, nos vêtements, et même notre literie dans la rue. Donc, si nous possédons autre chose de monnayable, comme la précieuse information dont je vous parle, n'avons-nous pas le droit de la vendre également afin de pouvoir savourer à l'occasion un steak décent, comme aime à le faire tout bon *Porteño* ? Réfléchissez-y, monsieur, s'il vous plaît. Je vous contacterai bientôt pour discuter plus en détail de notre affaire. En attendant, soyez assuré que je vous tiens dans la plus haute estime. »

Tomás, abasourdi, éteignit son répondeur.

Bon Dieu ! Cette nuit entre toutes...

Plus tard, tremblant, il rembobina la bande et la réécouta. C'était horrible, écœurant, incroyablement ignoble... et pourtant, à sa façon, c'était également attirant et, par là même, habilement conçu... comme le sont si souvent les actes les plus vils perpétrés par les hommes.

5

LES CROCODILES

Rolo retrouva l'Étalagiste.

– Ça n'a pas été difficile, expliqua-t-il à Marta dans la voiture qui les emmenait chez l'homme. La petite scène qu'il a réalisée pour la vitrine du magasin de lingerie a beaucoup fait jaser dans l'Avenida Santa Fe. Surtout les taches sur les draps. Selon le propriétaire, c'était son *chef-d'œuvre*. C'est comme ça qu'ils causent par là-bas. S'ils connaissent une expression française, ils l'utilisent et se mettent à rire en croyant qu'on ne comprend pas ce qu'elle signifie.

Il faisait nuit. La circulation était dense. À plusieurs reprises, ils se retrouvèrent à l'arrêt. Pour passer le temps, Rolo alluma l'autoradio. Sur *Radio La Colifata*, une femme à la voix très calme était interviewée sur l'état de l'économie du pays :

« Les responsables, ce sont ces maudits psys, annonça-t-elle. Ils absorbent l'argent de tout le monde, comme de véritables éponges. Ici, au cabanon, on est forcés de les voir tous les jours. Multipliez ça par un million – estimation raisonnable du nombre de malades mentaux en Argentine – et ne vous étonnez pas que l'économie soit dans la cuvette des vécés... »

Quand la circulation reprit enfin, Marta découvrit la cause du contretemps. Arrivée à la hauteur d'un barrage de police, elle se gara, fit signe à un agent en uniforme, montra son insigne et lui demanda ce qui se passait.

Les ralentissements étaient dus à une perturbation de l'ordre public, expliqua-t-il. Une bande de pillards s'était introduite par effraction dans une épicerie locale et avait dévalisé le rayon alimentation. Il indiqua le commerçant, un Coréen, qui pleurait sur sa perte tandis que des habitants du quartier tentaient de le consoler.

Après avoir franchi le barrage, Rolo se tourna vers elle.

– J'ai une question à te poser... avec ce genre d'incidents qui se produit tout le temps, comment peux-tu te concentrer sur le travail ?

Elle lui lança un regard en coin, vit qu'il parlait sérieusement.

– Je ne vois pas d'autre solution.

– J'ai lu dans le journal que trente pour cent des Argentins de vingt à trente ans voulaient partir s'installer dans le pays d'origine de leurs grands-parents.

– Oui, dit-elle, le pays va mal, beaucoup de choses auxquelles nous tenons partent à vau-l'eau... malgré tout, j'essaie de faire mon boulot de mon mieux. Pour l'instant, ça consiste à élucider un double homicide. Que pouvons-nous faire d'autre ? Quelle contribution pouvons-nous apporter, à part celle-là ? Devenir pillards, émeutiers ? Sortir la nuit dans les rues en faisant tinter poêles et casseroles ?

– Tu as raison, évidemment. Mais que va-t-il se passer ?

Marta haussa les épaules.

– Je n'en ai aucune idée. Mais tâchons au moins de faire en sorte qu'il y ait une bande de meurtriers en moins dans la nature.

Ernesto Ponce, alias « l'Étalagiste », habitait sur l'Avenida del Libertador, dans un gratte-ciel moderne situé en face du champ de courses. C'était un immeuble luxueux, gardé par un portier en uniforme qui les informa que le señor Ponce était chez lui.

Dans l'ascenseur, Marta dit à Rolo :

– Ce soir, tu joues le méchant flic. J'interviendrai quand un peu de douceur me paraîtra nécessaire.

Ernesto était un homme grand et mince, d'une bonne trentaine d'années, avec une colonne vertébrale en S et des verres aussi épais que des culs de bouteille de Coca.

– Oui, admit-il, j'avais une relation d'affaires avec Ivo Granic. Et puis ça a tourné au vinaigre.

– Quel genre de relation d'affaires ? demanda Rolo.

Ils étaient assis dans le salon, lequel donnait sur Libertador. Marta voyait en contrebas le flot de voitures qui s'écoulait avec fluidité vers la banlieue nord.

Le mobilier d'Ernesto était normalement extravagant, pensa-t-elle, pour un homme qui décorait des vitrines de boutiques de luxe. Elle repéra dans un coin une sculpture de groupe, trois mannequins mâles grandeur nature, nus, peints en doré, représentés dans une posture érotique alambiquée.

— Je connais des gens importants, dit Ernesto, et Ivo voulait justement rencontrer des gens importants. Donc, pour moi, c'était un bon arrangement. Je recevais mes amis dans sa belle maison, à ses frais. En échange, il rencontrait certaines des personnalités les plus intéressantes de la ville. Il était particulièrement porté sur les célébrités.

— Des gens comme Juan Sabino et Juanita Courcelles ? dit Marta.

— Oui, je crois qu'ils sont venus à deux de ses soirées. Des tas de gens connus y assistaient. Tous les vendredis soirs, c'était maison ouverte. Les gens portaient des dominos pour ne pas être reconnus.

— Pourquoi ça a tourné au vinaigre ?

— J'ai découvert qu'il filmait les invités dans les chambres.

— Que faisaient-ils ?

Ernesto éclata de rire.

— Il n'y a que deux choses à faire dans une chambre : dormir et baiser. Je pencherais pour la seconde hypothèse.

De la tête, Marta fit signe à Rolo de conduire l'interrogatoire.

— Autrement dit, il s'agissait de partouzes ? demanda Rolo.

— C'est une façon bien crue de dire les choses.

— N'empêche que c'était ça. Des soirées avec sexe et came. Et après, vous collectiez l'argent du chantage auprès des victimes.

— Jamais de la vie ! protesta Ernesto en se levant. Je crois qu'il est temps que vous partiez, tous les deux.

Ni Rolo ni Marta ne bougèrent de leurs sièges.

— Il est temps que vous nous disiez la vérité, Ernesto, si vous ne voulez pas être mis en garde à vue à titre de témoin dans deux homicides.

— Je n'ai été témoin de rien du tout !

— Dites-nous ce que complotait Granic et vous pourrez poursuivre votre vie insouciante. Refusez ou mentez, et nous vous emmenons au quartier général.

Ernesto Ponce se mit à table encore plus rapidement que Juanita Courcelles. Apparemment, la perspective d'être jeté dans une cellule commune ne le tentait pas.

Oui, admit-il, son boulot consistait à collecter l'argent pour le compte de Granic. Il disait à ses amis que Granic avait fait des enregistrements, il se confondait en excuses, puis leur proposait de les aider à racheter les bandes. Son pourcentage était de quarante pour cent, ce qui représentait un excellent compromis. Mais ce qui inté-ressait Granic, en réalité, ce n'était pas tant d'extorquer de l'argent à ses victimes que de conclure des accords privés avec elles – accords dont lui, Ernesto, était exclu.

– Quel genre d'accords privés ?

– On aurait dit que ça l'intéressait davantage d'extorquer des noms que de l'argent.

– Quel genre de noms ?

Ernesto haussa les épaules.

– Je risquais ma réputation. À quoi bon continuer, si je ne devais même pas devenir riche ? Quand j'ai mis Granic au pied du mur, il m'a viré en disant qu'il n'avait plus besoin de moi. Il m'a dit que ses soirées étaient maintenant célèbres, que les gens se bousculaient au portillon pour y être invités. Ce qui était sans doute vrai, grâce à moi...

Ernesto affirma ignorer totalement qui avait tué Granic, mais déclara qu'un tas de gens auraient été heureux de le voir mort. Il fournit les noms de plusieurs victimes du chantage : une liste comprenant deux députés, une cantatrice, une personnalité de la télévision, un général d'armée et un haut responsable de la police fédérale. Il refusa de divulguer le nom de ce dernier, alléguant que, s'il le faisait, sa vie ne vaudrait plus un clou. Marta fit signe à Rolo de ne pas insister. Il y avait souvent un point au-delà duquel on ne pouvait pas pousser un informateur, aussi coopératif soit-il.

– Vous nous avez aidés, Ernesto, lui dit-elle, et nous vous en sommes reconnaissants. Mais il nous en faut davantage. Donnez-nous un tuyau de valeur et on vous laissera tranquille.

Ernesto regarda ses pieds.

– Il y a bien quelqu'un qui en sait plus que moi... Une femme qui collaborait étroitement avec Granic. Je crois qu'ils avaient une combine ensemble au moment où lui s'est fait tuer. Elle se fait appe-ler « Comtesse Natacha ». (Il ricana.) Je peux vous assurer que ce n'est pas son vrai nom. On était amis, dans le temps, mais plus main-tenant. Je ne supporte pas cette garce. C'est une dominatrice profes-sionnelle, haut de gamme, entraînée à New York. Les politiciens puissants l'apprécient pour le raffinement avec lequel elle les fait ramper. Elle a un grand appartement sur l'Avenida Alvear. Aucune touche de couleur. Tout en noir et blanc. (Ernesto écrivit l'adresse.) Surtout, dites-lui bien que c'est l'Étalagiste qui vous envoie. Je suis sûr qu'elle appréciera, conclut-il dans un gloussement.

*

106

Marta appela Raúl Vargas pour arranger un deuxième rendez-vous. Comme convenu, il la prit sur sa moto alors qu'elle longeait Cochabama et l'emmena à une station d'essence qui se trouvait près de l'église russe, en face du parc Lazama.

– Mes parents habitaient ici autrefois, dit-il. Je jouais au foot dans le champ, là-bas. J'étais goal. Pas mauvais, en plus. Aujourd'hui, je travaille dans un secteur où j'essaie de *marquer* des buts. La plupart du temps, je suis bloqué. Une fois ou l'autre, j'arrive à passer. (Il sourit.) Quitte la police, Marta, et viens travailler avec moi. On ferait une équipe du tonnerre. Double signature. Tu imagines un peu ? « Reportage d'investigation de Raúl Vargas et Marta Abecasis ». Waouh !

Elle lui relata sa rencontre avec l'Israélienne anonyme, sans omettre l'affirmation stupéfiante de la femme comme quoi le Mossad n'existait pas.

– Elle m'a bien fait comprendre qu'ils ne coopéreraient pas. C'est pourquoi j'ai besoin de ton aide, Raúl. Je sais que tu n'aimes pas dévoiler tes sources, mais il me faut des informations sur certaines personnalités politiques et leurs liens éventuels avec Ivo Granic.

Elle lui montra la liste d'Ernesto Ponce. Il lut attentivement les noms, puis déclara :

– Dans ce domaine, l'une de mes meilleures sources est un voyant. Tous les hommes politiques vont le consulter pour connaître leur avenir. Il n'y a pas plus superstitieux qu'eux. Pour je ne sais quelle raison, ils font confiance à ce type. Résultat, il entend une kyrielle d'infos de première main.

– Acceptera-t-il de me recevoir ?

– Je vais l'appeler et lui poser la question. Possible qu'il dise oui, il est extrêmement patriote. Mais s'il refuse, inutile d'insister. (Raúl haussa les épaules.) Si ça vient à se savoir qu'il me tuyaute, il sera dans de sales draps. Mais si jamais ça venait à se savoir qu'il t'a tuyautée, *toi*, ce serait encore pis.

Raúl s'excusa, sortit de la cafétéria, se dirigea vers une pompe à essence, dégaina son portable et tapa un numéro. Marta l'observa, amusée de le voir gesticuler avec vigueur en parlant.

– C'est OK, il va te recevoir, dit-il en la rejoignant. Mais seulement cette fois. Retrouve-le d'ici une heure dans l'arrière-salle de sa boutique. Tu paieras son tarif habituel, deux cents pesos pour la séance. Ce sera comme s'il te prédisait l'avenir, sauf qu'il te racontera ce qu'il a entendu. Tu devras formuler tes questions comme si tu étais une « cliente ». On a intérêt à y aller, parce que c'est à une bonne distance d'ici.

Elle redoutait les virées à moto avec Raúl, mais il fallait bien qu'elle regagne sa voiture. Elle coiffa le casque réservé aux passagers, monta à l'arrière de la Kawasaki, agrippa de toutes ses forces le corps efflanqué du jeune homme, au point de sentir ses côtes, et ferma les yeux tandis qu'ils décollaient du trottoir.

Le voyant extralucide s'appelait Van Heusen. Son crâne était aussi lisse que celui du chef Ricardi, non parce qu'il le rasait mais parce qu'il était complètement chauve. Pour parvenir jusqu'à lui, elle avait dû se frayer précautionneusement un chemin dans un magasin de céramiques rempli du sol au plafond de plats et de bols fragiles, puis traverser un brouillard d'encens qui camouflait, au fond de la pièce, d'épaisses tentures de velours bordeaux.

Elle écarta les rideaux et se retrouva dans une arrière-salle obscure. Il n'y avait pas de boule de cristal, pas de cartes de tarot disposées sur une table : juste une lampe pendue au plafond qui diffusait en biais un étroit faisceau lumineux. Assis sur une chaise, dans un coin sombre, elle vit un petit homme chauve dont les grands yeux ne cillaient pas. Il avait la peau si pâle que Marta se demanda s'il lui arrivait de mettre le nez dehors.

L'homme, le regard fixé sur elle, paraissait détendu. Elle remarqua qu'il tenait un objet métallique attaché à un bout de fil de fer souple. Il lui indiqua un autre siège. Dès qu'elle fut assise, il se leva comme un ressort et se mit à tournicoter dans la pièce, tirant sur le fil de fer, puis l'entortillant pour faire tournoyer l'objet en métal.

– Je vois la façon dont marchait votre père, dit-il.

Et il entreprit de mimer une démarche empruntée, qui, de fait, rappela à Marta la façon dont Nico Abecasis se déplaçait dans la maison.

Tandis qu'il tordait le fil de fer, il semblait maintenant tendu, concentré sur le bout de métal tournoyant qui brillait chaque fois qu'il passait sous le faisceau de lumière.

– Je vois votre mère, reprit-il. Elle vit encore. Dans un autre pays. (Il regarda Marta.) J'ai raison ?

Elle acquiesça. Sa mère vivait en Uruguay, non loin de Montevideo. Après la mort de son mari, elle était retournée habiter dans la maison familiale.

– Vous avez des questions pour moi.

Il entortilla de nouveau le fil, arpentant la pièce à grands pas. Il tournait le dos à Marta.

– Allez-y !

– J'ai fait un rêve, lui dit-elle. Je nageais avec des cygnes.

– Je suis voyant, señora... pas psychanalyste.

– Je comprends. Mais qu'est-ce que ça signifie, selon vous ?

Il fit tournoyer l'objet métallique.

– Nous savons deux choses sur les cygnes : ils sont beaux et ils peuvent aussi être méchants. Faites ce que vous voudrez avec ça.

Il s'immobilisa juste sous le pinceau de lumière et fit tourner l'objet en métal, créant des éclairs qui fusèrent aux quatre coins de la pièce.

– Une autre question ! Vite ! Allez !

– J'ai reçu des photos truquées...

– Oui, oui ! Continuez !

– On m'a dit qu'elles étaient destinées à discréditer un certain homme politique.

– Je ne sais rien à ce sujet.

Il se tourna face à elle, entortilla le fil, fit danser en l'air l'objet en métal. Puis, se détournant, il se remit en marche, arpentant la pièce avec la rapidité d'un chat.

– Une question ! Allez !

– Une femme a été tuée. Son cadavre a été laissé près du mur d'un cimetière.

– Oui, oui ! Je le vois ! Oui, oui ! Quoi d'autre ?

– Un homme a été tué de la même manière. Ils avaient un lien...

Il entortilla le fil.

– Oui, oui ! Il était son patron. Ils travaillaient ensemble. Ils piégeaient des gens et leur extorquaient de l'argent. Beaucoup de personnes étaient au courant. Et puis l'homme a essayé d'extorquer des renseignements. À ce moment-là, certaines de ces personnes se sont réunies et ont décidé de les éliminer tous les deux.

– Qui ?

Il entortilla le fil, regarda fixement l'objet tournoyant, l'air très attentif, comme si les reflets du métal lui permettaient de se concentrer.

– Je vois des serpents. Non... des reptiles. De grands reptiles, de ceux qui rampent dans les rivières boueuses. Oui ! Ils maltraitent la fille, l'obligent à parler. Puis ils la broient dans leurs mâchoires. Ils enfoncent des clous dans les mains de l'homme. Mais comment peuvent-ils faire ça ? Ce sont des reptiles. Des reptiles qui ont de longues mâchoires, plusieurs rangées de crocs, beaucoup d'expérience dans l'utilisation des couteaux et des clous. C'est impossible, et pourtant c'est bien ce que je vois. Je ne comprends pas. Vous, peut-être que si. Ou alors, plus tard.

Soudain il s'arrêta, cessa d'entortiller le fil de fer, qu'il enroula et remit dans sa poche avec l'objet en métal.

Il retourna s'asseoir dans les ombres et fit face à Marta, aussi détendu qu'il l'avait été au début de la séance. Ce n'était plus le voyant en transe mais un simple petit homme chauve, trapu, à la peau très pâle.

— Veuillez laisser mes honoraires sur le siège, señora, et sortir par l'autre porte, dit-il en pointant l'index. Elle vous mènera à un autre immeuble, et ensuite dans la rue. Personne ne saura que vous êtes venue ici. Dès que vous serez partie, je vous aurai oubliée. Bonne chance dans votre quête. Elle sera difficile, mais je crois que vous arriverez à vos fins.

Elle laissa deux cents pesos sur la chaise, puis, suivant les instructions, ouvrit la seconde porte. Celle-ci donnait sur un interminable couloir qui la mena dans une cour d'immeuble. Elle traversa la cour, poussa une porte au fond et enfila un autre long couloir. Au bout, il y avait une porte ; elle l'ouvrit et se retrouva dans l'arrière-boutique d'un marchand de glaces. En sortant de la boutique, elle s'aperçut qu'elle se trouvait à un bloc du magasin de céramiques, dans une autre rue.

Leon se montra sceptique.

— Raúl a dû lui parler de ta mère. Ou alors, ton voyant a fait une rapide recherche sur ordinateur. Quant à ton père, je ne me souviens pas qu'il marchait de cette façon.

— N'empêche que j'aurais cru voir papa...

— C'était juste un stratagème pour gagner ta confiance. Par contre, les reptiles... là, je crois qu'il te faisait passer un message.

— Des reptiles avec de longues mâchoires et des rangées de crocs... c'était forcément une référence aux Crocos. (Elle parlait du groupe militaire d'extrême droite, antisémite et hors la loi, qui se faisait appeler les Crocodiles.) Beaucoup pensent qu'ils ont prêté main-forte aux terroristes qui ont attaqué l'ambassade d'Israël et l'AMIA. Ma principale victime est un espion israélien qui dirigeait officiellement un service de call-girls. Peut-être qu'il était sur la piste des Crocos et qu'il recourait au chantage pour obtenir des informations en échange de vidéos compromettantes. Les Crocos, ayant découvert ce qu'il tramait, l'ont torturé et tué – ainsi que la fille, qui figurait sans doute sur l'une des vidéos pornos.

Leon lui baisa les cheveux.

– Plus personne ne s'intéresse aux Crocos, dit-il, depuis que leur chef, Kessler, a été envoyé en prison.

– Mais il paraît qu'ils sont toujours en activité, qu'ils forment une organisation secrète au sein de l'armée et de la police. Le voyant m'a peut-être bien indiqué la bonne voie... même s'il a caricaturé la démarche de mon père.

Parfois, quand ils faisaient l'amour, elle se surprenait à frissonner de désir. Le corps pressé contre celui de Leon, elle s'ouvrit à lui en pensant : *Je me retourne comme un gant.*

La peau de Leon sentait le soleil, sa sueur avait le goût de la mer. Elle adorait s'offrir à lui, écarter ses jambes et lever les genoux, s'abandonner au plaisir. Elle n'avait jamais eu de meilleur amant.

Souvent, au petit déjeuner, elle observait Marina par-dessus sa tasse de café, tout étonnée d'avoir mis au monde une si belle créature. Il lui semblait miraculeux que Leon et elle aient engendré cette fillette innocente, si douce et si gracieuse, avide de goûter toutes les merveilleuses saveurs de la vie.

Ce matin-là, quand Leon régla la radio sur une station de tango, Marina se leva de table et se mit à exécuter des figures avec une grâce féline.

– Regarde-la bouger, ma chérie, dit Leon à Marta, sous le charme. À la voir, ça paraît si facile !

Il prit Marina par la taille et ils entreprirent de danser autour de la table de la cuisine.

– Et maintenant, en route pour l'école ! dit-il lorsque la chanson fut terminée.

Marina s'élança vers sa mère, l'embrassa sur les deux joues, passa les bras dans les bretelles de son cartable et rejoignit son père à la porte.

– À ce soir ! lança-t-elle en envoyant à Marta un dernier baiser.

– Je veux me concentrer sur les Crocos, dit Marta à Ricardi. (La radio diffusait du jazz en sourdine.) Pouvez-vous m'arranger une entrevue avec Kessler ?

– Kessler a des couilles en béton. Il ne vous dira rien.

– Peu importe. Ses fidèles seront au courant de ma visite. Ils sauront que je suis sur leur piste.

– Encore une provocation ? (Ricardi la dévisagea.) Celle-là pourrait être dangereuse pour vous. Ces gars-là ne plaisantent pas.

– Moi non plus.

– Je ne veux pas vous retrouver clouée à un mur.

– Ne vous inquiétez pas, ils n'oseront jamais.

Ricardi secoua la tête. Elle devina ce qu'il pensait : ils oseraient bel et bien tuer un flic ; s'ils se sentaient menacés, ils n'hésiteraient pas une seconde.

– Écoutez, lui dit-elle, je n'aime pas être menée en bateau. Je ne sais toujours pas qui m'a envoyé ces photos truquées, mais je pense que Viera et Charbonneau pourraient bien être alliés aux Crocos et avoir commandité les meurtres. Les victimes ont été torturées dans le style militaire, à la façon des Crocodiles. C'est ma théorie actuelle et je veux avoir une chance de la prouver.

Par une radieuse matinée d'automne de la fin avril, Rolo et Marta traversèrent en voiture la pampa, vers le sud, pour se rendre à la prison de Magdalena. Les feuilles des arbres décidus étaient déjà bien colorées et le ciel était si bleu, l'air si limpide, que Marta aurait pu toucher, lui semblait-il, rien qu'en levant le bras, les nuages cotonneux qui voguaient tout là-haut.

Colonel Ignacio Kessler Márquez : pendant que Rolo conduisait, elle étudia son dossier. Celui-ci était entièrement composé de coupures de journaux, car les Crocos n'avaient jamais fait l'objet d'une enquête officielle de la police fédérale. L'enquête, strictement militaire, avait été conduite par le CID de l'armée. Les procès avaient eu lieu dans des tribunaux militaires et Kessler et ses collègues purgeaient maintenant leurs peines dans des prisons militaires.

Kessler avait été un brillant officier : major de sa promotion à l'Académie militaire nationale, joueur vedette de l'équipe de football, lieutenant décoré deux fois pour actes de bravoure pendant la guerre des Malouines.

Après la débâcle des Malouines, il avait été chargé de former et de commander une nouvelle unité d'élite de l'armée, baptisée du nom de code « les Crocodiles » en raison du petit écusson – mâchoires béantes de caïman – cousu sur le béret que portaient leurs membres.

On apprit par la suite que l'image des mâchoires, ainsi que le numéro de matricule, étaient également tatoués, au cours d'une cérémonie d'initiation, sur la face interne du bras de chaque membre de l'unité.

Cette révélation provoqua une grande émotion dans la mesure où on précisait par ailleurs que, sous le régime nazi, les officiers SS avaient leur numéro de matricule tatoué au creux de l'aisselle.

La coïncidence avait fait ricaner Kessler. Un tatouage partagé, avait-il expliqué, était une excellente façon de créer un esprit de corps, et le rituel d'initiation était destiné à forger un lien de camaraderie entre soldats fiers d'appartenir à la même unité.

Les Crocodiles étaient censés être l'équivalent argentin de la Delta Force américaine. Ils menaient des opérations antiterroristes, luttaient contre les preneurs d'otages et les pirates de l'air, pourchassaient les trafiquants de drogue, s'attaquaient à tout groupe ou individu menaçant l'intégrité de la République ou essayant de contourner la loi – toutes missions dans lesquelles l'armée avait lamentablement échoué durant la période du Processus.

Pour finir, les Crocodiles tentèrent de conquérir eux-mêmes le pouvoir par un coup d'État. Une nuit, à bord d'hélicoptères armés, ils s'envolèrent pour Buenos Aires où ils essayèrent de s'emparer de la Casa Rosada et du ministère de la Défense. Les troupes loyalistes s'interposèrent, firent échouer leur coup de force, l'unité spéciale fut dissoute, ses officiers furent jugés et se virent infliger des peines de dix ans. Kessler, commandant de l'unité et instigateur du putsch, fut pour sa part condamné à la prison à vie.

Tandis qu'ils approchaient de la grille principale, Rolo annonça à Marta qu'il était nerveux à l'idée de pénétrer dans une base militaire.

– Ils vivent dans un monde différent. Ils ont leur propre culture. Ils se méfient des gens de l'extérieur.

Au vu de l'accueil peu avenant de la sentinelle postée à la grille, Marta ne put qu'acquiescer.

On leur ordonna de laisser leur voiture dans le parking réservé aux civils. De là, on les conduisit à la prison dans une jeep militaire. Dès l'instant où ils montèrent dans le véhicule, escortés par un garde rébarbatif, Marta comprit le message : ils étaient sous contrôle militaire et le resteraient jusqu'à leur départ.

La jeep les déposa devant la porte principale de la prison. Ils traversèrent une salle de garde, laissèrent leurs armes de service, se virent remettre des cartes de visiteur à passer autour du cou, puis, rejoints par une seconde escorte, un certain capitaine deFrancis, ils furent conduits dans le bureau du directeur pour obtenir l'ultime feu vert.

Le directeur, un colonel nommé Liendo, était un petit homme rondouillard aux sourcils arqués et broussailleux. Il les fit rester debout pendant qu'il examinait la requête d'interrogatoire de Marta et les documents joints.

— Tout ceci est extrêmement irrégulier, dit-il en jetant les papiers sur son sous-main.

Son bureau, très austère, comportait pour toute décoration un drapeau argentin et une photo encadrée de l'ancien président Videla.

— En quoi est-ce irrégulier ? s'enquit Marta. Le chef de la brigade criminelle a demandé pour moi l'autorisation de conduire un interrogatoire. Le chef d'état-major des armées a signé le document.

— Ceci est une prison pour hommes. Nous ignorions qu'ils enverraient une femme.

— Mon nom figure sur tous les papiers. Vous connaissez beaucoup d'hommes qui se prénomment Marta ?

Le colonel Liendo fronça les sourcils.

— Écoutez, colonel, reprit-elle, il y a des tas de femmes chez les avocats pénalistes. Chez les procureurs, les juges, les policiers... et même, si je ne m'abuse, chez les membres du personnel militaire. Donc, est-ce vraiment là le problème ? Ou alors, serait-ce que Kessler bénéficie d'un statut privilégié, qu'il est dorloté par les officiers chargés de le surveiller ? J'espère que tel n'est pas le cas.

Liendo consulta de nouveau les documents.

— Vous seule serez autorisée à voir le détenu Kessler. Pas votre camarade. Mon officier conseil... (Il indiqua deFrancis)... sera également présent. L'interrogatoire sera enregistré.

Marta secoua la tête.

— Non, colonel, ça ne se passera pas ainsi. Il est inutile que l'officier Tejada assiste à l'interrogatoire, mais votre officier conseil ne sera pas présent non plus. Et il n'y aura pas d'enregistrement. Je tiens à une discrétion absolue, comme il est spécifié dans la requête dûment approuvée.

Liendo la fusilla du regard.

— On m'avait mis en garde contre vous. On m'avait dit que vous étiez une fauteuse de troubles.

114

– J'enquête sur un double homicide. Mes victimes ont été torturées au moyen de méthodes militaires. Alors, on peut y aller ou vous préférez que je retourne à Buenos Aires et que je porte plainte ?

– DeFrancis, faites sortir ces gens, le temps que je passe un coup de fil.

Le capitaine les escorta jusqu'à la salle d'attente, puis retourna dans le bureau de Liendo.

– Tu as vu comme il est devenu cramoisi ? chuchota Rolo. J'ai bien cru qu'il allait faire un infarctus !

– Moi, dit Marta, j'ai bien cru qu'il allait m'étrangler.

– Qui appelle-t-il, selon toi ?

– Personne. C'est un stratagème pour sauver la face. Le chef d'état-major des armées a signé l'autorisation. Liendo a tenté de m'intimider, je lui ai tenu tête et maintenant il boude sous sa tente.

– On serait vraiment repartis, s'il avait refusé ?

– Absolument ! De toute façon, Kessler ne va rien me dire du tout. Nous avons atteint notre objectif rien qu'en venant ici.

Le capitaine deFrancis sortit enfin du bureau du colonel Liendo.

– Suivez-moi, dit-il. Le prisonnier nous attend au parloir des avocats.

Marta, que ça n'intéressait plus de se faire bien voir, suivit sans un mot le capitaine, qui les entraîna dans un dédale de couloirs et leur fit franchir une série de grilles verrouillées. La prison était totalement silencieuse. Marta était habituée au raffut des prisons civiles. Ici, semblait-il, on imposait un ordre exemplaire. En Argentine, les militaires avaient toujours été à part.

Une sentinelle en treillis montait la garde devant le parloir. Marta aperçut Kessler par le petit panneau vitré de la porte. Il était assis sur une chaise, immobile, comme en proie à une transe méditative.

– Conformément à votre requête, inspecteur, vous êtes autorisée à voir le prisonnier en tête à tête. Le señor Tejada et moi-même resterons ici. (deFrancis regarda sa montre.) Vous avez un quart d'heure.

Marta acquiesça, inspira un grand coup et se dirigea vers la porte. La sentinelle en armes lui ouvrit et referma le panneau derrière elle.

– Je m'appelle Marta Abecasis, dit-elle en s'asseyant en face de Kessler. Je suis inspecteur à la brigade criminelle de la police fédérale.

Kessler leva la tête, esquissa un sourire. Ils se dévisagèrent un moment. Il apparut à Marta tel qu'elle avait pu le voir sur les photos publiées par les journaux : cheveux coupés ras, pommettes hautes, visage émacié, buste d'une raideur toute militaire. Son uniforme de prisonnier était immaculé, les plis de son pantalon bien marqués. Ses chaussures parfaitement cirées reflétaient la lumière crue du plafonnier. Le seul aspect que ne parvenaient pas à rendre les photos de presse, c'était son regard acéré, d'un gris-bleu acier. Quand il fixa Marta, elle eut l'impression que ses yeux allaient lui vriller le cerveau.

– Je sais qui vous êtes, dit-il d'une voix douce. Il paraît que vous avez des questions à me poser. Je tiens à vous dire tout de suite que je n'ai nullement l'intention de vous aider. Je ne vous répondrai ni par l'affirmative ni par la négative, mais je vais vous parler de sujets qui m'intéressent.

– Allez-y.

– Le gouvernement, pourri jusqu'à la moelle, est une porcherie. (Sa voix demeura douce malgré la fureur de ses paroles.) Tout le monde touche des pots-de-vin, depuis le président de la République jusqu'au dernier flic des rues. Ce sont des escrocs, des youpins, des putes et des bouffons, tous autant qu'ils sont. La seule pureté, on la trouve dans les forces armées. Et les plus purs d'entre nous, les purs d'entre les purs, sont provisoirement prisonniers de l'État. Cela ne m'inquiète pas. Ce n'est qu'une question de temps avant que la situation s'éclaircisse. Notre gouvernement actuel est asservi au gouvernement des États-Unis, lequel est contrôlé – tout le monde le sait – par les médias juifs nord-américains. Ce sont des fanatiques pourris, venimeux, qui haïssent les chrétiens, mais chacun aura sa chance, et le jour de la revanche est pour bientôt.

« Il faut que l'Argentine se dote de l'arme nucléaire. Nous avons tout ce qu'il faut : l'intelligence, le savoir-faire, mais pas la volonté. Si les Israéliens ont des bombes A, nous devons en avoir aussi. Les gens s'imaginent que je hais les Israéliens. C'est faux : je les respecte. Ils savent se servir de la puissance militaire. Mieux vaut respecter ses ennemis que les sous-estimer. Cela étant dit, en Argentine, vous avez plus de chances de voir un chat violet que de trouver un Juif digne de confiance.

« Venons-en au cœur du problème. Mes ennemis m'ont enfermé ici ; ce faisant, ils ont entaché la réputation de l'armée. Pourtant, je suis heureux d'être dans une prison militaire gardée par mes pairs. Bientôt les choses changeront, un nouveau gouvernement courageux arrivera au pouvoir, il y aura un grand nettoyage, les taches qui souillent l'honneur national seront lavées, l'armée sera purifiée, la discipline restaurée, et les Argentins pourront relever la tête avec fierté.

« Je vois la société humaine comme un organisme dans lequel chaque personne est une cellule. Mobilisez ces cellules, donnez à chacune sa mission, et la nation se dressera comme un lion.

« Sur le plan personnel, je dois admettre que c'est pénible d'être emprisonné. Certaines choses me manquent : la marche au pas cadencé, l'ordre d'un défilé militaire, la gymnastique en groupe, tous les visages tournés dans la même direction, chaque bras, chaque botte dans l'alignement. Mais je dois endurer cette souffrance. C'est un test pour moi, pour nous tous. Mes officiers et moi-même, nous nous disciplinons. Jamais nous ne nous plaignons. De même que nous avons été des officiers modèles, nous sommes aujourd'hui des prisonniers modèles. Il y a de la beauté dans notre courage. Nos gardiens ne cessent de nous le répéter. Ils nous admirent, tandis que nous les plaignons ; car nous servons une cause, tandis qu'eux se contentent de servir des escrocs, des youpins, des putes et des bouffons.

« Dans ces conditions... quels sont ceux qui purgent véritablement leur peine ? Nous, prisonniers de conscience, qui préservons notre dignité, ou les gardiens qui peuvent seulement observer le règlement ? Voilà qui mérite réflexion, n'est-ce pas ? Et maintenant que vos quinze minutes sont presque écoulées, j'aimerais vous poser une question personnelle... si vous le permettez ?

Marta avait le vertige à l'écoute de ce monologue, d'autant plus horrifiant qu'il était débité d'une voix douce, d'une manière presque raffinée.

– Je vous écoute, dit-elle.

– Votre nom, Abecasis... de quelle origine est-il donc ?

– Séfarade. C'est le nom de mon père. Il avait quitté Salonique, en Grèce, pour émigrer ici. Bien que je sois mariée, je continue à le porter en signe de respect.

– Par « séfarade », vous voulez dire « juif » ?

– La famille de mon père était juive, oui.

Kessler sourit.

– Eh bien, nous y voilà ! Je vous avais reniflée dès l'instant où vous êtes entrée. (Il ricana.) À vrai dire, je ne suis pas surpris qu'ils aient confié cette enquête à une Juive. Oui, je sais tout de votre enquête. Vous n'arriverez à rien. Mais pour en revenir à notre sujet... je me fie toujours à mon nez. Juifs, demi-Juifs... pour moi, vous avez tous la même odeur.

Il épingla sur son visage un sourire glacial, puis la regarda dans les yeux pour mesurer l'effet de ses insultes.

— Je suis contente d'être venue, dit-elle d'un ton léger. J'ai appris aujourd'hui quelque chose d'important.

— Ah ? Et quoi donc ?

— Que vous savez tout de l'enquête sur laquelle je travaille... et que vous êtes totalement et irrémédiablement fou.

Elle se leva, lui tourna le dos, alla à la porte et fit signe au garde de la laisser sortir.

— Viens ! lança-t-elle à Rolo, d'une voix suffisamment forte pour être entendue du capitaine deFrancis. Nous avons rempli notre mission. Foutons le camp de ce trou à rats !

Ce même après-midi, elle alla s'exercer au stand de tir de la police, situé au sous-sol de l'immense quartier général de la police fédérale, Calle Moreno. Elle acheta au responsable du stand deux cents cartouches de 9 mm et, pendant plus d'une demi-heure, s'employa à tirer chaque cartouche, mitraillant cible après cible jusqu'à ce qu'il n'en reste que des silhouettes en carton déchiquetées.

Comme cela ne suffisait toujours pas à apaiser sa colère, elle s'arrêta au gymnase de la police pour s'entraîner un peu avant de rentrer. Elle repéra Liliana Méndez, en soutien-gorge de sport et short de boxeur, qui s'acharnait sur le sac de sable. Tandis que Marta s'exerçait au banc de musculation, Liliana se planta au-dessus d'elle, masse de chair rose en sueur, et la regarda avec un grand sourire. Elle dégageait ce même parfum de violettes, écœurant, qui avait fait reculer Marta la nuit où elles s'étaient retrouvées devant le cadavre de Silvia Santini, près du mur du cimetière de Recoleta.

— Comment va votre boss, en ce moment ? demanda Liliana.

— Ricardi se porte comme un charme.

— C'est un saligaud.

Marta, dégoûtée par l'odeur de la femme, décida de ne pas mordre à l'hameçon.

— Chacun son opinion.

Elle souleva de nouveau la lourde barre. Liliana, remarqua-t-elle, ne se rasait pas sous les bras.

— Vous voulez disputer quelques rounds avec moi ? proposa Liliana. Je vous ménagerai.

– Ne soyez pas ridicule. Vous faites trente-cinq kilos de plus que moi. De toute façon, je ne boxe pas.

– Vous devriez, ma douce. C'est important de savoir se défendre.

– Quand j'ai besoin de me défendre, dit Marta, j'utilise mon revolver.

Liliana acquiesça d'un air entendu.

– Ouais, paraît que vous êtes une tireuse d'élite. C'est une méthode comme une autre, j'imagine.

Sur un sourire énigmatique, elle s'éloigna.

À deux heures du matin, son portable sonna. Ne recevant aucune réponse à ses « Allô? », elle allait raccrocher quand elle entendit de la musique. C'était un enregistrement crachotant, un chant entonné par des voix mâles au rythme cadencé d'une fanfare militaire. Elle colla l'appareil contre son oreille pour tenter de distinguer les paroles. Quand elle s'aperçut que c'était un chant allemand, une ancienne marche militaire du Troisième Reich, elle raccrocha.

– Qui était-ce? s'enquit Leon.

– Encore l'enfoiré. Il croit pouvoir m'effrayer, mais je n'ai pas peur des lâches.

Le lendemain matin, en allant chercher son blouson dans les vestiaires de la brigade criminelle, elle découvrit une croix gammée gravée sur son casier bleu-noir.

Elle alla directement trouver Ricardi, qui lui dit :

– Ça ne me surprend pas. Même à la Criminelle, nous avons notre lot de fumiers.

– Vous ne pouvez pas cautionner de tels actes.

– Bien sûr que non! (Il décrocha son téléphone.) Je vais faire repeindre votre casier sur l'heure.

– Que diriez-vous de diligenter une enquête?

– Je suis à court de personnel, Marta. Je regrette, je n'ai pas d'hommes disponibles en ce moment.

– Et que diriez-vous de faire installer une caméra de surveillance dans les vestiaires?

– À quoi bon? Tout le monde la verra. Le salaud qui a fait ça tentera simplement autre chose : graver une croix gammée sur le capot de votre voiture, par exemple.

Il avait raison, évidemment, mais elle n'en était pas moins en colère. L'après-midi, elle retourna au stand de tir, où, pour le plus grand plaisir du responsable de stand et autres observateurs, elle déchiqueta de nouveau toutes les cibles en vue.

Il y eut encore trois appels anonymes cette nuit-là : d'abord sur son portable, puis sur celui de Leon, et enfin, à quatre heures du matin, sur le téléphone de l'appartement.

Les deux premières fois, on lui passa un enregistrement crépitant d'un discours radiodiffusé de Hitler. La troisième fois, une voix masculine déclara : « Nous savons pourquoi Ricardi t'a mise sur l'affaire. Il joue sa carte juive. » Puis le correspondant raccrocha.

Le lendemain, au petit déjeuner, Marina demanda pourquoi il y avait eu tellement de coups de fil pendant la nuit, s'il y avait eu une urgence quelconque.

– Rien de ce genre, ma chérie. Juste des erreurs de numéro, répondit Marta.

Elle travailla tard ce soir-là à mettre de l'ordre dans son dossier, puis relut toutes ses notes. Quittant son bureau après tout le monde, elle tomba sur une femme entre deux âges qu'elle reconnut : une veuve de flic, devenue femme de ménage, qui passait le balai dans le hall principal.

Quand Marta la salua et lui souhaita une bonne nuit, la femme lui répondit par un regard froid. Avant de sortir, Marta l'entendit maugréer « la Incorrupta » d'un ton méprisant.

Ce n'est plus drôle.

Dans la matinée, elle découvrit que son casier, tout récemment repeint, était de nouveau marqué d'une croix gammée, celle-ci plus grande et plus profondément gravée que la première. Ricardi, furieux, décida de faire installer une caméra de surveillance. Puis il fit une suggestion.

– Vous travaillez sur une affaire sensible. Ça m'en coûte de le dire, mais des gens de ce service pourraient bien être impliqués. Il y a à Barracas une planque de la police qui est réservée aux enquêtes extrêmement confidentielles. Très peu de gens connaissent son existence. Je vais la réquisitionner pour vous en indiquant le nom d'une autre affaire. Comme ça, vous aurez votre propre quartier général où personne n'ira vous embêter.

Rolo et elle prirent possession des lieux l'après-midi même. La planque, qui donnait sur les eaux fétides et huileuses du Riachuelo, était chichement meublée de bureaux, de chaises et de lits de camp. Il y avait aussi, au premier étage, deux anciens placards qu'on avait transformés en cellules de détention individuelles en y ajoutant des portes à barreaux. Mais ce qui plut surtout à Marta, c'était, dans la pièce du devant, un mur entier recouvert de liège plastifié.

— C'est là que nous afficherons notre plan de travail, annonça-t-elle.

Ils entreprirent de punaiser les photos constituant leur dossier d'enquête : clichés des victimes et des scènes de crimes ; copies des photos truquées ; portraits sur ordinateur des truands, réalisés par Costas ; photos de presse de diverses personnalités figurant sur la liste de l'Étalagiste ; photos de Kessler et autres anciens membres éminents des Crocodiles ; photos de Viera, Charbonneau, Juan Sabino et Juanita Courcelles. Puis, à l'aide de marqueurs de couleur, ils relièrent les personnages qui, d'après leurs informations, avaient un lien entre eux. Lorsqu'ils eurent terminé, le mur leur offrait une représentation visuelle de tout ce qu'ils avaient découvert jusqu'à présent.

Marta se recula pour observer le plan d'ensemble. *Intéressant de voir comment cette affaire, subitement, paraît impliquer des gens qui haïssent les Juifs.*

Elle regarda par la fenêtre. On voyait, au loin, le vieux pont métallique de La Boca, structure gris foncé qui se découpait sur le gris plus clair du ciel brumeux. Des bateaux rouillés étaient abandonnés sur le Riachuelo, entre les embarcadères délabrés et les vieilles grues démolies qui pourrissaient au bord de l'eau.

Elle se retourna vers le mur, les yeux plissés, pour regarder le tableau.

— Je vois une tendance générale, dit-elle à Rolo, mais pas encore une image nette. Demain matin, je veux que tu nous arranges une entrevue avec Comtesse Natacha. Pendant ce temps-là, j'irai voir la juge Lantini.

— Pour quoi faire ?

— Je vais lui demander l'autorisation d'ouvrir une enquête parallèle sur Viera, Charbonneau et leur possible implication dans une affaire d'obstruction à la justice. Si j'arrive à la convaincre, nous aurons un autre moyen de donner un coup de pied dans la fourmilière.

6

DÉNICHEUR DE POIGNARD

La première chose que fit Hank Barnes, lorsqu'il se retrouva seul dans sa chambre d'hôtel, fut de vérifier l'hypothèse de Coriolis – selon laquelle, dans l'hémisphère Sud, l'eau d'une baignoire se videra en tourbillonnant dans le sens des aiguilles d'une montre. Cependant, alors même qu'il procédait à l'expérience dans sa salle de bains, il comprit que ça ne marcherait pas. Des conditions idéales étaient nécessaires : la tuyauterie vétuste et étrangement tortueuse d'un hôtel argentin ne s'y prêtait pas.

Je serais peut-être plus heureux si je me remettais à enseigner la physique au lycée.

On l'avait installé au Castelar, sur l'Avenida de Mayo, un grand hôtel suranné à la façade extravagante et au vestibule somptueux. Les chambres elles-mêmes étaient passablement moins attrayantes, mais ça lui était égal : il ne prévoyait pas de passer beaucoup de temps dans la sienne.

On l'avait installé là, lui avait-on dit, parce que l'agence de détectives se trouvait dans la même rue. Après avoir vérifié l'hypothèse de Coriolis, il décida de vérifier également ce point. De fait, l'agence était située à moins de deux blocs à l'ouest, dans un énorme édifice rococo baptisé le palais Barolo : une orgie architecturale de balcons ondulés et de coupoles, surmontée de ce qui ressemblait à une tourelle de phare.

Les yeux levés vers le bâtiment, il s'interrogea : *M'ont-ils logé si près pour mon confort personnel ou pour mieux me surveiller ?*

De retour au Castelar, il demanda au portier, un vieil homme d'une grande dignité, si la tourelle du Barolo tournait vraiment.

– Autrefois, oui, répondit le portier dont les yeux s'éclairèrent à ce souvenir. Il fut un temps où, par les nuits très claires, on pouvait voir le fanal du Barolo jusqu'à Montevideo. (Il secoua la tête.) Croyez-moi, monsieur, cet édifice a connu des jours meilleurs. Aujourd'hui, il est rempli de cabinets de dentistes de deuxième ordre et d'agences de détectives privés sans scrupules. Remarquez, monsieur, c'est la ville tout entière qui est devenue ainsi. (Il soupira, esquissa un sourire amer.) Elle n'est plus que l'ombre de ce qu'elle fut.

Le rendez-vous de Hank avec le détective était à dix-huit heures ; il avait donc deux heures à perdre. Montrant son plan au portier, il lui demanda le chemin du quartier des antiquités.

– Pour ça, monsieur, vous devez aller à San Telmo ! Vous en avez pour moins d'une demi-heure à pied...

Suivant les instructions, Hank parcourut deux blocs jusqu'au centre de la ville, marqué par un grand obélisque de style moderniste. Parcourant du regard l'Avenida 9 de Julio, immense artère à seize voies bordée de chaque côté par des barrières de gratte-ciel, avec des trottoirs grouillants de piétons, il se demanda :

Bon Dieu, comment faire pour retrouver une aiguille dans une botte de foin aussi gigantesque ?

Il décida de tester son instinct. Serait-il aussi efficace ici, ce sixième sens presque surnaturel qui lui avait valu tant de trouvailles extraordinaires au cours de sa carrière ? Ce don naturel, légendaire dans le métier, fonctionnerait-il encore au sud de l'équateur ?

Il prit l'Avenida de Mayo en direction de la Casa Rosada, laquelle – lui avait appris son guide de poche – abritait les bureaux de la présidence argentine. Une sorte de manifestation se déroulait devant l'édifice. Des hommes et des femmes, brandissant de longues banderoles, ovationnaient un orateur qui les haranguait, perché sur le capot d'un camion de sonorisation. Certains des manifestants souriaient, d'autres arboraient une expression farouche. Des policiers antiémeutes en tenue de combat, retranchés derrière des barricades, observaient la scène avec circonspection.

Consultant son plan, Hank tourna au sud vers les boutiques d'antiquités regroupées autour de la Plaza Dorrego. C'était ici, autour des anciens bordels – avait tenu à lui expliquer le portier –, que le tango, forme moderne de la danse nationale argentine, avait d'abord été pratiqué par les immigrants sur les rues pavées.

Tout en marchant, Hank se remémora l'enchaînement d'événements extraordinaires qui l'avait amené dans cette ville au fin fond du monde.

123

Tout avait commencé au bar de l'hôtel Radisson qui jouxtait l'ExpoMart de Monroeville, en Pennsylvanie. Hank se trouvait dans la banlieue de Pittsburgh pour assister au MAX (Militaria Antique Xtravaganza), la plus grande exposition annuelle du monde consacrée aux objets militaires. Mais, pour lui, le MAX de cette année avait été un désastre : on lui avait volé tout son stock dans sa voiture, juste devant l'hôtel.

Il l'avait laissée garée en double file pendant moins d'une minute, le temps de confirmer sa réservation. À son retour, la voiture avait disparu. La police l'avait retrouvée quelques heures plus tard dans le parking d'un centre commercial, à un kilomètre de là. Le véhicule était en parfait état mais le contenu du coffre avait disparu.

Selon toute probabilité, lui dit la police, le vol avait été commis par des professionnels qui observaient ses faits et gestes depuis un moment. Les types qui exécutaient ces tours de passe-passe étaient adroits : ils opéraient vite et se volatilisaient sans laisser de traces. Les flics espéraient que Hank avait une bonne assurance, car il n'avait guère de chances de revoir un jour ses marchandises.

Il était donc là, assis au bar du Radisson, à boire et à se morfondre, quand le barman lui apporta un verre qu'il n'avait pas commandé.

– De la part de la dame, au fond de la salle, lui dit-il.

Tournant la tête, Hank eut droit au sourire chaleureux d'une femme d'environ trente-cinq ans, qu'il ne connaissait pas personnellement mais qu'on lui avait indiquée à plusieurs reprises, une femme portant le nom improbable de Marci Lorch – principal sujet de conversation du MAX cette année.

– Bonjour, dit Hank. Et merci.

– Il n'y a vraiment pas de quoi.

– Juste une question... pourquoi moi ?

– J'ai entendu dire que vous aviez des ennuis.

– Et vous m'avez pris en pitié ?

Elle secoua la tête.

– Vous aviez l'air désemparé, alors j'ai décidé de faire un geste amical.

– J'ai entendu parler de vous, moi aussi.

– Dans ce cas... si nous prenions une table pour discuter des bruits qui circulent sur nous ?

Assis en face d'elle, il put la regarder plus à loisir. Mince, petite – environ un mètre soixante –, cheveux blonds coupés court, elle avait un sourire spontané qui éclairait son visage d'une manière presque électrique.

– Vous et moi, dit-elle, nous monopolisons les conversations ici.

– Ouais... moi pour être le Grand Perdant de l'année, et vous pour être la Femme Mystérieuse de l'année. Remarquez, c'est bien la première fois qu'il y a une femme mystérieuse au MAX.

Elle se pencha en avant.

– Que dit-on de moi ?

– Que vous semblez vous y connaître, que vous achetez des articles de qualité supérieure, que vous dépensez l'argent comme s'il en pleuvait et que personne ne sait qui vous êtes ni d'où vous venez.

– Autre chose ?

Hank, amusé, décida de lui dire le reste.

– Que c'est rare de voir une inconnue se pointer ici et claquer en un seul jour plus de cinquante mille dollars en objets du Troisième Reich. Que tous les principaux collectionneurs sont connus. Par conséquent...

– ... que j'agis probablement pour le compte de quelqu'un d'autre.

Il hocha la tête.

– C'est ce que dit la rumeur. Il y a du vrai ?

Une lueur dansa dans les yeux de Marci. De toute évidence, elle savourait leur badinage.

– Ma foi... si c'était le cas, je ne vous le dirais pas, hmm ? (Elle eut un sourire sucré.) Que non !

Il ne put s'empêcher de la trouver sympathique. Plus surprenant, il s'aperçut qu'il prenait plaisir à cette rencontre. Lui qui avait toutes les raisons d'être déprimé, il sentait sa libido se réveiller à la pensée de flirter avec une séduisante inconnue.

– Vous ne ressemblez pas aux autres types qui traînent par ici, lui dit-elle.

Parcourant la salle du regard, il repéra les habituels « fronts bas » qui fréquentaient les expos d'objets militaires : des anciens du Vietnam, gras et costauds, qui chevauchaient des motos et demandaient toujours à tenir entre leurs mains les poignards d'apparat d'officiers SS, finement ciselés, sans jamais en acheter car ils ne pouvaient pas se permettre les prix – cinq mille dollars minimum – qu'atteignaient les articles de ce genre sur le marché des collectionneurs.

Il se retourna vers Marci.

– Ouais, je suppose que je suis différent. Alors, qu'est-ce qu'on dit de moi ?

– Que vous vous êtes fait piéger et que c'est dégueulasse parce que vous êtes l'un des rares types parfaitement honnêtes du métier. Que vous jouez toujours franc-jeu, même si vous êtes rusé, que vous n'avez qu'une parole, que vous n'avez jamais essayé de refiler un faux à un client. Que vous êtes un expert en matière d'évaluation et un découvreur au flair incroyable. Les gens parlent de vos trouvailles avec admiration et respect : un poignard Feldherrnhalle en parfait état à un vide-greniers dans l'Oklahoma ; l'épée d'apparat du général Braunsteiner dans un coin poussiéreux d'une armurerie de l'Indiana... Bref, vous êtes le meilleur dénicheur de poignards de la profession. (Elle but une gorgée de scotch.) À ce propos, il se trouve que je connais le propriétaire du Feldherrnhalle.

– Votre employeur ?

Elle lui dédia son sourire électrique.

– Je serais idiote de répondre à cette question, non ? Mais je vais vous dire une chose, Hank : c'est un de vos grands admirateurs. Je lui dirai que je vous ai rencontré.

Trois tournées et deux heures plus tard, ils faisaient l'amour dans la chambre de Marci. Un peu déconcerté par l'empressement de la jeune femme à l'attirer dans son lit, il fut ensuite envoûté d'y être. Elle semblait savoir d'instinct comment l'exciter ; mieux encore, elle lui dit qu'il l'excitait tellement qu'elle avait été à deux doigts, au bar, de lui arracher ses vêtements.

– J'étais sûre que tu serais bon au lit, lui dit-elle quand ils s'allongèrent côte à côte pour se reposer.

Il la regarda avec curiosité. Il ne s'était jamais considéré comme un amant remarquable. Il avait une bonne quinzaine d'années de plus qu'elle, n'était pas le spécimen le plus formidable du monde sur le plan physique, et en aucun cas l'homme le plus désirable du MAX. Et pourtant, visiblement, elle le trouvait séduisant. Quand il lui demanda pourquoi, elle répondit sans hésiter :

– Tu as quelque chose... une expression de regret sur le visage. Une sorte de tristesse désabusée. Je fonds toujours devant les types qui en ont marre du monde. (Elle se pencha, l'embrassa sur la poitrine.) Tu n'es pas vexé, j'espère ?

Comment l'aurait-il pu ? Cela correspondait exactement à son état d'esprit : il en avait marre du monde. Cependant, à sa connaissance, aucune autre femme ne s'était focalisée sur cet aspect de sa personnalité. Certainement pas ses deux ex-épouses, en tout cas.

Lorsqu'ils eurent fait l'amour une nouvelle fois, il lui demanda d'expliciter sa pensée.

– Alors là, Hank, tu m'en demandes trop. Tu fais penser à un personnage de John Le Carré... tu vois ce que je veux dire ?

Il n'en était pas sûr. Cela faisait des années qu'il n'avait pas lu de roman d'espionnage de Le Carré. Néanmoins, la comparaison lui plut.

– Excuse-moi, dit-elle. Tu dois avoir l'impression que je t'ai rangé d'emblée dans une certaine catégorie. Mais c'est toujours comme ça, non, au début, quand on se sent attiré par quelqu'un ? Ensuite, quand on se connaît mieux, les sentiments envers l'être aimé... (Elle sourit)... s'affinent.

Ça se tenait. Mais *elle*, se demanda-t-il, dans quelle catégorie la ranger ? Effrontée, intelligente, drôle, sûre d'elle, un peu garçon manqué... Une chose était sûre : elle lui plaisait beaucoup.

– Tu as quelqu'un dans ta vie ? s'enquit-il.

– Un petit ami, tu veux dire ? Non, pas en ce moment. Ça va, ça vient. Et toi ?

– Personne en ce moment, répondit-il en riant. Alors, où ça nous mène, en fin de compte ?

Marci sortit du lit, toute nue, s'approcha de la fenêtre, se retourna et se percha sur le coin du bureau, bras croisés.

– Je serais bien incapable de dire où ça nous mène, Hank. Disons simplement que nous suivons la bonne vieille « route en briques jaunes [1] », OK ?

Quand il répondit que ça lui convenait, elle lui proposa de l'engager comme conseiller attitré pour le dernier jour du MAX.

– Il y a deux ou trois articles qui m'intéressent : le bâton de feld-maréchal, par exemple... celui que le marchand français montre sous la table. J'ai besoin d'un expert pour ne pas me faire gruger. Et aussi pour me conseiller sur le prix à payer. Il n'y a pas de catalogues d'enchères pour les objets haut de gamme. Tu serais disponible ?

Seigneur, et comment !

– Marci, j'étais venu ici avec un stock à écouler. J'ai tout perdu. Tu as devant toi un homme à la recherche d'un job.

– Tu prends une commission de combien ?

– Les dix pour cent standard.

Elle revint vers lui, toujours nue, et tendit la main.

---

1. Référence à la chanson *Follow the Yellow Brick Road,* dans le film *Le Magicien d'Oz.* (*N.d.T.*)

– Marché conclu ? dit-elle.

Ils scellèrent leur accord d'une poignée de main.

Il était presque arrivé à la Plaza Dorrego lorsqu'il fut attiré par un charmant spectacle visible à travers une vitrine : un cours de tango pour enfants. Il s'arrêta pour regarder. Une centaine de garçons et filles d'une dizaine d'années, sous la conduite d'un couple de professeurs, dansaient dans une grande salle au plafond bas. Les enfants, joliment vêtus, affichaient l'attitude grave du danseur de tango ; leurs parents, adossés aux murs, rayonnaient de fierté.

Il trouva des dizaines de boutiques d'antiquités dans les rues qui convergeaient vers la place. Certaines se voulaient élégantes, d'autres étaient des attrape-touristes, d'autres encore valaient à peine mieux que des brocantes, présentant d'anciennes bouteilles de limonade et des piles de vieilles revues de cinéma. S'il était venu dans ce quartier particulier, ce n'était pas dans l'espoir de faire une trouvaille mais plutôt pour tester son instinct. Lui qui était tout juste capable de se faire comprendre en espagnol, parviendrait-il à localiser la boutique proposant des épées et des poignards d'époque ? Car, dans toutes les villes qu'il avait eu l'occasion de visiter, il y avait toujours eu au moins un spécialiste d'objets militaires dans le quartier des antiquités.

Cette tâche lui demanda à peine un quart d'heure. La boutique se révéla être une simple échoppe, mais il se félicita néanmoins de l'avoir trouvée. D'autant que le vendeur, un chaleureux quadragénaire, parlait un excellent anglais. Ses reliques de la Seconde Guerre étaient pathétiques : une paire de minables poignards de la Wehrmacht et des jumelles Zeiss Kriegsmarine cassées.

Il demanda au vendeur s'il y avait d'autres endroits, à Buenos Aires, spécialisés dans les objets militaires de la Seconde Guerre.

– Des spécialistes, non, mais il y a des objets qui circulent. Nous avons eu des nazis par ici... (Il sourit)... même si la plupart d'entre eux ne se promenaient pas avec leur poignard d'apparat. Ils vivaient dans la clandestinité. Ils avaient changé d'identité et cachaient leur passé. Presque tous sont morts aujourd'hui. En tout cas, tout le butin de guerre intéressant est parti aux States.

Exact... mais j'espère qu'il y a au moins une grosse exception.

Il regagna en taxi le Castelar, commanda un scotch au bar de l'hôtel, en but une gorgée et s'installa confortablement. Encore une heure à perdre avant son rendez-vous avec le détective.

*

128

Il passa le dernier jour du MAX à faire le *consigliere* pour Marci. Elle lui donnait ce nom parce que, dit-elle en riant, il se montrait un conseiller particulièrement malin, possédant un « œil aiguisé de Sicilien » pour repérer les faux.

Le bâton de maréchal proposé par le marchand français était, dit-il à Marci, une bonne reproduction. Il la dissuada également de faire une offre pour une épée de diplomate, qui, d'après un vendeur par ailleurs honnête, avait peut-être appartenu à von Ribbentrop.

« Peut-être », expliqua-t-il à Marci, de même que « prototype », étaient des mots révélateurs dans les transactions d'objets militaires. Si on pouvait prouver que tel uniforme ou telle arme avaient appartenu à une célèbre personnalité du Troisième Reich, sa valeur s'en trouvait grandement augmentée. « Peut-être » signifiait qu'on ne pouvait pas le prouver ; par conséquent, l'histoire qui y était attachée relevait très vraisemblablement du mythe. « Prototype » signifiait presque toujours que l'objet avait été fabriqué après la guerre, à partir de pièces anciennes.

— Il y a davantage de ceinturons de Himmler et de fanions d'automobiles de Goebbels en circulation que de casquettes de base-ball yankees, dit-il à Marci dans le bar de l'hôtel, après la fermeture du MAX.

— C'est intéressant que tu en parles. Et Goering, dans tout ça ? J'ai vu son couteau de chasse au musée de West Point.

— Celui-là est authentique, lui assura Hank. Il le portait sur lui quand il s'est constitué prisonnier. C'était un cadeau de son beau-frère, Eric von Rosen. Il existe d'autres poignards et épées ayant appartenu à Goering : son épée de mariage, par exemple. Ce type était un fanatique d'armes blanches.

— Et son poignard de Reichsmarschall ?

Il la scruta.

— Que sais-tu à ce sujet ?

— Pas grand-chose. (Elle jeta un coup d'œil circulaire.) Si jamais on le retrouvait, combien penses-tu qu'il vaudrait ?

Il fut alerté par le ton excessivement dégagé de la question. En bon joueur de poker, il savait déchiffrer un « pour voir ». Il était persuadé que Marci venait de lui en servir un... mais il tempéra son jugement : *C'est peut-être ce qu'elle veut me faire croire.*

— Pas facile de répondre, dit-il, jouant le jeu. Mais comme c'est le Saint-Graal des pièces de collection manquantes du Troisième Reich, il rapporterait probablement la plus grosse somme qu'on ait jamais vue dans ce métier.

– Quel ordre de grandeur ?

Il haussa les épaules.

– Certainement dans les six chiffres les plus élevés. Peut-être même sept.

– Waouh ! S'il te plaît, dis-m'en davantage !

Elle le testait, il en était maintenant certain. Se pouvait-il qu'elle sache réellement quelque chose sur le poignard du maréchal Goering ? Il était tout excité à cette idée.

Il lui raconta le peu qu'on savait sur ce fameux poignard : il avait été conçu et fabriqué à la main par le professeur Herbert Zeitner, assisté de ses étudiants de l'Académie technique de Berlin ; il en existait seulement deux photos d'époque, qui ne le montraient ni l'une ni l'autre au ceinturon de Goering ; au moins deux imitations étaient apparues au fil des années, réalisées de manière très élaborée ; des pierres précieuses et diverses pièces appartenant prétendument au poignard, volé au château de Veldenstein, avaient également circulé, mais leur origine ne coïncidait pas avec l'opinion – largement répandue – selon laquelle Goering gardait son poignard dans sa propriété de Koenigsee, près de Berchtesgaden. Hank, pour sa part, était convaincu que les gemmes et les pièces volées à Veldenstein provenaient d'une reproduction que Goering avait commandée en 1943 ; il était également convaincu que Walter Hobler, l'aide de camp du maréchal, avait emporté l'original dans sa fuite après la guerre.

– Et qu'est-il devenu, ce Hobler ? demanda Marci.

– On l'ignore. Nous ne saurons probablement jamais s'il s'est échappé, mais peut-être que le poignard refera surface un jour.

Tout en parlant, il étudia les réactions de Marci. Elle était devenue extrêmement attentive.

– Pourquoi t'intéresses-tu tellement à cette histoire ?

Elle haussa les épaules.

– L'homme pour qui je travaille a entendu une rumeur.

– Donc, tu admets agir pour le compte de quelqu'un ?

Elle sourit.

– Tu ne croyais quand même pas qu'une brave fille comme moi s'adonnait à un vilain hobby macho comme celui-là ?

– Qui est ton commanditaire ?

– Secret défense. Sache simplement que c'est un collectionneur riche et discret qui ne veut pas que son nom soit connu.

– Joue-t-il la discrétion parce qu'il s'agit d'une personnalité en vue... une célébrité, par exemple ?

– Crois ce que tu voudras, Hank. Tu n'auras ni confirmation ni démenti de ma part.

Comme il devait reprendre l'avion pour Chicago le lendemain matin de bonne heure, ils montèrent dans la chambre de Marci pour ce qu'elle appelait « une dernière orgie d'amour ». Mais, après leur conversation sur Goering, Hank était incapable de se concentrer sur le sexe. Il alla chercher dans le minibar deux mignonnettes de scotch.

– Si ton ami a une piste susceptible de le mener au poignard du maréchal, je suis l'homme qu'il lui faut, dit-il en vidant les bouteilles dans deux verres. Je suis l'un des rares à pouvoir lui dire s'il est authentique.

– Je le sais, dit-elle en levant son verre à sa santé. Je lui ai parlé de toi. Il a une proposition à te faire. Il est ici même, dans cet hôtel. Nous pouvons descendre tout de suite dans sa chambre pour discuter, mais sache d'emblée que tu ne pourras pas le voir. Il tient absolument à te parler à travers une porte entrouverte. J'espère que ça ne te refroidit pas.

Ça refroidissait bel et bien Hank. Entre autres règles, il avait celle-ci : *Toujours connaître son client*. Néanmoins, pour une fois, il se laissa fléchir à cause de son stock perdu, et aussi parce qu'il avait la possibilité de faire une trouvaille proprement extraordinaire. Il avait eu une chance incroyable dans sa carrière, mais la découverte du poignard du maréchal Goering serait un exploit sans équivalent. S'il existait une chance – fût-elle mince – de mettre la main dessus, il voulait être dans le coup.

Le détective s'appelait Luis DiPinto. Son bureau se trouvait à l'un des étages supérieurs du palais Barolo, dans un long couloir qui, conformément à la description du portier, semblait bordé d'un bout à l'autre de petites agences de détectives privés.

Il y avait une pièce de réception où siégeait une hôtesse-secrétaire, une rouquine rondouillarde prénommée Laura. DiPinto lui-même occupait un bureau exigu contenant en tout et pour tout deux chaises, un bureau en bois déglingué et deux classeurs métalliques rayés, munis de serrures à combinaison. Un calendrier d'Aerolineas Argentinas était accroché au mur.

On se croirait dans un roman de Raymond Chandler.

DiPinto était un homme de petite taille, trapu, au front dégarni. Sûr de lui, il avait des yeux vifs et une courte barbe grisonnante taillée en pointe.

– Ravi de vous rencontrer, monsieur. J'ai beaucoup entendu parler de vous, dit-il dans un excellent anglais en se levant pour serrer la main de Hank.

– Par Marci ?

Le détective secoua la tête.

– Par Mr G. Il est mon client, je vous le rappelle.

Pendant qu'ils bavardaient, la nuit tomba sur la ville, transformant en spectacle féerique la vue qu'on avait de la fenêtre de DiPinto. Les immeubles avoisinants, la plupart surmontés de coupoles, étaient illuminés. La façade du Congrès national, qui rappela à Hank le Reichstag de Berlin, était éclairée par des projecteurs. En contrebas, la circulation formait de brillants rubans jaunes sur l'Avenida de Mayo.

– J'ai examiné votre contrat, déclara DiPinto. Vous avez reçu une avance de dix mille dollars. Si nous localisons le poignard, vous en recevrez encore dix mille pour l'authentifier, et dix mille supplémentaires si vous parvenez à négocier son achat. Sans compter tous vos frais, pour lesquels je vous avancerai des fonds chaque semaine. Ce résumé est-il correct ?

Hank acquiesça.

– Venons-en à un point important, monsieur Barnes. Mr G. est mon client. Tout contact avec lui devra se faire par mon intermédiaire. Pas de passe-droits. Vous êtes ici uniquement en qualité de négociateur et de conseiller. Si nous sommes bien d'accord là-dessus, je suis sûr que nous nous entendrons.

C'était un petit bonhomme coriace, mais tout ce qu'il disait était vrai. Tels étaient les termes que Hank avait acceptés. Mr G. avait fait valoir qu'il ne pouvait pas payer une commission standard sur un objet d'une valeur inestimable ; en contrepartie, il n'attendait pas de Hank que celui-ci se rende à Buenos Aires sans garantie de bénéfice. Si le voyage se révélait infructueux, Hank aurait droit pour sa peine à dix mille dollars et à un séjour gratuit en Amérique du Sud. Hank avait répondu qu'il espérait ardemment que le voyage ne serait pas infructueux, car il désirait plus que tout au monde avoir le plaisir de tenir entre ses mains le poignard de Goering.

DiPinto poursuivit :

– Vous avez vu les photos. Je présume qu'elles vous ont impressionné.

– Beaucoup. Néanmoins, comme je l'ai expliqué à Mr G., même si elles sont prometteuses, je dois examiner matériellement le poignard pour savoir s'il est authentique.

– Compris. Voici maintenant quelques faits qui ne vous ont pas été précisés. Les photos proviennent de la bande de vidéosurveillance d'une bijouterie. Une femme a apporté le poignard dans cette boutique. Elle voulait faire évaluer les pierres précieuses serties dans le manche. Quand elle est repartie, le bijoutier a noté rapidement le numéro d'immatriculation de sa voiture. J'ai remonté la piste et découvert que le véhicule était au nom d'un certain Dr Pedraza. À partir de cette information, j'ai fait surveiller sa résidence, située dans l'un de nos plus beaux quartiers. De là, j'ai photographié les différentes femmes qui entraient et sortaient. Quand je les ai montrées au bijoutier, il a reconnu celle qui lui avait apporté le poignard. Depuis lors, je l'ai identifiée : il s'agit d'une certaine Luisa Kim, la bonne personnelle de la señora Pedraza. Je ne peux pas l'affirmer, mais je suis convaincu qu'elle est allée chez le bijoutier sur ordre de sa maîtresse. Nous en sommes là pour l'instant.

– Quelle est la prochaine étape ? demanda Hank.

– Ce soir, nous irons l'interroger ensemble. Nous voulons savoir si le poignard a déjà été vendu – et, dans la négative, qui l'a actuellement en sa possession. Mr G. m'a autorisé à soudoyer la bonne – à hauteur de mille dollars maximum – pour l'inciter à parler. Selon ce qu'elle nous dira, nous déciderons du parti à prendre.

Ce plan paraissant raisonnable, ils convinrent de se retrouver deux heures plus tard devant le Castelar.

– Je passerai vous prendre, déclara DiPinto, nous irons ensemble chez la bonne, nous l'interrogerons, et ensuite nous dînerons. (Il sourit.) Peut-être que la bonne refusera de nous parler, même contre de l'argent. Mais dans tous les cas, je vous promets que vous goûterez un savoureux steak argentin.

Tout en regagnant à pied son hôtel, Hank s'interrogea. Pourquoi Mr G. avait-il besoin de ses services, avec un détective privé aussi efficace que DiPinto sur la piste ? Certes, il avait les compétences nécessaires pour authentifier le poignard, mais cela ne valait pas vingt mille dollars. Et DiPinto semblait parfaitement capable de négocier tout seul un achat. À ce propos, comment DiPinto était-il entré en contact avec Mr G. ? Et comment avait-il obtenu, au départ, les photos prises à la bijouterie ?

Tout cela était fort étrange. D'un autre côté, si les choses se concrétisaient et si les événements prenaient la tournure espérée, ces questions pourraient bien se révéler les aspects les moins étranges de l'affaire.

*

Son entretien avec Mr G. avait été bizarre. Hank n'était pas satisfait de traiter avec une voix désincarnée. Toutefois, comme le lui fit observer Marci tandis qu'ils descendaient voir Mr G. dans sa suite, Hank passait son temps à négocier au téléphone avec des clients invisibles.

N'empêche, ça faisait un drôle d'effet d'être assis dans le salon, à côté de Marci, pendant que le mystérieux employeur de la jeune femme leur parlait, caché derrière la porte à demi ouverte de sa chambre.

Mr G. se confondit en excuses. Il exprima son regret de ne pouvoir serrer la main de son visiteur, puis se répandit en commentaires flatteurs sur le statut de Hank dans le métier.

– Je suis l'actuel propriétaire du Feldherrnhalle que vous avez découvert. Superbe pièce ! L'une des plus belles de ma collection. Quand Marci m'a dit qu'elle vous avait rencontré, j'ai compris que vous étiez l'homme qu'il me fallait. Vous tombiez à point nommé !

Les photos que lui montra Marci étaient saisissantes. En les examinant, Hank sentit son cœur battre plus vite. Le poignard paraissait superbement exécuté. Lame d'acier façonnée à la main, aigle incrusté de diamants et de grenats, manche en ivoire cannelé, dorures sur la garde : tout semblait conforme. Mais il n'existait pas de photographies d'époque en couleurs pouvant servir de comparaison ; seulement les deux vieux clichés en noir et blanc dont il avait parlé à Marci. Le plus important, se dit-il, était de ne pas s'emballer. Le seul fait de *vouloir* qu'un objet rare soit réel avait déjà piégé bien des experts, notamment dans l'affaire spectaculaire du faux « Journal d'Hitler » qui avait été authentifié par l'un des graphologues les plus réputés du monde.

Il fit part de ses pensées à Mr G., qui s'avoua lui-même sceptique, avant d'ajouter :

– Mais dans une situation comme celle-là, on n'a d'autre choix que d'aller jusqu'au bout. Si je ne le fais pas et que le poignard se révèle authentique, je m'en voudrai jusqu'à la fin de mes jours.

Mr G., constata Hank, connaissait bien les rumeurs entourant le fameux poignard disparu – notamment celle, spectaculaire, selon laquelle Goering aurait révélé sa cachette à l'un de ses geôliers américains en échange de la capsule de cyanure qu'il avait avalée pour échapper à l'exécution.

Mais c'était la rumeur concernant Walter Hobler qui les fascinait le plus, d'autant que les photos étaient parvenues à Mr G. par le biais d'une source établie à Buenos Aires. Si Hobler avait réussi à prendre la fuite, l'Argentine était très probablement le pays où il s'était réfugié.

Après cette entrevue, il ne resta plus à Hank qu'à négocier les termes du contrat, recevoir son avance de dix mille dollars, puis rentrer à Chicago pour attendre la suite des événements.

Il patienta six longs mois avant de recevoir enfin le feu vert. Durant cette période, Marci et lui se parlèrent plusieurs fois au téléphone. Elle commençait systématiquement leurs conversations en disant à Hank combien son corps lui manquait, flatterie qui le titillait et l'amusait.

Mr G., lui dit Marci, était toujours sur la piste du poignard ; il collaborait avec un détective privé argentin, un homme à la réputation impeccable. L'enquête suivait son cours. Quand le détective aurait réussi à localiser la source, Hank serait expédié sur place. Il devait se tenir prêt à partir dans les plus brefs délais. Mr G., comme d'habitude, lui envoyait ses amitiés.

Quatre jours plus tôt, elle l'avait appelé pour lui dire qu'il allait recevoir par messager spécial ses billets et une somme d'argent destinée à couvrir ses frais pour une semaine. Elle lui précisa également que, pendant son séjour à Buenos Aires, il travaillerait sous la supervision du détective.

— Mr G. a toute confiance en cet homme. Jusqu'à présent, il a fait du très bon boulot. Tu as rendez-vous avec lui à dix-huit heures le jour de ton arrivée. Amuse-toi bien là-bas, Hank ! Et dépêche-toi de revenir... le poignard à la main !

Hank boucla sa valise, enregistra un message téléphonique « Je suis en voyage d'affaires », mit son chat en pension chez sa nièce et prit l'avion pour Miami.

Dans la salle de transit de l'aéroport de Miami, alors qu'il attendait son vol pour Buenos Aires, il reçut un appel de Marci. D'emblée, il perçut dans sa voix une certaine anxiété.

— Surtout, lui dit-elle, sois bien prudent. Quelques individus peu recommandables pourraient être impliqués dans l'affaire.

— Est-ce un ultime avertissement ?

— Blague à part, Hank... sois prudent, s'il te plaît, OK ?

Dans la voiture qui les emmenait voir la bonne, DiPinto fit un effort pour se montrer amical. Et il posa à Hank la question que les gens lui posaient immanquablement en apprenant la nature de son activité : pourquoi avait-il choisi de devenir marchand/expert dans un domaine aussi ésotérique ?

Hank lui servit sa réponse standard : il avait toujours été fasciné par le mélange de brutalité et d'élégance qui constituait l'esthétique du Troisième Reich ; il détestait tout ce que représentaient les nazis, bien sûr, mais il aimait la splendeur de leurs uniformes d'apparat, de leurs poignards et épées de cérémonie. Il cita la célèbre phrase finale de l'essai de Susan Sontag, *Fascinant fascisme* : « La couleur, c'est le noir ; le matériau, c'est le cuir ; la séduction, c'est la beauté ; la justification, c'est l'honnêteté ; le but, c'est l'extase ; le fantasme, c'est la mort. »

Ce qu'il n'avoua pas à DiPinto – ni à personne d'autre, d'ailleurs –, c'est que, pour lui, l'un des plus grands plaisirs du commerce de souvenirs du Troisième Reich était le sentiment de transgression que cela lui procurait.

– Mais vous *aimez* vraiment ces poignards ? demanda DiPinto.

– La question n'est pas de savoir si je les aime ou pas. Je les apprécie en tant que symboles d'une époque particulière. Je n'en fais pas collection. Je me contente d'acheter et de vendre. Oui, ces objets ont quelque chose de sinistre ; ça fait également partie de leur attrait. Ce qui compte, c'est qu'ils sont beaux et fabriqués avec art. Et ce domaine est passionnant à cause du nombre de faux et de copies qui inondent le marché.

– Les collectionneurs sont des gens de quelle sorte ?

– Ils couvrent toute la gamme, depuis les collectionneurs sophistiqués comme Mr G. jusqu'aux détestables skinheads et autres néonazis. La plupart d'entre eux sont tout simplement des types qui recherchent des reliques de la Seconde Guerre. Vous serez sans doute étonné d'apprendre qu'il y a des collectionneurs juifs très sérieux qui donneraient n'importe quoi pour se procurer le poignard qui nous intéresse.

De fait, DiPinto parut étonné par cette révélation.

Le trajet leur prit une demi-heure, en empruntant essentiellement des voies express. La ville, immense, semblait s'étirer à perte de vue dans toutes les directions. Pourtant, expliqua le détective, quand on en atteignait enfin la limite, on se retrouvait dans la pampa où le bétail broutait les fameuses herbes qui donnaient au bœuf argentin son inimitable saveur.

Lorsqu'ils quittèrent la voie express, Hank s'aperçut qu'ils étaient dans un quartier de boutiques arborant des enseignes asiatiques.

– Koreatown [1], annonça DiPinto en s'arrêtant devant un immeuble délabré. Elle habite un simple studio, premier étage sur cour.

Luisa Kim était une jeune Asiatique, menue et jolie, aux manières humbles de domestique. Elle fut surprise de les voir et clairement intimidée quand DiPinto la bouscula pour entrer dans sa pathétique petite chambre.

– Vous êtes dans de sales draps, lui dit-il en espagnol, traduisant aussitôt à l'intention de Hank. Vous avez essayé de vendre dans une bijouterie un poignard qui ne vous appartenait pas. C'est un grave délit.

– Ce n'est pas vrai! protesta-t-elle, visiblement effrayée par l'accusation. J'ai seulement demandé une évaluation au bijoutier!

– Ce n'est pas ce qu'il dit.

– Alors, il ment!

Après l'avoir harcelée pendant quelques minutes, DiPinto la fit asseoir sur le lit, approcha une chaise et la regarda dans les yeux.

– Je suis prêt à vous payer cent dollars américains si vous nous dites tout ce que vous savez sur cette affaire. Si vous refusez ou si vous mentez, je vous expédie en prison.

Voyant qu'il parlait sérieusement, Luisa acquiesça et se mit à parler. Le poignard, leur dit-elle, appartenait au mari de sa maîtresse, le Dr Osvaldo Pedraza. Le couple n'était pas heureux. La señora lui avait confié qu'elle envisageait de divorcer. Quelques mois plus tôt, la señora l'avait chargée d'une mission confidentielle : elle voulait faire estimer, à l'insu de son mari, les pierres précieuses du fameux poignard ; si jamais celles-ci avaient de la valeur, elle voulait savoir combien il lui en coûterait de les faire remplacer par de la verroterie. Suivant les instructions, Luisa alla montrer le poignard à un bijoutier du quartier, qui lui annonça que les pierres étaient authentiques mais sans grande valeur. Il voulut emporter le poignard dans son arrière-boutique pour l'examiner de plus près, mais elle refusa (la señora lui avait bien recommandé de ne pas quitter l'objet des yeux) et s'en alla. Elle avait ensuite rendu le poignard à la señora. À sa connaissance, il était de nouveau en possession du Dr Pedraza.

Lorsque Luisa eut terminé, le détective se tourna vers Hank :

– Vous la croyez?

– Et vous?

---

1. Quartier coréen. (*N.d.T.*)

137

DiPinto acquiesça.

– Son histoire tient debout. Payons-lui son dû et allons-nous-en.

Il sortit de sa poche une liasse de billets, en préleva cinq de vingt dollars et les fourra dans la paume de la bonne. Luisa s'inclina et lui baisa les mains, geste que Hank trouva extrêmement embarrassant.

Dès qu'ils furent remontés en voiture, DiPinto tendit à Hank trois cents dollars en liquide.

– C'est quoi, ça ?

– Votre part du butin.

– De quoi parlez-vous ?

DiPinto sourit jusqu'aux oreilles.

– Comme je vous l'ai dit, Mr G. m'avait autorisé à la soudoyer à hauteur de mille dollars. Finalement, je n'en ai déboursé que cent. Je dirai à Mr G. que la fille a accepté de parler pour sept cents, ce qui nous laisse une marge de six cents dollars. Là-dessus, votre part est de cinquante pour cent, soit trois cents dollars.

Hank dévisagea le détective.

Est-ce là un échantillon de son « impeccable réputation »... ou une illustration de ce que voulait dire Marci quand elle parlait d'« individus peu recommandables » ?

Hank prit l'argent. À contrecœur, mais il n'avait pas le choix. Si c'était le mode de fonctionnement de DiPinto, il ne pouvait que jouer le jeu. Toutefois, cette petite escroquerie avait toutes sortes de ramifications, la plus grave étant que DiPinto l'avait forcé à être son complice pour gruger leur employeur. La question était maintenant de savoir jusqu'où cette collusion risquait de l'emmener.

Une heure plus tard, attablés dans une *parrilla* en plein air qui sentait bon le feu de bois et le bœuf grillé, ils savouraient un vin rouge argentin corsé tout en dévorant d'énormes steaks. Pour un type de petite taille, observa Hank, DiPinto était un gros mangeur.

Depuis qu'ils avaient quitté le studio de la bonne, le détective était d'humeur expansive.

– Vous savez, Hank... quand je vous ai offert cet argent, tout à l'heure, c'était en vérité un test.

– Je l'avais deviné. Qu'en avez-vous déduit ?

– Que je peux vous faire confiance. Que nous formons une équipe.

– Et si j'avais refusé ?

– J'en aurais conclu que je ne pouvais pas vous faire confiance. Voyez-vous, je sais par expérience qu'un petit larcin partagé crée un lien personnel. N'oubliez pas que Mr G. est un homme très riche. Il s'attend certainement à ce qu'on se serve au passage... qu'on « se sucre » un peu, vous savez ?

– C'est une pratique courante par ici ?

– Tout à fait ! répliqua DiPinto en riant.

Profitant de la cordialité croissante du détective, Hank glissa plusieurs questions dans la conversation.

– C'est vous, à l'origine, qui avez envoyé les photos à Mr G. ? DiPinto sourit.

– Désolé, Hank... je ne peux pas parler de certaines choses.

– Y a-t-il une chance que je puisse rencontrer ce bijoutier, lui poser quelques questions sur le poignard ?

– Par exemple ?

– Puisqu'il l'a eu entre les mains, il doit avoir une idée de son poids.

– Écrivez-moi vos questions, j'essaierai de vous obtenir des réponses.

– Autrement dit, je ne peux pas lui parler directement ?

– Désolé, Hank, là encore... mes arrangements doivent rester confidentiels.

Réaction curieuse, jugea Hank, dans la mesure où DiPinto venait d'affirmer qu'ils formaient désormais une équipe. Apparemment, il entendait par là une équipe où, en sa qualité de leader, il octroyait des informations uniquement quand il le jugeait bon.

Pendant le dessert et le café, ils discutèrent de l'étape suivante.

– Selon moi, déclara le détective, si l'épouse du propriétaire du poignard a envisagé de remplacer les pierres précieuses par des imitations, elle doit être suffisamment dans le besoin pour être disposée à vendre le poignard complet... à condition, évidemment, qu'elle puisse le faire sans que son mari s'en aperçoive.

– Comment serait-ce possible ?

DiPinto eut un sourire madré.

– En simulant un cambriolage, par exemple. La señora nous aiderait à le mettre en scène. Elle pourrait nous dire à quel moment ils sortent, son mari et elle, comment on neutralise le système d'alarme de la maison, où on pourrait trouver le poignard... et d'autres objets de valeur, aussi, pour donner l'impression qu'ils ont été victimes d'un cambriolage ordinaire dans un quartier résidentiel.

– Mais dans ce cas, Mr G. ne serait pas légalement propriétaire.

– Simple détail, s'il tient réellement à ce poignard. Demain, je lui ferai part de ce que nous avons découvert et je lui demanderai de nouvelles instructions. En attendant, sentez-vous libre de profiter de la ville. Elle est très agréable en cette saison. Il y a beaucoup de choses intéressantes à voir. Je dirai à Laura de vous établir une liste.

Pendant le trajet de retour au Castelar, Hank demanda à DiPinto comment il avait fait la connaissance de Mr G.

– C'est une longue histoire. Je n'ai jamais vraiment rencontré le bonhomme. Nous avons été mis en contact par un tiers, répondit le détective en adressant à Hank un sourire énigmatique.

Hank passa les jours suivants à explorer Buenos Aires, non en s'inspirant de la liste d'attractions envoyée par la secrétaire de DiPinto, mais en baguenaudant simplement dans les rues. Il voulait sentir l'atmosphère de la ville, comprendre le terrain où allait se jouer la partie dans laquelle il était engagé. En même temps, il pensait à la partie elle-même, à ses règles ou à son absence de règles.

Il trouva la ville magnifique avec ses rues en damier, faciles à arpenter, remplies de beaux édifices, la plupart ornés de balcons ou surmontés de coupoles hérissées de paratonnerres. Il déambula dans de larges avenues menant à des parcs ravissants qui servaient d'écrin à d'impressionnantes statues de bronze. De loin, Buenos Aires paraissait bien entretenu. De près, en revanche, on décelait des signes de décrépitude : vitres brisées, portes condamnées par des planches, plâtre fissuré, murs délabrés, peinture écaillée. Pour une ville qui devait son nom à ses « bons airs », Hank fut également surpris de humer tant d'odeurs désagréables : asphalte brûlant, poubelles non ramassées, égouts débordants. Buenos Aires, semblait-il, avait connu des jours meilleurs.

Il fut témoin de plusieurs manifestations. À un carrefour, non loin du Congrès, à deux cents mètres de son hôtel, il vit des hommes féroces, aux yeux pleins de colère, mettre le feu à une pile de traverses de voie ferrée. Ce brasier embouteilla la circulation pendant des heures.

Dans l'élégant Retiro, il vit un groupe d'adolescents belliqueux sauter d'un camion à plateau et se précipiter vers une banque dont ils fracassèrent méthodiquement les vitrines, à coups de masse, avant de repartir sur les chapeaux de roue.

Il fut frappé par l'absence d'indignation sur les visages des passants. Les gens s'arrêtèrent, secouèrent la tête, puis se remirent en marche. Dès que les vandales eurent disparu, des employés de la banque sortirent pour colmater les brèches avec des panneaux de contreplaqué prédécoupés, comme s'ils avaient anticipé l'attaque.

Il apprit par le *Buenos Aires Herald,* journal de langue anglaise, que le chômage atteignait trente pour cent et que le gouvernement était au bord de la chute. Des gens qui avaient déposé leur argent sur des comptes en dollars voyaient maintenant leurs économies converties de force en pesos dévalués.

C'était une ville de gros fumeurs, de piétons braillards, de gens qui semblaient perdus, sans espoir.

Je suis venu dans un lieu de colère.

Néanmoins, il vit aussi des scènes paisibles : amoureux se promenant la main dans la main, superbes femmes au sourire éblouissant, joyeux gamins jouant au football dans les parcs, vieilles dames donnant à manger aux pigeons, hommes âgés pêchant patiemment sur les quais avec de longues cannes à pêche. La plus paisible de toutes fut peut-être une manifestation de musiciens qui faisaient la grève devant l'Opéra en chantant des chœurs à pleine voix.

Dans la Calle Lavalle, tard le soir, il regarda un comédien des rues amuser un cercle de badauds. Il ne comprit pas un traître mot du monologue mais, d'après l'hilarité de la foule, il supposa que le contenu était d'une obscénité débridée.

À un coin de rue de Recoleta, le quartier rupin, il vit un vieil homme en tenue de zazou des années trente, coiffé d'un feutre mou incliné sur le crâne de façon canaille, mimer des couplets de tango sur un enregistrement amplifié de Carlos Gardel, le grand chanteur de tango. Hank écouta un moment, puis jeta quelques pièces dans la tasse en plastique posée aux pieds de l'artiste.

Dans la Calle Florida, des dessinateurs de rues caricaturaient les gens qui posaient devant eux sur un tabouret. Les échantillons exposés comportaient toujours des portraits de Che Guevara, Evita Perón et Gardel – l'équivalent argentin, songea Hank, du trio favori des artistes de rues américains : JFK, Elvis et Marilyn Monroe.

Le soir, après le dîner, il monta sur le toit de son hôtel, d'où il étudia la configuration des astres dans le ciel de l'hémisphère Sud. La voûte céleste semblait plus remplie, plus étoilée que dans le nord. Ayant repéré la constellation du Centaure, il frissonna de plaisir quand, pour la première fois, il posa les yeux sur la Croix du Sud.

Le quatrième matin de son séjour à Buenos Aires, le temps changea, la moiteur céda la place à un vent vif d'automne et le ciel nuageux devint d'un bleu limpide. Les piétons marchaient d'un pas déterminé, et Hank aussi, tout en méditant sa fâcheuse situation.

DiPinto, avec sa barbe en pointe, son arnaque aux frais généraux et sa proposition de mettre en scène un faux cambriolage, ressemblait de plus en plus à un petit Méphistophélès.

Mais en est-il seulement un petit ?

Il y avait, dans le passé de Hank, des choses qu'il ne racontait pas d'emblée aux gens. Il n'avait pas toujours été marchand de souvenirs militaires. Il avait enseigné pendant dix ans la physique au lycée ; il avait travaillé pendant deux ans pour un cabinet d'avocats de Chicago, en qualité de détective privé ; et, depuis fort longtemps, il arrondissait ses fins de mois en jouant au poker.

Il ne mentionnait pas non plus que l'aspect qui lui plaisait particulièrement, dans le commerce des objets militaires du Troisième Reich, c'était le frisson de la quête. User de psychologie, de ruse et d'instinct pour débusquer une pièce de valeur : à ses yeux, telle était la joyeuse essence du métier.

Quand il était à l'affût d'un poignard particulier, il se posait toujours les questions élémentaires :

Où serais-je aujourd'hui si j'étais un poignard SS d'apparat, une rareté rapportée aux États-Unis par un vétéran de la Seconde Guerre ?

Que ferait de moi la veuve de ce vétéran en me découvrant dans une vieille malle du grenier après la mort de son mari ?

Ses réponses le conduisaient à d'efficaces stratégies de recherche : publier dans des petits journaux du Midwest et du Sud des annonces judicieusement rédigées promettant « un paiement en espèces immédiat » ; écumer les vide-greniers, les armureries rurales et les boutiques de surplus de l'armée et de la marine.

Donc, le quatrième matin de son séjour à Buenos Aires, tandis qu'il buvait un café à la terrasse d'un bistrot où il fut servi au ralenti par un serveur âgé, en veste blanche élimée, il se demanda :

Si j'étais le bijoutier qui a vu le poignard du maréchal Goering, où serait mon magasin ?

Luisa Kim lui avait fourni un indice : elle avait porté le poignard à un bijoutier « du quartier ». Une façon de localiser la boutique serait donc de demander à DiPinto l'adresse du domicile des Pedraza, sous prétexte de « reconnaître » la maison en vue d'un cambriolage. Il pourrait ainsi quadriller le quartier à la recherche des boutiques probables.

Cela nécessiterait beaucoup de marche à pied, bien sûr, mais ça lui donnerait un but lors de ses promenades dans les rues. Puisque

DiPinto, de façon incompréhensible, refusait de le laisser rencontrer le bijoutier, retrouver celui-ci pour discuter de la transaction semblait être le point de départ le plus logique.

Trop d'aspects de l'affaire le rendaient soupçonneux. Il n'était pas satisfait d'ignorer l'identité de Mr G. et de ne pas savoir pourquoi celui-ci le payait si grassement. Il n'était pas content de ne pas pouvoir communiquer directement avec Mr G., ni avec Marci qui refusait toujours de lui donner son numéro de téléphone ou son adresse e-mail. Il aimait beaucoup la jeune femme, mais il n'avait pas le sentiment de pouvoir lui faire confiance, bien qu'elle lui eût gentiment conseillé « d'être prudent » parce que des « individus peu recommandables » pouvaient être impliqués dans l'affaire. Il voyait dans cet avertissement de dernière minute un aveu de culpabilité plutôt que la mise en garde d'une amie attentionnée.

Il se demanda si la désinvolture avec laquelle DiPinto avait évoqué la possibilité d'un cambriolage simulé était le signe que, dès le début, Mr G. avait envisagé un plan de ce genre. Si telle était la méthode que comptait utiliser Mr G. pour se procurer le poignard, cela témoignait d'une malhonnêteté qui mettait Hank très mal à l'aise.

Il se targuait d'être un marchand intègre, qui ne volait pas ses clients et qui refusait de fourguer des faux. Certes, quand il dénichait un objet qui avait plus de valeur que son propriétaire n'en avait conscience, il n'hésitait pas à en profiter. Tous les antiquaires faisaient de même. Mais un cambriolage mis en scène, c'était une autre paire de manches.

De retour dans sa chambre d'hôtel, il téléphona à DiPinto pour lui demander l'adresse des Pedraza. Il ne fut nullement surpris de se voir opposer un refus. Il avait prévu la réponse du détective et le ton peiné sur lequel il la formulerait :

– Désolé, Hank, je ne peux pas vous le dire. Le moment venu, mon ami... le moment venu...

Hank raccrocha, regarda un moment par la fenêtre, puis ressortit arpenter les avenues et réfléchir encore à sa situation.

Il descendait une étroite rue bordée de boutiques de réparateurs de montres quand une idée le frappa :

Il ne s'agit pas simplement de mettre la main sur ce poignard... il y a autre chose !

7

PASEO

– Si vous vous lancez là-dedans, Marta, vous allez pêcher dans des eaux très profondes, déclara Elena Lantini.

Marta acquiesça. La juge Lantini était ce que ses collègues du corps judiciaire appelaient « une femme sérieuse ». Âgée d'une bonne cinquantaine d'années, grande et mince, droite comme un i, elle avait un port aristocratique, un long nez fin et des cheveux argentés qui lui arrivaient aux épaules. Elle ne souriait pas beaucoup et sortait rarement de son rôle de juge. Mieux encore, elle n'avait peur de rien. Aux yeux de Marta, Elena méritait tout autant qu'elle le titre d'« Incorrupta ».

– J'ai entendu des choses étranges sur le compte de Hugo Charbonneau, poursuivit la juge. (Son cabinet était lambrissé de bois sombre. Les rayonnages de la bibliothèque, derrière son bureau, ployaient sous les ouvrages juridiques.) Il a été l'acolyte d'un immigrant français, un fanatique nommé Mahieu, qui a connu son heure de gloire au temps de Perón. Ce Mahieu était un fasciste qui prêchait la discrimination raciale à un petit cercle de fidèles. Charbonneau était le plus jeune d'une demi-douzaine de prêtres nationalistes qui buvaient ses moindres paroles. À ma connaissance, il n'a jamais exprimé les idées empoisonnées de Mahieu, du moins pas à haute voix. Mais maintenant qu'il est conseiller politique, on peut imaginer ce qu'il apporte à la table de José Viera.

Marta n'aurait su dire si Elena était plutôt tentée d'accéder à sa requête ou de la repousser. Depuis qu'elles avaient collaboré sur l'affaire Casares, Marta avait le sentiment que la juge l'aimait bien mais prenait grand soin de ne pas laisser paraître le moindre signe de sympathie ou de connivence.

144

– Quand vous parlez d'« obstruction à la justice », Marta, voulez-vous dire que vous croyez à un complot ?

– Oui. Je suis certaine que Charbonneau m'a menti. J'ignore qui m'a envoyé ces photos, mais sa réaction m'a convaincue qu'il mentait. Pour moi, dans le cadre d'une enquête criminelle, c'est de l'obstruction pure et simple.

– Supposons que j'accepte votre requête. Comment procéderez-vous ?

C'était la question qu'attendait Marta. Elle avait préparé sa réponse la veille au soir.

– Je continuerai d'enquêter sur les deux homicides, qui constituent ma priorité. Parallèlement, j'essaierai d'utiliser cette enquête secondaire pour forcer Charbonneau et Viera à me dire la vérité ou à s'emberlificoter dans de nouveaux mensonges. Je crois que les Crocos ont torturé et tué Santini et Granic pour une histoire de chantage. Je crois également que Charbonneau et Viera sont mouillés jusqu'au cou dans les agissements des Crocos. J'ignore qui était victime du chantage mais, dans mon esprit, une enquête pour obstruction sera un instrument qui m'aidera à élucider les meurtres.

La juge Lantini s'adossa à son siège.

– J'incline à vous suivre. Toutefois, dans la mesure où Viera est une personnalité politique de premier plan, je dois vous demander si vous êtes vous-même mêlée, de près ou de loin, à la politique.

– Absolument pas ! Vous le savez bien, madame la juge. Quand nous avons travaillé ensemble sur Casares, vous...

– Oui, bien sûr. Mais je devais vous poser la question. Envisagez-vous de vous lancer dans la politique ?

– Je n'ai aucun projet de ce genre.

– Bien ! Considérez-vous chargée d'enquêter officiellement sur un possible cas d'obstruction. Je vous enverrai les documents dans la journée, avec copies à Charbonneau et au ministre Viera. Je n'ai aucun moyen de garder le secret là-dessus, mais je ne veux rien lire à ce sujet dans *El Faro*. S'il y a des fuites, je ne veux pas qu'elles viennent de vous.

– Je comprends. Merci.

Marta se leva. Lantini la raccompagna à la porte en lui passant un bras autour des épaules. C'était la première fois que la juge lui témoignait ainsi une marque d'affection.

– Soyez prudente, Marta, dit-elle. Casares était sénateur, mais c'était du menu fretin comparé à Viera. Selon toutes probabilités, le ministre va se présenter à l'élection présidentielle. Il est malin et Charbonneau est implacable. Ne vous attendez pas à ce qu'ils coopèrent gentiment.

Elle retrouva Rolo devant l'immeuble de Comtesse Natacha, sur l'Avenida Alvear, peut-être la plus belle rue résidentielle de Buenos Aires. Contrairement à une grande partie de la ville, tout ici était bien entretenu, propre, étincelant. Ça sentait la richesse et le pouvoir.

– La Comtesse nous attend, dit Rolo. Elle affirme te connaître, figure-toi.

– Ça m'étonnerait.

Marta contempla la façade. On aurait dit un immeuble parisien de grand standing, avec une porte d'entrée semblable à une porte de chambre forte. Marta était bien certaine de ne connaître personne qui ait les moyens d'habiter à une telle adresse.

– Comment une travailleuse du sexe peut-elle bien s'offrir un appartement ici ?

– Grâce à une clientèle fortunée, répondit Rolo. Comment ça s'est passé avec la juge ?

– Nous avons l'autorisation d'ouvrir une enquête pour obstruction. J'aimerais être petite souris pour voir la tête de Charbonneau quand il recevra la notification, cet après-midi.

– Probable qu'il chiera dans son froc.

Le portier, d'abord hautain, leur indiqua poliment l'ascenseur lorsqu'ils lui dirent qui ils venaient voir.

– Je parie que la Comtesse ne lésine pas sur les pourboires, dit Rolo.

Une servante bien en chair, outrageusement maquillée, coiffée d'une perruque blonde bouclée, en uniforme noir et tablier à frou-frous, leur ouvrit la porte.

– La Comtesse vous attend, dit-elle d'une voix grave, masculine.

– Quel est votre nom ? s'enquit Rolo.

– Comtesse m'appelle Milly.

– Mais vous êtes un homme.

Milly détourna les yeux.

– Par ici, je vous prie, dit-elle en les conduisant au salon.

Le décor, conformément à la description d'Ernesto Ponce, était entièrement noir et blanc : murs blancs, meubles recouverts de cuir noir, photographies en noir et blanc sur les murs. Une jeune femme brune, séduisante, en tailleur pantalon noir et talons aiguilles, était assise près de la fenêtre, sur un siège en forme de trône. Son rouge à lèvres et ses souliers écarlates étaient les seules touches de couleur dans la pièce. Elle ne se leva pas pour les accueillir.

– Je suis Comtesse Natacha, dit-elle en souriant à Marta. Vous devez vous souvenir de moi sous le nom de Teresa Levi.

Marta la regarda avec des yeux ronds. Il y avait bel et bien eu une Teresa Levi au lycée, deux classes au-dessous d'elle, mais Marta ne se rappelait pas grand-chose à son sujet, à part qu'elle aussi était Juive.

– Je ne vous aurais jamais reconnue, dit-elle.

– Tant mieux ! Je préfère qu'il en soit ainsi. Moi, je me souviens très bien de vous. Vous étiez une de mes héroïnes. Vous l'êtes toujours, d'ailleurs. J'ai suivi votre carrière. « La Incorrupta »... Très chouette ! Qui aurait imaginé que vous finiriez flic ?

– Et qui aurait imaginé ?...

– ... qu'une brave petite Juive comme moi gravirait les échelons de la noblesse ? Nous devrions nous féliciter mutuellement, Marta, vous ne trouvez pas ? (La Comtesse toisa d'un œil sévère la bonne qui restait plantée sur le seuil.) Milly, ouvre une demi-bouteille de champagne, fais le service et laisse-nous bavarder en privé.

– Bien, Comtesse.

– Milly a une voix plutôt grave, dit Rolo lorsque la bonne se fut retirée. Est-ce ?...

– Oui, Milly est un mâle, qui joue aujourd'hui le rôle de ma servante personnelle. Je vous serais reconnaissante de respecter son fantasme. C'est très important pour elle. De surcroît, elle me paie grassement pour le concrétiser.

– C'est bon, nous coopérerons, dit Marta, agacée par l'attitude de Teresa. Mais Rolo et moi ne sommes pas ici pour participer aux fantasmes de vos clients. D'autre part, laissons tomber cette connerie de « Comtesse ». Dois-je vous appeler Teresa ou préférez-vous miss Levi ?

– Teresa, naturellement !

– Nous sommes ici au sujet du meurtre d'Ivo Granic.

– Votre cousin me l'a dit. Il m'a également précisé que c'est l'Étalagiste qui vous envoie. Pour bien mettre les choses au point... oui, je connaissais Ivo. Quant à Ernesto Ponce, je le considère comme un merdeux doublé d'un menteur.

Rolo sourit jusqu'aux oreilles.

– Il nous avait bien dit que vous étiez brouillés.

– Ha !

– Peu importe, dit Marta. Que savez-vous des activités de maître chanteur de Granic ?

– Pas grand-chose. J'aimais bien ce gars-là. J'assistais à ses soirées. Il a tenté plusieurs fois de m'entraîner dans ses combines, mais j'ai toujours refusé. Je dirige une entreprise hautement confidentielle. Mes clients sont loyaux envers moi, comme moi envers eux. Je ne les ai jamais trahis et je ne le ferai jamais. Il était donc hors de question pour moi de coopérer avec Ivo.

– Vous le lui aviez dit ?

– Oui. Alors, il a essayé de faire pression sur moi. Il a découvert, je ne sais comment, que j'étais juive. Il m'a dit : « Tu dois m'aider, pour ton peuple. » Comme je lui réitérais mon refus, il a menacé de raconter partout quelles étaient mes origines. Il pensait que mes clients n'apprécieraient pas d'être les esclaves d'une Juive. Je lui ai dit d'aller se faire foutre, que la plupart d'entre eux le savaient déjà et qu'ils aimaient d'autant plus me servir, ayant cette notion à l'esprit, puisque ça ajoutait à l'humiliation qu'ils recherchent désespérément.

Milly entra dans le salon avec, sur un plateau, trois flûtes en cristal et une demi-bouteille de champagne débouchée. Marta attendit qu'elle eût refermé les doubles portes avant de poursuivre l'interrogatoire.

– Qu'est-ce que Granic attendait de vous, exactement ?

– Je ne me sens pas obligée de vous le dire, Marta. Néanmoins, en souvenir de notre amitié, je vais vous répondre.

Marta inclina la tête, fort amusée d'entendre Teresa invoquer leur « amitié ». Du temps où elles étaient à l'école ensemble, elles n'avaient pas dû échanger dix mots. Mais si Teresa voulait jouer le coup de cette manière, parfait... tant qu'elle racontait ce qu'elle savait.

– Ivo voulait enregistrer en secret une scène me montrant avec une personnalité politique bien connue, dit Teresa. Une scène qui, révélée, aurait discrédité le gentleman auprès de ses fidèles.

– Quel genre de scène ?

– Sadomasochiste, dit-elle d'un ton impatient, comme si la réponse allait de soi.

– Vous connaissiez cet homme ?

– Oui.

– Et pourtant, vous avez refusé ?

– En effet. J'imagine qu'Ivo a trouvé quelqu'un d'autre.

– Qui ? Vous avez une idée ?

Teresa haussa les épaules.

– Il connaissait un couple de Belgrano, aussi décadent que séduisant : des jeunes gens riches et blonds, gâtés-pourris, qui travaillaient pour lui à l'occasion, histoire de prendre leur pied. Je sais qu'il les avait déjà envoyés copuler avec plusieurs de ses clients huppés. Peut-être s'est-il adressé à eux.

Elle épela leurs noms à l'intention de Rolo.

– Ivo avait aussi cette fille, Silvia... pas une véritable dominatrice, mais elle aurait fait pratiquement n'importe quoi pour une somme convenable. (Elle observa une pause.) J'ai lu dans les journaux qu'elle avait été tuée. On l'a retrouvée au bout de la rue, près du mur du cimetière. C'est une autre raison qui me donne à penser que j'ai pris la bonne décision. Si j'étais entrée dans le jeu d'Ivo, j'aurais fort bien pu terminer de cette manière.

Excitée par cette information, Marta n'en laissa rien paraître. Si elle pouvait amener Teresa à lui révéler le nom de la « personnalité politique bien connue », elle serait tout près de comprendre pourquoi Granic et Santini avaient été tués.

– Qui était le pigeon ? demanda-t-elle.

Teresa éclata de rire.

– Vous n'espérez tout de même pas que je vais vous le dire ?

– Si, dit Marta avec gravité.

– Eh bien ! détrompez-vous. C'est hors de question. Je vous le répète, mes clients sont loyaux envers moi et moi envers eux.

– Nous enquêtons sur un meurtre, Teresa. Nous pouvons vous forcer à coopérer.

– N'essayez pas de m'intimider, Marta. Je ne vous le dirai pas, même si vous me mettez en prison. Ce serait la fin de mon entreprise... et pis encore. Regardez ce qui est arrivé à Ivo et Silvia. Si je parle, j'aurai droit au même sort.

– Nous vous mettrons sous protection, dit Rolo.

– Vous plaisantez ?

– Quel est le problème, Teresa ?

– Le problème, Marta, c'est ma *vie* ! Qui aurait pensé qu'une fille comme moi, issue d'une famille où on parlait yiddish, finirait par habiter un appartement comme celui-là ? Quoi que vous en pensiez, je ne suis pas une prostituée. Je ne couche pas avec des hommes pour de l'argent. Jamais ! Je travaille avec eux, un peu à la manière d'une psychanalyste. Je dirige une entreprise de service et je donne à mes clients un service de luxe. Prenez Milly... on peut avoir l'impression qu'elle me sert, mais en réalité c'est moi qui la sers. Milly est cadre supérieur dans une banque. « Elle » vient ici deux fois par mois participer à un psychodrame. Je soulage ses tensions, je calme sa psyché, je l'aide à trouver un équilibre dans sa vie par ailleurs dévorée par le pouvoir, je lui procure un répit sous forme d'impuissance. Franchement, je lui apporte bien plus que ne le ferait un de ces psys prétentieux qui fourguent leur charabia à la Villa Freud.

— Que cherchez-vous à démontrer ?

— Je ne vais pas renoncer à tout ça. J'ai travaillé très dur pour en arriver là. J'ai passé cinq ans à New York, en apprentissage chez Maîtresse Jacqueline Styles, qui a eu la bonté de me prendre sous son aile. Quand j'ai eu le sentiment d'avoir acquis les talents nécessaires, je suis revenue ici et j'ai ouvert boutique. Bien sûr, il y a un peu partout à Buenos Aires des putes qui manient le fouet, mais je suis la seule femme cultivée qui propose ce type de service à ce niveau de qualité. J'entends par là : discrétion totale, raffinement inégalable, sensibilité et expérience considérables. Donc, pardonnez-moi si je refuse de coopérer. Et pardonnez-moi aussi si je préfère ne pas mourir de mort violente. Merci beaucoup pour votre proposition de me protéger ; mais, sachant ce que je sais de la corruption dans la police fédérale, je la juge absolument sans valeur. Et même en supposant que vous puissiez me protéger, à quoi ça m'avancera ? Vous m'installerez sous une nouvelle identité dans je ne sais quel trou perdu au fin fond de la Patagonie ? Non merci ! (Teresa jeta un coup d'œil à sa montre et se leva.) J'attends un esclave dans une demi-heure. Je dois m'habiller, me maquiller, me préparer mentalement à piétiner son ego.

À la porte, Marta se tourna vers elle :

— Pourquoi le décor en noir et blanc ?

— Une idée de mon décorateur. Le but est de styliser l'appartement, d'en faire un théâtre de la cruauté.

— Et les souliers rouges ?

Teresa sourit.

— Couleur rouge à lèvres. Idéal pour focaliser leur regard. (Elle se tourna vers Milly.) Pas vrai, chienne ?

— Oui, maîtresse !

— Idéal aussi pour leur montrer ce qu'ils doivent lécher.

*

– *Quelle garce!* s'exclama Rolo dans l'ascenseur. Retournons l'arrêter. Je suis sûr d'arriver à la faire parler.

– Peut-être que oui, peut-être que non, dit Marta. De toute façon, il y a un meilleur moyen. Fais mettre son téléphone sur écoutes. Et, la prochaine fois qu'elle s'absentera, fais-toi ouvrir sa porte par le concierge et sonorise l'appartement. Pendant ce temps-là, je vais demander à Ricardi qu'une équipe de surveillance filme tous les gens qui entrent dans l'immeuble ou qui en sortent. Tôt ou tard, nous aurons suffisamment d'éléments compromettants pour la forcer à parler. Et si elle refuse toujours, je brandirai la menace ultime.

– C'est-à-dire?...

– Ce qu'elle redoute le plus : qu'on fasse courir le bruit qu'elle nous a craché le morceau, même si ce n'est pas vrai.

Dans l'après-midi, elle alla chercher Marina à l'école, la conduisit à San Telmo pour son cours de tango et resta quelques minutes à observer le début de la séance. Contente de voir comment Manuel faisait danser sa fille, Marta leur envoya un baiser et s'éclipsa. Dans une heure, Leon passerait prendre les cousins pour les ramener à la maison.

Elle déverrouillait la portière de sa voiture quand un homme, portant un feutre et des lunettes de soleil, l'aborda par-derrière.

– Marta Abecasis?

Elle pivota vers lui, remarqua une cicatrice sur sa joue.

– Oui?...

Soudain, il lui arracha ses clefs de voiture, ouvrit la portière, la poussa brutalement à l'intérieur et monta à son tour, s'installant au volant. Puis il se pencha devant elle pour ouvrir la portière côté passager, laissant monter un deuxième homme, moustachu, portant lui aussi des lunettes noires et un chapeau.

Tout cela ne prit pas plus de trois secondes. Elle se retrouva coincée entre eux, incapable de bouger les bras. Pendant que son voisin de gauche démarrait, celui de droite jeta le sac à main de Marta sur la banquette arrière et pointa sur son ventre un couteau luisant.

– Reste calme et regarde droit devant toi, ordonna-t-il.

Elle aperçut une grosse chevalière en or à l'un de ses doigts.

– On va faire un petit *paseo* [1], annonça le chauffeur.

Elle se tourna vers lui, mais le moustachu l'empoigna par les cheveux.

---

1. En espagnol : un petit tour. (*N.d.T.*)

151

– Je t'ai dit de regarder devant toi. Obéis aux ordres. La prochaine fois, t'auras droit au couteau.

– Où m'emmenez-vous ?

– Ta gueule !

Sans ménagement, il lui plaqua sur les yeux des lunettes de soleil genre aviateur. Les verres, peints en noir, empêchaient Marta d'y voir quoi que ce soit.

– Vous faites une lourde erreur, dit-elle. J'appartiens à la police fédérale.

Les deux hommes s'esclaffèrent.

– Tu crois peut-être qu'on le savait pas ? dit le chauffeur.

Cinq minutes plus tard, quand la voiture prit de la vitesse, elle comprit qu'ils étaient sur la voie express.

– Ouvre bien tes oreilles, salope de keuf, dit l'homme de droite en appuyant le couteau sur le côté de sa gorge. On va s'amuser un peu avec toi. Mon ami ici présent a une grosse bite. Il va te pénétrer par-devant et par-derrière, et ensuite ce sera mon tour. Et tu sais quoi ? Ma bite est encore plus grosse que la sienne !

– Là, tu te vantes ! dit le chauffeur.

– Alors, qu'est-ce que tu en penses, sale youpine ?

Elle ne réagit pas. Ç'eût été reconnaître que les mots dégradants avaient porté.

Garde ton sang-froid et ne deviens pas leur complice, se dit-elle, espérant que cet enlèvement n'était qu'une autre forme de menace, plus violente, provenant de la même source que les coups de téléphone en pleine nuit où on lui faisait écouter des discours de Hitler et des chants nazis.

– Crois-moi, ça te plaira pas, lui assura l'homme au couteau.

Il plongea la main sous le blouson de Marta, lui empoigna le sein droit et pinça le mamelon, fort.

Elle grimaça. C'était une horrible violation, qui lui fit mal et la révolta. Elle l'endura pourtant et encaissa la douleur, sachant que, les bras emprisonnés et son pistolet hors d'atteinte, elle n'avait aucun moyen de résister.

– On va fixer des électrodes sur ta chatte et envoyer le jus, dit le chauffeur. Et après, devine quoi ?

Comme elle gardait le silence, l'homme au couteau lui pinça de nouveau le mamelon, si fort cette fois qu'elle craignit de s'évanouir.

– Réponds-lui, salope ! hurla-t-il.

Des élancements de douleur lui parcouraient tout le corps. Tremblante, elle secoua la tête. L'homme la lâcha.

– Tu gueuleras, voilà ce que tu feras. Ton corps gigotera et tressautera. On s'est beaucoup amusés, pendant des années, à torturer des Juifs. Tu danseras pour nous. Une danse obscène, en plus.

– On sera... les Seigneurs de la Danse ! dit le chauffeur, amusé.

Une heure durant, ils la promenèrent ainsi dans la ville. Marta, coincée entre eux, subissait leurs insultes et leurs sarcasmes avilissants. Ils restèrent sur les voies express. Chaque fois qu'elle tentait d'apercevoir l'un ou l'autre de ses ravisseurs par les coins de ses lunettes peintes, l'homme au couteau se remettait à lui triturer les mamelons.

– Ne bronche pas ! Supporte, connasse !

Elle gémit.

– T'entends ça ? Voilà qui est mieux, dit le chauffeur à son comparse. Je te parie qu'elle mouille, en plus. Paraît que ces chiennes de youpines prennent un panard quand on les maltraite.

– Ça te plairait peut-être moins si on faisait ça à ta petite fille, dit l'homme au couteau. Marina, c'est bien son nom ? Jolie petite gonzesse. Ouais, m'est avis que ça te plairait pas si on lui électrifiait les lèvres de la chatte. Je pense que là, tu ferais pratiquement tout ce qu'on voudrait. Pas vrai, salope ?

Marta, terrifiée à la seule mention de Marina, sortit enfin de son silence :

– Si, je ferais n'importe quoi. Dites-moi ce que vous voulez et je le ferai, implora-t-elle.

Elle était presque sincère, en plus.

– Tu nous prends pour des imbéciles ? Tu t'imagines qu'on va croire ça ? Tu t'imagines qu'on va croire tout ce que tu dis, avant même qu'on ait commencé à s'occuper de toi ? Pas mèche ! On te croira seulement *après* avoir fait souffrir Marina. C'est ce qu'on appelle « la technique », vois-tu.

– Qu'est-ce que vous me voulez ? hurla-t-elle.

– Ah ! Ça, c'est à toi de le deviner.

– Je ne...

L'homme au couteau lui saisit à nouveau les cheveux et lui tira brutalement la tête en arrière.

– Ferme-la et écoute ! Voilà comment ça va se passer. D'abord, on va te faire mal. Comme ça... (Il lui prit le téton gauche, cette fois, et le tordit si fort qu'elle poussa un cri.) Tu sais pourquoi ? Parce que ça nous plaît de t'entendre gueuler. Ça nous plaît de voir ton visage se crisper de douleur. Et on fera ça devant ta fille. Elle pleurera quand elle t'entendra hurler.

– « Oh, maman ! maman ! Fais ce que te demandent les vilains messieurs, je t'en prie ! »

L'homme au couteau complimenta le chauffeur :

– Excellente imitation ! Et ensuite, enchaîna-t-il, ce sera le tour de la petite Marina. On la torturera sous tes yeux. Et toi, tu supplieras : « Arrêtez de lui faire du mal, je ferai n'importe quoi ! » À ce moment-là, *peut-être*, on sera enfin convaincus. Parce que, crois-nous, à ce moment-là, tu feras *effectivement* n'importe quoi ! Quand on en aura terminé avec vous deux, vous ramperez à nos pieds en léchant la semelle de nos bottes.

Il n'y avait aucun moyen de réagir à ce type de harcèlement, sinon en se montrant effrayée, terrorisée – ce que Marta n'avait nullement besoin de feindre. Comprenant qu'ils voulaient voir sa panique, elle ne fit plus aucun effort pour la cacher. Toutefois, puisant dans sa réserve de force, elle fit de son mieux pour préserver sa dignité et garder la tête haute, sachant qu'ils s'attendraient aussi à cette attitude de sa part.

Les lunettes noires, découvrit-elle, lui offraient un étroit champ de vision quand elle tournait les yeux de côté. Aussi, tout en se prêtant aux tourments de ses ravisseurs, elle joua des prunelles dans l'espoir d'entrevoir leurs visages. Les seuls moments où elle en avait le loisir, c'était quand l'homme au couteau lui tordait les mamelons : elle pouvait alors se contorsionner de douleur et tourner un peu la tête, juste de quoi apercevoir le chauffeur.

Il y avait d'autres indices : leur attitude, leurs accents, leur langage grossier. Ce n'étaient pas des Crocos, elle en était sûre. Ils ne possédaient pas la discipline qu'on pouvait attendre d'hommes commandés par Kessler. Elle était certaine qu'il s'agissait de flics ou d'ex-flics, non pas du district fédéral mais plus vraisemblablement de la province de Buenos Aires, où il y avait plus de quarante mille policiers dont, elle le savait, beaucoup de truands. D'autre part, lors des premiers instants de son enlèvement, elle se rappelait avoir entrevu une cicatrice verticale sur la joue du chauffeur et une moustache sur le visage de l'homme au couteau. La femme du serrurier, en décrivant les hommes qui s'étaient renseignés sur Marta, avait parlé d'un moustachu et d'un balafré. Sans aucun doute, il s'agissait des mêmes.

Mais s'ils la relâchaient, ce dont elle était maintenant certaine – s'ils avaient eu l'intention de la tuer, ils ne perdraient pas tant de temps et d'énergie à la terroriser –, comment parviendrait-elle à les retrouver ? Il fallait éviter à tout prix qu'ils ne l'abandonnent avant qu'elle ait découvert d'autres indices sur leur identité.

– Puis-je dire quelque chose ? murmura-t-elle.

– On t'écoute.

– J'ai peur. Je ne m'effraie pas facilement, ce qui prouve que vous faites du bon boulot. Mais si vous ne me dites pas ce que vous attendez de moi, je ne pourrai pas le faire.

– Conneries ! cria le chauffeur.

– Tu nous prends pour des imbéciles ? lui hurla l'autre à l'oreille.

Il s'attaqua de nouveau à son sein droit. Elle bomba la poitrine. Elle voulait qu'il lui torde le mamelon, afin d'avoir une nouvelle occasion de jeter un coup d'œil au chauffeur. Elle garda le silence. *Vas-y, fais-moi mal. Vas-y !*

Quand il la pinça, elle tourna la tête à gauche au maximum et leva les yeux d'une fraction. Cette fois, elle eut de la chance. Elle eut un rapide aperçu du profil de l'homme : la forme du nez, le contour des lèvres, la cicatrice bien nette. Après avoir imprimé les traits dans sa mémoire, elle se laissa aller – et hurla.

– D'accord ! D'accord ! J'ai pigé. Je suis censée trouver toute seule. D'accord ! S'il vous plaît, arrêtez ! Arrêtez ! *Je vous en prie !*

– Là, ça sonne vrai, tu ne trouves pas ? demanda l'homme au couteau.

– Ouais ! C'est mon avis, répondit le chauffeur. Fouillons son sac à main. Paraît qu'elle trimbale un gros flingue.

Elle sentit l'homme au couteau se presser contre elle pour se tourner vers la banquette arrière. Elle l'entendit ensuite fourrager dans son sac, jetant son contenu par-dessus son épaule.

– Voilà son portable.

Il le posa par terre et l'écrasa à coups de pied. Elle entendit l'appareil se briser sous la botte – peut-être un godillot d'agent de la circulation, pensa-t-elle.

– Terminé, ces agaçants coups de fil en pleine nuit, hein ? Et regarde... voilà son flingue. Belle pièce ! Un Sig P-226, pas moins.

Elle l'entendit extraire le chargeur, en déloger les balles d'une main experte, puis baisser la vitre.

– Adieu les balles ! dit-il. Je les ai balancées par la fenêtre. Dommage que tu n'aies pas de revolver, j'aurais joué à la roulette russe avec toi. Dis donc, qu'est-ce que t'as au poignet ? Chouette montre ! (Il la détacha avec rudesse.) Un cadeau de ton chéri ?

Comme elle acquiesçait, il s'esclaffa.

155

– Eh bien, tu peux lui dire adieu ! (De nouveau, elle sentit la pression de son corps tandis qu'il jetait la montre par la fenêtre.) En tout cas, j'aimerais pas être à la place de ton chéri quand il viendra vous voir à l'hôpital, Marina et toi. Vous serez en piteux état, toutes les deux. Ça lui brisera le cœur, au pauvre cher homme, de vous voir complètement esquintées.

Le chauffeur donna un brusque coup de volant, négocia à vive allure deux virages serrés et arrêta la voiture. Entendant au-dessus d'elle les bruits de la circulation, Marta comprit qu'ils étaient garés sous une portion de la voie express, sans doute dans une zone dégagée au milieu des pylônes qui soutenaient la route.

– C'est là que se termine notre *paseo*, dit le chauffeur en coupant le contact. Avant de partir, on veut que tu prennes le temps de bien réfléchir à ce qu'on aurait pu te faire.

– Primo, on aurait pu te tuer, dit l'homme au couteau.

– On aurait pu te balancer dans une décharge, ajouta le chauffeur, et planquer ton cadavre sous une tonne d'ordures.

– On aurait pu te mettre à poil, écrire au feutre POLICE FÉDÉRALE sur ta peau et t'abandonner dans l'un des campements de SDF du coin, où il y a des gars qui n'aiment rien tant que de violer une keuf à tour de rôle.

– On aurait pu te couper les mains. Fini, après ça, les concours de tir !

– On aurait pu te faire tout ce qu'on voulait, personne n'aurait su que c'était nous. Écoute bien, sale pute ! Quelqu'un t'a déjà abordée pour te transmettre le message gentiment, avec beaucoup d'argent à la clef. Tu n'as pas fait preuve de respect. C'était très stupide de ta part. Cette fois, le message est le même, mais il n'a pas été transmis aussi gentiment. La prochaine fois, s'il y en a une, la méthode sera bien plus brutale. Dans le genre de ce qu'on t'a décrit... ou pire encore. T'entends ce qu'on te dit, salope ?

Elle hocha la tête.

– À la bonne heure ! Je dois reconnaître que tu as mieux tenu le choc que la plupart des mecs. Donc, félicitations : tu as de grosses *cojones*. Coup de chapeau, respect professionnel et tutti quanti... même si, au fond, on n'en a rien à foutre. Au bout du compte, tout ce qui importe, c'est que tu aies capté le message. On espère – pour toi et pour Marina – que tu l'as reçu cinq sur cinq.

– Maintenant, on va te laisser. On va te prendre ton flingue et tes clefs. Le flingue, on le gardera. Les clefs, tu les trouveras dans la

156

poubelle un peu plus loin. Compte tout haut jusqu'à mille avant d'enlever les lunettes. On te surveillera. Si tu les retires plus tôt, on revient, on te travaille au couteau, puis on t'encule jusqu'à ce que tu saignes.

— Alors reste cool, obéis aux ordres et compte sagement à haute voix, sans te presser.

Elle les entendit ouvrir les portières et descendre.

— Une dernière chose, dit l'homme au couteau en se penchant par la fenêtre ouverte. On sait tout sur Marina : où elle va à l'école, où elle joue au foot, où elle prend ses cours de tango... *tout*. Maintenant, remercie-nous d'avoir été si gentils avec toi.

Marta regarda droit devant elle.

L'homme au couteau lui tapota la joue, posa sa paume sur son sein gauche, puis sur le droit.

— Ils vont probablement être douloureux pendant un jour ou deux. Mais pas de dégâts irréparables... du moins, pas cette fois. Encore heureux que tu sois pas un mec, je m'en serais pris à tes couilles. Bon, ce sera tout pour aujourd'hui.

De l'index, il lui donna une dernière chiquenaude sur le téton droit. Puis elle les entendit s'en aller.

Les mains tremblantes, le corps secoué de frissons, elle rentra chez elle en roulant le plus vite possible. *Oui, ils m'ont fait crier. Oui, ils m'ont fait crever de peur. Aujourd'hui, j'ai été mise à l'épreuve. Pourtant, malgré tous leurs efforts, ils ne m'ont pas brisée. Et ça, il est important que je le leur montre.*

Elle savait ce qu'elle devait faire en priorité : éloigner Marina du pays. La mettre, ainsi que Leon, dans l'hydroptère de nuit à destination de l'Uruguay. Ils séjourneraient chez sa mère, à Montevideo, jusqu'à ce que l'affaire soit bouclée.

Ça ne plairait pas à Leon, qui était en plein chantier de rénovation. Dommage, mais son associé finirait le travail tout seul.

Ça ne plairait pas non plus à Marina. Il faudrait que Marta s'efforce de lui expliquer la situation. Mais comment annoncer à une fillette de onze ans que sa mère et elle ont fait l'objet de menaces sexuelles ?

Il n'y a qu'un seul moyen : lui dire les choses carrément, aussi pénible que ce soit. Elle est intelligente, courageuse. Elle encaissera le choc. Par contre, si je lui raconte des histoires, elle s'en apercevra tout de suite. Et après, elle aura des cauchemars.

157

Quant aux fauves qui l'avaient enlevée, ils n'avaient d'importance que dans la mesure où ils pourraient la renseigner sur leurs commanditaires. Leur place était dans des cages. Ceux qui les avaient engagés méritaient un sort bien plus rigoureux.

Comment a-t-on pu s'imaginer que des menaces arrêteraient une femme comme moi? Me faire hurler? D'accord! Mais m'intimider? Me faire lâcher prise? Jamais! Seul un imbécile irait croire ça.

Restait néanmoins une question qui la taraudait :

S'ils sont prêts à aller aussi loin pour se protéger, pourquoi ne pas simplement me tuer et en finir une bonne fois? Ils ont déjà torturé et tué Granic et Santini. Pour eux, tuer n'a aucune importance. Donc, si je représente une telle menace, pourquoi ne pas m'éliminer? Qu'est-ce qui peut bien leur faire peur chez moi?

Elle ne put trouver qu'une seule réponse : elle était « la Incorrupta ». Transformez une héroïne en martyre et la colère de l'opinion publique sera impossible à apaiser. Dans ce genre de cas, les gens descendent dans la rue. Des gouvernements ont été renversés pour moins que ça.

Pour l'instant, je suis en sécurité. Je dois une fière chandelle à Raúl de m'avoir donné ce surnom. Néanmoins, je dois être prudente. Mes ennemis n'ont qu'un seul moyen de ternir l'aura de « la Incorrupta » : me discréditer, me faire passer pour corrompue. S'ils sont intelligents, ils essaieront cette méthode la prochaine fois.

8

TRASNOCHADORA

Dès son arrivée à Buenos Aires, en l'espace de quelques jours, Beth Browder avait adopté le rythme quotidien de la *milonguera* type : réveil à midi, cours de tango l'après-midi suivi d'une *practica*, dîner tardif suivi d'une ou plusieurs *milongas*, puis retour au bercail peu avant l'aube. Elle était devenue une parfaite noctambule, ce que les gens du cru appelaient une *trasnochadora*.

Elle avait également quitté la Residencia Europa pour s'installer dans un vaste appartement de l'Avenida Scalabrini Ortiz. La propriétaire, une veuve entre deux âges nommée Sabina Bernays, avait subdivisé l'arrière de l'appartement en cinq petites chambres, formant ainsi une pension de famille miniature destinée aux *milongueras* étrangères en quête d'un logement à long terme en ville.

Beth avait trouvé l'adresse et le numéro de téléphone de Sabina sur la liste que lui avait remise Sandi Barnett le jour de son départ. Toutefois, Sandi ne s'était pas montrée encourageante sur les chances de Beth d'y entrer.

– Il y a une liste d'attente. Tout le monde s'arrache les places. Sabina loue ses chambres à bas prix, est elle-même une fana de tango et prend grand soin de ses pensionnaires. Si vous tombez malade, elle vous trouve un médecin. Si vous avez une rage de dents, elle vous envoie chez son dentiste. L'endroit est réservé aux filles. Les petits copains peuvent très bien passer la nuit, mais ils doivent avoir déguerpi avant le petit déjeuner. Il y a des danseuses, en Europe, qui attendent pour venir à Buenos Aires que Sabina ait une chambre libre. Dès que c'est le cas, elles réservent une place à bord du premier avion.

Beth avait néanmoins appelé Sabina, ne fût-ce que pour rencontrer la célèbre dame qui, semblait-il, connaissait à peu près tout le monde dans les milieux du tango argentin. Sabina, en retour, avait invité Beth à venir prendre le thé, ce qui était pour elle – Beth devait l'apprendre par la suite – un bon moyen de sélectionner d'éventuelles locataires. Elles avaient sympathisé et, quelques jours plus tard, Sabina la rappelait pour lui proposer une chambre.

– Une jeune Anglaise vient de se décommander. Si vous voulez, vous pouvez prendre sa place. Vous partagerez une salle de bains avec une Suédoise, Kirstin Anders. Donnez-moi votre réponse d'ici une heure, Beth. J'ai une Sud-Africaine qui me tanne depuis des mois.

Beth s'installa l'après-midi même.

Elle ne tarda pas à découvrir que la pension de Sabina offrait bien d'autres avantages qu'une chambre bon marché. C'était un style de vie spécialement conçu pour les étrangères férues de tango qui, autrement, auraient pu être dévorées par les exigences de la scène tanguesque locale.

Sabina était une sorte de mère poule qui conseillait ses filles sur la meilleure manière de survivre dans le stress de Buenos Aires. Les petits déjeuners pris en commun dans la cuisine, à midi, et présidés par Sabina dans son rôle de cheftaine, étaient l'occasion pour les pensionnaires d'échanger leurs impressions sur les expériences de la nuit précédente, dans les clubs de tango, et de recevoir les conseils de Sabina sur leurs histoires d'amour, presque toutes enlisées dans une douloureuse incertitude.

Hormis la règle stipulant que les petits copains devaient avoir décampé avant le petit déjeuner, la vie dans l'appartement était sans contraintes, détendue. Quand des filles repartaient pour leur pays, elles refilaient souvent leur petit ami aux autres locataires. Les pensionnaires faisaient également équipe, écumaient en duo les salles de tango. De son côté, Sabina, fidèle à sa réputation, faisait les présentations, recueillait les confidences et préparait des brouets nourrissants si l'une de ses protégées ne se sentait pas bien.

Kirstin Anders, celle qui partageait une salle de bains avec Beth, était une grande fille blonde, mince comme un fil, dotée d'un visage glacial et d'une personnalité extrêmement névrosée. Non contente de s'adonner à son obsession du tango, Kirstin profitait d'un autre service très répandu à Buenos Aires : la psychanalyse. Elle s'était dégotée une psy-*tanguera* qui recevait ses patients l'après-midi avant de danser toute la nuit dans les clubs.

– Tu vois cette vamp, là-bas ? C'est mon analyste ! dit-elle à Beth le premier soir où elles sortirent ensemble.

Elle indiqua une femme svelte, d'une quarantaine d'années, qui dansait dans un style érotique flamboyant avec un homme beaucoup plus jeune.

– Comment peux-tu te confier à elle après l'avoir vue saliver comme ça devant son partenaire ? s'enquit Beth.

– Ça ne me gêne pas. Elle est super pour décrypter mes rêves.

Kirstin entretenait une misérable liaison à éclipses avec un garçon prénommé Jorge, un de ces gigolos au doux caractère – population locale apparemment inépuisable – qui se faisaient appeler « professeurs de tango » et hantaient les clubs la nuit, à l'affût de proies féminines étrangères et fortunées.

La deuxième fois qu'ils sortirent tous les trois ensemble, Jorge proposa à Beth de lui faire rencontrer son ami Fernando.

– C'est un super danseur. Il m'a questionné sur toi, il aime ta façon de bouger. C'est lui, au fond de la salle, le type en chemise de soie mauve.

Beth était suffisamment avertie pour ne pas trop dévisager Fernando, de peur qu'il ne prenne son regard pour une invite. Depuis deux semaines qu'elle était à Buenos Aires, elle avait appris à être prudente dans le choix de ses partenaires. La plupart des beaux gosses se révélaient être de vulgaires dragueurs, à peine capables d'attendre la fin de la première *tanda* pour l'inviter à « prendre un café ».

Non qu'elle eût le moindre scrupule à coucher avec un *milonguero* du cru. Encore fallait-il qu'elle en rencontre un qui l'excite. À première vue, le Partenaire Idéal était aussi rare ici qu'à San Francisco. Cette pensée lui procura une nouvelle bouffée de nostalgie : *Si seulement mon Rêve d'Amour pouvait revenir...*

Elle eut l'occasion d'observer Fernando lorsqu'il dansa avec une autre femme. Plutôt séduisant, bien bâti, il avait des cheveux bruns, des lèvres pleines et une moustache soigneusement taillée. Il devait avoir dix ans de moins qu'elle et paraissait doué pour le tango.

Durant la pause suivante, elle lui adressa un sourire accompagné d'un regard appuyé. Il réagit au quart de tour et mit le cap sur elle. Danser avec lui les trois *tandas* suivantes fut pour Beth le point d'orgue de la soirée.

– Aimeriez-vous prendre un café ? demanda-t-il avec galanterie lorsqu'ils allèrent enfin s'asseoir.

– Je ne dis pas non.

– Vous habitez chez Sabina ? (Comme Beth acquiesçait, Fernando eut un large sourire.) Mon ex y séjournait aussi. Quelle chambre ?

161

– À côté de celle de Kirstin. Nous partageons la salle de bains du fond.

– Je connais cette chambre ! C'est génial ! On n'aura qu'à rentrer tous ensemble chez Sabina. Puisque Jorge est mon meilleur ami, nous serons quasiment « en famille »... je veux dire, nous quatre dans la même salle de bains...

Ainsi Beth acquit-elle son premier petit ami à Buenos Aires.

À partir du lendemain soir, Kirstin, Jorge, Fernando et elle se rendirent en quatuor dans les salles de tango.

Beth apprécia la règle « pas de copain au petit déjeuner », qui lui fournissait un prétexte pour chasser Fernando de sa chambre. Il se révéla un amant assez convenable, peut-être pas aussi doué dans ce domaine qu'il l'était sur la piste, mais suffisamment bon en attendant qu'elle retrouve son Rêve d'Amour ou qu'un meilleur amant se présente. Fernando était, comme Jorge, affable, doux, écervelé... et, bien sûr, fauché comme les blés. Après en avoir discuté avec Sabina, elle jugea raisonnable de lui payer ses dîners, de régler leurs entrées dans les clubs et, naturellement, tous les trajets en taxi.

Comme le fit observer Sabina lorsque Beth, au petit déjeuner, aborda le sujet :

– Considérez cela comme une transaction, mon petit. Ces garçons font d'excellents partenaires de danse et ils sont bons au lit. En échange, vous payez leurs frais.

– Je n'irais pas jusqu'à dire qu'ils sont « bons au lit », objecta Kirstin.

– Au moins, la plupart d'entre eux sont délicats, intervint une Allemande.

– Franchement, la « délicatesse » ne me suffit pas, dit Kirstin. En Suède, on demande davantage à un homme.

– Qu'attends-tu pour en parler à ta psy ? dit l'Allemande d'un ton cassant.

– Crois-moi, nous ne parlons *que* de ça ! répondit Kirstin, déclenchant les rires de la tablée.

Plus tard, alors que Beth se préparait pour son cours de tango, Sabina la prit à part et lui dit :

– Le problème de Kirstin, c'est qu'elle est trop exigeante. Ne tombez pas dans ce piège, sinon vous serez déçue. (Elle passa un bras autour des épaules de Beth.) Je me suis renseignée à droite et à gauche sur votre fameux « Rêve d'Amour ». Personne ne l'a encore repéré. Si seulement vous aviez un nom...

Beth haussa les épaules.

– Je sais, je sais. Ça paraissait si romantique, sur le moment, cet anonymat...

Sabina l'étreignit.

– Ne perdez pas espoir, mon petit. Si ce jeune homme danse à Buenos Aires, nous le retrouverons tôt ou tard.

Il fallut à Beth moins d'une semaine pour découvrir la véritable nature de Fernando et comprendre pourquoi Kirstin trouvait Jorge si exaspérant. Le rituel était immuable : les garçons, professant un amour éternel pour leurs petites amies étrangères, passaient les prendre chez Sabina, les accompagnaient à l'un ou l'autre club, dansaient deux *tandas* avec elles, puis flirtaient outrageusement avec d'autres filles. Ils semblaient tous deux éprouver le besoin irrépressible de coucher avec toutes leurs partenaires de danse. Sommés de s'expliquer, ils se déclarèrent stupéfaits par la colère de leurs compagnes.

– Je te vois faire la même chose avec tes partenaires, dit Fernando à Beth lorsque celle-ci lui reprocha de courir après une blonde Argentine sexy.

– D'accord, je suis aimable avec eux, rétorqua Beth, mais je ne leur propose pas pour autant « un café ».

Fernando partit d'un grand rire.

– Ça, je n'ai aucun moyen de le savoir ! De toute manière, le seul intérêt d'aller dans les clubs, c'est de danser avec des partenaires différents. Sinon, on n'a qu'à rester chez soi et regarder la télévision en se tenant par la main. (Il lui décocha son sourire le plus charmeur.) C'est drôlement bandant quand vous faites une crise de jalousie, vous autres étrangères !

Là-dessus, il s'en fut danser avec la blonde sexy à qui il avait fait les yeux doux durant cet échange. Beth, perplexe, se demanda si les mots « petit ami » et « petite amie » avaient la moindre signification pour lui.

– Tu comprends, maintenant, pourquoi Jorge me rend dingue ? soupira Kirstin, qui, tout en compatissant avec Beth, ne pouvait s'empêcher de tout ramener à elle.

– Fernando ne me « rend » rien du tout, dit Beth. Il est juste puéril. Puisque c'est ainsi, je vais le mettre à l'épreuve. Je vais me comporter exactement comme lui. Nous verrons bien si ça lui plaît !

Ils étaient au Contramano, un club de Recoleta essentiellement gay mais populaire chez les danseurs de toutes orientations. Sur la piste évoluait un merveilleux danseur, un grand jeune homme très mince prénommé Eduardo, que Kirstin lui avait indiqué un peu plus tôt.

– C'est le plus joli garçon de toute la salle. Vise un peu les cils qu'il a ! En plus, il est totalement décadent. On raconte qu'il baise pour de l'argent. J'ai dansé deux fois avec lui. S'il n'était pas homo, je plaquerais Jorge sur-le-champ et l'emmènerais tout droit chez moi. Tâche de danser avec lui, Beth. C'est... purement divin !

Beth observa Eduardo un moment, admira sa technique fluide. *Tu es ma cible, petit !*

Pendant la pause suivante, elle lui décocha des œillades. Il croisa son regard et lui dédia le plus superbe des sourires.

Un sourire capable de briser un millier de cœurs.

Il s'approcha aussitôt.

– Vous voulez danser, beauté ?

– Quand je vois quelque chose qui me plaît, je fonce, répondit Beth en se levant.

– Pour une *gringa*, vous ne manquez pas de *cojones*.

– Ça vous dirait de les lécher ? proposa-t-elle, choquée de sa propre impudence.

– Waouh ! Vous me plaisez ! (Il lui offrit son bras, l'escorta sur la piste.) Vous avez des yeux magnifiques, dit-il dans un murmure.

– Et vous, vous avez les plus jolis cils de la boîte.

Après deux minutes de danse, qui étaient pour lui une façon de la tester, il exécuta une série d'*ochos* qui firent tournoyer Beth dans un état proche de l'extase tango.

– Vous êtes très douée, lui chuchota-t-il à l'oreille.

Ils dansèrent en silence les deux *tandas* suivantes. Il était l'un des meilleurs partenaires qu'elle eût jamais eus, meilleur encore que son Rêve d'Amour sur le plan technique, sans posséder le magnétisme animal de ce dernier. Eduardo était joli garçon, aérien, totalement concentré, et sa manière de danser – très efficace – était aussi harmonieuse, fluide et sensuelle que la musique. Mieux : dans son étreinte, Beth ne pensa plus à Fernando, ne prit même pas la peine de vérifier s'il regardait.

Voilà l'essence même du tango argentin, pensa-t-elle, se sentant protégée et confiante dans les bras d'Eduardo.

À la fin de leur troisième *tanda*, il la guida vers le bar en disant :

– Je m'ennuie ici. Je connais un club intéressant, très fermé, très spécial. Je pense qu'il vous plaira et que vous plairez aux habitués. Vous voulez m'y accompagner ?

Elle parcourut la salle du regard, aperçut Fernando qui les observait. Il semblait tout retourné.

Tu es cuit, mon cœur ! C'est la rupture, même si tu ne le sais pas encore.

— Bien sûr, dit-elle, partons.

Eduardo l'entraîna vers la porte d'entrée du Contramano et la fit monter dans un taxi. Il marmonna au chauffeur des directions incompréhensibles, prit Beth par la taille et l'embrassa sur la joue.

— Je suis surtout gay, mais je le fais aussi avec les filles.

— Je le pensais bien.

— Qui vous l'a dit ?

— Ma voisine de chambre.

— La nana suédoise d'un mètre quatre-vingts ? Qu'est-ce qu'elle vous a dit d'autre ?

— Qu'il vous arrive parfois de baiser pour de l'argent.

— C'est pour ça que vous m'avez fait signe ?

Elle lui étreignit la main.

— Bien sûr que non ! J'ai adoré vous observer, danser avec vous. Oublions le sexe, amusons-nous.

— Ça me va !

Il lui dit que le salon de tango où ils allaient – le Club Noir – était une adresse secrète, connue seulement des initiés.

— Pas d'enseigne, lui dit-il, aucun signe extérieur indiquant que c'est un club. Il est très privé. On doit montrer patte blanche. En plus, il est itinérant. Leopoldo, le propriétaire – tout le monde l'appelle Poli –, change d'endroit tous les trois ou quatre mois. Depuis que j'y vais, il y a eu six emplacements différents.

— De quoi ce Poli a-t-il peur ? s'enquit Beth.

— Des flics, je suppose. La plupart de ses clients se droguent. Peur aussi des curieux : les célébrités qui fréquentent le club n'aiment pas qu'on les regarde avec des yeux ronds. Il faut avoir le bon profil pour obtenir le droit d'entrer.

— Et j'ai « le bon profil » ?

— Dans le cas contraire, je ne vous y emmènerais pas. Vous êtes une Américaine couillue et, en plus, une danseuse sensationnelle. Vous allez faire un malheur.

Le taxi s'arrêta devant un immeuble commercial de trois étages, dans une rue sombre et déserte.

— Où sommes-nous ? demanda-t-elle pendant qu'il payait le chauffeur.

– Dans le quartier de Pompeya. Rassurez-vous, c'est parfaitement sans danger.

Saisie d'un mauvais pressentiment en descendant du taxi, elle fut contente qu'Eduardo la prenne par le bras pour la conduire vers la porte de l'immeuble. Il sonna, un petit guichet s'ouvrit et une paire d'yeux les fixa.

– C'est Eduardo. Je suis avec une amie.

La porte s'ouvrit, révélant le cerbère, un jeune homme trapu portant un T-shirt noir, un jean noir retenu par une ceinture noire cloutée et des bracelets de cuir cloutés à chaque poignet. Il dévisagea Beth avec curiosité, sourit et leur fit signe d'entrer.

– Vous devriez lui glisser un billet de dix, murmura Eduardo. Comme ça, il se souviendra de vous la prochaine fois que vous viendrez.

Beth s'exécuta et ils se dirigèrent vers l'escalier.

Tandis qu'ils montaient, elle commença à entendre de la musique ; non pas les vieux airs de tango auxquels elle était habituée, mais une musique différente, branchée. L'escalier était mal éclairé, mais elle savoura la pénombre glauque : ça lui donnait le sentiment de s'embarquer dans une véritable aventure, digne de Buenos Aires.

Sur le premier palier, un arôme de marijuana l'assaillit en plein visage.

C'est donc ce genre d'endroit... pensa-t-elle.

Un instant, elle fut tentée de faire demi-tour. Puis elle mesura ce que cela représenterait : retourner chez Sabina, panser la blessure d'amour-propre de Fernando, puis endurer les remarques des autres filles, au petit déjeuner, qui lui reprocheraient de n'avoir pas au moins exploré les lieux.

Je ne suis pas lâche.

Elle agrippa fermement le bras d'Eduardo.

– Ne m'abandonnez pas, OK ?

Il lui tapota la main.

– Bien sûr que non. Vous êtes ma cavalière.

Ils gravirent deux autres volées de marches. La musique devenait plus bruyante, l'arôme plus prononcé à chaque palier. Arrivés au dernier étage, ils suivirent un couloir menant au bureau d'accueil. Beth paya leurs entrées et ils pénétrèrent dans un vaste loft très sombre, où elle tomba sur un décor comme elle n'en avait encore jamais contemplé dans une salle de tango.

Le sol et le plafond étaient peints en noir mat, les murs couverts de miroirs en verre fumé, les spots du plafond diffusaient une lueur bleu foncé qu'elle identifia comme étant de la « lumière noire ». Ce qui était particulièrement sinistre, c'était de voir les cigarettes de marijuana trouer l'obscurité, formant une multitude de points orangés, incandescents.

Il lui fallut presque une minute pour que ses yeux s'habituent. Elle distingua alors une centaine de personnes dans la pièce. Elle fut impressionnée : ici, tout le monde était jeune et séduisant. Pas de *tangueros* entre deux âges. De surcroît, tous étaient sophistiqués et très élégamment vêtus, comme s'il s'agissait d'un club assidûment fréquenté par la *farándula* : la crème du show-biz, les personnalités en vogue et un assortiment de jet-setters argentins. Ce qui impressionna aussi Beth, c'était le style de tango pratiqué en ces lieux, une version moderne dont elle avait eu seulement de brefs aperçus dans les clubs et qu'on ne lui avait jamais enseignée durant ses cours.

Eduardo la prit par la main.

— Venez que je vous présente Poli. Ensuite, je vous apprendrai de nouvelles figures.

Il s'approcha d'un jeune homme de petite taille, en tenue impeccable, cheveux noirs lissés en arrière, barbe noire soigneusement taillée.

— Salut, Eduardo, dit Poli en détaillant Beth du haut en bas. Qui est ta ravissante amie ?

— Elle s'appelle Beth. C'est une *gringa* branchée. Elle est superbe, non ? Beth, je vous présente Poli Ríos, surnommé « le Rick de Buenos Aires », en référence au personnage joué par Humphrey Bogart dans *Casablanca*. Vous savez : « Tout le monde, à Casablanca, se retrouve chez Rick... » Eh bien ! à Buenos Aires, tous ceux qui comptent se retrouvent chez Poli.

Leur hôte se montra chaleureux.

— Les amis d'Eduardo sont mes amis, dit-il à Beth. Considérez-vous toujours la bienvenue au Club Noir.

— C'est une grande première, Poli, dit Eduardo. Je ne t'ai jamais entendu faire ce genre d'offre à une personne avant de l'avoir vue danser.

— Si elle est suffisamment bonne danseuse pour toi, mon ami, elle l'est à plus forte raison pour nous autres. Au fait, Pretty Pablito est dans les parages. Tu auras peut-être envie de l'essayer.

— Qui est Pretty Pablito ? s'enquit Beth tandis qu'Eduardo l'escortait vers la piste.

167

– Un gosse qui a le béguin pour moi... à moins que ce ne soit l'inverse. (Il haussa les épaules.) Quoi qu'il en soit, beauté, occupons-nous de vous. Laissez-vous guider, je vais vous initier au style maison.

Depuis son arrivée à Buenos Aires, Beth s'était tellement immergée dans le tango qu'elle n'éprouvait aucune difficulté à maîtriser de nouvelles figures ou à s'adapter au style de nouveaux partenaires. Ce soir, tout lui venait naturellement, y compris les invites plutôt déplacées qu'elle avait faites à Eduardo au Contramano.

Je suis peut-être dans une passe favorable.

Eduardo se révéla un excellent professeur et elle trouva les nouvelles figures très faciles. Il lui fallut un peu de temps pour s'habituer au style moderniste, tout en souplesse, de son cavalier ; mais, après deux *tandas*, elle se sentit au point. De surcroît, cette façon de danser lui plut. Elle avait l'impression d'être très « à la page ». Et ici, dans l'atmosphère sombre et les effluves de marijuana du Club Noir, elle eut le sentiment de se fondre dans quelque chose de spécial. Elle aimait bouger comme les autres danseurs, avec fluidité et non la théâtralité à laquelle elle était habituée. Dans ce club, pas de poses figées à l'ancienne mode. Ici, on glissait sur la piste à la manière d'un patineur sur glace : tout était coulant, harmonieux, languide... et très, très cool.

– Vous y êtes ! lui dit Eduardo. Tous les autres l'ont remarqué. Vous le sentez ? Ils vous dévorent des yeux. (Il lui tapota la joue.) Vous êtes la vedette, ce soir. Suivez mon conseil : profitez-en et offrez-vous du bon temps !

Il l'escorta jusqu'à une chaise, contre l'un des murs tapissés de miroirs.

– Maintenant, dit-il, je dois vous laisser. Pretty Pablito me fait signe. Je ne vous abandonne pas pour autant. Gueulez si vous avez besoin de quelqu'un pour rentrer. (Eduardo sourit.) À moins que vous ne rencontriez un nouveau cavalier. Le Club Noir est réputé pour ça. Plus d'une liaison a démarré sur cette piste. Vous êtes prête ?

– Tout ce qu'il y a de prête, dit Beth.

D'un geste affectueux, Eduardo lui tapota le sommet de la tête.

– Je vous le répète, vous allez faire un malheur.

Elle le regarda s'approcher d'un garçon à la moue boudeuse, adossé aux miroirs en verre fumé du fond de la salle. Amusée, elle observa leur manège. Le garçon – Pablito, vraisemblablement – faisait semblant d'ignorer Eduardo, qui, en solo, dansait en demi-cercle autour de lui. Puis les gestes : les signes de tête engageants d'Eduardo, auxquels répondaient les mimiques hautaines de Pretty Pablito. Finalement, Eduardo saisit littéralement le garçon à bras-le-corps et l'entraîna en virevoltant sur la piste. Beth les perdit de vue quand ils se fondirent dans la sombre marée de danseurs.

À l'instant même où elle scrutait la pièce en quête d'un éventuel partenaire disponible, une blonde grande et mince, d'une beauté éblouissante, vêtue d'un sévère bustier en cuir noir et d'un pantalon assorti, s'avança vers elle et la regarda férocement dans les yeux.

– Voulez-vous danser avec moi ? demanda-t-elle avec un accent anglais superbement modulé.

Beth fut prise de court. Elle avait déjà dansé avec des femmes, aux *practicas* et durant les cours, mais jamais dans le contexte d'une *milonga*.

– Je m'appelle Lucinda. Auriez-vous peur de moi ? s'enquit l'inconnue d'un ton que Beth jugea un brin moqueur.

Son bustier était retenu par une double paire de lacets qui s'entre-croisaient sur son dos nu.

– Et moi, Beth. Vous êtes anglaise ?

– Argentine. J'ai été élevée par une nounou anglaise. J'aime beaucoup votre façon de bouger. « Beth »... c'est bien le diminutif d'Elizabeth ? (Comme Beth acquiesçait, elle enchaîna :) Comprenez bien ceci, mon poussin : danser avec moi n'engage à rien du tout. Ça m'amuse de guider. De suivre aussi, si tel est votre bon plaisir. Ici, tout le monde danse avec tout le monde. Nous sommes de sexe indéterminé... c'est la formule consacrée, je crois. Atroce, n'est-ce pas ? Mais peu importe. Nous sommes un tas d'autres choses aussi, mais je n'entrerai pas dans les détails... du moins, pas encore.

Depuis qu'elle était à Buenos Aires, Beth n'avait encore jamais été draguée avec tant de brio. La femme était courtoise, cultivée, ravissante de surcroît. Ses longs cheveux blonds, séparés par une raie au milieu, étaient retenus par des barrettes qui lui dégageaient le visage. Ses yeux verts étincelaient, ses lèvres pleines, sensuelles, brillaient de gloss, sa gorge et le haut de sa poitrine n'étaient ornés d'aucun bijou, ce qui mettait en valeur ses seins fortement comprimés.

Elle fait penser à une actrice glamour, songea Beth, *ou à un top model extrêmement bien payé... une femme qui contrôle son image.*

– Je serai ravie de danser avec vous, répondit Beth en se levant.

Lucinda tendit les mains, Beth les prit. Elles demeurèrent ainsi plusieurs secondes, les yeux dans les yeux. C'était comme si, par cet échange de regards, elles scellaient un contrat tacite. Lucinda sourit, se tourna lentement et enlaça Beth. Puis elles commencèrent.

Si danser avec Eduardo avait amené Beth tout près d'une extase tango, danser avec Lucinda se révéla un autre itinéraire vers le même but. Elle guidait avec autorité mais d'une manière franchement féminine, accompagnant en douceur sa partenaire dans des *ochos* complexes, puis lui faisant exécuter de longues et lentes marches félines, si bien que Beth se sentait à la fois convoitée et admirée. Lucinda semblait la comprendre à la perfection, mieux qu'un homme le pourrait jamais ; ce faisant, elle l'entraînait dans une danse qui était langoureuse et extrêmement sensuelle.

– Waouh, vous dansez super bien ! murmura Beth. J'adore votre façon de guider.

– Merci, mon poussin. Et moi, j'adore votre façon de suivre. Dès que je vous ai vue entrer, j'ai senti que vous seriez douée. Quelque chose dans votre attitude. J'ai dit à mon amoureux : « Hé, regarde un peu ! Quelle superbe garce ! » (Lucinda sourit.) N'y voyez aucune offense. Nous parlons comme ça de tout le monde, ici. Ce sont nos vilaines manières...

Donc, elle a un amoureux. Tant mieux ! Cela signifiait que Beth n'aurait pas à repousser les avances de cette femme désirable. D'ailleurs, en aurait-elle eu vraiment envie ? Elle en était à se dire que, si elle devait coucher avec une femme, ce serait Lucinda et pas une autre. Alors même qu'elle se sentait soulagée de ne pas devoir affronter ce test, Lucinda la caressa doucement du bout des doigts, de la taille à la hanche, et une onde de plaisir lui parcourut les cuisses.

– Voulez-vous guider ? proposa Lucinda à la fin de la *tanda*.

– Je pense que vous êtes meilleure que moi pour ça. Je n'ai guère d'expérience dans ce domaine.

– Dois-je en déduire... que vous appréciez ma façon *virile* de mener la danse ?

Oui ! Oui !

Comme Beth hochait timidement la tête, Lucinda éclata de rire.

– N'ayez pas honte, mon poussin. C'est mon plaisir de vous faire plaisir, je vous assure !

– Et votre amoureux ?

– Il est là-bas.

170

Lucinda indiqua un jeune homme mince, blond lui aussi, vêtu d'un gilet sans manches en cuir noir et d'un pantalon assorti. Adossé à l'un des miroirs, dans une attitude de prostituée, un pied au sol, l'autre appuyé contre le verre fumé, il les observait d'un air amusé.

– C'est un jeu auquel vous vous livrez, tous les deux ? s'enquit Beth.

– La vie n'est-elle pas un jeu ? répliqua Lucinda.

– Je veux dire...

Lucinda lui mit un doigt sur les lèvres.

– Chut ! Vous pourrez danser avec lui plus tard... quand nous serons rassasiées.

Beth trouvait étrange de se faire appeler « mon poussin » par Lucinda, d'autant que celle-ci paraissait avoir encore une vingtaine d'années. Mais il y avait quelque chose chez cette femme, une aura de possession qui confinait à l'arrogance... bref, quelque chose qui plaisait à Beth. C'était le côté dominateur de Lucinda, elle s'en rendait compte, qui comblait cette partie d'elle-même désireuse d'être gouvernée et domptée quand elle dansait. Et là, en songeant que cette sensation lui était procurée par une femme et non par l'habituel partenaire masculin, elle était envahie du désir lancinant de se laisser aller.

– J'aime bien être enlacée par vous, dit-elle, se demandant ce qui lui prenait de se dévoiler si vite à cette inconnue.

Lucinda sourit.

– C'est tout naturel. Et vous savez pourquoi ? Parce que *moi*, j'aime vous enlacer.

Seigneur ! Où cela va-t-il nous mener ?

Déjà, ce soir, elle avait abandonné son ersatz de petit ami pour se rendre avec un homo dans un club étrange où tout était noir, y compris l'éclairage. Et voilà maintenant qu'elle déclarait à une autre femme qu'elle aimait être dans ses bras. Tout cela lui paraissait pourtant couler de source, faire partie d'une évolution naturelle qui avait commencé avant même sa venue à Buenos Aires et qui semblait arriver ce soir à maturation : un processus dont le résultat final, impossible à prévoir, devait encore advenir et être pleinement compris.

Beth dansa deux autres *tandas* avec Lucinda en se laissant guider. Puis, l'espace d'une chanson, elle essaya à son tour de guider

Lucinda ; mais, voyant que ça ne collait pas, elles permutèrent une nouvelle fois. Suivirent deux *tandas* avec Charles, l'amoureux de Lucinda, qui parlait anglais avec le même accent qu'elle, guidait presque comme elle et dégageait la même odeur qu'elle, à croire qu'il s'était lavé avec la même marque de savon parfumé. Ensuite, une autre *tanda* avec Lucinda en meneuse, et encore une autre avec Charles, puis deux autres avec chacun – et, en point d'orgue, une sorte de bataille de glissements de pieds... jusqu'au moment où elle dut finalement se reposer.

Ils s'assirent alors de chaque côté d'elle, lui offrant un verre d'eau, plusieurs bouffées d'une excellente marijuana (qu'elle accepta) et une reniflette de ce qui était, lui assurèrent-ils, de la cocaïne supérieure (qu'elle refusa). Ils essuyèrent à tour de rôle son front en sueur, lui répétant qu'elle était une danseuse fabuleuse, qu'ils la trouvaient belle, attirante et – oseraient-ils le dire ? – excitante.

Elle comprit qu'ils jouaient avec elle, qu'ils s'attendaient à ce qu'elle en ait conscience et qu'ils étaient persuadés qu'elle entrait dans leur jeu parce qu'elle y trouvait elle-même du plaisir. Elle aurait été bien incapable de décrire précisément ce jeu, mais elle sentait qu'il avait un rapport avec la trahison : Lucinda et Charles, en dansant avec elle, l'avaient utilisée pour se « trahir » l'un l'autre. Beth trouvait fascinant le rôle qui lui était dévolu car, à ses yeux, l'un des principaux thèmes du tango était le sentiment de trahison imminente par son ou sa partenaire. Elle se sentait ainsi impliquée dans une forme de théâtre très particulière et très personnelle. De surcroît, elle était excitée par leur manière de danser, elle s'en imprégnait afin de la reproduire quand ils la prenaient pour parte-naire : arrogance discrète, façon de bouger à la fois harmonieuse et agressive, pleine de danger, très différente de toute autre forme de tango qu'elle eût pratiquée précédemment.

À un moment donné, Eduardo s'approcha d'elle, un bras passé autour des épaules de Pretty Pablito. Celui-ci arborait toujours sa moue boudeuse – vraisemblablement, songea Beth, son expression naturelle.

– Nous partons. Vous voulez qu'on vous dépose ? proposa Eduardo.

Beth se tourna vers Lucinda et Charles, qui échangèrent un regard de complicité, d'abord entre eux, puis avec Eduardo.

– Merci, mais je crois que je vais rester encore un peu, répondit Beth.

– Vous êtes en de bonnes mains, à ce que je vois.

Eduardo sourit à Charles et Lucinda, puis embrassa Beth sur la joue.

– Merci de m'avoir amenée, lui dit-elle.

Sa gratitude était sincère. Grâce à Eduardo, elle avait eu finalement accès au monde secret du Buenos Aires nocturne, mélange de beauté chatoyante, de danger et de décadence : un monde dont elle avait entendu parler, sur lequel elle avait fantasmé et dont, avant cette nuit, elle avait sérieusement mis en doute l'existence. Ayant maintenant découvert qu'il existait bel et bien, elle était sous le charme.

C'est peut-être ce que je suis venue chercher ici sans même le savoir. Elle s'aperçut alors que c'était la première *milonga*, depuis son arrivée à Buenos Aires, où elle n'avait pas fouillé la piste du regard en quête de son Rêve d'Amour.

Une heure plus tard, bras dessus bras dessous, ils descendaient l'escalier, Beth au milieu, Lucinda et Charles de chaque côté. Dans la rue, Charles quitta les deux femmes pour réapparaître deux minutes plus tard, coiffé d'une casquette de chauffeur, au volant d'une voiture d'époque vert foncé – la plus belle automobile que Beth eût jamais vue.

– Qu'est-ce que c'est ? demanda-t-elle en montant à l'arrière avec Lucinda, s'enfonçant avec délices dans la banquette moelleuse, recouverte de cuir beige.

– Une Facel Vega restaurée, répondit Charles en portant un doigt à sa casquette. Où allez-vous, señoras ?

– À la maison, bien sûr ! ordonna Lucinda. (Elle se tourna vers Beth :) À moins que vous ne préfériez qu'on vous dépose...

Beth la regarda, répondit à son sourire.

– J'irai où vous allez, dit-elle.

– Voilà qui est parlé !

Charles appuya sur l'accélérateur et la vieille voiture s'élança. Lucinda prit Beth par la taille, l'attira contre elle, la cajola, lui caressa la joue, lui embrassa les cheveux, puis les lèvres.

Beth fut sidérée par la maison, même si elle dut attendre le lendemain pour l'examiner de près. C'était une structure cubique blanche, de style Arts déco, avec un magnifique escalier qui se dressait en volute dans le hall d'entrée, haut de deux étages. Elle était située dans le plus beau coin de Belgrano, un quartier chic de vieilles demeures somptueuses et de rues ombragées, bordées d'arbres.

Étrangement, pour autant qu'elle pût voir, la plupart des pièces du rez-de-chaussée étaient dépourvues de meubles. L'immense salon ne contenait qu'un canapé à deux places et une unique chaise. La salle à manger avait été transformée en salle de ballet : une barre de danse faisait toute la longueur de la pièce et des miroirs tapissaient le mur opposé. Mais, cette première nuit, Beth n'eut guère le loisir de visiter les lieux. Charles et Lucinda l'escortèrent en gloussant au premier étage, dans une chambre caverneuse où, en quelques secondes, ils se débarrassèrent de leurs vêtements, l'aidèrent à enlever les siens, puis, la tenant chacun par une main, l'entraînèrent vers un gigantesque lit.

Jamais draps si fins n'avaient caressé sa peau. À en juger par leur arôme, ils avaient été lavés avec le même savon qu'elle avait senti sur ses hôtes en dansant avec eux. Mais elle n'eut guère le temps de se concentrer sur la literie car, déjà, ils lui faisaient l'amour avec un empressement immodéré.

On aurait dit qu'ils se repaissaient de moi, pensa-t-elle par la suite en évoquant cette première nuit avec eux.

À midi, quand elle se réveilla, ils furent aux petits soins pour elle, prenant sa commande avant de lui apporter son petit déjeuner sur un plateau. Pendant qu'elle mangeait, ils s'affalèrent de chaque côté d'elle, enveloppés dans leurs moelleux peignoirs en tissu-éponge crème, et lui dirent – avec leur élégant accent britannique – à quel point ils appréciaient sa compagnie.

– Nous savions que tu serais somptueuse au lit, déclara Charles. Il suffisait de te voir danser.

– En plus, dit Lucinda, tu es délicieusement perverse... pas vrai, mon chou ?

Elle contempla Beth d'un œil interrogateur, puis lui donna un bref baiser sur la joue.

Beth comprit rapidement que, dans le couple, Lucinda était le leader et Charles, son partenaire accommodant. Lucinda avait sans conteste pris la direction des opérations durant leurs ébats de la nuit précédente, tandis que Charles avait joué le rôle d'assistant : il la mordillait çà et là, la caressait pendant que Lucinda et elle s'envoyaient en l'air. Ç'avait été pour Beth une expérience unique, et aussi – elle devait l'admettre – extrêmement agréable. Elle n'avait encore jamais goûté une femme ; elle était contente de découvrir que ça lui plaisait.

Assise entre eux, sirotant son café, elle éprouva l'ardent désir d'être à nouveau comblée par eux.

Lucinda lui toucha le mamelon gauche.

– Tu es une créature si désirable, murmura-t-elle. N'est-ce pas, Charles ?

– En effet, dit-il en souriant.

– Nous devrions nous la partager, chéri... qu'en penses-tu ? Faire un concours entre nous... gauche, droite. Voir lequel de nous deux procure le plus de plaisir à la moitié qui est la sienne...

Lucinda prit délicatement la tasse de café de Beth et la mit sur le plateau du petit déjeuner, qu'elle posa par terre à côté du lit.

– Voilà ! Plus d'obstacles entre nous.

Elle se leva, se débarrassa de son peignoir, puis, nue, se coula près de Beth et l'embrassa profondément, explorant l'intérieur de sa bouche. Peu après, Charles était nu, lui aussi, de l'autre côté.

Beth s'allongea à plat dos, jambes écartées.

Oui ! Dévorez-moi !

Plus tard, drapée dans un peignoir crémeux identique aux leurs, Beth visita la maison sous la conduite de Lucinda.

– Non, nous ne sommes pas très portés sur le mobilier, dit Lucinda pour expliquer les pièces du bas quasiment vides. Ça ne fait qu'empiéter sur l'architecture, tu ne trouves pas ? De toute façon, nous avions horreur des meubles de nos parents. Démodés et trop chargés. Nous les avons tous vendus, jusqu'au dernier.

Nos parents. L'expression n'échappa pas à Beth.

– Charles est bien ton petit ami ?

Lucinda sourit.

– Et plus encore.

– Mais plus précisément ?

– Tu as vu le film qui s'appelle *Chinatown* ?

Beth la regarda, bouche bée. Un frisson la parcourut.

– Tu te rappelles cette scène, vers la fin : « Ma fille, ma sœur ; ma fille, ma sœur. » Charles et moi, ça nous fait toujours grimper aux rideaux.

– Tu veux dire que vous avez un lien de parenté ?

– Oui. Charles est mon frère cadet. Et mon amant. Relation totalement décadente pour les gens de l'extérieur, j'imagine, mais qui nous paraît tout à fait naturelle. Après tout, y a-t-il une personne dont on puisse se sentir plus proche que celle qui partage le même sang ? En plus, si des sentiments érotiques viennent se greffer là-dessus et que l'autre est du sexe opposé... alors, l'amour trouvera son chemin.

Beth fut abasourdie. *Qui sont ces gens-là ?* se demanda-t-elle, appréciant néanmoins le fait que Lucinda n'ait pas tenté de nier ce qui aurait dû être évident pour Beth, compte tenu de la ressemblance entre le frère et la sœur. Elle décida donc, pour le moment, de mettre ses réticences de côté. D'ailleurs, à sa grande surprise, elle n'était nullement horrifiée mais plutôt interloquée – et aussi, elle devait l'admettre, fascinée – par cette révélation.

Je ne peux pas partir comme ça, c'est trop intéressant. À tout le moins, je me dois de voir quelle tournure ça prend.

Leur nom de famille était Céspedes. Leurs parents, lui dit Lucinda, étaient morts tous les deux. Ils avaient hérité des biens de leur père, qui comprenaient, outre cette maison, une *estancia* dans la pampa et une collection de voitures d'époque dont la Facel Vega n'était qu'un échantillon.

Lucinda confirma que la salle à manger avait été utilisée autrefois pour des exercices de ballet. Leur mère, espagnole, avait été une ballerine accomplie. Aujourd'hui, Charles et elle avaient fait de cette pièce leur salle d'escrime personnelle. Elle ouvrit une armoire pour montrer à Beth tout un assortiment de matériel d'escrime : masques, gants, gilets molletonnés, fleurets, sabres et épées.

– Nous adorons ferrailler, dit-elle. Et toi, pratiques-tu ce sport ? (Comme Beth faisait « non » de la tête, elle enchaîna :) Dans ce cas, nous t'apprendrons. Un maître d'escrime nous entraîne, ici même, trois après-midi par semaine. Il te donnera également des leçons. Nous aimons tous les sports de combat : judo, karaté, aïkido, lutte, savate. As-tu déjà boxé ? C'est une excellente activité physique. Je te montrerai. Ça te plaira, j'en suis sûre. Nous avons aussi une super salle de gym à la cave, tout ce qu'il faut pour garder la forme.

Mais la meilleure partie de la maison, vers laquelle Lucinda la conduisait maintenant, était le spa : une vaste pièce avec un sauna recouvert de bois blanchi, un jacuzzi japonais et un bain à remous. Les murs, le sol et le plafond étaient tapissés de carreaux de porcelaine blanche, brillante.

– Nous adorons cette pièce, même si on est obligé de plisser les yeux quand le soleil y pénètre, tellement elle devient éclatante. C'est la blancheur, la propreté qui en font tout le charme. Après une nuit de danse, nous venons généralement prendre un bain de vapeur ici. (Elle sourit à Beth.) La nuit dernière, évidemment, nous avions « d'autres engagements ».

Pour finir, Lucinda l'emmena dans le jardin clos, derrière la maison, envahi de luxuriantes plantations. Là, ils tombèrent sur Charles, nu dans une chaise longue, plongé dans ce qui était apparemment un beau livre français relié à la main.

Lucinda l'appela et glissa à Beth, *sotto voce* :

– Il lit Baudelaire, comme d'habitude. Il est diplômé de Cambridge en langues romanes. Un vrai intellectuel, mon frérot !

– Je t'ai entendue, mon doux oiseau.

– J'y comptais bien.

Charles posa son livre de manière à camoufler ses parties intimes.

– Pourquoi ne pas laisser Beth nous découvrir progressivement ? Ce sera plus intéressant pour elle.

– Je suis déjà énormément intéressée, dit Beth.

– À ta façon de dire ça, je parie que Lucinda t'a confié notre petit secret.

– En effet, dit Lucinda. Mieux vaut qu'elle l'apprenne par nous, dès maintenant, plutôt que demain par une mauvaise langue. La plupart des gens nous prennent pour des dégénérés, expliqua-t-elle à Beth.

– Sauf nos amis, bien sûr.

– Oui, sauf nos amis...

De nouveau, Beth eut le sentiment qu'ils jouaient un jeu avec elle ; mais, cette fois, cela ne semblait pas avoir de rapport avec la trahison. Plutôt quelque chose du genre : « Nous allons te donner un petit aperçu de notre mode de vie décadent pour voir comment tu réagis. »

– Je ne vous condamne pas, si c'est ce que vous voulez savoir, leur dit Beth. Je suis fermement convaincue que les gens sont libres de leur actes dès lors qu'ils ne font de mal à personne.

– Une libertaire ! Tiens, tiens ! Et tellement « San Francisco »... (Charles se tourna vers Lucinda.) Ce discours te plaît, doux oiseau ?

– Beaucoup ! Écoute, Beth... nous en avons parlé, Charles et moi, et nous aimerions que tu séjournes ici un moment. Tout le temps que tu voudras, en fait. Qu'est-ce que tu en penses ?

– Tu veux dire... m'installer ici ?

– Oui. Nous avons toute la place. Tu aurais ta suite personnelle. Et ta propre clef, pour que tu puisses aller et venir à ton gré. Tu pourrais nous accompagner dans nos virées nocturnes. Ou pas. Si nous avons bien compris, tu es venue à Buenos Aires pour danser. Nous sortons très souvent danser le soir, mais parfois nous avons d'autres activités : nous allons à des réceptions, à l'Opéra... ce qui se présente. Ce serait à toi de voir si tu as envie de nous accompagner. Aucune obligation. Qu'en dis-tu ?

Beth était estomaquée.

— Je suis flattée, bien sûr...

— Réfléchis à notre proposition, dit Charles, et fais-nous connaître ta réponse quand tu auras pris une décision.

— Oui, merci. Mais j'ai une question : pourquoi moi ? Enfin... vous me connaissez à peine. J'ai quelques années de plus que vous. Je ne pense quand même pas être excitante à ce point-là !

— Disons simplement que nous te trouvons rafraîchissante. Amusante, aussi. Tu es une bouffée d'air frais dans notre vie d'Argentins rassis. Comme l'a dit Charles, tu n'as qu'à y réfléchir et nous donner ta réponse. (Lucinda sourit de toutes ses dents.) Et maintenant... qui veut du homard pour le déjeuner ?

Ils avaient un tel pouvoir de séduction que, subjuguée, elle se sentit incapable de résister. Tout, chez eux, la fascinait. Leur androgynie, pour commencer : l'attitude dominatrice de Lucinda et le côté efféminé de Charles. Ensuite, leurs ressemblances : teint, cheveux, odeur de peau, accent anglais, sourire charmeur. Et par-dessus tout, leurs yeux : des yeux verts dont elle se découvrait incapable de se dégager quand ils plongeaient dans les siens. Des yeux si beaux, si profonds, qu'aucun être humain, songea-t-elle, ne devrait avoir le droit d'en posséder de semblables.

Ils quittèrent le jardin, remontèrent dans la chambre et firent de nouveau l'amour, après quoi ils s'offrirent une longue trempette à trois dans le jacuzzi japonais. Ils se rendirent ensuite dans un restaurant tout proche pour déguster le homard promis. Puis Beth rentra en taxi chez Sabina pour lui annoncer qu'elle déménageait.

— Mais vous venez juste de vous installer ! protesta Sabina.

— Je sais bien. Je m'en veux de vous faire ce coup-là. J'espère que vous n'êtes pas fâchée.

— Vous avez retrouvé votre Rêve d'Amour ?

Beth secoua la tête.

— Non, mais j'ai rencontré quelqu'un d'autre. Beaucoup plus sérieux que Fernando. Je me dois de donner une chance à cette nouvelle relation.

Sabina était seule à la pension. Les autres *milongueras* assistaient à leurs cours.

— Fernando s'inquiétait pour vous. Le pauvre garçon en a même pleuré. Kirstin était dans tous ses états, elle aussi. Vous auriez au moins pu appeler.

— Je sais, j'ai manqué de délicatesse. Ça m'est tombé dessus sans crier gare, et maintenant ma vie est toute chamboulée.

Lorsqu'elle eut terminé ses bagages et aligné ses valises près de la porte, Sabina la prit dans ses bras.

— Si jamais ça ne marche pas, Beth, vous serez toujours la bienvenue ici. Même si tout est complet, je trouverai de la place.

Elles s'étreignirent, Beth la remercia et se tourna vers la porte.

— S'il vous plaît, dit-elle, embrassez bien les autres de ma part. Dites-leur qu'on se reverra dans les clubs.

9

LA INCORRUPTA

– Nous avons une vie agréable, ici. Une fille adorable et affectueuse. Pourquoi faut-il que toi, tu sois la Incorrupta ? Hein, dis-moi ? *Pourquoi ?*

Le reproche coléreux de Leon se répercutait dans le cœur de Marta tandis qu'ils attendaient sur l'embarcadère, se mesurant du regard. Marina, agrippée à la main de sa mère, contemplait avec une fascination un peu inquiète le ferry de nuit dont la masse imposante se profilait devant eux, tel un redoutable monstre marin, dévorant une à une les voitures qui pénétraient dans sa gueule caverneuse, brillamment éclairée.

– Pourquoi *toi* ? Pourquoi pas une autre ? avait imploré Leon, une fois terminé le temps des larmes et des disputes.

Le pis, pour Marta, c'était qu'elle n'avait pas de réponse toute prête. Elle n'avait pu que sourire faiblement et répéter que, à son corps défendant, pour le meilleur ou pour le pire, « la Incorrupta » était devenue son identité.

Leon et Marina étaient maintenant à bord, debout à l'arrière du bateau. Le fleuve sentait la vase et le brouillard. Marta devina, à la posture de sa fille, que celle-ci pleurait. Leon se tenait près d'elle, lugubre, encore furieux de ce départ forcé.

Les moteurs commencèrent à vibrer tandis que le ferry quittait lentement son mouillage. Marta agita la main. Marina, en manteau rouge, lui répondit. Leon, dans son chandail beige, ne se départit pas de sa moue boudeuse. Marta continua néanmoins d'agiter la main. Le ferry amorçait un virage sur le fleuve quand, finalement, Leon lui rendit son salut, sans enthousiasme aucun.

Elle leur envoya des baisers, puis fondit en larmes à son tour.

Il n'y avait pas de vent, le fleuve était lisse comme du verre. Ce serait une traversée sans histoire. Ils arriveraient en Uruguay à six heures du matin et la mère de Marta viendrait les accueillir à la descente du bateau. Ce serait une belle aventure pour Marina... c'était du moins ce que lui avait dit Marta.

Cependant, alors que le ferry, son virage terminé, s'éloignait vers le milieu du Río de la Plata, Marta se demanda combien de temps durerait cette aventure. Elle n'en avait aucune idée. Tout en s'essuyant les yeux, elle prit la ferme résolution de travailler jour et nuit jusqu'à ce qu'elle puisse les faire revenir en toute sécurité.

Seigneur! Vous me manquez déjà!

Elle avait promis à Leon de ne pas dormir dans leur appartement mais d'aller s'installer chez Rolo et Isabel. Au lieu de quoi elle descendit à la Residencia Europa, un petit hôtel de son quartier fréquenté par des étrangers fanatiques de tango.

Sa chambre était petite, austère, et ça lui convenait.

Ici, je serai à l'abri. Je changerai d'hôtel tous les deux jours... comme un gangster en cavale.

Cette idée n'était pas pour lui déplaire.

Je vais retrouver ces salauds, les faire parler, les obliger à me rendre mon pistolet.

Tel serait désormais son seul objectif, son unique raison d'exister.

L'intransigeance de son vœu la fit sourire. Elle s'approcha de la commode, examina son visage dans la glace, perçut la colère farouche derrière son sourire.

Oui, je les retrouverai... et, à ce moment-là, je serai sans pitié.

Le lendemain matin, quand Rolo vint la chercher, il la serra dans ses bras avant de lui remettre un nouveau pistolet, un portable et un chronomètre japonais. Elle l'embrassa et lui annonça qu'ils laissaient tout tomber jusqu'à ce qu'ils aient arrêté les types qui l'avaient enlevée.

Sur le chemin de la planque, Marta décrivit la moustache et la chevalière de l'homme au couteau, ainsi que la cicatrice sur le visage du chauffeur.

— Ils étaient coéquipiers, dit-elle à Rolo. Ça se sentait à leur façon très rodée de travailler ensemble. Ils échangeaient des vannes, terminaient mutuellement leurs phrases. C'étaient des partenaires de longue date, des flics de province, pas des fédéraux... j'en suis convaincue.

– Comment veux-tu procéder ?

– Il y a plus de quarante mille flics dans la province de Buenos Aires. Je pourrais passer un mois à regarder des photos de l'identité judiciaire sans parvenir à les reconnaître. Mais j'ai une intuition... Après mon entrevue avec Kessler, j'étais tellement furieuse que je suis allée au stand de tir brûler deux cents cartouches. Comme ça ne suffisait pas à me calmer, je suis ensuite allée me défouler au gymnase de la police. Liliana Méndez y était. Elle m'a demandé de lui servir de sparring-partner. Vu comment elle a bousillé la scène du crime de Silvia Santini, j'ai toujours pensé qu'elle était compromise jusqu'aux poils des aisselles dans le double meurtre. Toujours est-il que, ce jour-là, son attitude m'a paru bizarre... sa façon de me regarder quand elle m'a proposé de boxer avec elle, puis son sourire entendu quand je l'ai envoyée sur les roses.

– Elle est dans la police fédérale.

– Ouais, mais son père était un flic de la province de Buenos Aires. Un gros ponte. Mes ravisseurs sont peut-être des amis de la famille. En tout cas, c'est un point de départ.

Rolo hocha la tête.

– Je connais son paternel de réputation. Ubaldo Méndez était le chef du service des kidnappings. Un type pourri jusqu'à la moelle. À ce qu'on raconte, il faisait enlever des gens par ses hommes et faisait ensuite semblant d'enquêter sur les kidnappings. Ça colle avec la façon pro dont tu as été enlevée... Je connais un flic des Stups qui a essayé autrefois de le coincer pour trafic de drogue. Il n'a jamais rien pu prouver, mais il pourrait savoir certaines choses intéressantes.

– Va le voir, Rolo. (Elle le regarda dans les yeux.) Ils ont menacé Marina. Rien n'est plus important pour moi que de les retrouver.

Sans avoir rendez-vous, elle pénétra d'un pas résolu dans le ministère des Finances, montra brièvement son insigne au garde, lui dit qu'elle connaissait le chemin, gravit l'escalier de marbre, entra sans frapper dans le bureau de la secrétaire de Charbonneau, qu'elle ne salua pas, puis contourna un assistant qui tentait de lui barrer le chemin.

L'ex-aumônier militaire, assis derrière son immense bureau, la regarda sévèrement quand elle fit irruption dans la pièce.

– Je ne crois pas que vous soyez attendue, dit-il avec froideur, ses lunettes reflétant la lumière.

– J'ai essayé de l'intercepter, dit l'assistant. Nous avons alerté la sécurité.

– Laissez tomber, elle est flic. Agressive, en plus. On l'appelle la Incorrupta, bien que certains, paraît-il, aient des doutes à ce sujet.

Charbonneau congédia d'un geste son assistant et fixa sur Marta un regard dur.

– Asseyez-vous, inspecteur. Dites ce que vous avez à dire, et rapidement. Ici, nous sommes en mode crise. Hier soir, nous n'avons pas pu honorer une échéance de deux milliards de dollars de prêts étrangers.

Marta n'avait pas envie de s'asseoir. Elle s'avança jusqu'au bord du bureau, forçant Charbonneau à lever la tête pour la regarder.

– Vous m'avez envoyé ces photos truquées. Vous avez essayé de m'utiliser. Comme je ne me laissais pas faire, vous m'avez dépêché votre acolyte à la voix douce pour tenter de m'acheter. Ça n'a pas marché non plus et j'ai ouvert une enquête pour obstruction. Vous avez alors chargé une paire de gros bras de me terroriser. C'est de bonne guerre, je suppose... puisque c'est la méthode qu'on pratique par ici quand la carrière d'un homme politique est en danger. Mais hier, vos truands sont allés trop loin. Ils ont menacé de torturer ma fille de onze ans. Je suis donc venue vous dire aujourd'hui qu'elle est en sécurité, hors du pays, et que je ne suis pas le moins du monde effrayée. En fait, je suis encore plus déterminée à aller jusqu'au bout de mon enquête, quelles que soient les carrières qui risquent d'être écrabouillées en cours de route.

Charbonneau sourit.

– Paroles de défi. Terminé ?

Marta fit signe que oui.

– En temps normal, je ne réagirais pas à ces accusations de bas étage, mais vous êtes une jeune femme passionnée qui a clairement le sentiment d'avoir subi un préjudice. Donc, voici ma réponse : je ne vous ai *pas* envoyé ces photos truquées. Je n'ai *pas* essayé de vous utiliser. Je ne vous ai *pas* dépêché un « homme à la voix douce » pour tenter de vous acheter. Et je n'ai *pas* chargé « une paire de gros bras » de menacer votre fille. De surcroît, j'estime comme vous que les auteurs de ces actes méritent d'être punis avec toutes les rigueurs de la loi. Je lis dans vos yeux que vous ne me croyez pas. Très bien ! La juge Lantini et vous, enquêtez sur moi tant que vous voudrez. Dès que nous aurons réglé cette énième crise, j'irai jusqu'à me soumettre à un interrogatoire. Et maintenant... y a-t-il autre chose que je puisse faire pour vous ?

– Chacun de nous s'est exprimé. Je pense que c'est suffisant.
Il hocha la tête.

– Ayez l'obligeance d'attendre ici, inspecteur. J'aimerais vous faire rencontrer quelqu'un. Je risque d'en avoir pour quelques minutes à le décider.

Elle fut impressionnée, comme la première fois, par le sang-froid de Charbonneau, un peu intriguée aussi par sa proposition de faire intervenir un tiers. Était-il en train de chercher dans le couloir un juriste du ministère des Finances ?

Tandis qu'elle attendait dans le bureau, seule, elle se remémora les paroles de l'ex-aumônier militaire. Il avait nié catégoriquement les quatre accusations de Marta, mais la première avec une vigueur toute particulière. Il avait paru sincèrement outré qu'on puisse lui imputer l'envoi des photos truquées. Elle avait décelé dans sa voix une colère non feinte. Ses autres dénégations avaient été proférées d'un ton plus froid, mécanique.

Me serais-je trompée, pour les photos ?

Elle se ressaisit. Les photos collaient avec tout le reste, à commencer par les deux truands : ils avaient payé Costas pour falsifier les clichés, s'étaient renseignés sur Marta dans le quartier, puis, la veille, l'avaient enlevée et menacée. Reinaldo Costas, l'expert en cyberphotographie, s'était servi d'un logiciel d'identification pour composer leurs portraits. Ses dessins ne valaient pas grand-chose ; n'empêche, les photos truquées avaient forcément un lien... ou alors, la théorie de Marta s'effondrait.

Elle se raidit en entendant la voix de Charbonneau dans le secrétariat. Quand la porte s'ouvrit, elle eut la surprise de se trouver face à José Viera, ministre des Finances et candidat non déclaré à la présidence.

Son profil photogénique, sa mâchoire carrée et ses cheveux gris fer, coupés avec précision, étaient familiers à Marta grâce à ses apparitions télévisées. Mais elle fut surtout frappée par une chose que la télévision ne pouvait pas rendre : l'énergie animale qui émanait de lui tandis qu'il venait vers elle à grandes enjambées pour lui serrer la main. Elle nota également le tressaillement d'une de ses paupières alors qu'il tentait de lui exprimer sa compassion.

– Je suis navré, inspecteur. Charbonneau m'a raconté votre mésaventure. De tels agissements sont inadmissibles. Qu'une telle chose ait pu vous arriver à vous, une fonctionnaire de police, n'est qu'une preuve supplémentaire de la crise que traverse notre pays.

Ses formules relevaient de la langue de bois politique, le ton sur lequel il les prononçait était pompeux, et il avait beau essayer de faire passer de la sincérité dans ses yeux, le frémissement de sa paupière gauche le trahissait. Ses paroles étaient trop superficielles, sa sollicitude trop affectée, pour que Marta y perçoive autre chose que l'hypocrisie du politicien en quête effrénée d'approbation.

– Les deux hommes qui m'ont kidnappée sont les mêmes qui ont payé un expert photographe pour falsifier les clichés de votre épouse.

Viera la regarda, les yeux plissés. Charbonneau, qui se tenait un peu en retrait, commençait à montrer des signes d'irritation.

– Vous pensez qu'il y a un lien ? s'enquit le ministre.

– Naturellement. C'est pour ça que je suis là.

– Excusez-moi... je suis perplexe. Je ne vois pas quel genre de lien il pourrait bien y avoir.

– Que dites-vous de ça ? Les photos truquées de la señora Viera, dans les bras d'une poule de luxe, étaient un faux « coup tordu » politique conçu pour susciter la sympathie à votre endroit dans la perspective de la présidentielle. Et les truands qui ont menacé de torturer à l'électricité ma fille de onze ans sont des gros bras à la solde de ceux-là mêmes qui devaient bénéficier de cet élan de sympathie.

Charbonneau était au bord de l'apoplexie. Des gouttes de sueur perlaient sur son front et son visage s'empourprait.

– Vous rendez-vous compte de ce que vous dites, inspecteur ? Oubliez-vous à qui vous parlez ?

Viera, lui, ne semblait nullement troublé. Il scruta encore plus attentivement les yeux de Marta, comme pour évaluer son degré de détermination.

– Tout cela paraît bien compliqué, non ? dit-il d'un ton léger. Et passablement paranoïaque. (Il lui dédia un sourire fugace avant de reprendre son expression peinée.) Cela dit sans vouloir minimiser l'horreur de votre épreuve, inspecteur, ni le traumatisme que vous avez subi. Mais je puis vous assurer que les gentlemen qui ont commis ces actes n'ont rien à voir avec moi ni avec mon organisation politique. Je puis également vous certifier que ces horribles photos de ma femme n'ont pas été créées de toutes pièces pour provoquer, par contrecoup, un élan de sympathie en ma faveur. La politique est parfois une affaire très sordide. Certains disent que c'est notre sport sanguinaire national. Pour autant, jamais je ne m'abaisserais à utiliser mon épouse de cette manière. Jamais, señora inspecteur, vous pouvez me croire... *jamais* !

Il s'adressa à Charbonneau :

— Veuillez continuer à lui apporter toute l'aide possible dans son enquête.

Quand il se retourna vers Marta, elle sentit de nouveau son charisme, comme si elle était en cet instant la seule personne au monde qui importât à ses yeux.

— Ce fut un honneur de vous rencontrer, inspecteur. Vous êtes une femme intelligente, une femme forte, de celles dont nous avons besoin pour nettoyer la nation de toute la pourriture qui l'a tristement gangrenée.

Il plongea son regard dans celui de Marta et articula avec soin — en silence, cette fois — le mot *Jamais* !

Après le départ de Viera, Charbonneau, bouche bée, continua de la fixer, maîtrisant sa colère à grand-peine.

— Je n'arrive pas à croire que vous osiez parler sur ce ton à un ministre d'État, dit-il enfin.

— Je ne lui ai rien dit de plus qu'à vous. Si vous ne vouliez pas qu'il l'entende, il ne fallait pas le faire venir.

Charbonneau pencha la tête de côté comme pour montrer que maintenant, enfin, il la comprenait.

— Vous savez, inspecteur Abecasis, au début je n'arrivais pas trop à vous cerner. Une femme plutôt menue, auréolée d'une très grande réputation : « la Incorrupta », « la Petite Amazone », « la Tueuse de Géants » et tutti quanti... Mais maintenant, grâce peut-être à mon expérience de prêtre engagé dans la vie active, je crois reconnaître votre nature profonde. Vous avez le complexe de Jeanne d'Arc. Vous vous considérez comme la plus pure d'entre les purs. Et vous voyez tous ceux qui vous entourent, surtout les personnalités de haut rang, comme moralement inférieurs. Certes, nous savons que Jeanne a fini par devenir sainte. Mais, ne l'oubliez pas, elle fut d'abord jugée et condamnée pour sorcellerie. À votre place, je prendrais garde, car si vous persistez à parler aux puissants comme vous venez de le faire, vous pourriez bien terminer, vous aussi...

— Sur le bûcher ?

Charbonneau haussa les épaules.

— Je ne vous menace pas, inspecteur. (Il consulta sa montre.) Vous devriez être partie depuis longtemps.

*

186

À neuf heures du soir, ils étaient dans la voiture de Rolo qui roulait à vive allure vers Caballito, un quartier résidentiel prisé par les flics. À chaque pâté de maisons ou presque, Marta voyait des femmes et des enfants fouiller dans les poubelles. Elle pensa : *Ce pays ne s'occupe pas de son peuple.*

Rolo était au volant.

– Ils s'appellent Galluci et Pereyra, dit-il.

Il ne lui avait fallu qu'un seul jour pour identifier les ravisseurs de Marta. Galluci était le moustachu au couteau qui portait une chevalière en or ; Pereyra, le chauffeur à la joue balafrée.

Rolo les avait identifiés avec l'aide de son ami, le retraité des Stups qui avait autrefois tenté de réunir des preuves contre Ubaldo Méndez.

– Ton intuition était bonne, dit-il à Marta. Ils ont travaillé naguère pour le vieux Méndez. Il y a cinq ans, ils ont été virés pour flagrants délits de corruption et de brutalité. Ils dirigeaient un racket de protection. Un propriétaire de bar a craché le morceau quand ils ont voulu doubler sa « redevance », alors ils l'ont tabassé, et l'un des deux l'a frappé trop fort à la tête. Le gars a plongé dans le coma et ne s'est jamais rétabli. Dans la mesure où il y avait des témoins, les garder dans la police était hors de question.

– Qu'est-ce qu'ils font dans la vie, à part menacer les enfants d'autres flics ?

– Ils travaillent en free-lance dans la sécurité privée. Ils fournissent à des entreprises des veilleurs de nuit qui sont, pour la plupart, des criminels récemment libérés.

– Pas de lien avec les Crocos ?

Rolo haussa les épaules.

– D'après ce qu'on m'a dit, ils s'intéressent uniquement à l'argent. Ce sont des voyous professionnels. Mettons qu'un type soupçonne sa femme de le tromper. Il engage Galluci et Pereyra pour la filer. Quand ils ont découvert avec qui elle baise, ils expédient l'amant à l'hôpital. Apparemment, leur spécialité consiste à esquinter les testicules de leurs victimes. On raconte que Galluci en garde une paire dans un bocal de formol, sur une étagère de son bar favori ; il l'aurait coupée à un malheureux mari infidèle. Quand il est bourré, il brandit le bocal et distrait ses compagnons de beuverie avec le récit de l'amputation.

– L'émasculation, rectifia Marta.

– Ouais, excuse-moi. J'ai un certain mal à dire le mot.

Marta sourit.

– C'est là qu'il sera le plus vulnérable.

– Hein ?

– C'est la chose qu'il redoute le plus. On s'en servira contre lui. Tu verras, ça le fera craquer en un clin d'œil.

Julio Galluci était célibataire et traînait pratiquement tous les soirs dans le bar où il exposait « ses » testicules en conserve. Pablo Pereyra, lui, était marié et avait un fils et deux filles à peu près du même âge que Marina. Marta ayant décidé de l'arrêter en premier, ils se rendaient maintenant chez lui, dans sa maison de Nicasio Oroño, à deux blocs du musée Che Guevara. Ils comptaient lui tomber dessus pendant qu'il dînait en famille.

Il habitait un bungalow de plain-pied. Ils passèrent deux fois devant, aperçurent par la fenêtre une famille rassemblée autour d'une table, puis contournèrent la maison jusqu'à la ruelle de derrière.

– Nous le ferons sortir par là, dit Marta. Trop de flics dans le secteur. Il ne faudrait pas que quelqu'un s'interpose. Je le menotterai à la porte de derrière, le temps que tu amènes la voiture, puis nous le ligoterons et le mettrons dans le coffre.

Dans la ruelle, elle demanda à Rolo de couper la ligne téléphonique de la maison pour que la femme de Pereyra ne puisse avertir Galluci après leur départ.

– Tu entres par-devant. Moi, je passerai par-derrière, chuchota-t-elle. Arrestation dans les règles, pistolet au poing. Ce salopard a menacé une fonctionnaire de la police fédérale. S'il tente de s'emparer d'une arme, tire-lui dessus.

Rolo acquiesça. Elle put constater qu'il était excité. Cette opération s'apparentait à un raid des Stups à haute décharge d'adrénaline : rapidité, usage de la force, neutralisation du suspect.

Une fois la ligne coupée, ils déclenchèrent leurs chronomètres et Rolo retourna sur le devant de la maison. Alors qu'elle regardait avancer la trotteuse, Marta entendit un bruit, tourna la tête et vit un rat surgir de derrière une poubelle. Le rongeur s'arrêta, la fixa un instant, puis détala. Elle reporta son regard sur sa montre. *Dix secondes. Cinq. Quatre. Trois...*

Alors même qu'elle ouvrait d'un coup de pied la porte de derrière, elle entendit Rolo enfoncer celle de devant. Deux secondes plus tard, ils se rejoignirent dans la salle à manger, leurs revolvers braqués sur Pereyra, tandis que la femme, le fils et les deux filles ouvraient des yeux ronds, mâchoires figées, la bouche pleine de nourriture en partie mastiquée.

Une odeur de viande grillée et de pommes de terre rôties flottait dans la pièce. Au centre de la table, dans un plat ovale, des tranches de bifteck bleu baignaient dans une flaque de sang.

Marta s'avança vers Pereyra et lui plaqua son pistolet sur l'oreille. Puis, le prenant par le menton, elle lui tourna la tête sans ménagement afin d'examiner la cicatrice de sa joue.

— C'est lui. (Elle lui passa rapidement les menottes, le palpa du haut en bas.) Il n'est pas armé.

Elle lui empoigna les cheveux et lui renversa brutalement la tête en arrière.

— Où est ton flingue ?

Pereyra lui cracha au visage. Sans se démonter, Marta se tourna alors vers l'épouse.

— Où est son revolver ?

Comme la femme secouait la tête, Marta appuya son pistolet contre les dents de Pereyra, le forçant à ouvrir la bouche, et enfonça le canon au maximum. Il s'étouffa, marmonna quelque chose d'inintelligible. Quand elle retira le canon, il lui dit que son revolver était dans le tiroir de sa table de chevet.

Elle ne prenait aucun plaisir à maltraiter cet homme qui, pas plus tard que la veille, l'avait lui-même maltraitée : cette réaction lui parut intéressante. Elle n'éprouvait aucune colère à son endroit, seulement du dégoût. *Comme si c'était un insecte répugnant.*

Elle fit un signe de tête à Rolo, qui sortit de la pièce.

— Et *mon* pistolet, où est-il ? demanda-t-elle d'un ton cassant.

— Je ne l'ai pas.

— C'est donc Galluci qui l'a... c'est ce que tu veux dire ?

Pereyra battit des paupières. Elle avait réussi à l'effrayer : non seulement elle l'avait retrouvé, mais elle connaissait également le nom de son compère.

— Tu te rappelles ce que tu as menacé de faire à ma fille ? Tu veux que je le répète devant *tes* filles ?

Pereyra secoua la tête.

— Qui a mon pistolet ?

— Galluci.

— T'as intérêt à dire vrai, sinon je reviendrai détailler à tes filles toutes les menaces odieuses que tu as proférées.

Rolo revint dans la salle à manger avec un fusil, deux revolvers et plusieurs boîtes de munitions.

189

– Il y a sans doute d'autres armes planquées dans la maison, dit-il. Tu veux que je perquisitionne ?

– Laisse tomber.

Elle se tourna vers les autres membres de la famille. Les enfants étaient beaux ; l'épouse avait l'air d'une femme qui pleurait beaucoup.

– Je m'appelle Marta Abecasis. Je suis inspecteur à la brigade criminelle. Votre mari est en état d'arrestation pour m'avoir kidnappée et menacée hier après-midi. C'est un chef d'accusation grave, et il risque d'y en avoir d'autres encore plus graves. Nous allons l'emmener. S'il oppose de la résistance, il prendra un mauvais coup. S'il refuse de coopérer, il ira en prison pour très longtemps. Par contre, s'il accepte de nous aider, vous pourrez peut-être un jour dîner de nouveau ensemble. Voici ce que je vous conseille : gardez le silence, n'essayez pas d'intervenir, n'essayez pas de contacter qui que ce soit, en particulier Mr Galluci. Demain matin à la première heure, appelez un avocat. Tout le monde comprend ?

Ils acquiescèrent.

– Bien. (Elle regarda l'aînée des deux filles.) Comment tu t'appelles, ma chérie ?

– Angélica.

La fille était effrayée. Marta lui sourit gentiment pour la détendre.

– Quel âge as-tu ?

– Treize ans.

– Et ta sœur ?

– Douze.

– Marina, ma fille, n'a que onze ans. J'ai dû lui faire quitter le pays, la nuit dernière, à cause de ce que ton père et Mr Galluci ont dit qu'ils lui feraient.

Elles l'observèrent d'un air ébahi. *Normal qu'elles aiment ce dégénéré,* pensa-t-elle. *C'est sans doute un papa génial, en plus.*

– Maintenant, nous partons. Nous sommes désolés d'avoir interrompu votre repas. S'il y a une leçon à tirer de tout cela, c'est que les bons flics disent leur nom sans détour et ne menacent pas les enfants des autres flics.

De retour dans la voiture, excitée, elle se rendit compte qu'elle était gonflée à bloc.

Comme dans un concours de tir, quand je sens que je vais gagner.

– À ton avis, est-ce que j'ai le complexe de Jeanne d'Arc ? demanda-t-elle à Rolo.

Ils se rendaient au troquet de Galluci, le Bar Rosa, dans la Calle Yerbal. Pereyra, ligoté et bâillonné, était enfermé dans le coffre.

– C'est quoi, ça ?

– Une femme qui se considère comme une sainte. Qui se croit moralement supérieure aux autres.

– Ma foi... susurra Rolo d'un ton badin.

– Allez ! Je parle sérieusement.

– Tu ne m'as jamais donné cette impression. Tu es fière, bien sûr, et tu as des raisons de l'être. Fière, mais pas *trop*... ce qui est plutôt sympathique.

– Certains croient que je me pavane comme un paon depuis que je suis devenue « la Incorrupta ».

– Tu es une enquêtrice rusée, Marta. Tu ne te pavanes pas, tu rôdes autour de ta proie. Pour moi, tu es plus une tigresse qu'une sainte.

Cette réponse la combla d'aise.

– Merci, Rolo.

Vas-y, Marta-la-tigresse !

Le Bar Rosa, d'aspect minable, se présentait comme un bar typique pour flics à la retraite, avec une vitrine opaque et une enseigne au néon rouge qui crépitait. Il était petit, situé au milieu d'un bloc lépreux, unique commerce ouvert le soir.

Au coin de la rue, un réverbère solitaire diffusait une lueur jaunâtre. En face, des rails, noyés dans l'obscurité, s'étiraient parallèlement à la chaussée. Pas un bruit ne s'échappait du café. Il avait quelque chose de sinistre ; c'était le genre d'endroit, pensa Marta, où seul un habitué oserait entrer.

– Notre ami est bien silencieux dans son coffre, dit-elle. Il s'est évanoui, tu crois ?

Rolo haussa les épaules.

– Je lui ai dit que si je l'entendais couiner, je balançais la voiture dans le fleuve. (Il regarda autour de lui, puis de nouveau le bar.) Le coin est désert et on ne voit rien à travers la vitrine. Je ne pense pas qu'on puisse embarquer Galluci s'il y a foule à l'intérieur.

– On pourrait l'attendre chez lui, qu'en penses-tu ?

– Laisse-moi reconnaître les lieux, ensuite on avisera. Je vais demander au barman s'il a vu notre homme ce soir. Ça me permettra de le repérer au milieu des autres clients.

– S'il est là et te demande ce que tu lui veux, qu'est-ce que tu répondras ?

– S'il est seul, je lui dirai qu'il y a une dame, dehors, qui a un boulot pour deux gros bras qui n'ont pas peur de jouer les durs. Ça devrait l'appâter. S'il est accompagné, je prendrai rendez-vous pour plus tard.

– Ça me plaît. Vas-y, mais arrange-toi pour qu'il sorte seul. Je serai assise à l'arrière. Colle-lui ton revolver sur la nuque, désarme-le, menotte-le et plaque-le au sol, face contre terre. Je t'aiderai à le saucissonner. Ensuite, on foutra le camp d'ici et je lui mettrai la cagoule dans la voiture.

Rolo acquiesça.

– Sois prudent, dit Marta.

Elle avait apporté une cagoule de la police spécialement pour l'occasion. Galluci, l'homme au couteau, était celui des deux qu'elle voulait le plus. C'était lui qui avait parlé, avec une joie mauvaise, de faire crier Marina. Peut-être le ferait-elle crier un peu, lui aussi. Elle espérait presque qu'il résiste ; cela lui fournirait une bonne excuse pour le rudoyer.

Lorsqu'il sortit, suivi de près par Rolo, il lui parut plus petit que dans son souvenir. Rolo avait une bonne quinzaine de centimètres de plus que lui. Galluci marchait d'un pas mal assuré, comme s'il avait bu, et son visage arborait un demi-sourire niais. De toute évidence, il se sentait en sécurité. Peut-être pensait-il que seule une personne ayant besoin de ses services oserait le débusquer dans son bar, dans cette rue sombre et déserte.

Ils le maîtrisèrent rapidement. Il empestait la saucisse et la mauvaise bière. En quelques secondes, il se retrouva à plat ventre sur la banquette arrière, désarmé, menotté, encagoulé et ligoté. Il se débattit, donna des coups de pied, essaya de hurler à travers l'épais tissu, mais ses efforts ne l'avancèrent à rien. Rolo remit à Marta le pistolet qu'il lui avait confisqué : un Sig P-226. Marta n'en revint pas : le mec s'était baladé avec *son* arme de service ! Elle lui balança deux coups de poing à travers la cagoule, puis lui colla le Sig sur la nuque.

– La dame en question s'appelle Abecasis, enfoiré, dit Rolo. Tu t'es attaqué au flic qu'il ne fallait pas.

Marta parla d'une voix forte, directement à l'oreille de Galluci :

– Ton copain Pereyra est dans le coffre. Vous êtes tous les deux en état d'arrestation.

Rolo ouvrit la portière du conducteur, mais Marta l'arrêta.

— Combien de clients, dans le bar ?

— Juste le barman et un vieux gaga du quartier.

— Retournes-y et rapporte les testicules.

— *Quoi ?*

— Il se peut que j'en aie l'usage, dit-elle. Puisque notre ami les aime tellement, je pourrais bien les lui faire bouffer.

Rolo éclata de rire, puis, voyant qu'elle parlait sérieusement, il acquiesça et regagna le Bar Rosa. Il en ressortit au bout de trente secondes, un bocal dans les mains.

— Le barman m'a dit qu'il détestait ces foutus trophées, qu'il en avait plus que marre des histoires stupides de Galluci à leur sujet.

Ils les emmenèrent séparément à la planque, d'abord Pereyra, puis Galluci. Les placards munis de portes à barreaux étaient à trois pièces d'écart, de sorte qu'ils ne pouvaient ni se voir ni communiquer.

Ils commencèrent par Pereyra. Celui-ci n'était pas du tout heureux de sa situation.

— Même quand tu m'as craché dessus, j'ai été correcte avec ta famille, lui rappela-t-elle. Tes gosses m'ont plu, c'est pourquoi je ne leur ai pas dit quelle ordure est leur père. Mais je n'hésiterai pas à le faire. Si tu me mens, compte sur moi pour leur en apporter la preuve. Ensuite, tout papa gâteau que tu sois, ils ne te regarderont plus jamais de la même façon.

Pereyra acquiesça. D'un ton radouci, Marta poursuivit :

— Galluci avait mon pistolet, tu ne m'as pas menti sur ce point. C'est un bon début. Ce sera encore mieux quand tu me diras qui t'a engagé pour m'enlever. Donne-moi des noms et je serai clémente côté charges. Fais ta mauvaise tête et on te mettra tout sur le dos — même les meurtres de Granic et Santini.

— On n'a rien à voir là-dedans.

— Et la commande de photos pornos truquées de l'épouse Viera ?

Devant l'expression déconcertée de Pereyra, Marta décida de faire machine arrière. Peut-être se trompait-elle pour les photos. *Mais comment était-ce possible ?*

Elle fit signe à Rolo de la suivre dans l'autre pièce.

— Quelque chose ne colle pas, lui dit-elle. Ces types-là sont bien ceux des portraits-robots de Costas, non ?

Rolo haussa les épaules.

– Ces portraits pourraient représenter n'importe qui. C'est seulement si on y ajoute la cicatrice et la moustache qu'on commence à voir une ressemblance.

– OK, les dessins de Costas sont passe-partout. Mais quand je lui parle des photos truquées, Pereyra fait celui qui n'est pas au courant. Charbonneau et Viera ont eu la même réaction. Où est le problème ? Pourquoi Pereyra ne reconnaît-il pas les faits ? Son avocat pourrait plaider que ces photos étaient un simple canular.

– Ce ne sont peut-être pas eux qui les ont commandées.

– Nous irons voir Costas demain matin, régler cette question une fois pour toutes.

Elle décida de concentrer ses efforts sur Galluci. C'était lui le plus brutal des deux, elle le sentait ; par conséquent, il risquait d'être le plus facile à faire craquer.

Elle lui montra le bocal contenant les testicules.

– Flippant, hein ? dit-il en souriant jusqu'aux oreilles.

– Les testicules ne m'ont jamais effrayée.

– En fait, c'est une blague. Ce sont des couilles d'agneau.

– D'homme ou d'agneau, elles n'auront sans doute pas bon goût après tant d'années dans le formol.

Il s'étrangla.

– Je t'en veux, Galluci, pour la montre de mon mari. Pour mon portable, aussi. Mais tu sais pour quoi je t'en veux le plus ? Pour tes menaces contre ma fille.

Il se mit à bredouiller des excuses. C'était juste un numéro d'intimidation, dit-il. Plus de peur que de mal. Pereyra et lui s'étaient bornés à lui transmettre un message.

– De qui ? interrogea Marta. Nous savons que vous êtes des hommes de main. Qui voulait faire passer ce message ?

Galluci eut un pâle sourire.

– Vous savez bien que je ne peux pas vous le dire. Je tiens à la vie.

– Je m'attendais à cette réponse. Rolo aimerait bien te brancher des électrodes sur les couilles. Il est sûr que ça te rafraîchirait la mémoire.

Galluci la regarda d'un air narquois.

– La Incorrupta ne le laissera pas faire. De toute façon, ce que je pourrais vous dire n'aurait aucune valeur.

Ce fut le tour de Marta de prendre un air goguenard.

– Ne te fie pas trop à la Incorrupta. Ce serait un plaisir de t'entendre hurler.

Mais, encore une fois, elle fut stupéfaite du peu de satisfaction que ça lui procurait de tenir à sa merci un homme qui l'avait traitée de façon si odieuse.

Elle se demanda : *Qu'est donc devenu mon fameux « Je serai sans pitié » ? Cette absence de plaisir est peut-être un bon signe. Ça signifie que ces brutes ne m'ont pas réellement atteinte. Ils ne représentent rien. Ce qu'ils m'ont fait subir était sans importance.*

Après une heure de pression exercée par Rolo, Pereyra se déclara prêt à parler. Un inconnu, dit-il, un homme qu'ils n'avaient jamais vu auparavant, les avait abordés au Bar Rosa en leur offrant deux mille pesos pour effrayer Marta afin qu'elle abandonne son enquête. Ayant accepté, ils firent ce que tout ex-flic expérimenté aurait fait : ils s'étaient renseignés sur elle dans le quartier et avaient suivi son mari quand il avait accompagné leur fille à l'école.

– Je ne crois pas à cette histoire d'inconnu, lui dit Rolo. C'était un homme qui vous connaissait, toi et Galluci, du temps où vous étiez flics. Celui de vous deux qui se mettra à table le premier aura droit à un traitement de faveur. Celui qui refusera de parler... celui-là l'aura dans le cul.

Marta, qui avait gardé le silence durant l'interrogatoire, se dirigea vers la porte. Elle était sur le seuil quand Pereyra la rappela.

– Si on vous le dit, on se fera tuer.

– Si tu te tais, tu iras en prison. Tu sais ce que c'est, la vie d'un flic en prison ? (Le visage compatissant, elle ajouta avec douceur :) Tu as une gentille famille, Pablo. Elle mérite mieux.

Pereyra avait les larmes aux yeux. Comme tous les sbires, il était foncièrement lâche. Elle décida de jouer là-dessus, de lui offrir une porte de sortie.

– Je te propose une solution confortable pour toi, dit-elle. Je vais te citer des noms. Quand je prononcerai le bon, tu hocheras la tête. Comme ça, personne ne pourra dire que tu as parlé.

Pereyra accepta.

– Charbonneau ? demanda-t-elle.

Il sourit.

– Un mec comme lui n'adresserait pas la parole à des mecs comme nous.

– Mais tu sais qui c'est ?

– Évidemment !
– Liliana Méndez ?
Pereyra haussa les épaules.
– Et si je te disais Ubaldo Méndez ?
Pereyra hésita, puis inclina la tête.
– Il travaille pour Charbonneau ?
– Il est responsable de la sécurité pour la campagne de Viera.
Nous progressons.
– Connais-tu un homme d'une quarantaine d'années, voix douce, cheveux gris ondulés ?
Nouveau haussement d'épaules.
– Qui a assassiné Granic et Santini ?
– On a entendu dire que les Crocos avaient fait le coup.
– Pourquoi ?
– Il paraît que Granic donnait dans le chantage. Il se servait de la pute, Santini, pour piéger quelqu'un d'autre.
– Qui ?
– J'en sais rien.
– Es-tu d'accord pour raconter tout ça à un juge ?
– Je peux pas, inspecteur, vous le savez bien.
– Et toi, tu sais que je ne peux pas lâcher le morceau ?
Il acquiesça. Il avait de nouveau les larmes aux yeux.
– Je suis prêt à faire un peu de prison, dit-il.
Soudain, Marta fut prise de fureur.
– Tu n'es qu'un pauvre débile, Pereyra ! Tu viens de te trahir.
– Comment ça ?
– « Faire un peu de prison »... Qu'est-ce que ça signifie, bon Dieu ? Pour moi, ça signifie qu'on t'a promis quelque chose si jamais Viera décroche la timbale !
– Je n'ai jamais dit ça !
– Parfaitement si. Que t'a promis le vieux Méndez ? La réintégration dans la police provinciale de Buenos Aires ? Un poste bien payé dans les services de sécurité du président ?
Il la regarda sans ciller.
– Toi et Galluci, dit-elle, vous êtes aussi débiles l'un que l'autre. Méndez vous a menti. Les hommes de Viera ne vous donneront jamais rien. Il faudrait être cinglé pour confier des postes de responsabilité à des truands comme vous. Liliana aura droit à une grosse récompense, mais pas vous. Vous êtes de ceux qu'on envoie en Patagonie comme gardiens de prison.

Elle lui rit au nez, d'un rire méprisant.

— Voilà la situation, Pablo : c'est à moi de décider si je te dénonce pour ce que tu m'as fait hier. Autrement dit, je suis la seule à pouvoir te sauver. Pas Ubaldo ni les hommes de Viera... *moi*! Mais ça, tu es trop stupide pour le comprendre. Peut-être que Galluci est plus malin. Je vais maintenant lui parler, voir s'il accepte de jouer le jeu.

Elle ne perdit pas de temps en joutes verbales avec Galluci. Elle voulait le faire sortir de ses gonds au plus vite.

— Pereyra s'est mis à table, lui annonça-t-elle. Le vieux Méndez vous a engagés pour m'intimider. Vous avez reçu de l'argent et la promesse d'un bon poste si Viera remporte la course à la présidence.

— Conneries! S'il a dit ça, je lui arrache les couilles!

— À mon avis, ce sont plutôt tes codétenus qui t'arracheront les tiennes, intervint Rolo.

Galluci foudroya Marta du regard.

— Qu'est-ce que vous voulez?

— Que tu racontes tout à un juge. *Tout!*

— Avec plaisir. Je ne vais pas écoper pour Méndez. (Il fixa sur elle un œil rusé.) Le seul problème, c'est que... Pereyra vous a menti. C'est la fille, Liliana, qui nous a donné la consigne. Son vieux n'avait rien à voir là-dedans.

Marta le dévisagea. Il arborait de nouveau son rictus narquois. Elle entraîna Rolo dans la pièce voisine.

— Ils sont plus astucieux que je ne le pensais, dit-elle. Deux versions différentes. Nous n'arriverons jamais à y voir clair.

— Laisse-moi utiliser la manière forte. Ça réglera le problème.

Elle secoua la tête.

— J'adorerais te dire oui, compte tenu de ce qu'ils m'ont fait. Mais ça se retournerait contre nous. En plus, il y a une faille dans ma théorie.

— Laquelle?

— Je n'ai jamais vraiment *vu* mes ravisseurs. J'ai juste aperçu quelques détails : une moustache, une cicatrice, une chevalière... Un bon avocat les tirerait d'affaire.

— Tu n'as qu'à dire que tu les as vus distinctement.

— Non. C'est triste, mais je ne peux pas. Et ça, ils le savent. C'est leur avantage. Dans leur esprit, seule une imbécile peut être la Incorrupta.

– Alors, qu'est-ce qu'on va faire ?

– Organise une séance d'identification et convoque Costas pour voir s'il les reconnaît. S'il confirme que ce sont eux qui ont commandé les photos truquées, ça mettra la pression sur Viera. Si Viera ne porte pas plainte contre eux, il aura l'air d'un idiot : « Ce type ne défend même pas l'honneur de sa femme ! » Par contre, s'il porte plainte, je parie que Galluci et Pereyra ne voudront pas porter le chapeau. À ce moment-là, peut-être, on pourra les retourner comme des crêpes.

– Et si jamais Costas ne les reconnaît pas ?

Elle secoua la tête.

– Dans ce cas, cher cousin, nous n'aurons plus qu'à les relâcher.

10

PSYCHANALYSE

Depuis trois semaines, Tomás Hudson guettait une suite au terrifiant message téléphonique qui l'avait attendu le soir de sa conférence. D'un côté, il désirait ardemment connaître l'information que son correspondant anonyme prétendait détenir ; de l'autre, il redoutait de devoir négocier avec un tel individu.

De surcroît, le message téléphonique l'avait laissé déprimé, réveillant le souvenir de ses rencontres frustrantes avec des bureaucrates indifférents, des années auparavant, quand il recherchait désespérément Sarah Shahar. C'était comme si une partie importante de sa vie était restée inachevée et que lui arrivait aujourd'hui, de nulle part, une occasion de boucler la boucle.

Mais la proposition était-elle sérieuse ? L'information lui serait-elle vraiment utile ? Il passa des heures à tenter d'analyser son anxiété. Mais, tout comme il est vrai qu'un avocat qui assure sa propre défense a un imbécile pour client, Tomás savait qu'un psy qui essaie de se soigner lui-même a pour patient un homme qui préfère rester malade.

Tomás n'était encore jamais allé au Café Sigi. Il avait beau habiter et exercer sa profession à seulement quatre blocs de là, il avait pris soin d'éviter l'établissement. À présent, suivant les instructions, il s'assit à une table d'angle pour attendre l'arrivée de son correspondant anonyme.

Il scruta la salle. Il se trouvait dans un café d'apparence typique, à la lisière ouest de la Villa Freud. Tables à dessus plastifié, chaises métalliques trapues, bar, percolateur, arôme de grains de café grillés : on retrouvait ces mêmes caractéristiques dans nombre d'endroits similaires aux quatre coins de la ville. Tout était parfaitement banal, sauf le nom, qui jouait sur la réputation du quartier, et un grand dessin très étrange de Sigmund Freud, sur le mur, dans lequel le visage du fondateur de la psychanalyse était adroitement combiné avec la silhouette voluptueuse d'une femme nue. Le Café Sigi se targuait d'être le rendez-vous des psychanalystes, mais Tomás n'en connaissait pas un seul qui le fréquentât.

Quand le serveur vint prendre sa commande, Tomás lui demanda s'il était vrai que les analystes avaient leurs habitudes ici.

Le garçon acquiesça avec gravité :

– Oh ! oui, señor. Les docteurs viennent généralement vers six heures pour bavarder et lire leurs livres verts.

Le jeu de mots fit sourire Tomás : non seulement « livre vert » désignait en argot un livre porno, mais les volumes de l'édition standard de Freud en langue espagnole avaient une reliure uniformément verte.

Au bout d'une demi-heure d'attente, Tomás sentit l'impatience le gagner. Son correspondant, qui prétendait connaître le nom du dénonciateur de Sarah, était en retard. Il termina son café, jeta un coup d'œil à sa montre. Peut-être aurait-il mieux fait de ne pas venir. Après tout, il était bien décidé à ne pas verser un seul peso à l'individu.

Mais alors, qu'est-ce que je fais ici ?

Il connaissait la réponse. Il voulait voir quel genre d'homme c'était, voulait le regarder bien en face, dans les yeux, voir jusqu'où un être humain pouvait s'abaisser.

Il avait entendu des anecdotes sur les vautours de ce type : des gens qui, dans les périodes difficiles, n'hésitaient pas à exploiter sans vergogne leur prochain. Il y avait celle du flic à la retraite qui avait proposé à des parents de disparus de leur revendre les biens de leurs proches, dévalisés et assassinés par ses soins. Et celle du tortionnaire qui, pour se faire pardonner, avait joyeusement invité l'une de ses victimes à dîner au restaurant... comme si les excuses d'un tel individu pouvaient représenter quelque chose. Et puis il y avait les *chantas*, ces escrocs qui prétendaient faussement connaître le nom des parents biologiques d'un orphelin, ou l'emplacement de la tombe d'une personne disparue, ou encore l'identité de celui qui avait torturé ou dénoncé un survivant. Tomás était venu aujourd'hui au Café Sigi pour voir à quelle catégorie appartenait son correspondant.

Parcourant la salle du regard, il remarqua deux hommes assis ensemble, véritables caricatures de psychanalystes, qui tiraient sur leur pipe en se caressant la barbe. *Qu'est-ce qui passe par la tête de ces gens-là? Croient-ils que leur comportement les rend intéressants?*

Il pensa aux faux aveugles, aux pseudo-Borges qui écumaient la Bibliothèque nationale en agitant leur canne blanche, et à la douzaine d'imitateurs de Carlos Gardel, coiffés de feutres inclinés sur l'œil, arborant des cheveux noirs brillantinés et un grand sourire, qui chantaient en play-back des tangos du grand artiste devant les cafés. *Buenos Aires est une ville d'imposteurs,* se dit-il.

Quarante minutes! Il est temps de partir, de renoncer au déplaisir de la rencontre.

Ayant payé et laissé un pourboire au serveur, Tomás s'apprêtait à se lever quand il vit un homme s'approcher en toute hâte, un sourire nerveux sur les lèvres – un homme de petite taille, aux hanches larges et au teint pâle, avec des yeux de fouine et une petite moustache poussiéreuse.

– Puis-je me joindre à vous? s'enquit l'inconnu avec cette espèce d'agressivité passive, doucereuse, qui dénote généralement l'arrogance.

Il s'assit sans même attendre un signe d'acquiescement.

– Oui, je suis celui que vous attendiez. Désolé d'être en retard. Ah, ces satanés *colectivos!* « *Buenos Aires me mata!* » (Il sourit de toutes ses dents.) Vous pouvez m'appeler Tony.

Ainsi se présenta-t-il, comme aurait pu le faire un ramasseur de poubelles, sans tendre la main à Tomás, sachant bien que celui-ci refuserait de la serrer.

« *Buenos Aires me mata!* » Cette ville me tue! Des milliers de gens employaient cette expression tous les jours. C'était un tel lieu commun que, dans ce contexte affreux – un rendez-vous pour discuter du prix que Tomás devrait payer pour apprendre le nom de l'homme ou de la femme qui, objectivement, avait condamné Sarah à mort –, la formule prenait une connotation particulièrement sordide.

– Je suis le Dr Hudson, s'entendit déclarer Tomás, oubliant sur le moment que Tony avait assisté à sa conférence.

Il observa l'homme, qui continuait à bavarder de tout et de rien : la circulation, l'économie, l'insécurité dans les rues. Lorsque le serveur s'approcha, Tony commanda un café et un croissant; Tomás put alors contempler, de profil, son menton fuyant et ses joues mal rasées. Puis, quand il se retourna, Tomás perçut dans son haleine des relents de saucisse de mauvaise qualité. Tout, chez lui – l'aspect miteux, l'haleine fétide, le physique en forme de poire – indiquait un type d'individu bien précis.

– ... ça fait dix ans que je ne travaille plus pour le gouvernement. La pension est si dérisoire qu'il est impossible d'en vivre. J'ai donc pris une nouvelle profession : enquêteur matrimonial. Travail intéressant, et pas tellement différent de ce que je faisais avant. (Il grimaça un sourire.) Peut-être pas tellement différent non plus de votre métier.

Quand Tomás lui demanda en quoi consistait exactement le job d'enquêteur matrimonial, Tony se rengorgea, ravi de s'expliquer.

– Supposons qu'un gentleman de qualité rencontre une dame séduisante et envisage de lui demander sa main. Mettez-vous à sa place, docteur. Ne chercheriez-vous pas à en savoir le plus possible sur votre éventuelle fiancée ? Ses ressources financières. Si elle a déjà été mariée. Le nombre de personnes... (Tony gloussa)... de l'un ou l'autre sexe avec qui elle aurait pu être intime. Les maladies vénériennes qu'elle aurait pu contracter, tels que la gonorrhée, la syphilis ou – à Dieu ne plaise ! – le sida. Il y a beaucoup de questions de ce genre, et c'est là que j'interviens. Je mène une enquête, exhaustive et discrète, sur les antécédents de la dame. Et, après examen de mon rapport, le gentleman décide s'il doit ou non se déclarer.

Il raconta à Tomás que, dans les années quatre-vingt, il avait travaillé au service des enquêtes spéciales, attaché au ministère de la Défense. Il n'était pas un agent secret, rien de la sorte : un simple employé aux écritures, un bureaucrate.

– Un rapport atterrissait sur mon bureau, un dossier d'accusation. Je le lisais et, s'il me paraissait crédible, je chargeais un enquêteur de creuser l'affaire. L'enquêteur me soumettait ensuite ce qu'il avait découvert et, selon mon analyse, le suspect – homme ou femme – était arrêté pour interrogatoire.

Tomás savait précisément de quoi parlait Tony : un quatuor de gros bras arrivait dans une Ford Falcon beige, embarquait la personne à l'École de mécanique de la marine... et, la plupart du temps, on ne revoyait plus jamais ladite personne.

– Donc, vous étiez juste un rond-de-cuir ?

– On peut présenter les choses ainsi, convint Tony sans percevoir l'ironie de la question. Mais un rouage essentiel, bien placé pour connaître pratiquement tous les éléments d'une affaire : le nom de l'accusé, le nom de l'accusateur, le rapport de l'enquêteur et, naturellement, le résultat de l'interrogatoire officiel. Toutes les preuves – de culpabilité ou d'innocence – passaient par mon bureau. Mes collègues et moi-même étions chargés d'établir les dossiers. Plusieurs d'entre nous estimaient que ces informations pourraient avoir un jour de la valeur, c'est pourquoi nous avons également constitué des archives personnelles, avec les noms, les dates et les dispositions finales. Heureuse initiative, puisque plus tard, comme vous le savez sûrement, de nombreux dossiers officiels furent malencontreusement... (Il eut de nouveau son petit sourire entendu)... « égarés ».

À écouter Tony, à sonder son visage, Tomás avait l'impression de regarder un démon lui proposant de lui vendre un secret malfaisant. Conscient de cette ambivalence, il s'en voulut de se sentir tenté.

– Je peux vous dire toutes sortes de choses sur vos amis, poursuivit Tony, des choses qui vous surprendraient probablement. Et eux aussi, j'imagine ! Je sais qui a fait quoi, à qui, et parfois même je sais pourquoi. Mais à cette époque regrettable, le « pourquoi » n'avait pas une terrible importance. Dommage, parce que, quand on y songe, le « pourquoi » aurait *dû* être l'élément le plus important. Pourquoi une personne en accusait une autre, j'entends ; parce que, souvent, le motif – le « pourquoi », si vous préférez – n'était pas particulièrement patriotique. Un homme se sentait méprisé, ou avait une dent contre quelqu'un, ou convoitait la femme d'un autre. Ou alors, il voulait tout bonnement s'agrandir en annexant l'appartement d'à côté. Ou encore, le voisin était trop bruyant... et vous savez combien il est difficile de faire expulser un voisin insupportable. Il y avait aussi la simple malveillance, la vulgaire méchanceté quotidienne ! Croyez-moi, docteur, durant ces années où j'ai travaillé pour le gouvernement, j'ai beaucoup appris sur les faiblesses humaines. Peut-être plus qu'on ne devrait en savoir, d'ailleurs, car on risque de devenir cynique et de perdre confiance en ses semblables.

Tony prit le reste de son croissant et l'enfourna dans sa bouche.

– Nul n'y peut rien, soupira-t-il en mastiquant. Nous ne sommes pas là aujourd'hui pour discuter philosophie. Maintenant que vous connaissez mes antécédents, vous devez vous demander : « Est-ce que je souhaite vraiment, moi aussi, acquérir ce genre d'information ? » Certains disent : « Ne réveillez pas le chat qui dort. » Croyez bien que je respecte cette réaction. Chacun doit prendre lui-même sa décision. Je ne suis pas venu aujourd'hui vous « faire l'article », docteur. Je ne cherche pas à vous refiler une voiture d'occasion. Je suis simplement venu vous offrir une opportunité. Si vous choisissez de la refuser, je comprendrai tout à fait. Néanmoins, si vous l'acceptez, il nous suffira de négocier les conditions. Une simple transaction d'affaires, comme il y en a tant dans cette ville tous les jours. Donc, si jamais ça vous intéresse de donner suite, veuillez insérer cette petite annonce dans *La Nación* de vendredi : « Le docteur H. souhaite aller plus loin. » En la voyant, je saurai qu'elle vient de vous et je reprendrai contact. (Il s'essuya la bouche.) Je dois préciser qu'il y a une date limite. Ma proposition expirera dans quatre semaines, jour pour jour. Si je ne trouve pas ladite annonce dans l'intervalle, j'en déduirai que vous n'êtes pas intéressé et je ne vous importunerai plus.

Tony se leva.

– Bien ! Je suis persuadé que nous nous comprenons. J'attendrai votre décision. Au revoir, docteur. Veuillez rester encore un moment, savourez un autre café, pendant que je me dépêche d'attraper mon bus.

Sur ces mots, il s'éloigna du pas assuré d'un homme convaincu d'avoir proposé un marché exceptionnel, impossible à refuser. Tomás le suivit des yeux, bouche bée, médusé à l'idée qu'un pareil individu puisse supporter de se regarder dans la glace.

Trois jours plus tard, dans les embouteillages de midi, Tomás se rendit au Palermo Tennis Club pour y retrouver son fils, le joueur professionnel du club. L'initiative était venue de Tomás. Il voulait parler d'un problème important, avait-il dit. « Dans ce cas, avait répondu Javier Hudson, viens déjeuner au club avec moi. »

Cela faisait plus d'un mois qu'ils ne s'étaient pas vus, ni même téléphoné. Cet éloignement n'était pas dû à une querelle mais à une tension désagréable qui se manifestait à chacune de leurs rencontres. Tomás avait tenté bien des fois de combler le fossé entre eux, tout récemment encore en envoyant à Javier une invitation pour sa conférence à l'Institut. Ça l'avait blessé que son fils n'y assiste pas, mais il ne lui en voulait pas pour autant. Au contraire, il s'estimait personnellement responsable, convaincu que la racine de son problème avec Javier était sa façon de réagir à l'étonnante ressemblance du jeune homme avec Sarah.

À cause de cela, peut-être, je projette des ondes qui le mettent mal à l'aise.

Tomás se rendait bien compte que cette ressemblance le perturbait plus qu'il ne voulait l'admettre. Chaque fois qu'il voyait son fils, cela ravivait sa blessure, encore plus douloureusement qu'à l'époque où Javier était enfant. En ce temps-là, quand Tomás allait le voir à Boston, où il l'avait confié à la garde de ses beaux-parents, les traits du garçon, encore immatures, ne faisaient qu'évoquer ceux de Sarah. Mais maintenant que c'était un adulte, son visage était devenu une réplique au masculin de celui de sa mère.

Je devrais pourtant être enchanté de la voir revivre en lui, se dit-il.

Le fait que ce ne soit pas le cas, que cette ressemblance provoque chez lui un si grand sentiment de deuil et de manque, montrait par ailleurs, il en avait conscience, que l'issue vers laquelle il dirigeait ses patients-orphelins lui échappait encore.

Javier l'attendait dans le hall du club. Le jeune homme, qui avait vingt-sept ans – l'âge de Sarah au moment de sa disparition –, l'accueillit avec chaleur, d'une solide poignée de main suivie d'une affectueuse accolade. Ce dernier geste embarrassa Tomás.

Bonté divine, mais qu'est-ce que j'ai ? Ce garçon est mon fils, ma chair et mon sang !

Il résolut de soumettre ce problème dès le lendemain à Carlos Peña, avec qui il avait déjà pris rendez-vous pour aborder les questions soulevées par la proposition de Tony – sujet dont il comptait discuter aujourd'hui avec Javier.

– Viens, père. Je nous ai réservé une table sur la terrasse. Et aussi un court à deux heures. J'ai pensé qu'après le déjeuner, si ça te tentait, on pourrait échanger quelques balles.

– Bonne idée, mais je n'ai pas apporté mes affaires.

– Je t'équiperai. Nous avons du matériel en rab pour les invités.

La longue terrasse dallée était ombragée par une voûte de feuillage agrémentée de jasmin. Les tables, disposées sur deux rangées, étaient couvertes de nappes blanches arrimées par des vases de fleurs fraîchement coupées. La terrasse donnait sur le court central, parfaitement entretenu, derrière lequel sept autres courts s'étiraient au loin. Des serveurs en veste blanche s'occupaient des membres du club, la plupart en tenue de tennis, qui mangeaient, bavardaient, riaient, sirotaient des cocktails, savouraient l'étreinte de l'air automnal.

– L'endroit est charmant, dit Tomás. Je n'y suis pas venu depuis des années.

– Mais tu continues à jouer ?

– Oui. Une fois par semaine, sur des courts publics. Surtout en double. Mes partenaires et adversaires sont tous des psys.

– À ce qu'il paraît, tu es très bon.

Tomás sourit, reconnaissant à Javier de ses efforts.

– Je l'étais, dans le temps. Aujourd'hui, je suis rouillé.

– Tu n'essaierais pas de me bourrer le mou, père ? Je connais des joueurs très habiles qui ont la cinquantaine.

– Habile, je le suis peut-être... mais pas très rapide.

– D'après mon expérience, l'habileté peut souvent neutraliser la rapidité.

– Tu n'essaierais pas de me pousser à disputer un match, par hasard ?

– Seulement si ça te tente.

Javier lui dédia un superbe sourire, tellement semblable à celui de Sarah que Tomás ressentit un choc en plein centre de la poitrine.

Tomás se demandait souvent s'il n'avait pas fait une erreur en emmenant le petit Javier, alors âgé de six ans, habiter chez les Shahar. Il avait voulu mettre son fils à l'abri, loin du pays, pour le cas où il serait arrêté à son tour – éventualité à laquelle il s'attendait plus ou moins. En effet, il comptait soulever une vague de protestations d'une telle ampleur que les autorités n'auraient d'autre choix que de lui rendre Sarah ou de le « disparaître » également. Non qu'il eût la moindre envie de disparaître ; il voulait simplement récupérer sa femme. Mais, entre la censure de la presse, la neutralité affichée de l'Institut et le fait que des gens étaient enlevés tous les jours, il n'était pas facile de mobiliser les foules. Il ne se sentait pas pour autant en mesure de s'occuper d'un enfant, étant donné qu'il avait la ferme intention de consacrer tout son temps et son énergie à retrouver son épouse.

Les Shahar, grands-parents dévoués, avaient bien élevé Javier. Le père de Sarah était professeur de littérature sud-américaine à l'université de Boston ; sa mère, styliste réputée, travaillait chez elle dans un atelier aménagé. Néanmoins, cet exil forcé avait eu un prix : Javier s'était senti abandonné. Et, bien que Tomás lui rendît consciencieusement visite tous les ans, leurs rencontres, à mesure que Javier grandissait, étaient devenues de plus en plus tendues.

Ils en étaient à la moitié de leur salade de homard lorsque Javier demanda à son père quelle affaire urgente avait donné lieu à ce déjeuner.

– J'ai dit urgente ? s'étonna Tomás. En fait, je voulais dire...
importante. Un sujet difficile à aborder, mais je suis content que tu
en prennes l'initiative.

Tout en décrivant le message téléphonique et son entrevue sub-
séquente avec Tony au Café Sigi, il comprit que son malaise,
aujourd'hui, n'était pas dû seulement à la ressemblance physique de
Javier avec Sarah, mais aussi à ses douloureuses tentatives personnelles – suscitées par la démarche de Tony – de faire revivre sa
femme.

Javier, nota-t-il, l'observait attentivement, le scrutait avec tant
d'intensité que, par moments, Tomás fut contraint de détourner les
yeux. Il n'en était pas moins heureux d'avoir enfin capté l'attention
de son fils. D'habitude, quand ils se rencontraient, ils semblaient en
perpétuel décalage. Ne fût-ce que pour savourer ces nouveaux rapports, Tomás prolongea donc délibérément son monologue, expo-
sant les avantages et les inconvénients d'accepter l'offre de Tony,
refusant de s'interrompre, même quand il sentit l'impatience de
Javier.

Finalement, celui-ci le coupa :

– Excuse-moi de te le dire, père, mais ton approche me paraît terriblement psy.

– Dois-je considérer cela comme un reproche ? lança Tomás,
piqué au vif.

– Pas du tout ! J'ai le plus grand respect pour ce que tu fais. Mais
tes explications me semblent torturées, excessivement analysées,
alors que la solution me paraît toute simple.

– Ah oui ? Et quelle est-elle, ta solution « toute simple » ?

– Ne donne pas d'argent à ce type, parce que c'est presque certainement un escroc.

– Comment puis-je en être sûr ?

– Tu n'en as pas besoin. Même si ce charognard dit vrai, ce dont
je doute sérieusement, sa fameuse révélation te fera souffrir encore
davantage. Si jamais le dénonciateur est quelqu'un que tu connais
– hypothèse hautement improbable, là encore –, tu ne feras qu'alimenter ta rancœur. Et si c'est un inconnu, qu'est-ce que tu pourras
faire ? Le traquer ? Lui demander des comptes ? Dans l'un ou l'autre
cas, tu seras perdant.

– Malgré tout...

– Je peux très bien comprendre, père, qu'il te paraisse préférable
de savoir que de rester dans l'ignorance. Tu es psychanalyste. Tu

éprouves le besoin de savoir, si pénible que cela puisse être. Mais regarde les choses objectivement : non seulement cette information particulière – à supposer que ce type la détienne vraiment – ne t'avancera à *rien*, mais elle risque d'être si douloureuse que tu regretteras d'avoir voulu la connaître.

Bien qu'en désaccord avec Javier, Tomás fut impressionné par la clarté de son raisonnement. Il fut également surpris que le jeune homme, qui, du fait de la dénonciation, avait tant perdu, ne saute pas sur cette occasion de découvrir le responsable de la disparition de sa mère.

– Le but de mon travail est de révéler la vérité, dit Tomás. Surtout dans le cas des orphelins. C'est seulement quand ils regarderont en face le mal qu'on leur a fait qu'ils pourront s'en libérer. Même chose pour le pays lui-même.

– Je sais ce que tu penses, nous en avons souvent discuté. C'est pourquoi je n'ai pas assisté à ta conférence. J'espère que tu n'en as pas été blessé. Le sujet est tellement pénible que je ne supportais pas d'entendre tout ça une nouvelle fois. Pour ma part, je trouve qu'il vaut mieux continuer à vivre plutôt que de regarder en arrière. (Javier haussa les épaules.) C'est mon opinion, en tout cas.

Malgré ce constat d'opposition, Tomás ne perdit pas espoir de convaincre son fils. Et il s'aperçut qu'il prenait plaisir à discuter avec lui.

Au moins, nous avons enfin un dialogue honnête.

– L'important, Javier, ce n'est pas simplement *qui* l'a trahie. C'est ce qui lui est réellement arrivé. Vas-tu me dire que tu ne veux vraiment pas le savoir ?

– Non ! répliqua Javier avec colère. Pourquoi diable voudrais-je savoir comment ils l'ont torturée ? Les dernières paroles qu'elle a prononcées avant de mourir ? Le tas d'ordures précis sur lequel ils ont balancé son corps martyrisé ?

C'était là, songea Tomás, le cœur même de l'impasse. Parce que *lui*, il voulait connaître tous ces détails, exactement comme ses patients-orphelins. Il n'en fut pas moins frappé par la réaction pleine de bon sens de Javier. Celui-ci avait choisi de devenir un sportif de haut niveau. Il préférait cogner des balles sur un court de tennis plutôt que de passer son temps à ruminer la tragédie centrale de sa vie. Tomás respectait ce choix, tout comme il respectait les choix très divers de ses patients. Les orphelins, parce qu'ils avaient grandi dans le mensonge, cherchaient aujourd'hui avidement la vérité ;

toute révélation, si douloureuse soit-elle, était pour eux un soulagement, car ils n'avaient rien d'autre à quoi se cramponner. C'était pour cela qu'ils avaient tant besoin de lui... à l'inverse de Javier, apparemment.

Le déjeuner était terminé. Leurs tasses de café étaient vides. Le serveur avait débarrassé les assiettes.

– Et si on tapait la balle, histoire de se défouler un peu ? dit Javier en jetant un coup d'œil sur sa montre. Le court d'en bas est à nous si on le souhaite.

Tomás le dévisagea. Il sentait que Javier tramait quelque chose, qu'il avait une idée derrière la tête.

– Aurais-tu l'intention de donner à ton paternel une leçon de tennis en public ?

– Qu'est-ce qui te fait dire ça, père ?

– Tu as réservé le court central.

– Hé, je suis le pro du club ! Le court central, c'est là que je joue. (Javier eut ce sourire fugace, éclatant, qui rappelait tant sa mère.) Mais si tu préfères, je peux nous dégoter un court plus discret. Franchement, jc suis prêt à tout pour te faire jouer.

OK, c'est un professionnel et il a vingt-cinq ans de moins que moi. Perdre face à lui n'aura rien de honteux, et peut-être que c'est important pour lui de me battre. Donc, d'accord, je suis le père, à moi de jouer la victime expiatoire. Voyons ce qui en sortira.

– Très bien, jouons sur le court central, dit Tomás.

Après un peu d'échauffement, Javier remporta facilement le premier set 6-2, laissant Tomás tout surpris d'avoir réussi à décrocher deux jeux. Ils avaient pratiqué un tennis courtois et, de l'avis de Tomás, pas particulièrement excitant. Javier s'en tenait à une stratégie méthodique, mais Tomás avait l'impression qu'il retenait ses coups.

Qu'est-ce qu'il peut bien mijoter ?

Le deuxième set démarra à peu près dans le même style. Mais quand ils égalisèrent à 2-2, Tomás décida de tenter sa chance.

Si j'arrivais à lui prendre son service, juste une fois, ça pourrait le faire douter... et ce serait assurément satisfaisant pour moi.

Soudain, en un instant, tout changea. Le joueur rouillé et courtois se métamorphosa en attaquant. Tomás frappa la balle de toutes ses forces, plaquant un retour sur la ligne. Il remporta un deuxième point grâce à un revers à deux mains chanceux. Sur le troisième service, il se précipita au filet et, d'un smash, renvoya la balle dans les pieds de Javier, ce qui le fit mener 0-40 au score... à un point du break.

— Superbe coup, père ! cria Javier.

Sur ce, il décocha un service tellement puissant que Tomás, ahuri, ne put que regarder passer la balle.

— Trop rapide pour toi, papa ? Tu veux que je ralentisse ?

— Holà ! Ne prends pas de gants avec moi !

Il crut voir Javier esquisser un sourire, mais il était trop loin pour déchiffrer son expression.

— Tu veux jouer au tennis pour de vrai, alors ?

— On est là pour ça, non ? cria Tomás.

— Je croyais que tu voulais juste t'entraîner un peu.

— La compétition ne me fait pas peur.

— Tant mieux ! Allons-y !

Javier servit alors quatre aces d'affilée, qu'il balança l'un après l'autre dans les angles du carré de service. Tomás ne resta pas planté là à se gratter le crâne mais courut après chaque balle. Même s'il les manqua toutes les quatre, l'effort le revigora.

3-2. Rien n'est perdu ! Maintenant, il faut que je fasse l'impossible pour remporter mon service.

Le jeu suivant fut le plus âprement disputé, Tomás utilisant tous les coups de son répertoire, lobant la balle, utilisant le soleil à son avantage, allant même jusqu'à faire suivre un premier service, moyennement rapide, d'un second frappé de toutes ses forces. Ils se retrouvèrent quatre fois à égalité avant que Tomás ne finisse par avoir le dessus.

3-3 ! Super ! Je joue sacrément bien, là !

En effet, au cours du dernier jeu, il avait probablement joué mieux et plus fort qu'il ne l'avait fait depuis des années.

Il transpirait dans la chemise que Javier lui avait prêtée. *Dans la chemise de mon fils !* pensa-t-il, se demandant s'il fallait y voir une signification. Mais il se reprit : *Rien à foutre de l'analyse ! Concentre-toi ! Ce n'est pas une bataille œdipienne... c'est un match de tennis, bon Dieu !*

Durant le jeu suivant vint un moment où Tomás se rendit compte qu'il jouait instinctivement, sans essayer de réfléchir à ce qu'il devait faire. Il trouva libérateur de jouer simplement un bon vieux tennis agressif. À chaque point gagné, il lui semblait que le niveau de son jeu s'élevait également.

Ils cognaient et fouettaient la balle, ahanaient quand ils la frappaient, juraient quand ils l'envoyaient dehors, gémissaient quand ils la mettaient dans le filet. Ils couraient d'avant en arrière sur le court, haletants, riant tout haut quand ils montaient au filet pour exécuter un smash. Ils luttèrent sans merci pour chaque point, chacun s'efforçant de pulvériser la balle, de lui donner de l'effet, de jouer les angles, d'utiliser au mieux les lignes et les coins. Leur front dégoulinait de sueur, leurs chemises étaient à tordre. Chaque fois que l'un remportait un point particulièrement disputé, l'autre le congratulait avant de jouer le point suivant avec une férocité redoublée.

Même à 5-3, 40-0, balle de set, Tomás sut qu'ils avaient disputé un grand match : le vieux roublard contre le jeune lion.

Il fut le premier stupéfait de revenir en force au score. Égalité. Quand Javier reprit le dessus, Tomás se surprit à nouveau en le remontant une deuxième fois. Et le manège continua : avantage ; égalité ; avantage ; égalité... Il n'aurait su dire combien de fois ils rejouèrent le point ; mais quand, enfin, Javier remporta le match, Tomás se sentait tellement euphorique, tellement vivant, qu'il s'élança au filet pour serrer fort son fils contre lui.

Entendant des applaudissements, il leva la tête et vit une quinzaine de spectateurs ravis qui les observaient de la terrasse.

– Magnifique point ! Bien joué ! cria une femme.

– Il est bon, hein ? lança Javier. C'est mon père !

– Merci pour la leçon de tennis, dit Tomás.

Il étreignit de nouveau Javier, l'embrassa sur le front et sur les deux joues.

Tomás trouva curieux que son vieil ami Carlos Peña, son mentor et analyste, insiste pour lui faire « prendre la position » sur le divan.

– Ah ! fit Carlos avec un bon sourire en voyant Tomás hésiter. On dirait que le Dr Hudson a oublié ce que c'est d'être un analysant.

Lorsque Tomás se fut docilement allongé, il enchaîna :

– Vous vous sentez vulnérable, maintenant, n'est-ce pas ?

– Comme je vous l'ai dit au téléphone, j'ai besoin d'un conseil. Je n'ai pas parlé de thérapie.

– S'il vous plaît, faites-moi ce petit plaisir, dit Carlos. Le temps que je découvre ce qui vous trouble.

Comme toujours, Tomás fut réconforté par la voix de Carlos, si maîtrisée, empreinte de force et d'assurance. En fait, tout était confortable chez lui : ses yeux pleins de compassion, son expression bienveillante, ses vêtements de style anglais.

– Qu'est-ce qui vous fait croire que quelque chose me trouble ?

– Votre ton, cher Tomás. N'oubliez pas... je vous connais très bien.

C'était vrai, songea Tomás, puisque personne, sans doute, ne le connaissait mieux.

Il faisait confiance à Carlos plus qu'à n'importe qui d'autre dans sa profession. Par conséquent, si Carlos estimait qu'il avait besoin d'un traitement, il jouerait le jeu, pour voir ce que le vieux avait dans la tête. Carlos, doué d'un sixième sens pour comprendre les gens, pratiquait la psychanalyse à la manière d'un artiste. À ce titre, il était un exemple pour Tomás et pour tous ceux, très nombreux, qui avaient bénéficié de son enseignement.

Si ça se trouve, c'est uniquement pour plaisanter qu'il m'a demandé de m'allonger.

– Ça fait des années que je ne me suis plus allongé sur ce divan, dit-il en parcourant du regard le cabinet de consultation.

Peu de choses avaient changé depuis la fin de son analyse, vingt ans auparavant : l'emplacement des meubles ; le buste en bronze de Freud sur la cheminée ; les diplômes accrochés au mur ; et, juste en face du divan, une énigmatique photo noir et blanc, encadrée, montrant un vieil homme cheminant sur une voie ferrée, avec des nuages menaçants à l'horizon : parfaite image pour un cabinet de psy, car un patient pouvait y lire une multitude d'histoires et, ce faisant, révéler son inconscient.

– Merci, Carlos. Je me sens parfaitement à l'aise maintenant.

Encouragé par la phrase « Alors, comment va la vie ? » – chaleureuse entrée en matières que Carlos employait toujours en début de séance –, Tomás commença à parler.

Il récapitula tout : le message qu'il avait trouvé sur son répondeur ; sa rencontre avec le répugnant Tony au ridicule Café Sigi ; la conviction de Javier que Tony était un *chanta* ; l'opinion identique de Tomás, qui ne pouvait néanmoins écarter l'hypothèse que le renseignement de Tony soit véridique ; son intuition que, s'il apprenait le nom de la personne qui avait dénoncé Sarah, il parviendrait peut-être enfin à tirer un trait sur ce terrible chapitre de sa vie.

Pendant la dizaine de minutes qu'il lui fallut pour exposer son dilemme, il prit conscience, à un moment donné, de la respiration bruyante de Carlos. Il s'aperçut aussi que son mentor ne l'avait pas interrompu une seule fois. Et ça, ce n'était pas le style de Carlos Peña : il était célèbre pour assaillir de questions ses patients, technique qui avait pour but, comme il l'expliquait dans ses séminaires, « de les aider à mettre de l'ordre dans leurs pensées ».

Finalement, Carlos prit la parole :

– À vous écouter, il me revient en mémoire une citation de Freud : « Il est toujours possible d'unir dans l'amour un grand nombre de personnes, du moment qu'il en reste d'autres pour recevoir la manifestation de leur agressivité. »

– J'avoue ne pas voir le rapport, dit Tomás, perplexe.

N'obtenant pas de réaction, il se retourna sur le divan.

À sa grande surprise, le visage de son ami, d'ordinaire calme et pensif, était déformé par l'effroi. Carlos haletait. Sa tête léonine, couronnée de mèches grises en bataille, oscillait légèrement. Tandis que Tomás le regardait, conscient qu'il se passait quelque chose d'anormal, l'effroi de Carlos céda la place à une expression de rage.

– Vous vous sentez bien ? s'enquit Tomás.

Sur le moment, le vieil homme ne répondit pas. Puis, comme Tomás continuait de le fixer, redoutant un malaise, il parla enfin. Ses paroles et sa voix ne ressemblaient à rien de ce que Tomás, à ce jour, avait entendu sortir de sa bouche. Elles lui firent l'effet d'une explosion.

– Je sais ce que vous attendez de moi, Tomás... le genre de sagesse bidon que vous administrez à vos patients : « Mieux vaut laisser reposer le passé », etc. etc. À quoi je réponds : *conneries !*

Une fine gerbe de postillons accompagna le dernier mot.

– Une personne ne peut pas nier ses besoins. Freud ne l'a pas pu ! Nous savons qu'il en pinçait pour les hommes. Nous savons qu'il s'adonnait à des pratiques sexuelles tordues. Tout ça est soigneusement censuré, à la Bibliothèque du Congrès de Washington, jusqu'à la putain de saint-glinglin... et vous savez pourquoi ? Parce que ça nous montre que Freud était *perturbé*. Eh oui ! *Putain de grosse affaire !* Qu'il ait sucé la bite de Fliess, qu'il ait été amoureux de Carl Jung, qu'il ait fait de temps à autre du triolisme avec Martha et Minna... est-ce que tout cela retire quoi que ce soit à son œuvre ? Je ne le pense pas ! Mais assez parlé du Grand Fondateur de Merde ! Qu'est-ce que je *vous* suggère de faire ?

Depuis le temps que Tomás connaissait Carlos, il ne se rappelait pas l'avoir jamais entendu proférer une grossièreté. C'était un homme d'une grande dignité, aux manières irréprochables, parfaitement maître de soi, toujours vêtu avec raffinement. Et pourtant, en l'occurrence, son discours était émaillé d'obscénités. Par-dessus le

213

marché, lui qui considérait presque Freud à l'égal d'une divinité l'appelait maintenant « le Grand Fondateur de Merde ». Plus perturbant encore était son ton de voix, chargé de mépris pour sa profession, pour ses convictions, pour Tomás et pour lui-même.

– Non, Tomás... pas la peine de vous tortiller comme un ver sur ce satané divan. Si vous voulez une réponse directe, asseyez-vous et regardez-moi en face, comme un homme ! Vous m'avez demandé mon opinion. La voici : *Démasquez l'enfoiré !* Entrez dans le jeu de Tony , cette ordure, jusqu'à ce qu'il vous donne le nom de l'enfoiré. Soudoyez-le, tabassez-le, faites ce que vous voudrez, mais arrangez-vous pour obtenir ce foutu *nom*... et ensuite, vengez-vous de ce putain de dénonciateur !

« Laissez-moi vous dire une bonne chose. Si c'était *moi*, si j'avais perdu *ma* femme de cette manière et si *je* découvrais qui l'a dénoncée, je me ficherais pas mal du nombre d'années écoulées. Et je ne me contenterais pas d'un banal *escrache. Certainement pas !* Je débusquerais l'enfoiré, je guetterais son passage, une nuit, je l'empoignerais, je le plaquerais sur le trottoir, je lui flanquerais un bon coup de genou dans les couilles, puis je le poignarderais dans le bide en retournant le couteau dans la plaie.

« Ouais, parfaitement ! Je le poignarderais... et pas qu'une fois ! Je recommencerais, encore et encore, en tournant le couteau à chaque fois ! Et tant que j'y serais, je lui couperais la queue et les couilles. Oh ! je sais... nous sommes censés être civilisés, humanistes, charitables. Nous sommes des pourvoyeurs de foutaises psychanalytiques, pas vrai ? Mais dans un cas comme le vôtre, moi, je dis : *Rien à foutre de ces conneries !* Au final, nous ne sommes que des animaux ! C'est bien ça, non, la leçon des Hitler, Staline, Perón... des nazis, des cocos, du Processus ? Nous sommes tous des putains d'animaux et nous serons toujours des putains d'animaux, quel que soit le nombre de couches de vernis qu'on mette par-dessus.

« Bordel, j'en ai plus que marre de cette foutue superstructure rationnelle que nous avons concoctée pour expliquer tout ce qui nous déconcerte ! Cette façade bidon que nous présentons et que nous osons appeler culture. Vous vous rappelez ce que disait Goering ? « Quand j'entends le mot 'culture', je sors mon revolver ! » Paroles appropriées à une situation comme la vôtre. En ce qui me concerne, vous pouvez prendre votre putain de culture et vous l'enfoncer dans le cul. Plutôt le goût salé du sang, le goût cuivré de la vengeance, que ces conneries analytiques usées jusqu'à la corde. Laissez battre votre cœur d'une rage meurtrière. Tuez votre ennemi, plongez vos mains dans son sang et badigeonnez-vous-en la figure. Faites-vous plaisir ! La vengeance est douce ! On vous l'offre sur un plateau. Ne soyez pas stupide, *prenez-la* !

Tomás était atterré. En plus d'un quart de siècle d'amitié confraternelle, il n'avait jamais entendu Carlos tenir ce genre de propos. L'homme qui lui parlait n'était pas seulement quelqu'un qu'il ne connaissait pas, c'était quelqu'un qu'il ne *voulait* pas connaître.

Il se leva, tremblant, sans cesser de fixer dans les yeux son ancien mentor. Carlos soutint son regard, les yeux égarés, furieux, la bouche figée en une grimace rageuse. Non, ce n'était pas le Carlos Peña qu'il connaissait ; c'était un monstre ivre de violence.

Incapable même de réfléchir à une réponse, Tomás s'enfuit du cabinet de consultation sans un regard en arrière.

Il avait deux rendez-vous cet après-midi-là, mais il ne se sentait pas le courage de recevoir des patients après un tel choc. Heureusement, il parvint à les joindre tous les deux pour reporter leurs séances. Tout en arpentant son bureau, il envisagea de téléphoner à quelqu'un... mais à qui ?

Le choix évident était Victoria Fabiani, l'associée de Carlos. Mais que pourrait-il lui dire ? Que Carlos était en pleine dépression nerveuse ? S'il se trompait, ce serait une terrible trahison. Et s'il avait raison, Victoria ne s'en serait-elle pas déjà rendu compte ?

Ana Moreno ? Elle compatirait, bien sûr. Ça le réconfortait toujours de parler avec elle. Mais ne risquait-elle pas de croire qu'il invoquait comme prétexte la diatribe de Carlos pour la rencontrer et renouer leur liaison interrompue ?

Il examina d'autres possibilités. Si rocambolesque que cela parût, se pouvait-il que l'explosion de Carlos ait été une sorte de stratagème thérapeutique, une façon de lui dire que l'issue inéluctable, s'il traitait avec Tony, serait un acte de violence ?

C'était trop stupide ! Et d'ailleurs, Carlos ne recourait pas aux stratagèmes. Ceux-ci allaient à l'encontre de sa conviction la plus chère, à savoir que la psychanalyse était la meilleure méthode jamais inventée pour explorer en profondeur le psychisme humain.

À mesure que l'après-midi avançait, Tomás en vint même à se demander s'il n'avait pas *imaginé* le monologue de Carlos, s'il ne l'avait pas entendu dans une sorte de rêve éveillé. Mais il savait que c'était impossible. Carlos avait bel et bien prononcé ces paroles effrayantes, employé ce ton effrayant. Qu'est-ce que cela pouvait bien signifier ? Le mieux était peut-être de lui téléphoner, de lui poser la question sans détour. Mais si jamais Carlos niait avoir tenu ces propos, s'il affirmait que c'était une illusion de Tomás ?

Quand son téléphone sonna, peu après trois heures, il décida de ne pas décrocher. Il tremblait encore et n'avait qu'une envie : sortir, déambuler dans les rues, se perdre dans la ville. Mais comme la sonnerie se prolongeait, indiquant que son correspondant ne renoncerait pas, il souleva le combiné d'un geste brusque, espérant que c'était Carlos qui l'appelait pour s'expliquer ou, tout au moins, s'excuser.

– Oui ? dit-il, surpris par la rudesse de sa voix.

C'était Victoria Fabiani, complètement paniquée.

– Tomás ! Tomás ! Dieu merci, vous êtes là ! Il s'est passé une chose épouvantable !

Avant même qu'elle lui ait annoncé la tragique nouvelle, Tomás eut une idée très nette de ce que ça pouvait être. Carlos, lui dit Victoria, avait quitté sans un mot leur cabinet du rez-de-chaussée, quelques minutes plus tôt, et avait pris l'ascenseur jusqu'au toit, d'où il s'était jeté dans le vide. L'immeuble faisait treize étages. Il était mort sur le coup.

– Ici, c'est le chaos. Il était en pleine séance quand il est parti précipitamment, laissant sa patiente allongée sur le divan. La fille, voyant du remue-ménage par la fenêtre, s'est levée pour aller regarder. Elle est maintenant en état de choc, persuadée d'avoir dit quelque chose qui a fait perdre la tête à Carlos. Un autre patient, qui était dans la salle d'attente au moment où Carlos est sorti en coup de vent, a été bouleversé qu'il ne lui dise pas bonjour. Il est à côté, en train de sangloter. Les occupants de l'immeuble courent dans tous les sens comme des fous. Il doit y avoir vingt ou trente psys qui habitent et travaillent ici. Toute la Villa Freud, grands dieux ! Dans tout le quartier, les gens sortent en masse de leurs immeubles. J'ai déjà eu des appels de l'Institut pour demander ce qui se passe. C'est une catastrophe, Tomás ! Une effroyable catastrophe ! Il faut que vous veniez tout de suite. Nous avons besoin de spécialistes des traumas. Nous avons besoin de ses amis. Je vous en supplie ! Excusez-moi de couper la communication, mais... tous les téléphones sonnent... sonnent...

11

LA TOILE D'ARAIGNÉE

Marta et Rolo trouvèrent le studio photo de Reinaldo Costas fermé, avec un écriteau sur la porte annonçant que cette fermeture était définitive. Quand ils exhumèrent le gardien de l'immeuble, celui-ci leur indiqua que Cyber-Fotografía avait mis la clef sous le paillasson trois jours plus tôt. Mr Costas, leur dit-il, avait été renversé devant chez lui par un chauffard. Ses employés avaient déménagé son matériel et le studio n'était plus en activité.

– C'étaient des gens corrects, dit le gardien. Ils n'ont pas filé à l'anglaise comme le font certains quand leur entreprise fait faillite. L'assistant de Costas m'a même payé un mois de loyer supplémentaire pour solder le bail.

L'assistant anonyme n'avait pas laissé de numéro de téléphone où le joindre. Tout ce qu'avait le gardien, c'était l'adresse du domicile de Costas.

Tandis qu'ils sortaient de la galerie, Marta secoua la tête d'un air insatisfait.

– Tout le monde nie avoir un rapport quelconque avec les photos truquées. Costas était trop facile à localiser et ses portraits sur ordinateur étaient trop passe-partout. Nous devons nous intéresser de plus près à ce señor Costas et à sa mort accidentelle si opportune.

Elle s'arrêta au siège de la Criminelle pour faire son rapport à Ricardi. En voyant l'œil noir du chef, elle comprit tout de suite qu'elle était dans le pétrin.

– Entrez et fermez cette foutue porte, gronda-t-il.

Elle obéit. Elle l'avait déjà entendu parler sur ce ton aux autres, mais c'était la première fois qu'elle en faisait personnellement l'expérience.

Seigneur ! Qu'est-ce que j'ai fait ?

Seule avec lui, elle attendit une explication.

– Qui sont ces mecs, Galluci et Pereyra ? demanda-t-il d'un ton cassant. Qu'est-ce qui se passe, bon Dieu ?

Elle décrivit son enlèvement et, dans la foulée, l'arrestation des deux hommes. Avant d'avoir pu demander à Ricardi comment il connaissait leurs noms, il exigea de savoir pourquoi elle ne lui avait pas raconté tout ça la veille au soir.

– Ils avaient détruit mon portable. En plus, j'ai dû envoyer mon mari et ma fille en Uruguay et m'installer moi-même à l'hôtel.

– Ils sont toujours à la planque ?

Elle acquiesça. Il prit une feuille de papier sur son bureau.

– Voici un mandat du juge Schell vous enjoignant de les amener à son cabinet.

– Je travaille avec la juge Lantini. Qu'est-ce que Schell vient faire là-dedans ?

– La famille Pereyra a engagé Lizardo, un avocat spécialisé dans la défense des flics. Lui, il est allé trouver Schell.

Marta savait à quoi s'en tenir sur le juge Schell : il était réputé pour son indulgence envers les flics corrompus.

– Très bien ! On les expédiera chez Schell. Peut-être qu'il arrivera à les faire parler.

– Vous ne pigez pas, Marta ! Schell va les relâcher. Vous ne pouvez pas les identifier formellement, et maintenant votre expert photographe est mort.

Ricardi se tourna vers la fenêtre pour contempler le port, laissant Marta écouter le jazz que la radio diffusait en sourdine.

– Et vous n'en savez malheureusement que la moitié, ajouta-t-il en pivotant vers elle.

Marta sentit son estomac chavirer en écoutant Ricardi déballer l'autre moitié.

– Charbonneau a dit au chef de la police fédérale que vous aviez accusé Viera d'avoir commandé les photos truquées de son épouse. À l'en croire, vous avez exigé un pot-de-vin.

– C'est un mensonge ! Viera a ordonné à Charbonneau de m'assister dans mon enquête. Charbonneau lui-même a dit qu'il se soumettrait à un interrogatoire de la juge.

– Eh bien ! apparemment, il a changé d'avis. Il menace de porter plainte. Il ne l'a pas encore fait officiellement. Il a juste fait savoir que, si la juge Lantini ne laissait pas tomber cette enquête pour obstruction, il nous créerait un tas d'ennuis.

– C'est du chantage !

– Peut-être. Mais les faits sont là : vous avez fait intrusion dans son bureau, vous avez tenté de le bluffer, et vous n'avez même plus votre photographe pour corroborer vos dires. Il ne vous reste qu'un sacré gâchis. (Il secoua la tête.) On m'a conseillé de vous retirer le dossier.

– Conseillé ou ordonné ?

– Qu'est-ce que ça change ?

– Si on vous l'a ordonné, c'est encore de l'obstruction.

– Prenez-le comme vous voudrez, Marta. À partir de maintenant, vous êtes hors du coup.

Elle vit qu'il parlait sérieusement. Elle avait déçu sa confiance, l'avait mis dans une position embarrassante vis-à-vis de ses supérieurs.

– J'ai une très bonne réputation depuis mon enquête sur Casares, lui rappela-t-elle.

– C'était hier. Nous sommes aujourd'hui.

Elle le regarda attentivement. Avait-il été acheté ? Elle ne pouvait se résoudre à le croire. Toutefois, dans un environnement de corruption, tout était possible.

Elle décida de prendre un ton raisonnable, d'essayer de trouver un compromis.

– Vous avez raison, je n'aurais pas dû provoquer Charbonneau. J'aurais dû d'abord mettre Costas sous les verrous. Mais j'ai été kidnappée, Galluci m'a trituré les mamelons, il a menacé de torturer Marina devant moi. J'étais en colère, j'ai agi sous le coup de l'émotion. C'était une erreur.

– Vous auriez dû m'appeler, me raconter ce qui s'était passé. Elle acquiesça.

– C'est vrai. Si j'étais venue vous trouver, vous m'auriez calmée et je ne serais pas partie à l'assaut sans munitions.

Sentant qu'il commençait à mollir, elle joua sur la haine qu'il vouait à Liliana Méndez. Elle lui rappela comment Liliana avait délibérément saccagé la scène du crime, ce qui concordait avec les déclarations de Galluci, lequel accusait Liliana de les avoir engagés, lui et Pereyra, pour effrayer Marta et l'inciter à abandonner l'affaire.

– Liliana est impliquée là-dedans, j'en suis certaine. Je suis à peu près sûre de pouvoir persuader la juge Lantini de laisser tomber l'enquête pour obstruction, mais ne me retirez pas les homicides. S'il vous plaît.

– Vous *devez* la persuader de laisser tomber, lui dit Ricardi. Sinon, vous serez occupée à plein temps à vous défendre.

– Donc, vous êtes d'accord ?

Ricardi réfléchit un moment, puis inclina la tête.

– Allez-y, occupez-vous des meurtres. S'ils vous conduisent à certains hommes politiques et personnages officiels... parfait. Mais oubliez ces photos truquées. Celui qui vous les a envoyées vous a menée en bateau. Oubliez aussi les mecs qui vous ont kidnappée. Une fois que tout le monde aura compris que l'enquête pour obstruction est close, je suis sûr qu'on ne vous embêtera plus.

Marta n'en était pas si sûre. Il y avait toujours les Crocos. Elle savait qu'elle ne pouvait pas encore prendre le risque de faire revenir Leon et Marina à Buenos Aires. Quant à Galluci et Pereyra, Méndez père et fille, Charbonneau et Viera, elle avait sa petite idée sur la manière de les accommoder : en faire les protagonistes d'une histoire de complot qui ferait saliver Raúl Vargas.

– Désolée de vous avoir mis dans l'embarras, chef.

– Vous aviez été menacée, dit-il en hochant la tête. Je comprends.

– Merci de me laisser les homicides.

Ricardi grimaça un sourire.

– Et à qui d'autre voulez-vous que je les confie, bon Dieu ? Vous êtes toujours ma meilleure enquêtrice. Mais les initiatives personnelles, c'est fini. À partir de maintenant, vous me ferez votre rapport tous les jours.

– Changement de programme, dit-elle à Rolo. Retourne à la planque, attrape Galluci et Pereyra par la peau du cou et traîne-les au palais de justice, chez le juge Schell. Tant que tu y seras, jette les couilles d'agneau de Galluci dans la cuvette des W.-C. De mon côté, je vais voir où en est la surveillance de Teresa Levi. On s'occupera plus tard du problème Costas.

– Qu'est-ce qui se passe ?

Elle lui expliqua les derniers développements et pourquoi Galluci et Pereyra n'avaient plus d'importance.

– Sans Costas pour les identifier, tout ce que je pourrai dire sera sans valeur. Schell va les relâcher, point final. Veille à leur bander les yeux avant de les embarquer dans la voiture. Ricardi est le seul, à part nous, à connaître l'emplacement de la planque. Je tiens à ce que ça continue.

Ce qu'elle ne dit pas à Rolo, c'est que c'était pour elle un moyen de tester Ricardi. Si jamais quelqu'un s'introduisait dans la planque et fouillait dans leurs dossiers, elle saurait qu'elle ne pouvait plus lui faire confiance.

Avant de vérifier la surveillance de Teresa Levi, elle fit ce qu'elle avait eu l'intention de faire avant son enlèvement et tout ce qui avait suivi. Elle alla rendre visite au jeune couple blond et fortuné que Teresa Levi avait décrit : Charles et Lucinda Céspedes, les « riches enfants gâtés » qui avaient travaillé à l'occasion pour Ivo Granic, « histoire de prendre leur pied ».

Elle les surprit dans leur luxueuse villa blanche, cubique, sise dans une rue de Belgrano bordée d'arbres feuillus, véritable îlot de tranquillité dans la bruyante cité.

L'entretien eut lieu dans l'immense salon des Céspedes, une pièce pratiquement vide dont la géométrie sophistiquée évoquait l'opulence et les privilèges.

— Oui, il nous arrivait de faire des petits boulots pour Ivo, admit Charles Céspedes, vautré en biais dans un large fauteuil recouvert de tissu blanc, les jambes repliées sur l'un des accoudoirs. De simples incartades, en fait : pour nous, ça n'allait pas plus loin. Des petites extravagances, pourrait-on dire. (Il alluma une cigarette à bout doré, se tourna vers sa femme.) Tu es d'accord avec moi, ma chérie ?

Lucinda Céspedes acquiesça. Ces deux-là se ressemblaient étonnamment, pensa Marta, avec leurs épais cheveux blonds superbement coiffés et leurs yeux d'un vert brillant. Ils portaient des vêtements noirs identiques, unisexes, et souriaient de la même manière. Amusés par les questions de Marta, ils échangeaient des regards complices.

— L'inspecteur doit bien comprendre que nous ne faisions pas ça pour l'argent, dit Lucinda en s'adressant à Charles. Comme vous pouvez le constater, enchaîna-t-elle en se tournant vers Marta, nous sommes très riches.

Elle fit un large geste théâtral, comme pour indiquer que leur maison en était la meilleure preuve. Marta remarqua qu'elle avait des cicatrices aux poignets.

Tentative de suicide ? se demanda-t-elle.

— L'inspecteur doit également comprendre, enchaîna Lucinda en se retournant vers Charles, que nous n'avions pas de rapports sexuels avec les clients d'Ivo. Tout ce que nous faisions, c'était nous exhiber devant eux en train de baiser.

– Ivo nous payait, bien entendu, dit Charles en riant. Assez grassement, en plus. Ça nous plaisait. Être payés pour s'envoyer en l'air devant ses clients minables nous excitait au plus haut point.

Marta secoua la tête. Elle n'avait jamais rencontré de gens pareils. Elle n'aurait su dire si leur autosatisfaction était réelle ou simplement une pose.

– Comment aviez-vous fait la connaissance de Granic? demanda-t-elle.

– Par des amis communs.

– Il me faut des noms.

Lucinda haussa les épaules.

– Juan Sabino et Juanita Courcelles. Peut-être avez-vous entendu parler d'eux? dit-elle en adressant à Charles un de ses petits sourires narquois.

– Je suis censée être impressionnée, je suppose, dit Marta. Qui a tué Granic, selon vous?

Ils se regardèrent, firent la moue.

– Ça pourrait être n'importe qui, ricana Charles. Ivo se livrait à des activités risquées.

– Par exemple?

– Le chantage. À ce qu'il paraît, en tout cas. Franchement, ça m'étonnerait que ce soit vrai. Je n'imagine pas que, de nos jours, on puisse avoir quelque chose à foutre de ce que les autres font au lit.

– Granic vous a-t-il demandé de participer à une scène sado-masochiste avec un homme politique? Une scène qu'il voulait filmer?

– En aucun cas! se récria Charles, horrifié. S'il l'avait fait, nous aurions refusé.

– Non que nous ayons des problèmes avec le SM, bien au contraire, ajouta Lucinda. Mais avec un homme politique... beurk! Pitié pour nous!

Entendant un claquement de talons sur le dallage en marbre, derrière elle, Marta se retourna. Une femme séduisante, à peu près de son âge, se tenait sur le seuil.

Lucinda se leva pour l'accueillir. Les deux femmes s'étreignirent, Lucinda prit l'inconnue par la taille et disparut avec elle.

– Notre nouvelle chouchoute, expliqua Charles. Une Américaine. Lucinda est dingue d'elle. Moi aussi, d'ailleurs.

Il ôta ses jambes de l'accoudoir et se pencha en avant, sourire aux lèvres, les yeux rivés sur Marta.

222

– On pourrait bien s'amuser ensemble, tous les quatre... un flic, des menottes, un revolver. Ça pourrait devenir très intéressant...

– Oh, je vous en prie ! dit Marta d'un ton sec. Vous êtes ridicule.

La fourgonnette de surveillance de la police, camouflée en véhicule de dépannage du service des eaux, était garée en face de l'immeuble de Teresa Levi. À l'accueil empressé que lui réserva le technicien, Marta comprit qu'il avait quelque chose à lui montrer.

– Action intéressante dans l'appartement du sujet, dit-il. J'ai rapproché les enregistrements audio de vos mouchards avec ma vidéo des entrées et des sorties. C'est un immeuble tranquille. Très convenable. Mais ce qui se passe dans cet appartement n'est pas convenable du tout.

Depuis que Rolo avait installé les micros, deux jours plus tôt, il y avait eu cinq séances sadomasochistes. Celle qui intriguait le plus le technicien se déroulait entre Teresa et un beau jeune homme aux boucles noires indisciplinées, que Marta reconnut d'après les affiches placardées sur tous les murs de la ville.

– C'est Roger Queneau, le violoncelliste français qui vient de donner des concerts au Teatro Coliseo, lui dit le technicien. Il joue les arrogants quand il descend de son taxi mais, une fois là-haut, il se transforme en serpillière.

Marta écouta la bande :

Teresa

Mets-toi à genoux, esclave ! Lèche la crasse de mes souliers de tango !

Client

Oui, Madame !

(Claquement de gifle)

Teresa

Pas « Madame », imbécile ! « Comtesse » !

Client

Oui, Comtesse !

223

Teresa

Voilà qui est mieux. À présent, enlève mes souliers avec grand soin et lèche la sueur qui les imprègne.

Tandis que le célèbre violoncelliste obéissait à ses ordres, Teresa s'employa à le ridiculiser, détaillant le nombre d'hommes avec qui elle avait dansé la nuit précédente, chaussée précisément de cette paire d'escarpins.

Teresa

Des hommes, des vrais ! Pas un vil esclave comme toi. Des hommes qui savent enlacer une femme, éveiller son désir...

Le deuxième visiteur, un gentleman chauve et âgé, doté d'une moustache blanche à la gauloise, fut entraîné par Teresa dans une scène très élaborée, parodique, d'inspiration religieuse. S'adressant à elle sous l'appellation « Mère supérieure », il lui confessa de nombreux « fantasmes impurs » et autres « actes charnels contre nature ».

Teresa

Vous avez été très vilain, mon fils. Vous devez maintenant expier vos péchés.

Elle lui entrava alors les poignets avec un chapelet et le soumit à une légère flagellation à coups de joncs. À la fin de la séance, elle lui accorda « l'absolution », puis lui ordonna de laisser un « don » pour l'entretien de sa « sainte chapelle ».

Les deux séances suivantes étaient tout aussi bizarroïdes, mais Marta ne put s'empêcher d'admirer la créativité de Teresa.

La dernière séance, qui avait eu lieu la veille dans l'après-midi, retint toute son attention. Non pas à cause du client entre deux âges, grand et un peu voûté, qui arriva dans une voiture avec chauffeur, mais parce que Marta crut reconnaître l'homme qui était assis à l'avant, côté passager, dans la posture traditionnelle du garde du corps.

– Rembobinez la bande jusqu'au moment où le garde du corps descend, dit-elle au technicien, et figez l'image quand il se tourne vers la caméra.

Elle étudia le plan fixe : c'était bel et bien l'homme à la voix douce, coiffé d'un feutre gris, qui l'avait abordée devant son épicerie de quartier pour lui remettre un exemplaire plié d'*El Faro* bourré de billets de banque.

Ça devient intéressant...

Elle écouta attentivement la bande audio de la scène qui suivit. Celle-ci ne différait guère des autres sur le plan de la pratique sado-masochiste, mais elle présentait une particularité qui confirmait la théorie de Marta sur l'affaire.

Cette fois, le client jouait le rôle d'un « captif » soumis par Teresa à un « interrogatoire » musclé, lequel semblait s'inspirer des interrogatoires militaires, d'une notoire brutalité, qu'avaient endurés les ennemis du Processus.

Dans cette scène, le client s'adressait à Teresa en l'appelant « Colonel », tandis que Teresa le gratifiait de toute une série de noms dégradants allant de « raclure » à « sale porc ».

Teresa

La dernière fois, tu ne m'as pas tout dit. Aujourd'hui, je vais te briser !

La bande ne permettait pas à Marta de deviner quel genre de tortures infligeait Teresa. Cependant, d'après les gémissements et les cris étouffés qui suivirent, la « torture » devait être très douloureuse – ou alors, les protagonistes avaient un talent extraordinaire.

À la fin, le « captif » sortit apparemment vainqueur, car le « colonel » n'était toujours pas parvenu à le faire parler. La séance terminée, Teresa et son client en discutèrent joyeusement autour d'un verre amical.

Teresa
(*admirative*)

Votre résistance à l'interrogatoire s'est révélée excellente aujourd'hui.

Client

Merci. Ces séances m'apportent énormément. Nous allons plus loin à chaque fois et ça me plaît.

Teresa
(d'un ton léger)

Un jour, vous verrez, je vous briserai pour de bon.

Ils rirent de bon cœur, puis la conversation dériva vers d'autres sujets : potins salaces concernant une célèbre actrice de cinéma espagnole ; les dernières mauvaises nouvelles concernant l'économie ; le remarquable jeune violoncelliste français, Queneau, dont les prestations en ville, la semaine précédente, avaient ébloui tout le monde.

Au moment où le client se préparait à partir, Teresa ramena la conversation sur leur dernière séance.

Teresa
(sincère)

Je plaisantais, naturellement. Vous savez bien que vous êtes toujours en sécurité avec moi.

Client
(avec galanterie)

C'est ce que j'aime tout particulièrement dans nos séances, Comtesse : nous nous comprenons à la perfection, vous et moi.

Après avoir de nouveau visionné la bande, Marta demanda au technicien de lui imprimer des photos du garde du corps et du client, qu'elle avait le sentiment d'avoir également déjà vu.

À l'instant où elle descendait de la fourgonnette de surveillance, Rolo appela.

– Je suis au palais de justice. Le juge Schell veut te voir séance tenante. Galluci lui a dit que nous l'avions menacé de castration. Pereyra et lui prétendent que leurs témoignages ont été arrachés sous la contrainte.

– Évidemment !

– Tu viens ?

– Je n'ai guère le choix. Ensuite, je te retrouverai à la planque. Le type de la surveillance a dégoté quelque chose d'intéressant. Quand j'arriverai là-bas, nous réexaminerons le dossier Kessler.

Avec son expression de rectitude et ses sourcils gris arqués, Guillermo Schell offrait l'apparence du juge sévère qui va au fond des choses. Il était tout aussi inquisiteur que la juge Elena Lantini, songea Marta, mais il lui manquait la dignité innée de sa collègue.

Le juge ne perdit pas de temps. Ses premières questions allèrent au cœur des griefs présentés par les deux truands.

– Galluci affirme que vous l'avez menacé de castration.

– Vous a-t-il parlé des testicules qu'il conserve dans un bocal de formol ?

Schell lança un coup d'œil à sa sténographe, une femme à l'air pincé, vêtue d'une robe à col montant.

– Vous témoignez sous serment, inspecteur. Vous disiez donc ?

– Galluci est obsédé par la castration. C'est son fonds de commerce. C'est le type qu'ira engager un mari cocu pour broyer les couilles de l'amant de sa femme. Nous ne l'avons évidemment jamais menacé d'un tel sort. Par contre, nous avons menacé ces deux hommes de prison... ce qui était notre droit.

– Vous prétendez qu'ils vous ont enlevée et menacée. Ils nient ces accusations. Vous admettez ne pas avoir vu le visage de vos agresseurs : juste une moustache, une cicatrice et une chevalière. Des millions d'Argentins sont moustachus. Des centaines de milliers ont des cicatrices sur les joues. Dieu seul sait combien portent une chevalière en or. Qu'est-ce qui vous fait dire avec certitude que ces hommes sont ceux qui vous ont kidnappée ?

– Leurs voix. Et aussi le fait que Galluci se baladait avec mon pistolet.

– Néanmoins, avant de les arrêter, vous n'aviez pas entendu leurs voix et vous ignoriez qu'il détenait votre pistolet ?

– Nous les avons arrêtés sur la foi d'un tuyau venant d'un informateur confidentiel.

– Comment s'appelle votre informateur ?

– Vous savez bien que je ne peux pas vous donner son nom. D'ailleurs, rien ne m'y oblige.

– Bien argumenté, inspecteur. Vous êtes sage de vous raccrocher aux subtilités juridiques. Mais vous comprendrez que, sans témoin pour corroborer vos dires, je ne peux pas retenir ces hommes maintenant qu'ils sont revenus sur leurs aveux.

Comme Marta haussait les épaules, le juge Schell manifesta clairement que ce geste ne lui plaisait pas.

— Vous pouvez hausser les épaules, mais il s'agit d'une affaire sérieuse : une fonctionnaire de la police fédérale qui accuse deux anciens membres de la police provinciale de l'avoir kidnappée et menacée. Il nous faut aussi évoquer l'arrestation de Pereyra... Il affirme que vous l'avez frappé devant sa femme et ses enfants.

— Vous a-t-il précisé qu'il m'avait d'abord craché au visage ? Et Galluci, vous a-t-il dit ce qu'il menaçait de faire subir à ma fille ? Pour ce qui est de leurs accusations, veuillez mettre en balance ma réputation et la leur, celle d'hommes qui ont été chassés de la police de Buenos Aires pour flagrant délit de corruption et de brutalité.

— Ce que vous avez pu faire par le passé, vous ou eux, n'a aucune incidence sur l'affaire qui nous occupe.

De nouveau, elle haussa les épaules.

— Dans ce cas, relâchez-les. Je m'en fiche éperdument. (Et, de fait, ça lui était vraiment égal.) En plus, je vois bien que votre décision est déjà prise.

— En effet, inspecteur. Et je note dans le procès-verbal votre insolence à mon égard... une insolence qui frise l'outrage à magistrat.

Dans son soulagement d'avoir quitté le bureau du juge, elle s'arrêta sur la Plaza Lavalle, entre le palais de justice et le Teatro Colón, pour inhaler à pleins poumons l'air automnal.

Une manifestation silencieuse se déroulait à l'autre bout du square, une commémoration hebdomadaire appelée *Memoria Activa*, organisée par des membres de la communauté juive de Buenos Aires et des sympathisants qui témoignaient ainsi leur solidarité.

Pendant ces rassemblements du lundi, le silence se faisait toujours à neuf heures cinquante-trois précises, heure à laquelle avait explosé en 1994 la voiture piégée qui avait fait quatre-vingt-six victimes innocentes et détruit l'AMIA, centre culturel juif argentin. Marta s'était précipitée sur les lieux, quelques minutes après l'attentat, pour aider les véhicules de secours à se frayer un passage.

Bien qu'il fût presque midi, les manifestants demeuraient silencieux. Ils se rassemblaient ici depuis bien des années, attendant que justice soit faite. Elle les observa un moment, étudia leurs expressions tandis qu'ils se recueillaient devant l'immense façade ornementée du palais de justice. Leurs visages exprimaient un mélange complexe de détermination, d'ironie, d'espoir et de résignation. Malgré tout, on voyait clairement à leur attitude qu'ils étaient prêts à continuer de venir aussi longtemps qu'il le faudrait pour obtenir satisfaction.

Parmi les manifestants, elle repéra un homme chauve, entre deux âges, qui lui rappela son père : mêmes épaules larges, même posture bien droite, même visage bienveillant. Quelqu'un se mit à souffler dans un schofar, produisant un son lugubre, obsédant, qui incita Marta à s'avancer. Elle rejoignit le groupe et se plaça à côté de l'homme, lui jetant un coup d'œil quand le schofar fit de nouveau entendre sa plainte mélancolique. Voyant des larmes briller dans ses yeux, elle détourna vivement la tête.

En cet instant, elle décida de venir ici toutes les semaines, elle aussi, pour protester contre ce qui était de notoriété publique, à savoir l'implication de la police dans l'attentat et l'incurie de la justice dans la conduite de son enquête. Car, se dit-elle, si le système judiciaire continuait de faillir à sa tâche, les gens seraient contraints de chercher la justice par d'autres moyens.

– C'est lui ! Regarde !

Marta avait bien eu l'impression de connaître de vue le client « captif » de Teresa. Et voilà qu'il était là, sur une photo de groupe – publiée dans les journaux à l'époque du procès Kessler – en compagnie d'Ignacio Kessler et d'autres responsables des Crocodiles.

Elle montra à Rolo l'image imprimée par le technicien de surveillance, puis tapota le visage du même homme sur la photo de groupe.

– C'est le même type, debout juste derrière Kessler et ses copains. Son nom est indiqué en dessous.

Rolo prit la coupure de journal et scruta la légende.

– Dr Osvaldo Pedraza. (Il parcourut rapidement l'article.) On précise ici que c'est le leader spirituel des Crocos... si tu piges ce que ça veut dire !

– Ça veut dire le théoricien, l'idéologue, le doctrinaire. J'ai entendu parler de cet homme. C'est une espèce d'universitaire cinglé, bien connu pour ses opinions antisémites. C'est le type qui ne fait jamais rien d'illégal par lui-même ; son rôle est de fournir une idéologie pour justifier les actes illégaux. Les avocats de Kessler ont voulu le faire comparaître au procès comme témoin à décharge, mais les juges militaires ont refusé. Pour eux, l'important n'était pas ce que Kessler et ses compagnons *pensaient* mais ce qu'ils avaient *fait*.

Elle s'adossa à son siège.

– Voyons un peu ce que nous avons : Ivo Granic, agent israélien, est tué parce qu'il essayait de faire chanter une personnalité haut placée. Selon Teresa Levi, Granic lui avait demandé de participer à une vidéo visant à compromettre un certain client, anonyme et puissant. On découvre maintenant que Pedraza, l'un des clients de Teresa, est très proche des Crocos. Et son garde du corps personnel se trouve être le type à la voix douce qui a tenté de m'acheter.

– Tout se tient.

Marta hocha la tête.

– C'est le moment de retourner voir Teresa Levi, qu'elle mette la touche finale au tableau.

Teresa, furieuse, s'en prit violemment à son ancienne camarade d'école.

– Vous m'avez mise sur écoutes ! Comment avez-vous osé faire une chose pareille ? Si le Dr Pedraza l'apprend, il me fera exécuter !

– Il n'a pas besoin de l'apprendre, lui assura Marta. Et il n'en saura rien si vous vous décidez à nous dire la vérité.

Teresa la fusilla du regard. Elle était assise sur son trône, dans son salon noir et blanc, entièrement vêtue de noir, ses lèvres peintes en rouge et ses hauts talons rouges étant les seules touches de couleur de la pièce. Rien n'avait changé... sauf que, cette fois, Milly n'était pas présente et Teresa avait abandonné son attitude décontractée.

– C'est donc ça, votre méthode ? écuma-t-elle. Faire chanter vos anciennes amies ?

– Nous n'avons jamais été amies, rectifia Marta. On se connaissait à peine. À l'école, vous n'étiez qu'un visage parmi d'autres dans le couloir.

– Je vous admirais !

– Ça, j'en doute. En tout cas, la question n'est pas là. Quand je suis venue vous voir il y a quelques jours, dans le cadre de mon enquête sur deux homicides, vous avez reconnu détenir des informations. Vous avez néanmoins refusé de les divulguer, déclarant préférer aller en prison. C'était de l'obstruction, un délit qui, effectivement, est passible de prison. Je viens aujourd'hui vous offrir une deuxième chance. Cette fois, je vous engage fortement à la saisir.

Il lui fallut un moment pour calmer Teresa, la convaincre qu'elle avait intérêt à dire tout ce qu'elle savait. Quand, enfin, Teresa se décida à parler, ce fut avec tant d'énergie contenue que Marta se garda de l'interrompre.

Teresa n'avait jamais raconté en détail à Granic ses séances avec Osvaldo Pedraza, déclara-t-elle, mais Granic était certainement au courant du genre de prestations qu'elle fournissait. Pedraza était un client loyal avec qui elle avait forgé un lien intime. Elle savait que, si jamais elle révélait la nature de leur relation, les amis qu'il avait chez les Crocos la tueraient sans remords.

– D'autre part, je l'avoue, je prenais plaisir à nos séances. (Elle sourit de toutes ses dents.) Il y a quelque chose d'extrêmement jouissif à ligoter et à torturer un homme comme lui, même si c'est un jeu. D'autant qu'il est de ceux qui approuvent les épouvantables tortures pratiquées par les militaires lors de leurs interrogatoires, à l'époque du Processus. (Elle ricana.) Il prétend venir chez moi pour tester sa résistance aux interrogatoires, mais nous savons l'un et l'autre que c'est de la foutaise. Ce qui l'amène ici, c'est son obsession érotique. Je connais bien ce genre de masochiste. Pedraza est un cas d'école : il veut faire semblant d'affronter des formes extrêmes de douleur et d'avilissement théâtral, pour la simple raison qu'il trouve ça excitant.

Teresa s'adossa à son trône, alluma une cigarette, inhala profondément avant de souffler un nuage de fumée.

– Je fournis un service, mais même une femme d'affaires a des besoins. Donc, je reconnais que le fait d'attacher Pedraza et de lui en faire baver est aussi satisfaisant pour moi que pour lui. Après tout, ce sont ses amis et lui qui ont infligé ce genre de traitement à des gens que je connaissais : des militants de gauche, parmi lesquels beaucoup de Juifs. Et ce n'était pas un jeu. Eux, ils le faisaient *pour de vrai*.

Elle tira une longue bouffée de sa cigarette.

– J'ai beaucoup réfléchi à tout cela, Marta... j'ai fait de mon mieux pour l'assumer. Voici à peu près le fruit de mes cogitations : les fantasmes que je permets à Pedraza de réaliser ici sont une sorte de parodie de ce que lui et ses copains militaires ont fait subir à d'autres. Mais, quand je m'emploie à « tester sa résistance », c'est *lui* qui devient un sujet parodique. Donc, en plus du plaisir que nous retirons de nos séances, celles-ci sont riches d'enseignements pour nous deux. Dans sa souffrance simulée, il apprend l'effet que ça fait d'être déshumanisé ; et moi, en infligeant cette souffrance simulée, j'apprends à mieux cerner le sadisme qui, selon moi, est un élément fondamental de la nature humaine.

Marta commençait à s'impatienter.

– Trouvez-vous toutes les justifications que vous voudrez, Teresa. Vos cogitations ne m'intéressent pas. Je veux savoir comment Granic est venu vous trouver, ce qu'il voulait exactement et ce qui s'est passé quand vous avez refusé.

– C'est Ivo qui m'a présentée à Pedraza lors d'une de ses soirées, dans sa maison de la Plaza Recedo. À ce moment-là, je ne savais pas qui était Pedraza. Comme beaucoup d'invités, il avait le haut du visage caché par un masque. Bref, après la réception, il s'est renseigné sur moi auprès d'Ivo, qui lui a donné mon numéro de téléphone. Il m'a appelée et, quelques jours plus tard, il a commencé à suivre des séances chez moi. Il s'est toujours montré un parfait gentleman, courtois et correct. Après les séances, nous avions l'habitude de bavarder autour d'un verre pour nous détendre. Bien entendu, Ivo savait quel genre de séances j'organisais et il savait que Pedraza était mon client. Alors un jour, il est venu me trouver. Il voulait installer une caméra miniaturisée dans mon donjon pour filmer l'une de nos scènes, puis s'en servir pour faire chanter Pedraza. Il était persuadé que celui-ci ferait n'importe quoi pour éviter qu'on découvre ce qu'il était : un masochiste qui payait pour se faire dominer par une Juive.

– Parce que ça l'aurait exposé au ridicule ?

– Pire. Ça aurait sapé son autorité auprès de ses copains néonazis. Selon Ivo, Pedraza aurait fait n'importe quoi pour garder secrète cette partie de sa vie. Une fois qu'Ivo le tiendrait en son pouvoir, il comptait en faire un espion. Avec Pedraza, il serait en mesure d'infiltrer les plus hautes sphères de l'extrême droite. Pedraza deviendrait le nec plus ultra de l'agent d'infiltration israélien, un authentique antisémite travaillant en sous-main pour le Mossad. Utilisant la vidéo comme une épée de Damoclès, Ivo contraindrait Pedraza à tout lui dire sur les Crocos et leurs amis politiques secrets. Il pourrait même, me disait-il, briser la conspiration du silence qui entourait les attentats contre l'ambassade d'Israël et l'AMIA. Ivo était très ambitieux, Pedraza était un très gros gibier, et moi j'étais censée risquer ma vie pour aider Ivo à le recruter.

De fait, pensa Marta, Ivo Granic était très ambitieux, peut-être même trop. Elle imaginait sans peine sa jubilation à l'idée d'enrôler comme espion un antisémite notoire.

232

– Vous avez refusé ? demanda-t-elle.

– Plutôt, oui ! J'ai une vie très agréable ici, une bonne petite affaire. Ça ne m'intéressait pas de mettre l'une et l'autre en péril.

– Pensez-vous qu'il se soit fait aider par quelqu'un d'autre ? La petite Santini, par exemple ? Ou ce couple de riches pervers dont vous nous avez parlé ?

– J'en doute.

– Donc, il aurait abandonné son plan ?

Teresa haussa les épaules.

– Je n'en ai aucune idée.

Marta la dévisagea. À la manière insistante dont Teresa soutint son regard, Marta devina qu'elle en savait plus qu'elle ne le disait.

– Vous cachez quelque chose, Teresa... quelque chose d'important.

Teresa ne répondit pas.

– Vous feriez mieux de nous le dire tout de suite, vous qui êtes si vulnérable aux rumeurs...

Teresa détourna la tête. Marta n'eut pas besoin de préciser sa pensée. Si la moindre insinuation parvenait aux oreilles de Pedraza, cela signerait l'arrêt de mort de la Comtesse.

– Ivo s'intéressait aussi à quelqu'un d'autre.

– Qui ? demanda Marta d'un ton bref.

– Je l'ignore. Selon lui, c'était un homme qui risquait de faire énormément de mal.

– Que vous a-t-il dit d'autre à son sujet ?

– Rien. Il se bornait à répéter : « L'enjeu est de taille, Teresa. Un dingue comme Pedraza peut être marginalisé. J'ai besoin de lui pour m'aider à coincer quelqu'un d'autre, un homme très dangereux qui pourrait bien atteindre les plus hautes sphères du pouvoir. »

Viera ?

Un frisson d'excitation parcourut Marta, qui se détourna légèrement afin de camoufler sa réaction. Puis, reprenant sa position première, elle poursuivit l'interrogatoire.

– Et ça ne vous a pas convaincue ?

– Absolument pas ! Je n'ai rien à foutre de la politique. J'étais bien décidée à ne pas me laisser manipuler. Je l'ai répété à Ivo, qui l'a mal pris. Il a tout essayé pour me persuader.

Son instinct avertit Marta qu'elle approchait de la vérité. Pour l'atteindre, elle devait pousser Teresa dans ses retranchements.

– Ivo vous mettait la pression ?

233

– Trop ! Il m'appelait tous les jours. Quelquefois, il débarquait sans prévenir. Je ne voulais pas que l'un ou l'autre de mes clients le voie. Je donne des rendez-vous très espacés pour éviter les rencontres. Mais lui, il se pointait à l'improviste. Il me rendait folle !

– Vous auriez pu dire à votre portier de ne pas le laisser entrer.

– Je n'osais pas. Je voulais éviter un esclandre.

– Vous aviez vraiment peur de lui ?

– Naturellement !

– Je comprends. Granic était un agent du Mossad. Ces gens-là sont connus pour être implacables. Et puis il savait des choses sur vous, des détails intimes. Il aurait pu vous faire perdre votre clientèle.

– Il m'en a menacée. Un jour, il a dit qu'il allait répandre la rumeur que je travaillais pour les Israéliens.

– Il vous a donc bel et bien menacée. Et il a tenté de vous extorquer une vidéo compromettante pour Pedraza.

– C'était horrible !

– Avez-vous parlé de ce harcèlement à Pedraza ?

– Je lui ai peut-être glissé une ou deux allusions, mais je ne lui ai jamais dit qu'Ivo voulait filmer nos séances.

– *Que* lui avez-vous dit ?

– Comme je vous l'ai indiqué, il nous arrivait souvent, après une séance, d'échanger des potins. Il sait que je suis juive. Ça ne le dérange pas, et je pense même que ça lui plaît plutôt. Il savait aussi qu'Ivo était un maître chanteur. Nous plaisantions ensemble sur les partouzes d'Ivo et sur les pigeons qui lui donnaient de l'argent pour qu'il ne dénonce pas leurs infidélités à leurs épouses.

– Mais Pedraza ne savait pas qu'Ivo était un agent israélien ?

– Je suis sûre que non.

– Et vous ne le lui avez pas dit ?

– Vous me croyez maboule ?

– Alors, *que* lui avez-vous dit concernant Ivo ?

Teresa baissa la tête. Marta enchaîna :

– Je crois le savoir, Teresa. Vous lui avez dit qu'Ivo cherchait à faire chanter une personnalité politique d'extrême droite haut placée.

– Écoutez, je ne savais rien de ce politicien. Il n'était pas de mes clients, qu'est-ce que j'en avais à foutre de lui ?

Marta acquiesça. Elle comprenait. Tout était clair dans son esprit, à présent. Granic harcelait Teresa pour qu'elle l'aide à faire chanter

Pedraza, cela afin de contraindre le docteur à lui fournir des informations dommageables pour Viera. Désireuse de faire cesser la pression, Teresa avait signalé – en passant – à Pedraza que Granic s'attaquait à un homme qui visait un poste très important au plan national.

– Il n'y avait pas que ce politicien dont vous n'aviez rien à foutre, dit Marta. Il y avait aussi Ivo, n'est-ce pas ? Il vous harcelait. Sa pression ne se relâchait pas. Vous ne vouliez plus l'avoir sur le dos en permanence. Alors, vous avez divulgué une petite rumeur... et, ce faisant, vous avez signé son arrêt de mort. Vous l'avez fait *délibérément*. Vous saviez *exactement* ce que vous faisiez. Et maintenant, Ivo est mort, Pedraza vient toujours vous voir pour vos fameuses séances, vous avez toujours votre précieux train de vie et votre délicieuse petite entreprise. Et, malgré tout cela, vous n'éprouvez pas la moindre culpabilité. Ce n'était qu'un petit potin inoffensif, après tout.

Avant même que Marta ait fini de parler, Teresa avait fondu en larmes.

Elle était épuisée lorsqu'elle retrouva Raúl Vargas, peu avant minuit, à une station-service de Barracas ouverte toute la nuit.

Il avait l'air frais et dispos, comme d'habitude, tel un jeune homme qui avait très vraisemblablement fait une sieste réparatrice dans l'après-midi. Elle, en revanche, était restée debout la plus grande partie de la nuit précédente, à essayer de faire parler des hommes qui l'avait maltraitée et menacée ; elle s'était fait passer un savon par le chef Ricardi, avait appris qu'elle était accusée d'avoir sollicité un pot-de-vin, puis s'était fait réprimander par le juge Schell pour avoir menacé ses infâmes ravisseurs.

Comme elle le fit observer à Raúl :
– Ça n'a pas été l'une de mes meilleures journées.

En fait, tout en prononçant ces mots, elle s'aperçut que ç'avait été sa meilleure journée depuis un bon moment : en effet, malgré le manque de preuves, elle était maintenant certaine de comprendre enfin pourquoi Granic et Santini avaient été tués.

Elle n'avait nullement l'intention de soumettre sa théorie à Raúl. Si elle lui avait fixé rendez-vous, c'était dans un but totalement différent : lui proposer un arrangement qu'elle avait passé la soirée à mettre en forme.

Elle allait lui raconter une histoire, peut-être un peu incohérente par endroits, qu'il écouterait sans l'interrompre. Quand elle aurait terminé, elle répondrait à un nombre limité de questions, en faisant « oui » ou « non » de la tête, ou en haussant les épaules si elle ignorait la réponse. Ensuite, elle s'en irait. Aucune de ses déclarations ne lui serait imputée. Si Raúl décidait de publier son histoire, il l'attribuerait à « une source autorisée qui a accepté de parler sous couvert de l'anonymat ».

– Je peux te promettre une chose, dit-elle. Il s'agit d'une histoire comme tu les aimes. Là où tu la jugeras trop hypothétique, il t'appartiendra de combler les trous. Pour un journaliste d'investigation aussi brillant que toi, ce devrait être un jeu d'enfant.

Raúl sourit. Comme toujours, il prenait plaisir à leur badinage.

– Ça me va, dit-il. Autre chose ?

– Quelques précisions. Que peux-tu me dire sur le Dr Osvaldo Pedraza ?

Le visage de Raúl s'éclaira.

– Je suis très renseigné sur lui. Il se considère comme une sorte de Che d'extrême droite, un idéologue héroïque dont le but est de promouvoir pour les nations d'Amérique latine une théorie politique qu'il appelle « une matrice postdémocratique », dans laquelle les institutions politiques ordinaires – telles que la présidence, le Congrès et les assemblées parlementaires – sont écartées au profit d'un « lien mystique » entre un leader charismatique et les masses populaires, tandis que l'armée et la police jouent le rôle de « ciment social ». C'est une vision néofasciste, style vingt et unième siècle, qui rappelle celles de Mussolini dans les années vingt et de Perón dans les années quarante, avec en sus une bonne dose d'antisémitisme à la Hitler. Comme le Che, il est viscéralement antigringo. Il raille ce qu'il appelle « leur ridicule démocratie prétendument libérale » et surnomme l'élite dirigeante américaine « la mafia juive ». Comme Perón, c'est un ultra-nationaliste. Il veut que l'Argentine se dote d'armes nucléaires. Fondamentalement, il cherche à exploiter la corruption du pays en trouvant un homme politique qui corresponde à son image de « leader messianique ».

– Je n'en espérais pas tant. Cet homme politique, il l'a trouvé ?

– Pas que je sache.

Moi, je crois le savoir.

– Il m'a l'air cinglé.

– Il l'est. Malheureusement, il a des disciples... non seulement ici, mais au Chili et au Venezuela. Certains le croient inoffensif tellement il est timbré. Je n'en suis pas si sûr.

– Et côté vie privée ?

– C'est mystérieux. Il a le goût du secret et les gens de son entourage sont très discrets. On dit qu'il n'est pas heureux en ménage, mais je n'ai aucune info concrète. (Raúl la regarda au fond des yeux.) Pourquoi ça t'intéresse tant ?

Par amitié, elle décida de lui jeter un os.

– Je crois que Granic essayait de dégoter des choses compromettantes sur lui et qu'on l'a tué pour cette raison.

– Ça colle au moins sur un point : Pedraza ferait certainement appel aux Crocos s'il avait du sale boulot à faire exécuter...Tu peux m'en dire plus ?

Elle secoua la tête.

– Ça fait aussi partie de notre arrangement. Tes questions doivent porter uniquement sur mon histoire, pas sur d'autres aspects de mon enquête.

– Hé ! C'est pas honnête !

– Bien sûr que si ! De toute façon, c'est le contrat. À prendre ou à laisser.

– Nom de Dieu, Marta ! Il y a des fois où tu es trop coriace pour moi !

Elle sourit.

– Mon coéquipier dit que je ressemble à une tigresse.

– Ou à un chasseur traquant du très gros gibier.

– Ça me plaît. En tout cas, ne dis pas que je suis affligée du complexe de Jeanne d'Arc.

– Quelqu'un dit ça de toi ?

– Suffit ! Sors ton calepin, je suis prête à commencer.

Elle raconta alors l'histoire de deux anciens flics corrompus, désignés sous l'appellation « les Truands », qui avaient été engagés, selon les dires de l'un, par un « Officier de Police » fédéral de haut rang, encore en activité, et, selon l'autre, par le « Père » de cet officier, un ancien responsable de la police provinciale aujourd'hui à la retraite. Ces Truands avaient enlevé un certain « Inspecteur » de police enquêtant sur un important homicide, avaient menacé l'Inspecteur et sa fille, puis, une fois appréhendés, avaient tout nié en bloc et contre-attaqué en accusant l'Inspecteur de les avoir menacés et frappés. Ce qui était à l'évidence absurde, étant donné les antécédents des Truands et la réputation sans tache de l'Inspecteur.

Malgré tout, un certain magistrat, connu pour son indulgence envers les flics corrompus, décida d'écouter les dénégations des

Truands et de les relâcher. Cela n'aurait pu être qu'un énième épisode de la saga de la guerre des polices, s'il n'y avait eu un fait troublant : le Père se révéla être le responsable de la sécurité d'une organisation soutenant un « Politicien » qui était un candidat encore officieux à la présidence. Et voilà que « l'Homme de Confiance » dudit Politicien accusait maintenant l'Inspecteur, victime d'un kidnapping et de brutalités, d'avoir sollicité un pot-de-vin ; il exigeait de surcroît, par personnes interposées, que l'Inspecteur soit dessaisi de l'affaire d'homicide susmentionnée, laquelle semblait bien avoir un lien avec le Politicien ou avec son Homme de Confiance, voire les deux.

Ce qui nous donne, conclut-elle, une liste de sept personnages ayant – à des degrés divers – de l'influence et du pouvoir : en haut de l'échelle, le Politicien et l'Homme de Confiance ; au milieu, l'Officier de Police et son Père ; et, tout en bas, les Truands qui ont exécuté le kidnapping et proféré les menaces. Et ces six personnages s'efforcent de mettre K-O l'Inspecteur, que tout le monde respecte pour son... « incorruptibilité ».

Lorsque Marta eut terminé, Raúl passa deux minutes à prendre des notes, puis se tourna vers elle.

– J'ai quatre questions. Primo, les Truands... ont-ils physiquement touché ou maltraité l'Inspecteur ?

Marta acquiesça.

– Brutalement ?

Nouveau hochement de tête.

– Secundo, comment les Truands pouvaient-ils être sûrs que l'Inspecteur ne les reconnaîtrait pas ?

Marta haussa les épaules.

– L'Inspecteur avait les yeux bandés ?

Elle acquiesça.

– Mais l'Inspecteur les a quand même reconnus.

De nouveau, elle acquiesça.

– Comment ?

Elle haussa les épaules.

– Un informateur ?

Elle acquiesça.

– Bien ! Tertio, pour ce qui est du Politicien... s'agirait-il de celui dont l'épouse a été montrée en flagrant délit d'adultère avec une autre femme, sur une série de photos truquées délicieusement obscènes ?

Elle hocha la tête.

— Enfin, l'Homme de Confiance est-il ce qu'on pourrait appeler par euphémisme un membre du clergé ?

Elle acquiesça.

— C'est une histoire du feu de Dieu, Marta ! Une véritable toile d'araignée.

— C'est mon avis.

— Reste la grande question : qui est exactement « l'Araignée » ?

— Eh bien... j'ai quelques idées là-dessus. Mais, toujours entre nous, cela reste à déterminer.

— D'acc ! Pigé ! (Raúl ferma son carnet.) Saute sur ma moto, je te dépose à ton hôtel.

12

LA RÉPLIQUE

Hank Barnes était irrité. DiPinto ne voulait pas le laisser rencontrer le bijoutier qui avait pris les photos du poignard ni lui donner l'adresse des Pedraza. Et maintenant, quand Hank lui téléphona en disant qu'il avait des fourmis dans les jambes, le détective l'insulta en lui suggérant de trouver de la compagnie féminine locale.

— Allez faire un tour au café qui se trouve à l'angle de Cordoba et de San Martin, lui dit DiPinto. Là-bas, les filles sont très classe... pas du genre à vous droguer pour vous dérober votre portefeuille. La plupart d'entre elles parlent un peu l'anglais. Je suis sûr que vous en trouverez une à votre goût.

Par curiosité, Hank se rendit au café. Les filles étaient jeunes et assez jolies, mais il ne les trouva pas particulièrement « classe ». Assises par deux, elles papotaient dans leurs téléphones portables. Quand l'une ou l'autre croisait son regard, elle faisait avec sa bouche des mouvements de succion obscènes. Après avoir enduré ce manège pendant plusieurs minutes, il avala son café et détala.

Il flâna le long de la Calle Florida jusqu'aux Galerías Pacífico, un centre commercial Arts déco réservé aux boutiques de luxe. Il descendit au snack en sous-sol, commanda une part de pizza et, tout en mangeant, se demanda quelle opinion DiPinto pouvait bien avoir de lui.

Est-ce parce que je suis spécialisé dans les objets du Troisième Reich qu'il me croit prêt à escroquer notre employeur et à pieuter avec une pute de café ?

Peut-être était-il temps de renoncer au job et de rentrer aux États-Unis. Il avait ses dix mille dollars ; on ne pourrait pas les lui reprendre. Il avait aussi une bonne excuse : quand il avait accepté de coopérer, on ne lui avait pas dit qu'il serait traité en larbin. Comment voulait-on qu'il fasse confiance à des gens qui, de toute évidence, ne lui faisaient pas confiance ?

Dans des circonstances normales, il prendrait ses cliques et ses claques. Ce qui le faisait hésiter, c'était uniquement le poignard du maréchal Goering. Si ces gens-là étaient vraiment sur la piste, il ne pouvait pas partir... quitte à être traité comme un moins que rien.

Il arpenta les rues jusque tard dans la nuit : Florida avec ses joueurs d'orgue de Barbarie, ses profiteurs qui faisaient du change au noir et ses « statues vivantes » argentées ; Lavalle avec ses cinémas, ses salles de bingo et ses artistes de rues licencieux ; Corrientes, bordée de salles de billard, de librairies et de cafés ouverts toute la nuit.

À l'angle de Corrientes et d'Esmeralda, il vit un imitateur de Gardel chanter avec mélancolie pour les passants. Sur l'Avenida 9 de Julio, il croisa un trio de jeunes gens extrêmement séduisants – un homme et deux femmes –, vêtus avec élégance, assis dans une merveilleuse voiture d'époque vert foncé, capote baissée. L'une des filles lui sourit, puis le feu passa au vert et le garçon, qui conduisait, démarra dans un rugissement.

De retour à son hôtel, à minuit passé, il monta sur la terrasse pour contempler à nouveau les constellations dans le ciel de l'hémisphère Sud.

Il se réveilla en sursaut à quatre heures du matin, frappé par un souvenir. Il avait vu quelque chose, sur les photos du poignard, qu'il n'avait pas pleinement enregistré.

Allumant sa lampe de chevet, il réexamina les clichés. Il les avait regardés une bonne cinquantaine de fois, détaillant le poignard, en quête de défauts et d'autres signes de falsification. Mais cette fois, au lieu de s'intéresser au poignard proprement dit, il chercha ce que les photos pouvaient lui apprendre sur l'endroit où elles avaient été prises.

Sur la plupart, on ne voyait rien d'autre que le coussinet de velours noir sur lequel le poignard était présenté. Sur certaines, il aperçut les extrémités des doigts du bijoutier.

Celui-ci avait bien fait les choses : il avait disposé le poignard dans de nombreuses positions différentes afin que sa caméra de surveillance le photographie sous tous les angles. Il l'avait même incliné de manière que les surfaces réfléchissantes captent la

241

lumière. Cela faisait briller les pierres précieuses serties dans le pommeau et engendrait des reflets sur la lame. C'étaient ces reflets, visibles sur trois des photos, qui retinrent l'attention de Hank.

Ils formaient une sorte de motif, et c'était ce souvenir inconscient qui l'avait réveillé. Ces reflets n'ayant rien à voir avec l'authenticité du poignard, il les avait négligés. Maintenant qu'il se concentrait sur eux, qu'il essayait de les décrypter, il lui sembla distinguer des objets.

Il posa les trois photos, ferma les yeux, fit le vide dans son esprit. Ensuite, il entreprit d'examiner la première.

L'image reflétée, qui évoquait vaguement un mirage dans le désert, semblait montrer – de manière floue – l'intérieur d'une boutique. Il identifia des comptoirs, des placards, peut-être une vitrine. Mais, à force de regarder, il craignit de voir des choses qui n'y étaient pas.

De nouveau, il ferma les yeux pour s'éclaircir les idées avant de passer rapidement à la deuxième photo.

Oui, décida-t-il, il y avait bien une vitrine. Et il y avait bien deux rangées de lettres, légèrement incurvées, peintes sur la vitrine. Il ne put déchiffrer l'inscription : la distorsion était trop grande. Il distingua également des lettres sur la troisième photo.

Sa découverte l'excita, mais le laissa perplexe. Devait-il faire agrandir les clichés par un photographe professionnel ? Il se souvint alors qu'un agrandissement diminuait la netteté. Plus il les agrandirait, moins il pourrait voir les détails... jusqu'au moment où il finirait par voir tout ce qui lui passerait par l'imagination.

Ça ne l'avancerait à rien non plus de les faire retirer en format réduit. En revanche, il y avait une chose qu'il pouvait faire, *une autre* façon de regarder ces photos. Puisque les reflets sur la lame étaient des images inversées, l'inscription sur la devanture dela bijouterie apparaissait elle-même inversée. Pour la remettre à l'endroit, il n'avait qu'à examiner les photos dans une glace.

Il alluma le plafonnier, de faible puissance, se dirigea vers la commode et brandit l'une des photos devant le miroir. Sur les sept lettres de la première ligne, il en déchiffra trois au début et une à la fin : J O Y - - - A.

Il ouvrit l'annuaire du téléphone de Buenos Aires. Il y avait beaucoup de noms commençant par JOYERÍA. Il chercha dans son dictionnaire espagnol-anglais. *Joyería* signifiait « bijouterie ».

242

Là, je progresse !

Mais il y avait des centaines de *joyerías*. Il lui fallait d'autres éléments. Peut-être pourrait-il en découvrir dans les deux photos suivantes.

Il les tint à tour de rôle devant la glace, essayant de déchiffrer les lettres inscrites au-dessous de JOYERÍA.

Sur la deuxième photo, il identifia les lettres - O - E. Sur la troisième, - S E - - G L -.

En combinant ces différents éléments, il obtint :

J O Y E R Í A
- O S E - - G L -

Malgré tous ses efforts, il ne put déchiffrer davantage de lettres ; il n'était même pas sûr de celles qu'il avait décryptées. Néanmoins, cela suffirait peut-être. Il dégota l'annuaire des pages jaunes, l'ouvrit à la rubrique JOYERÍAS et entreprit de parcourir méthodiquement la liste.

Il lui fallut une demi-heure pour trouver un nom qui corresponde, et encore n'était-ce pas parfait. Malgré tout, c'était suffisamment proche pour éveiller son excitation. En plaçant un R devant les lettres qu'il avait identifiées et en remplaçant le G par un E, il obtint JOYERÍA ROSENFELD, avec une adresse dans le quartier résidentiel de Colegiales.

À huit heures du matin, Hank arriva devant la bijouterie. Celle-ci était fermée, mais il distingua l'enseigne sur la vitrine, derrière la grille : JOYERÍA ROSENFELD, sur deux lignes en arc de cercle, positionnées exactement comme dans les reflets sur la lame.

La boutique, nota-t-il, ouvrait à dix heures, ce qui lui laissait deux heures pour se balader.

Lorsqu'il revint, le rideau était levé, les lumières allumées, et il aperçut un homme d'une cinquantaine d'années, chauve, qui parlait au téléphone derrière le comptoir du fond.

Il inspira un grand coup et entra. L'homme le salua d'un signe de tête. Hank attendit qu'il ait raccroché pour s'avancer.

– Parlez-vous anglais ?

– Certainement, répondit l'homme. Que puis-je pour vous ?

– Je viens au sujet du poignard.

Le visage de l'homme s'éclaira.

– Ah ! Je suis Max Rosenfeld, le propriétaire. C'est l'ambassade qui vous envoie, bien sûr ?

243

Jouant le jeu, Hank acquiesça vaguement.

– Je sais que vous avez déjà signalé l'incident, dit-il, mais je suis nouveau sur l'affaire. J'aimerais entendre directement de votre bouche ce qui s'est passé.

– Avec plaisir.

Max se lança dans le récit détaillé de cette matinée du printemps précédent où une femme avait apporté dans sa bijouterie un poignard nazi. Hank posa à Max plusieurs questions sur l'état du poignard, mais ce fut le signalement de la femme qui l'intéressa le plus.

Max la décrivit ainsi : « Entre deux âges, élégante, bien habillée... typique du Barrio Norte. Très " grande dame ", en plus. »

Cela ne correspondait en rien à l'impression que Luisa Kim avait faite à Hank. La femme qu'il avait rencontrée était asiatique, jeune et apeurée.

– Vous voulez dire qu'elle était un peu arrogante ?

– *Très !* renchérit le bijoutier. Et quand elle a sorti le poignard de son sac, il était enveloppé dans un foulard Hermès !

– Qu'est-ce qui vous a alerté ?

– Les armoiries ! Je les ai tout de suite reconnues. Ma famille a quitté l'Allemagne pour émigrer ici. Quand j'ai compris ce que je tenais dans les mains, j'ai été pris d'un terrible frisson. *Mon Dieu, le poignard de Goering !* J'ai failli laisser tomber par terre le maudit objet !

– Ensuite, que s'est-il passé ?

– J'ai demandé à la dame si je pouvais emporter le poignard dans mon arrière-boutique pour l'examiner de plus près, mais elle a refusé : « Je ne veux pas le quitter des yeux ! » J'ai donc opté pour la meilleure solution de rechange : je suis allé régler ma caméra de surveillance et j'ai entrepris de photographier le poignard sous toutes les coutures.

– Elle voulait que vous remplaciez les pierres, c'est bien ça ?

– À condition qu'elles aient de la valeur. Quand je lui ai donné mon estimation – cinq mille dollars –, elle a secoué la tête en disant que c'était loin d'être suffisant. Je lui ai alors proposé de lui payer une somme très rondelette si elle me vendait le poignard complet, mais elle a également refusé. Elle a dit d'un ton cassant : « Hors de question ! » Puis elle a regardé le poignard d'un air méprisant, l'a remballé dans le foulard et remis dans son sac.

Hank remercia Max pour son aide et lui demanda de garder leur conversation pour lui.

– Bien entendu ! Je comprends. C'est ultra-secret, chuchota Max en faisant mine de tirer une fermeture Éclair sur sa bouche.

Pas étonnant que DiPinto n'ait pas voulu le laisser parler directement avec le bijoutier : Hank aurait découvert que ce n'était pas Luisa Kim, la bonne, qui avait apporté le poignard, mais une autre femme.

Pourquoi DiPinto a-t-il menti ? Et pourquoi Max a-t-il cru que j'étais « envoyé par l'ambassade » ?

Il était en colère, prêt à aller trouver DiPinto pour exiger des explications. Dans le taxi qui l'emmenait au palais Barolo, il prépara ses revendications. À partir de maintenant, il faudrait qu'on lui dise tout, qu'on lui montre tout, qu'on l'autorise à communiquer directement avec Mr G, sans quoi il partirait par le premier avion. Lorsqu'il arriva au Barolo, toutefois, il s'était calmé.

Si je quitte le navire maintenant, je perdrai toute chance de participer à la plus grande trouvaille de souvenirs du Troisième Reich depuis une génération. Je suis un joueur de poker. Je sais maintenant des choses qu'ils croient que j'ignore. Puis-je m'arranger pour faire fructifier cet avantage et remporter la mise ?

Le bureau de DiPinto était fermé : aucun signe de Laura ni du détective. Regardant autour de lui, Hank remarqua un type patibulaire qui l'observait à travers une porte vitrée, de l'autre côté du couloir. Peut-être l'homme saurait-il quand Laura et DiPinto reviendraient ? Hank traversa le couloir et frappa.

– Oui, oui, entrez, dit l'homme en anglais.

Il avait des yeux vifs, rusés, cupides, et une petite moustache grise en brosse.

– Vous avez deviné que j'étais américain ? s'étonna Hank.

– Bien sûr ! Je suis détective, c'est mon job d'être observateur.

L'homme se leva, la main tendue. Il était de petite taille, et il se tint trop près.

– Piglia, dit-il. Ignacio Piglia Scaparelli. Et vous, monsieur ?...

– Je m'appelle Hank. Je travaille avec les détectives d'en face.

Piglia sourit.

– Je sais. Je vous ai déjà vu ici plusieurs fois. Vous les cherchez ?

Hank fit signe que oui.

– Ils sont rarement là. Une heure par semaine, maximum. Nous autres, on se demande quelle est leur activité. Sûrement pas les

245

investigations matrimoniales, le gagne-pain de la plupart de ceux qui ont des bureaux ici. (Piglia exhiba un sourire entendu.) Comment savoir qui ils sont ? Ou ce qu'ils font ? Voilà qui mériterait en soi une enquête. Personnellement, j'ai des soupçons, mais je n'ai aucune idée de ce qu'ils mijotent. (Il plongea son regard sournois dans les yeux de Hank.) Et vous ?

– Sans doute quelque chose d'ultra-secret, répondit Hank en imitant le geste de Max Rosenfeld.

Puis, trouvant le petit homme antipathique, il s'éloigna rapidement dans le couloir.

Après avoir acheté un plan détaillé de la ville, il s'arrêta à une agence de location de voitures qu'il avait repérée lors de ses promenades à pied. Il loua la voiture la plus discrète du parc, une Fiat grise de quatre ans d'âge. Lorsque l'employé lui eut indiqué le chemin de Koreatown, il se rendit dans une épicerie où il acheta un pot de beurre de cacahuètes, des boîtes de crackers, une bouteille d'eau, des assiettes en carton, des couverts en plastique, un paquet de serviettes en papier et des sacs-poubelle. Sachant qu'il aurait probablement besoin d'uriner pendant sa mission, il acheta un grand récipient en plastique muni d'une fermeture étanche.

Il était midi quand il arriva à Koreatown. Lorsqu'il y était venu avec DiPinto, il faisait nuit. Il roula dans le secteur pendant une demi-heure avant de repérer l'immeuble de Luisa Kim.

Il se gara discrètement quelques portes plus loin, de l'autre côté de la rue, réglant son rétroviseur de manière à pouvoir surveiller la porte d'entrée. Puis il attendit, tassé sur son siège.

Il était huit heures passées quand, enfin, elle apparut. Une heure raisonnable pour rentrer au bercail si, effectivement, elle était domestique. Mais ce soir, elle avait une attitude différente. Elle marchait avec fierté et assurance, rien à voir avec l'humilité apeurée qu'elle avait montrée la première fois. De même, sa tenue vestimentaire suggérait un autre type de femme : jean moulant et débardeur chic, le genre de vêtements qu'on s'attendrait plutôt à voir sur une étudiante.

Hank attendit encore un moment. Il s'apprêtait à rentrer en ville quand il la vit émerger de son immeuble. Elle s'était changée, portait maintenant un uniforme de karatéka ceint à la taille d'une large ceinture foncée.

Ça prend une tournure bizarre...

Lorsqu'elle eut tourné au coin de la rue, il descendit de voiture et la suivit à pied. Arrivé dans une rue commerçante, il la vit entrer dans un immeuble, quelques portes plus loin. Il attendit, traversa et jeta un coup d'œil en passant devant le bâtiment. Celui-ci abritait un *dojo* de karaté dont les larges baies vitrées lui permirent de voir la fille, même du trottoir opposé, participer avec entrain à un cours.

Seigneur! C'est une karatéka!

Il passa la nuit dans sa voiture, devant l'immeuble de Luisa Kim. Si vraiment elle était domestique, elle partirait travailler de bonne heure, auquel cas elle le mènerait tout droit au domicile des Pedraza.

Elle n'apparut qu'à onze heures du matin, un grand sac en bandoulière, vêtue d'un jean et d'une sorte de boléro qui dévoilait une tranche d'abdomen.

Il la suivit à pied jusqu'à l'arrêt de bus, regagna sa voiture, fit le tour du pâté de maisons et se gara pendant qu'elle attendait.

Quand le bus arriva, elle y monta et alla s'asseoir à l'arrière, côté fenêtre. Hank suivit le bus sur plusieurs kilomètres, stoppant à chaque arrêt, attendant patiemment que les passagers montent et descendent.

Lorsqu'elle sortit à son tour, il se rangea et la vit attendre un deuxième bus, qui arborait un numéro de ligne différent. Quand elle y monta, il suivit le véhicule jusqu'au centre de Buenos Aires.

Après quarante minutes d'observation attentive, il la vit descendre du bus et s'éloigner d'un pas rapide. Il se gara aussitôt et la suivit à pied jusqu'à un établissement devant lequel piétinait une foule de jeunes gens.

Lorsqu'elle fut entrée, il s'approcha pour voir quel genre d'établissement c'était. Il n'eut pas besoin de son dictionnaire espagnol/anglais pour traduire la plaque fixée sur la façade : *Academia d'Arte Dramático.*

Bordel, c'est une apprentie comédienne!

Furieux contre DiPinto, mais néanmoins résolu à en apprendre davantage, il décida d'attendre que Luisa sorte de son cours pour avoir une explication avec elle en pleine rue.

Mais pendant qu'il poireautait, il réfléchit à un plan de rechange. Le plus astucieux, finalement, était de ne pas révéler ce qu'il avait appris. S'il montrait à Luisa qu'il l'avait démasquée, il dévoilerait son jeu à DiPinto. Dans ce genre de partie, celui qui en savait le plus avait l'avantage. Pourquoi affaiblir maintenant cet atout en faisant savoir à DiPinto qu'il l'avait dans le collimateur ?

Luisa sortit deux heures plus tard, accompagnée d'un groupe d'amis. Parmi les filles, plusieurs avaient un piercing au nombril. Un jeune homme, seul de son espèce, arborait un anneau au nez. Luisa paraissait très sûre d'elle, rouge d'excitation comme si elle s'était distinguée au cours.

Elle a sans doute fait un tabac en jouant une bonne!

Il continua de l'observer. Elle jeta un coup d'œil sur sa montre, embrassa plusieurs de ses amis, salua les autres de la main et s'éloigna dans la rue.

Il la suivit jusqu'à un café en terrasse et la vit s'approcher d'une table, se pencher pour embrasser une femme avant de s'asseoir.

C'est seulement lorsque Luisa eut passé commande au serveur que Hank reconnut sa compagne : c'était Laura, la secrétaire-réceptionniste rouquine de DiPinto. Luisa et elle bavardaient avec animation. D'après leurs gestes et leur façon de sourire, elles étaient manifestement amies.

Le tableau commence à s'éclaircir...

Il alla rendre sa voiture de location, flâna un moment dans les rues de la ville et s'offrit un steak pour le dîner.

Max le bijoutier a cru que j'étais « envoyé par l'ambassade ». De quelle ambassade pouvait-il bien parler ?

Ce soir-là, sur le toit en terrasse de l'hôtel, sous un ciel criblé d'étoiles, Hank réfléchit à ce qu'il devait faire.

Le poignard existe, j'en ai vu des photos. Le bijoutier confirme qu'une femme le lui a apporté. Son authenticité reste encore à déterminer. Quel jeu jouent donc ces gens-là ?

Tôt le lendemain matin, DiPinto lui téléphona.

– Il est temps de se remuer les fesses. Retrouvez-moi pour le petit déjeuner. Mr G a pris une décision.

Il rejoignit DiPinto au Cafe Congreso, près du majestueux Congrès, un café avec piliers et sol en marbre où régnait une atmosphère d'une autre époque.

Il trouva le détective à une table d'angle, tout indiquée pour une conversation confidentielle.

– Les hommes politiques viennent ici, déclara DiPinto en buvant une gorgée de cappuccino. Beaucoup d'affaires louches ont été conclues dans ce coin.

– OK, nous sommes à la table des « affaires louches ». Alors... quelle est l'affaire louche au menu ?

DiPinto éclata de rire.

– Je crois que vous allez être surpris, Hank. Mr G ne veut pas que nous proposions à la señora Pedraza de mettre en scène un cambriolage à son domicile.

– Tant mieux ! L'idée ne me plaisait pas du tout.

DiPinto lui lança un regard acéré.

– C'était juste une possibilité. (Il se rapprocha imperceptiblement, baissa la voix.) Le plan est que vous appeliez la señora Pedraza en vous présentant pour ce que vous êtes : Hank Barnes, un Américain expert en estimations et marchand d'objets militaires. Vous lui direz que vous croyez savoir qu'elle possède un poignard très intéressant que vous aimeriez beaucoup examiner. Vous lui direz que, si le poignard se révèle authentique, vous êtes habilité à lui faire une offre extrêmement généreuse. Si elle demande des détails, vous lui direz : « Chaque chose en son temps, je dois authentifier le poignard avant de discuter argent. »

– Et si elle refuse de me le montrer ?

– Aucun risque. Je me suis renseigné : elle quitte son mari. Elle a désespérément besoin de cash.

– Elle me prendra pour un escroc. C'est ce que je penserais, moi, à sa place.

– Vous avez d'excellentes références. Montrez-lui votre press-book. Croyez-moi, elle ne pourra pas résister.

– Supposons que le poignard soit authentique. Qu'est-ce que je fais ?

– Mr G vous autorise à conclure un marché. Vous pourrez proposer à la señora Pedraza jusqu'à cent mille dollars cash, *plus* – cerise sur le gâteau ! – une réplique exacte du poignard, pour que son mari ne découvre pas que l'original a été vendu. Si jamais, par la suite, il venait à l'apprendre, ils n'auraient qu'à s'arranger entre eux.

DiPinto s'adossa à son siège, une expression satisfaite sur le visage.

– Alors... il n'est pas brillant, ce plan ?

Il était bel et bien brillant, pensa Hank, et sacrément tordu. Mais comment le mener à bien ? Il faudrait des mois pour fabriquer une réplique d'excellente qualité.

– L'astuce est là, expliqua DiPinto. La copie existe déjà. Mr G l'a fait faire à partir des photos du bijoutier. Apparemment, c'était son plan depuis le début.

– Puis-je la voir ?

– Bien sûr ! Elle est à mon bureau. Je l'ai reçue par FedEx hier soir. Mr G tient à ce que vous l'examiniez à fond, pour voir si elle est vraiment conforme à l'original.

Hank fut abasourdi. Puis il comprit : le temps qui avait été nécessaire à la fabrication de la réplique expliquait le délai de six mois entre le moment où il avait rencontré Mr G au MAX et le coup de fil de Marci l'envoyant en mission à Buenos Aires.

Au Barolo, en longeant le couloir avec DiPinto, Hank aperçut Piglia qui les observait, un sourire caustique sur les lèvres.

Ce type mijote quelque chose. Je me demande s'il est dans le coup avec les autres.

Laura, chevelure rousse flamboyante, l'accueillit d'un large sourire.

– Vous vous plaisez à Buenos Aires, monsieur Barnes ?

– Oui, merci, répondit-il en la regardant droit dans les yeux.

DiPinto l'entraîna vivement dans son bureau, ferma la porte, fit jouer la serrure à combinaison de l'une de ses armoires et en sortit une enveloppe FedEx fermée, qu'il tendit à Hank.

– Je ne l'ai pas ouverte, dit-il. J'ai pensé que cet honneur vous revenait.

L'objet que Hank retira du paquet était une copie aussi réussie que possible d'un magnifique poignard du Troisième Reich. Il le soupesa dans sa main avant de le sortir de sa gaine. Le poignard glissa sans difficulté. La lame étincelante était exactement telle que la montraient les photos du bijoutier. Il inspecta le fourreau et la garde. Les pierres précieuses jetaient des éclairs. La pierre du pommeau avait l'air d'un véritable diamant de deux carats. Les grenats et les brillants qui ornaient l'aigle étaient sertis d'une main experte. La croix gammée en argent sur fond d'obsidienne noire était gravée avec une exquise précision. Le manche cannelé en ivoire était effilé juste ce qu'il fallait.

La première pensée de Hank fut : *Ce poignard est celui que j'ai vu sur les photos.*

– Remarquable copie, dit-il. C'est un travail d'une qualité incroyable.

– Si vous ne saviez pas qu'il s'agit d'une réplique, penseriez-vous que c'est l'original ?

– Non, il fait trop neuf. Il faudra le patiner un peu. En outre, l'équilibre n'y est pas tout à fait, et le poids ne semble pas correct. Il y a quelques petits défauts dans la finition. Je trouverai certainement d'autres différences en l'examinant de plus près. N'empêche : sachant qu'il a été fabriqué à partir de photos, je suis très impressionné. De toute évidence, un artisan talentueux a travaillé dessus pendant des mois. C'est pour ça, je suppose, que Mr G retardait sans cesse mon voyage.

DiPinto haussa les épaules.

— Je n'ai été mis au courant qu'hier après-midi. Mr G m'avait laissé dans l'ignorance, moi aussi.

— Lorsque j'aurai vu le poignard de Pedraza, je pourrai vous dire dans quelle mesure la réplique a besoin de retouches. Avez-vous quelqu'un sur place qui pourra s'en charger ?

DiPinto secoua la tête.

— S'il y a des retouches à effectuer, Mr G veut que je renvoie la copie avec vos notes détaillées. Naturellement, il faudra attendre que vous ayez authentifié le poignard de Pedraza.

— Si jamais il n'est pas authentique, Mr G aura dépensé beaucoup d'argent pour rien. Une copie de cette qualité a dû lui coûter des milliers de dollars.

De nouveau, le détective haussa les épaules.

— Je n'en sais pas plus que vous. C'est sûr qu'il a beaucoup investi : mon salaire, le vôtre, cette réplique, les pots-de-vin et frais divers... Mon impression est que Mr G a une volonté de fer. Quand il veut quelque chose, il ne se laisse arrêter par aucun obstacle.

Il y avait un cybercafé dans la Calle Florida. Hank y était passé plusieurs fois pour voir s'il avait reçu des e-mails.

Il y alla directement en sortant du bureau de DiPinto, interrogea sa messagerie, puis consulta son carnet d'adresses e-mail.

Pour lui, il n'y avait que deux personnes au monde capables de fabriquer une si belle copie : Sam Bailey à College Station, Texas, et Pieter Trinkvel à Rotterdam. Il écrivit aux deux artisans pour leur demander s'ils avaient exécuté le travail – et, dans la négative, s'ils avaient entendu des rumeurs concernant la copie d'un poignard de Reichsmarschall. Après avoir envoyé ses mails, il fit une longue promenade.

Il avait beau se triturer les méninges, il n'arrivait pas à comprendre le fin mot de l'affaire. Pourquoi commander une réplique aussi sophistiquée, envoyer une Femme A la montrer à un bijoutier, puis le faire venir ici, lui, Hank, et lui présenter une Femme B en la faisant passer pour celle qui avait fait estimer ladite réplique ?

Il ne voyait pas d'explication logique. Pourtant, il y en avait forcément une. Si tout cela faisait partie d'une arnaque compliquée visant à persuader un éventuel acheteur que la copie était authentique, Mr G devait bien savoir que, de tous les marchands d'objets militaires du monde, Hank Barnes était le moins susceptible d'authentifier un poignard avant d'avoir toutes les garanties nécessaires.

Ce raisonnement ne réglant pas la question du « pourquoi ? », il examina le problème sous un autre angle.

Supposons que le poignard, sur les photos, soit bel et bien réel, et la réplique fabriquée dans l'unique but de faciliter son achat. Dans ce cas, pourquoi la supercherie des deux femmes ? Pourquoi tenter d'abuser Hank en l'emmenant à un entretien bidon avec une fausse bonne ? Cela n'avait de sens que si le plan consistait à utiliser Hank d'une manière ou d'une autre.

Mais pour quoi faire ?

Ce même soir, tard, il retourna au cybercafé pour voir s'il avait reçu des réponses à ses mails.

Bailey écrivait qu'il n'avait pas fabriqué la réplique et n'avait pas été pressenti pour ce travail. Si la copie était aussi bien exécutée que le disait Hank, il lui conseillait de contacter Trinkvel, celui-ci étant le seul autre artisan susceptible de mener à bien un tel projet.

Trinkvel écrivait : « Je n'ai pas réalisé la réplique dont vous parlez. J'imagine que vous avez déjà contacté Sam. Si ce n'est pas lui non plus, je ne vois qu'un seul autre candidat : Adler, à Tel-Aviv. Il est aujourd'hui très âgé, mais il fait encore de la superbe ouvrage. Comme vous devez le savoir, dans son adolescence, il a été contraint de travailler à Buchenwald dans l'atelier de Paul Müller. Il a appris là-bas tous les secrets de fabrication du vieux maître allemand. S'il existe un homme capable de confectionner un poignard de Reichsmarschall presque parfait, c'est Adler. »

Gerhard Adler : Hank l'avait oublié. Il devait avoir maintenant près de quatre-vingts ans. Hank l'avait rencontré brièvement à un MAX, dans les années quatre-vingt, et les deux hommes avaient échangé leurs cartes.

Tel-Aviv !

Soudain, il eut une intuition qui pouvait tout expliquer : les actes de Marci, de Mr G, de DiPinto, de Laura, l'intervention d'Adler et la référence de Max Rosenfeld à une ambassade non précisée.

Supposons que la señora Pedraza ait apporté à Max Rosenfeld le véritable poignard du maréchal Goering et que Max, l'ayant reconnu, ait signalé sa découverte, en bon Juif, à un contact à l'ambassade d'Israël?

À ce moment-là, Mr G, Marci et DiPinto, tous agents israéliens, ont mis sur pied un complot. Mon rôle dans l'opération? Je suis tout bonnement le gogo... Quelle cible idéale je faisais, perché sur mon tabouret du bar Radisson, à me lamenter sur mon stock volé!

La notion était audacieuse : des agents du Mossad se servant d'un authentique objet d'art du Troisième Reich pour atteindre un objectif secret de leur cru.

Sur le moment, Hank fut tenté de quitter Buenos Aires avant de se retrouver pris au piège dans un complot israélien aux ramifications complexes. Mais il se demanda si, en restant et en jouant le jeu, il n'aurait pas une chance de s'approprier le poignard sans coup férir.

De retour au Castelar, il se prélassa dans la baignoire de sa chambre d'hôtel en songeant à l'effet de Coriolis, selon lequel les tourbillons d'eau ou de vent tournoient dans des directions opposées selon le côté de l'équateur où on se trouve.

Si ça ne marche pas quand je vide l'eau, c'est parce que la rotation de la Terre est beaucoup plus lente que le mouvement de l'eau. Dans des conditions idéales, l'effet de la rotation de la Terre se verrait.

Voilà ce qu'il me faut maintenant : des conditions idéales!

Il savait que, malgré les risques, il n'avait pas le choix. Il devait rester. Il avait *trop* envie de ce fameux poignard.

Non, pensa-t-il, *pas question de partir sans tenter ma chance. Pour ça, il me faudra des conditions idéales et un timing parfait. À partir d'aujourd'hui, c'est une nouvelle partie de poker qui commence. Et dans cette partie, je jouerai pour mon propre compte!*

13

COMPLOT

Le chef Ricardi, furieux, roula en boule le *El Faro* du jour et le jeta à la corbeille.

— Ce satané Raúl Vargas lave le linge sale de la police en public !

Marta Abecasis écarta les mains. La radio diffusait du jazz en fond sonore.

— A-t-il écrit quelque chose qui ne soit pas conforme à la vérité, chef ?

— C'est bien ça le problème ! Il semble avoir tout pigé. (Il la fusilla du regard.) Je préfère ne pas vous demander si vous êtes sa source.

Elle haussa les épaules pour montrer qu'elle appréciait sa décision. Ricardi continua de la fixer d'un œil noir.

— Je reçois une palanquée de plaintes à votre sujet, Marta. Plus que pour n'importe lequel de mes hommes. Vos petits haussements d'épaules, là... ils ne plaisent pas du tout au juge Schell.

— Je regrette que le juge ait mal interprété mon langage corporel, dit-elle. Je n'ai jamais eu l'intention d'être insolente... même quand il m'a annoncé qu'il relâchait les hommes qui avaient menacé de torturer ma fille à l'électricité.

— La juge Lantini n'est pas contente non plus. Apparemment, elle vous avait mise en garde contre les fuites à la presse.

— Autre chose ?

— Charbonneau s'est calmé pour l'instant, mais il est clair qu'il ne peut pas vous blairer.

— Il m'a dit que j'avais le complexe de Jeanne d'Arc.

Ricardi grimaça un sourire.

— Si vous voulez mon avis, c'est plutôt lui qui a un complexe... celui du Grand Inquisiteur.

Elle lui fut reconnaissante de cette boutade.

– Merci de me défendre, chef.

– J'espère que ça ne se retournera pas contre nous. Un bon flic a toujours des ennemis. Un flic astucieux ne les choisit pas dans les hautes sphères.

Tandis que Marta roulait vers l'endroit où Reinaldo Costas avait été censément renversé par un chauffard, Rolo lut tout haut, avec jubilation, les derniers paragraphes de l'article de Raúl :

– « ... À présent, les deux camps s'envoient à la tête des accusations graves. L'Inspecteur affirme que le Politicien et l'Homme de Confiance ont tenté d'entraver une enquête pour homicide. Eux, de leur côté, affirment que l'Inspecteur a tenté de leur extorquer un pot-de-vin. Les Truands soutiennent que l'Inspecteur leur a arraché des aveux sous la menace, aveux qu'ils ont maintenant rétractés. Quant à l'Officier de Police et à son Père, ils ont refusé de faire le moindre commentaire. "Nous ignorons tout de cette histoire", ont-ils déclaré par l'intermédiaire de leur avocat.

« Ce véritable sac de nœuds serait presque comique si l'Inspecteur en question n'était pas l'un des membres les plus respectés de toute la police fédérale, bénéficiant d'un statut d'intouchable du fait de l'incorruptibilité dont elle a toujours fait preuve. Mais oui, *elle*... car, selon notre source, l'Inspecteur serait une femme ! » Génial !

– Ça te plaît, hein, Rolo ?

– Du début à la fin !

– J'espère que Raúl ne paiera pas les pots cassés.

– À ta place, je ne m'inquiéterais pas pour lui.

– Mais si, je m'inquiète. Ce n'est qu'un gamin, et il a des bras aussi maigres que des allumettes.

Horacio Araña, l'agent de police qui s'était occupé du délit de fuite, les retrouva sur les lieux. C'était un homme chaleureux, doté d'une moustache broussailleuse de jeune flic. Consultant ses notes, il leur dit que l'accident s'était produit peu avant six heures du matin et qu'il y avait eu deux témoins oculaires.

Selon le premier témoin, une certaine señora Louisa Foigel qui passait par là pour prendre son bus, Reinaldo Costas – la victime – s'était engagé sur la chaussée, devant sa maison, à l'instant même où une camionnette foncée aux vitres noircies débouchait à toute allure du coin de la rue. Le véhicule avait fait une embardée, heurté

Costas, puis s'était arrêté un bref instant avant de repartir en trombe. Peu après, un homme et une femme étaient sortis de la maison pour ramasser la victime et la transporter à l'intérieur.

Le second témoin, le Dr Emanuel Plotkin, arrivait en voiture de la direction opposée. Voyant l'accident, il s'était arrêté et avait suivi l'homme et la femme dans la maison, où il avait déclaré la victime morte sur le coup d'un traumatisme crânien.

– La plaque minéralogique de la camionnette était bidon, leur dit Araña. Le numéro n'existe pas dans les fichiers. On pense que des voleurs venaient de faucher la camionnette et prenaient la fuite en quatrième vitesse. Ils ont renversé ce type et, sachant ce qui arriverait s'ils s'arrêtaient, ils ont filé.

– Le corps de Costas a-t-il été examiné ? s'enquit Rolo.

– Sa femme n'a pas voulu qu'on y touche. Le Dr Plotkin m'a assuré qu'il était bien mort. À la demande de l'épouse, le médecin a appelé une entreprise de pompes funèbres. Je suppose que la victime a été enterrée le jour même.

– N'est-ce pas un peu rapide ?

– Il était juif. Le médecin m'a expliqué que, dans la tradition juive, l'inhumation devait se faire sans délai.

– Avez-vous poussé l'enquête plus loin ?

Araña regarda Marta avec des yeux ronds.

– Pour quoi faire, inspecteur ?

– Pour savoir si l'accident était délibéré ?

– Il n'y avait aucun indice en ce sens.

– Avez-vous fait autre chose ?

– J'ai lancé un avis de recherche sur la camionnette.

– Avait-on signalé le vol d'une camionnette cette nuit-là ?

L'agent haussa les épaules.

– Sur les deux cents véhicules volés chaque jour dans cette ville, une bonne vingtaine sont des véhicules utilitaires et des camionnettes. Certaines déclarations sont des escroqueries à l'assurance ; d'autres sont légitimes. Les véhicules sont rarement retrouvés. Quand ils sont volés par des pros, ils sont aussitôt désossés ou conduits au Paraguay, de l'autre côté de la frontière. Nous n'avons pas le temps de les rechercher, même si quelqu'un est victime d'un délit de fuite. À moins qu'une voiture de patrouille soit à proximité et les prenne en chasse, on ne peut rien y faire.

– Super ! dit Rolo. Bienvenue dans le Buenos Aires du vingt et unième siècle !

Après le départ d'Araña, ils marchèrent jusqu'au coin de la rue.

– Tu aurais dit, toi, que Costas était juif ? demanda Marta.

– Non.

– Moi non plus. Il doit me manquer l'odorat développé de Kessler.

Elle s'arrêta à l'angle.

– C'est quand même bizarre, tant de Juifs qui se retrouvent ici : Costas, la señora Foigel, le Dr Plotkin... (Elle scruta les alentours.) As-tu l'impression d'être dans un quartier juif ?

– Pas particulièrement. La camionnette que les voisins ont vue sortir du garage de Granic, le matin de son assassinat... celle-là aussi était foncée avec des vitres noircies.

– Ouais, « l'équipe de nettoyage » des Israéliens. J'y pensais justement.

– Est-ce vraiment une tradition juive d'enterrer une personne le jour même de son décès ?

– Nous aimons bien enterrer nos morts avant la tombée de la nuit, mais je n'appellerais pas ça une nécessité.

Ils rebroussèrent chemin vers la maison.

– Il y a deux façons d'aborder cette affaire, dit Marta. Retrouver les témoins, les faire parler, ou alors exhumer le corps... s'il y en a un.

– Tu ne crois pas que Costas ait été tué ?

Elle secoua la tête.

– Voyons ce que la señora Costas pourra nous dire à ce sujet.

La señora Costas, trente-cinq ans, lymphatique, en vêtements de deuil, ne fit pas à Marta l'effet du genre de femme que Costas aurait épousée. Dans son souvenir, Costas était plus jeune, plus éveillé et beaucoup plus énergique. Cette femme, l'air hébété, prit peur dès qu'ils lui montrèrent leurs insignes.

– L'homme qui vous a aidée à transporter votre mari ici, que faisait-il dans la rue à une heure si matinale ? demanda Rolo.

– C'était un pensionnaire.

– *C'était ?*

– Il a déménagé après la mort de Reinaldo.

Elle ajouta que le pensionnaire n'avait pas laissé d'adresse où le joindre.

– Où est enterré votre mari ? s'enquit Marta.

– Il a été incinéré.

– L'agent Araña nous a dit que vous l'aviez fait enterrer le jour même.

– Nous n'avons pas pu prendre les dispositions nécessaires pour qu'il soit inhumé au cimetière juif. Il m'avait dit un jour qu'il voulait être incinéré... alors, c'est ce que nous avons fait.

– Avez-vous les cendres ?

– Non. Je les ai envoyées à sa mère, à Mar del Plata.

Marta la regarda fixement.

– Vous savez ce que je crois, señora ? Je crois que cette histoire d'accident est une pure invention. Je crois que vous avez menti à la police, tout comme la señora Foigel et le Dr Plotkin. C'est un grave délit.

La femme se mit à sangloter.

– Inutile de pleurer. Reinaldo Costas n'était pas votre mari, n'est-ce pas ?

La femme reconnut que non, qu'il louait simplement une chambre dans sa pension. Elle avait été bien payée pour raconter à la police la version – concoctée par lui – de l'accident. En fait, « la victime » n'était qu'un vulgaire ballot de chiffons auquel Reinaldo avait donné une forme humaine avant d'aider sa logeuse à le transporter dans la maison. Elle ignorait totalement où Reinaldo était parti, et même s'il s'appelait réellement Reinaldo Costas. Même chose pour Foigel et Plotkin. Elle ne les avait jamais vus avant ce jour-là et ne les avait pas revus depuis.

– Qui vous a payée ?

– Reinaldo.

– Il vous a payée pour raconter que vous étiez sa femme et pour l'aider à simuler sa mort ?

Elle acquiesça.

– Combien ? demanda Rolo.

– Deux cents dollars américains.

– Une misère, vous ne trouvez pas, pour courir le risque d'aller en prison ?

Ils décidèrent de ne pas l'arrêter, estimant qu'elle leur avait dit tout ce qu'elle savait. En plus, elle était stupide, pathétique – et, comme tant d'autres habitants de la ville, au bout du rouleau.

Il était clair pour Marta qu'elle s'était fait posséder, que les photographies envoyées anonymement – et qui permettaient de remonter si facilement jusqu'à Costas – participaient d'un complot destiné à orienter son enquête vers Viera. Mais *pourquoi* ? Ne sachant comment joindre la seule personne capable de la renseigner, elle appela Raúl à son aide.

– Super, ton article ! lui dit-elle quand elle le joignit sur son portable. Évidemment, le chef Ricardi n'est pas ravi.

– Tant mieux ! J'adore quand ils chient dans leur froc.

– La juge Lantini n'est pas contente non plus.

– C'est toi qui as choisi de parler, Marta. Personne ne t'y a forcée.

– Oui, c'était mon choix. Maintenant, je te demande une faveur en retour. Tu m'as parlé d'une de tes amies, un contact de la CIA qui « paie trop cher et obtient trop peu en échange ».

– Caroline Black, de l'ambassade américaine.

– Il faut que je lui parle.

– De quoi ?

– Ça me regarde. Tu peux arranger une entrevue ?

– Elle voudra savoir pourquoi.

Après réflexion, Marta répondit :

– Dis-lui que ça m'intéresserait de devenir son informatrice.

Rolo éclata de rire.

– Ça, tu viens de l'inventer !

– C'est une bonne raison de me rencontrer, non ?

– J'ai droit à l'exclusivité, d'acc ?

– Comme toujours, Raúl.

Il réfléchit un bref instant, puis :

– Je vais lui passer un coup de fil. Sans garantie qu'elle accepte.

Rendez-vous fut pris pour l'après-midi même, à quatre heures, au Café Sigi, près de l'appartement des parents de Raúl. C'était un petit bistrot bizarre, à l'angle de Salguero et de Charcas. Marta ne l'avait encore jamais remarqué.

Caroline Black l'attendait. La quarantaine, cheveux bruns mi-longs striés de mèches blondes, hauts talons, rouge à lèvres, ongles manucurés : façade trompeuse, jugea Marta, comme si elle souhaitait camoufler son intelligence en se présentant comme une écervelée typique du Barrio Norte.

Lorsqu'elles eurent commandé du café, Caroline déclara :

– Raúl me dit que vous avez été l'une de ses meilleures sources officieuses.

– Oui, enfin... nous nous servons l'un de l'autre.

Caroline Black parut surprise par cette réponse.

– Que puis-je faire pour vous ?

– Je suis inspecteur à la Criminelle et j'enquête sur le double meurtre Granic/Santini. Je sais que vous êtes au courant. C'est vous qui avez dit à notre ami commun que Granic était un agent israélien.

– Un instant !

– S'il vous plaît, laissez-moi terminer, mademoiselle Black. Je ne cherche pas à vous mettre dans l'embarras. J'ai simplement besoin de votre aide. Il y a une Israélienne, agent du Mossad, qui m'a contactée voici quelques jours. Elle ne m'a pas donné son nom et, même si elle l'avait fait, elle m'en aurait probablement donné un faux. Elle a environ votre âge, d'épais cheveux noirs coupés court, des yeux très sombres, une attitude pleine d'assurance et d'ardeur. En fait, si je voulais être désagréable, je la qualifierais d'arrogante. Elle était accompagnée d'un garde du corps qui nous a baladées dans un taxi sans licence. Puisque vous connaissiez Granic, je suppose que vous connaissez aussi la personne dont je parle. Si c'est le cas, je vous serais extrêmement reconnaissante de lui transmettre un message. Veuillez lui dire de me retrouver ce soir, à sept heures, au même endroit que la dernière fois. Dites-lui que si elle ne vient pas au rendez-vous, je rendrai public le fait que les Israéliens recommencent à s'ingérer dans les affaires intérieures de l'Argentine. À titre de confirmation, vous pourrez mentionner les noms suivants : Costas, Plotkin et Foigel.

Caroline Black, qui était restée parfaitement immobile pendant le monologue de Marta, exhiba un sourire condescendant.

– Excusez-moi, inspecteur Abecasis, mais j'ignore totalement de quoi vous parlez.

– Eh bien ! moi, je pense que vous le savez, répliqua Marta, aussi poliment qu'elle le put.

– En somme, vous me demandez de contacter une personne appartenant aux services diplomatiques d'un autre pays.

– Je suis persuadée que vous vous connaissez. En tout cas, j'ai relayé mon message. À vous de décider si vous le transmettez ou pas. Dans l'affirmative, si jamais je peux vous rendre service à l'avenir, n'hésitez pas à me contacter. (Marta posa sa carte sur la table et se leva.) Je vous remercie d'avoir accepté de me rencontrer.

Le taxi israélien attendait devant Memorial Plaza, dans Arroyo, quand Marta et Rolo s'arrêtèrent à sa hauteur.

Marta, assise à l'arrière, baissa sa vitre. L'Israélienne fit de même.

– Cette fois, dit Marta, nous parlerons dans ma voiture.

– Je ne connais pas votre chauffeur.

– Je ne connais pas le vôtre.

– C'est mon agent de sécurité.

– Rolo est *mon* agent de sécurité. Montez, sinon l'entrevue est terminée.

La femme hésita, puis, à contrecœur, descendit du taxi. Elle semblait moins sûre d'elle que précédemment. Marta en fut heureuse ; cette fois, avait-elle décidé, c'était *elle* qui jouerait l'intimidation.

Lorsque la femme fut installée à côté d'elle, Rolo tourna dans l'Avenida 9 de Julio, se mêlant au flot de voitures qui, sur huit voies, se dirigeait vers l'ouest. Le taxi de la sécurité israélienne était juste derrière.

– Disons les choses ainsi, commença Marta. Je n'aime pas être manipulée. Un agent israélien qui dirige une opération de chantage est brutalement assassiné, de même qu'une des filles qui travaillent pour lui. Une équipe de nettoyage israélienne stérilise sa maison, en secret, mais laisse à notre intention son corps torturé. Pendant ce temps-là, on glisse sous la porte de mon appartement des photos suggestives, avec un gentil petit mot signé « un Admirateur ». Des photos truquées, en fait, forgées de toutes pièces par un expert bidon en cyberphotographie, un certain Reinaldo Costas, qui prétend que ces faux ont été commandés par un duo de truands anonymes lambda. Là-dessus, je suis enlevée et menacée par un authentique duo de truands, et quand j'ai besoin de Costas pour les identifier, je trouve son studio fermé parce que, d'après le gardien de l'immeuble, le malheureux a été renversé par un chauffard. Seulement voilà : on découvre qu'il n'a pas été tué, que la femme qui s'est présentée à la police comme étant son épouse était en réalité sa logeuse, et enfin que les soi-disant témoins ont raconté un tissu de mensonges au flic du quartier. Tout ce cinéma, je suppose, uniquement pour orienter mes soupçons vers un homme politique qui va sans doute se lancer dans la course à la présidence. Il me semble, mademoiselle Je-ne-sais-qui, que vous me devez des explications. Si je n'en obtiens pas – des explications qui me satisfassent, j'entends –, je raconterai à la presse tout ce que je sais et je dynamiterai la petite opération que vous préparez.

Ils approchaient de l'Obélisque. Les trottoirs grouillaient de piétons. Marta savait que, parmi eux, des pickpockets étaient à l'œuvre. La ville n'était jamais aussi animée qu'à cette heure-là : les gens

sortaient des bureaux, sillonnaient les rues d'un pas pressé, se dirigeaient vers les stations de taxi, de métro et les arrêts de bus, impa-
tients de rentrer chez eux.

– Nous ne pouvions pas savoir que vous seriez enlevée, encore
moins par des hommes ressemblant aux portraits de Reinaldo.

– Ainsi donc, votre plan était foireux ! Vous n'aviez pas prévu
qu'il risquait d'imploser !

– Ne soyez pas sarcastique, je vous prie.

– Vous ne pigez pas ! Je me moque de ce que vous aviez prévu
ou non. Si vous pensiez que Viera ou Charbonneau étaient derrière
les meurtres, pourquoi diable ne me l'avez-vous pas dit en me donnant vos preuves ?

– Ce n'est pas notre façon de travailler. Granic était un agent
infiltré.

– Et Santini ?

– Elle lui servait à créer des situations compromettantes pour
d'autres cibles. Les tueurs ont dû se dire : quitte à se débarrasser de
lui, autant se débarrasser d'elle en même temps.

– Tout le monde semble savoir qu'ils ont été exécutés par les
Crocos. Même l'assistant du médecin légiste a reconnu la façon
dont ils avaient été ligotés.

– Les tueurs étaient probablement des Crocos. Ce qui nous intéresse, c'est le commanditaire.

– Vous pensez que c'est Viera ?

– Nous pensons qu'il est très dangereux.

– Et Pedraza ?

Une fraction de seconde, les yeux de la femme s'élargirent.

– Vous croyez qu'il est dans le coup ?

– C'est une possibilité. Granic voulait absolument persuader une
dominatrice professionnelle de le laisser enregistrer une séance
sadomasochiste entre elle et Pedraza. Granic faisait pression sur
elle. Il restait sourd à ses refus. Elle en a eu marre et a parlé de lui à
Pedraza. Peu après, il a été tué.

– J'ignorais cela.

– Parce que ce n'est pas votre job. L'inspecteur de la Criminelle,
ici, c'est moi. Vous, vous êtes un agent de renseignements étranger
qui se mêle des affaires d'un autre pays. Si Viera est impliqué dans
ces meurtres, j'ai besoin de le savoir. Sinon, pourquoi me lancer sur
sa piste ?

– Nous pensions qu'il pouvait avoir commandité les meurtres.
Lui ou un de ses fidèles.

– Charbonneau ?

– Peut-être.

– Ubaldo Méndez ?

– Ce nom m'est inconnu.

– Vous avez certainement une théorie.

– Nous voulions vous voir enquêter sur Viera et sa bande. S'il y avait quelque chose à découvrir de ce côté-là, nous savions que vous iriez jusqu'au bout.

– Mais c'était trop fatigant de m'en parler directement. Vous teniez à jouer votre petit scénario.

– Pardonnez-nous, Marta. C'est notre façon de procéder.

– Ce n'est pas la mienne. (Elle fixa son interlocutrice.) Vous me prenez pour une idiote ?

– Jamais de la vie !

– Dans ce cas, vous deviez savoir que je finirais par voir clair dans votre jeu.

– Ça n'avait pas d'importance, du moment que vous suiviez la piste.

– Ah, je pige ! « Puisque l'intrépide inspecteur est sur l'affaire, on n'a qu'à lui indiquer la bonne voie et la laisser faire son boulot ! En tant que juive, elle sera trop heureuse de suivre notre direction. » C'était l'opinion que vous aviez de moi, hein ?

Elles étaient arrivées à l'extrémité ouest de l'avenue, sur la Plaza de la Constitución.

– Puis-je descendre, à présent ?

– Ramène-nous au Retiro, ordonna Marta à Rolo.

Puis, s'adressant à la femme :

– Vous ne descendrez pas avant que je sois satisfaite.

– Que voulez-vous que je vous dise de plus ?

– Que savez-vous sur Viera et les siens ?

– Nous les considérons comme des ennemis.

– Pedraza aussi ?

– Lui et les Crocos.

– J'ai interrogé Kessler.

La femme se montra intéressée.

– Quelle impression vous a-t-il faite ?

– C'est un dingue. Viera est onctueux et charismatique. Charbonneau me paraît méprisable et dangereux. Je ne connais pas Ubaldo Méndez, mais je connais sa fille : ils sont tous deux notoirement corrompus. Quant à Pedraza, je ne l'ai pas encore rencontré, mais

263

j'ai bien l'intention de le faire. J'ai écouté une bande audio où il se soumet à une parodie d'interrogatoire à connotations érotiques.

– J'aimerais entendre cet enregistrement.

– Ben voyons ! C'est une manie que j'ai remarquée chez vous autres : vous aimez recevoir des tuyaux sans rien donner en échange.

– Je vous le répète, nous pensions que Viera ou ses hommes avaient fait tuer Granic. Nous n'avions rien de concret. Nous voulions seulement que vous examiniez cette possibilité.

– Cela ne me dit toujours pas pourquoi Viera aurait commandité l'exécution de Granic.

– Nous pensons qu'il avait ses raisons.

– Il était la véritable cible de Granic, c'est ça ? Pedraza était juste un moyen de l'atteindre.

– Comment savez-vous cela ? glapit la femme.

– Votre Mr Granic a peut-être eu la langue trop longue.

La femme détourna la tête. Marta étudia son profil. La ligne de la mâchoire avait quelque chose de farouche. *Maintenant, elle comprend que Granic a foiré le coup.*

– Je veux un numéro où je puisse vous joindre directement, dit Marta.

La femme acquiesça, griffonna un numéro sur une carte vierge.

– Un nom ne ferait pas de mal non plus.

– Vous pouvez m'appeler Shoshana.

– Joli prénom. Écoutez-moi attentivement, Shoshana, qu'il n'y ait pas de malentendu. Comme je vous l'ai expliqué lors de notre dernière rencontre, je me considère comme une Juive argentine. *Pas* israélienne, mais *argentine* : une fonctionnaire de la république d'Argentine. Contrairement à d'autres, je n'ai pas une loyauté réversible. Contrairement à votre señora Foigel et à votre Dr Plotkin, je n'accorde pas de faveurs spéciales à des gouvernements étrangers. Cela précisé, si un citoyen argentin est impliqué dans un crime – et je me moque que ce soit un poids lourd de la politique ou un théoricien maboul –, je me remuerai le cul pour le faire traduire en justice. Toute assistance directe de votre part sera utile et appréciée. Mais si vous recourez encore aux manipulations, vous aurez un scandale diplomatique majeur sur les bras. Un scandale qui fera le bonheur d'un ultra-nationaliste comme Viera. Suis-je bien claire ?

– Très. Je vous fais mes excuses. (Après un silence, Soshana reprit :) Je voudrais ajouter une chose.

– Allez-y.

– Sachez que nous n'avons pas affaire ici à « la banalité du mal ». Ceux qui ont commis l'attentat contre l'AMIA sont intrinsèquement mauvais.

– Gare-toi, Rolo, dit Marta. Il est temps de laisser partir la dame.

– Elle n'aura pas de mal à se faire reconduire. Son taxi est juste derrière.

Ils la déposèrent au coin de Hipólito Yrigoyen, deux cents mètres avant l'Obélisque.

– Au revoir, Marta.

– Au revoir, Shoshana. Je réfléchirai à ce que vous avez dit.

– Moi aussi, je réfléchirai à vos paroles. Je vous sais gré d'avoir été directe.

– Je le suis toujours.

Elle demanda à Rolo de s'arrêter à Rivadavia, le temps de monter à côté de lui.

– Tu es *époustouflante*, Marta !

– Je m'y suis bien prise, tu crois ?

– Tu l'as mouchée comme une vulgaire chandelle.

– Ouais... mais elle ne m'a rien dit que je ne sache déjà.

– Ça viendra peut-être.

– Je l'espère. Elle a eu l'air drôlement surprise que je sache que Viera était la cible de Granic. Vu comment elle s'est déboutonnée après ça, j'en déduis qu'elle est arrivée à la même conclusion que nous : ce n'est probablement pas Viera ni Charbonneau qui a ordonné le meurtre de Granic, mais Pedraza, dans le but de protéger Viera.

– Comment va-t-on le prouver ?

Marta haussa les épaules.

– On risque de ne pas y arriver. Mais cette affaire est énorme, elle a toutes sortes de ramifications.

– Un complot politique ?

Elle opina du chef.

– Selon moi, à défaut d'en apporter la preuve, il serait peut-être suffisant de relier les points entre eux dans l'esprit des gens. Si on ne peut pas prouver leur culpabilité, le moins qu'on puisse faire est de s'assurer que leurs crimes ne paient pas.

– Qu'est-ce que tu veux dire, exactement ?

– À mon avis, si l'opinion publique apprenait que Viera a partie liée avec les Crocos et avec des fêlés comme Kessler et Pedraza, cela sonnerait le glas de sa carrière politique.

– La justice par voie de presse ?

– Quand le système est défaillant, on est parfois contraint de recourir à d'autres moyens.

– Ça ne te ressemble pas, Marta.

– Je sais. Mais il y a trois jours, en sortant du bureau de Schell, je suis tombée sur la manifestation de *Memoria Activa* devant le palais de justice. (Elle détourna les yeux.) Ça m'a fait réfléchir à beaucoup de choses.

– J'ai parlé à Isabel de ton rêve, celui où tu nages au milieu des cygnes.

– Qu'est-ce qu'elle en dit ?

– Elle pense que les cygnes servent à masquer autre chose : des requins, par exemple... ou peut-être des crocodiles.

Marta sourit.

– Isabel est une thérapeute perspicace.

Elle demanda à Rolo de la déposer devant la Residencia Europa afin qu'elle puisse boucler sa valise et quitter l'hôtel.

– Tu veux coucher à la maison ? proposa-t-il.

– C'est gentil, Rolo, mais j'en ai assez de me cacher. Il est encore trop tôt pour faire revenir Leon et Marina... mais, tant que je serai ici, j'habiterai chez moi.

Elle fit ses bagages, régla sa note et regagna son immeuble dans le crépuscule. Un garde posté au coin de la rue, devant la maison occupée par des squatters, la salua de la main au passage.

Trouvant son appartement poussiéreux, elle passa l'aspirateur dans toutes les pièces. Cela fait, elle rangea la chambre de Marina, s'allongea sur le lit qu'elle partageait avec Leon et donna un coup de fil.

La liaison avec Montevideo n'était pas très bonne, des rafales de friture faisaient grésiller la ligne. Toutefois, rien que d'entendre la voix de sa mère, puis celle de Marina, Marta en eut les larmes aux yeux.

– Maman ! On va bientôt pouvoir rentrer à la maison ? demanda Marina.

– Oui, ma chérie. Dès qu'il n'y aura plus de danger.

– Je viens de finir mes devoirs. Papa et Granny se sont disputés. C'est papa qui a commencé. Il a dit que Montevideo était « un trou à merde ».

Marta sourit.

266

– Il ne devrait pas parler comme ça !

– Granny lui a dit de partir si ça ne lui plaisait pas.

– Ils se sont réconciliés ?

– Ils sont en train de papoter dans le salon.

– Tu peux me passer papa ?

– D'accord, une minute.

Attendant d'avoir Leon au téléphone, Marta s'aperçut soudain à quel point son mari et sa fille lui manquaient. Jusqu'à maintenant, elle avait été tellement occupée, tellement accaparée par son travail, qu'elle n'avait pas eu le temps de se languir d'eux.

– Chérie ?...

– Leon ! Il paraît que tu t'es disputé avec maman ?

– Des mots, rien de grave. Je fais de la claustrophobie, ici. Quand pourrons-nous rentrer ?

– La situation se présente bien. J'y verrai plus clair dans deux jours.

– Tu peux nous envoyer les devoirs de Marina ?

– J'appellerai l'école demain matin pour qu'on vous les expédie par express.

Ils bavardèrent un moment, puis elle parla de nouveau à sa mère, et enfin à Marina. Quand elle eut raccroché, elle ferma les yeux et se mit à sangloter.

Je déteste ces salopards de m'avoir obligée à les éloigner ! Pour l'instant, prendre une bonne nuit de sommeil. Demain matin, recommencer à mettre la pression. Travailler jusqu'à ce que je trouve le point faible, puis abattre le château de cartes. Les abattre tous, jusqu'au dernier... et ensuite, ramener ma famille à la maison.

14

UNE SAISON EN ENFER

Par la suite, quand ce fut terminé, Beth Browder se demanda quelle folie avait pris possession d'elle. Mais, durant les grisants premiers jours de sa relation avec Charles et Lucinda Céspedes, où elle vivait sous leur toit, elle eut le sentiment d'exister à un niveau de transgression et de glamour qui dépassait tout ce qu'elle avait pu imaginer.

C'était un tourbillon de danse, de drogues et de sexe, un tourbillon si rapide, si vertigineux, qu'elle en avait littéralement la tête qui tournait. La vision d'elle-même et du monde qui avait été la sienne jusqu'alors lui semblait maintenant saugrenue.

Pour leur première sortie en trio, ils se rendirent à une soirée d'anniversaire en l'honneur de Juan Sabino, l'idole des foules, dans la maison de campagne qu'il partageait avec sa femme, Juanita Courcelles, la star de cinéma aux yeux en amande.

Une piste de danse avait été dressée sur la terrasse. Des feux d'artifice élaborés s'épanouissaient dans le ciel. Les invités étaient beaux, l'orchestre de tango superbe. Beth dansa avec une demi-douzaine de partenaires, puis rejoignit les Céspedes quand ils allèrent plonger à poil dans la piscine.

– Le tango est dévorant, non ? murmura Lucinda tandis que les deux femmes flottaient côte à côte sur le dos. Moi, je le vois sous l'aspect d'un grand fauve – un guépard ou un jaguar – qui t'agrippe par la gorge et ne te lâche plus.

Après leur baignade, ils cherchaient des serviettes quand ils tombèrent sur une orgie sexuelle à la lueur des bougies, dans le pavillon de la piscine.

Charles et Lucinda eurent beau la presser de se joindre à la mêlée, Beth resta en retrait. Il y avait quand même des limites ! Elle en était encore à s'habituer à folâtrer avec les deux autres. Toutefois, l'effet de clair-obscur produit par la lueur des bougies léchant les corps jeunes et minces, enchevêtrés, conférait à la scène l'atmosphère d'une peinture baroque. Cela suscita chez elle autant de fascination que de répulsion.

Le lendemain, Lucinda l'emmena chez un fabricant de chaussures sur mesure. Là, elles achetèrent le dernier cri en matière de mode tango : des escarpins à fines lanières de cuir qui s'entrecroisaient sur les jambes, les enveloppant une bonne vingtaine de centimètres au-dessus des chevilles.

Les souliers furent inaugurés le soir même au Club Noir. Il n'y avait pas grand-monde, car c'était un soir de semaine. Poli Ríos ferma les portes à trois heures du matin et invita ses clients encore présents à une petite fête dans son loft de Puerto Madero.

C'était un vaste espace situé au dernier étage d'un immeuble en brique, tout en longueur, qui faisait partie de plusieurs anciens entrepôts convertis en condominiums chics. Pour le plus grand plaisir de Beth, Poli invita aussi quelques-uns des plus célèbres danseurs de tango professionnels de la ville. Après avoir présenté un spectacle privé, les stars circulèrent parmi les convives. Beth dansa avec deux hommes qu'elle avait vus sur scène à San Francisco. Ainsi qu'elle le fit remarquer aux Céspedes quand ils repartirent en voiture, à l'aube : « Danser avec eux, c'était comme danser avec les dieux du tango ! »

À la fin de cette première semaine, Lucinda prêta à Beth une robe de bal et fit venir à la maison une couturière pour effectuer les retouches nécessaires. Ce soir-là, tous les trois – Beth et Lucinda en robe longue étincelante de sequins, Charles en queue-de-pie et nœud papillon blanc – assistèrent à une représentation de *La Walkyrie* de Wagner au Teatro Colón, installés aux premières loges, une coupe de champagne à la main.

La salle d'opéra était magnifique : cinq niveaux de balcons. Le spectacle était situé dans un environnement rétro de structures Arts déco, de limousines des années trente et d'énormes sculptures de l'ère fasciste, avec des chanteurs espagnols et allemands dans les rôles principaux.

Enchantée par les décors et les costumes métalliques, Beth ferma les yeux pour mieux laisser la musique l'imprégner dans toute sa grandeur exaltée. C'était la première fois qu'elle s'immergeait dans l'univers wagnérien, cet étrange monde mythique de dieux et de déesses nordiques, de passions et de trahisons.

269

À la fin du premier acte, la fameuse scène d'inceste entre Siegmund et Sieglinde la terrassa, non seulement par sa beauté mais aussi à cause du parallèle évident avec la vie privée des Céspedes. L'épée de Siegmund flamboya quand il la posa près du lit. Le soutien-gorge de Sieglinde, poli comme un miroir, lança des éclairs quand elle l'ôta. Au milieu de l'action, Beth regarda à la dérobée Charles et Lucinda, mains jointes, tendus en avant sur leurs sièges, les yeux rivés sur la scène.

Après ça, l'opéra se poursuivit decrescendo jusqu'au final où Wotan, punissant Brunehilde, entourait d'un cercle de feu magique son corps endormi.

Se joignant à l'ovation debout des spectateurs, Beth entendit Charles murmurer à Lucinda quelque chose comme « *gesamtkunstwerk* ». Sur le chemin du retour, elle lui demanda ce qu'il avait voulu dire par là. Il expliqua que c'était un mot allemand signifiant « œuvre d'art totale », l'idéal wagnérien dans lequel tous les éléments – histoire, musique, voix, costumes, décors – se combinent pour créer un élan puissant qui force l'attention absolue.

– C'est notre idéal, lui dit-il. Nous essayons de vivre de cette manière, de nous créer un monde dans lequel nous ne laissons rien de laid s'immiscer. (Il lança un coup d'œil à Lucinda.) Pas vrai, doux oiseau ?

– Si, répondit Lucinda en souriant à Beth. Superbe idéal... surtout à Buenos Aires, cette vieille ville collet monté.

Ils l'emmenèrent pour le week-end dans leur *estancia*, une propriété de dix mille acres où la maison principale, couleur sable, était un palais digne des Mille et Une Nuits avec murs crénelés, colonnes, arches, cour intérieure et piscine carrelée. Aux plafonds étaient suspendues des voûtes de tissu, des draps de soie multicolores qui donnaient aux pièces une atmosphère de sérail. D'un côté de la maison, un long bâtiment servait d'écurie à des chevaux de polo. De l'autre, un garage identique abritait la collection d'automobiles d'époque de leur défunt père.

À examiner les voitures alignées avec soin et somptueusement restaurées, Beth eut envie de les caresser. Parmi ses préférées : un roadster Delahaye gris, une Delage d'un rouge éclatant et une immense limousine Hispano-Suiza blanche et argentée, la plus magnifique automobile qu'elle eût jamais vue.

Le père des Céspedes, apprit Beth, était mort accidentellement trois ans plus tôt, au cours d'un match de polo disputé sur le terrain qui se trouvait juste derrière la maison. Il leur avait légué les voitures, l'*estancia*, la maison de Belgrano, ainsi qu'une fortune déposée sur des comptes bancaires à l'étranger, fortune qui leur servait à entretenir les deux résidences.

– Le polo est un sport sanguinaire, dit Lucinda à Beth. Papa est mort sur le champ de bataille. Il n'aurait pas pu rêver d'une plus belle mort. J'espère que Charles et moi en aurons une tout aussi noble.

Cette nuit-là, les Céspedes organisèrent une *milonga* à laquelle assista toute la gentry locale des joueurs de polo et qui, dans sa décadente extravagance, dépassa tout ce que Beth avait pu connaître jusqu'alors. La musique était assurée par un orchestre venu spécialement de Buenos Aires en car. Les musiciens étaient tous en smoking, tandis que les danseurs portaient des masques et des pantalons noirs assortis, hommes et femmes indifféremment torse nu, exception faite des bretelles qui retenaient leurs pantalons.

C'était du tango « topless », du tango poitrine contre poitrine, où les caractéristiques formalistes de la danse – bustes bien droits, jambes tantôt entrelacées, tantôt fouettant l'air – contrastaient avec le contact, dans la partie supérieure du corps, de la peau nue en sueur. Beth trouva cela extrêmement érotique, bien plus que si les danseurs avaient été nus au-dessous de la taille ou entièrement dénudés.

Tandis qu'ils regagnaient en voiture la capitale, Lucinda proposa sa vision de la soirée :

– Nous avons masqué nos visages, couvert nos jambes, exposé nos poitrines, ce qui rendait anonyme chaque couple qui se formait. De la sorte, tous autant que nous étions – tous bons danseurs –, nous sommes devenus interchangeables.

L'interchangeabilité, de même que le *gesamtkunstwerk*, semblait être un thème central de leur vie. Les mondes se chevauchaient, les gens s'appariaient de différentes façons, et pourtant tout était lié dans un cercle fermé qui se suffisait à lui-même. Apparemment, tout cela faisait partie d'une philosophie personnelle qu'ils mettaient en pratique à plein temps. Beth ne la comprenait pas totalement mais espérait y parvenir un jour. Elle était venue à Buenos Aires pour s'immerger dans le tango, peut-être aussi pour trouver son Rêve d'Amour par la même occasion. Mais maintenant, elle se retrouvait immergée dans quelque chose de beaucoup plus fascinant et pervers.

Elle ne participait pas à leurs leçons d'escrime mais les observait, un peu à l'écart dans la longue salle à manger/salle de ballet, tandis que leur maître d'armes, un homme chauve, maigre et très strict, supervisait leur entraînement. Elle regardait Charles et Lucinda se déplacer rapidement d'un bout à l'autre de la pièce, alternant attaques et parades, émettant grognements et hurlements, puis, après avoir réussi une touche, arrachant leurs masques pour dévoiler un visage empourpré, crispé par la tension mais arborant néanmoins un sourire farouche.

Ils adoraient le combat. Même leur façon de faire l'amour était agressive, ponctuée de gifles et de coups de griffes. Beth se fit la réflexion que leurs duels d'escrime, l'alternance de victoires et de défaites, faisaient partie d'une perpétuelle bataille entre frère et sœur pour la suprématie.

Beth se joignit à eux pour leur cours de boxe française, qui se tenait dans un gymnase au-dessus d'un magasin de meubles de Recoleta. Le professeur, un certain Filipino, était bienveillant et sérieux. Parmi les participants, on trouvait aussi bien des lycéens que de jeunes professionnels. Après s'être fait envoyer au tapis par deux fois, Beth resta à l'écart jusqu'à la fin de la séance. Charles et Lucinda, nota-t-elle, retenaient leurs coups avec les autres ; en revanche, quand ils étaient opposés l'un à l'autre, ils se battaient avec vigueur.

Sur le chemin du retour, ils lui reprochèrent d'un ton badin sa couardise.

– Alors quoi ? dit Lucinda. Deux malheureux K.-O. suffisent à te faire fuir ?

– Elle n'est pas habituée à ce qu'on la rudoie, dit Charles. Elle a besoin de s'endurcir un peu.

Une fois à la maison, Lucinda la défia à la boxe.

– Pas la boxe française, mais celle à l'ancienne mode. Le combat franc et direct, à la manière des boxeurs professionnels.

Devant leur insistance narquoise, Beth comprit qu'elle n'y échapperait pas, qu'ils la tanneraient jusqu'à ce qu'elle leur ait montré qu'elle avait du cran.

Le match eut lieu dans la salle à manger/salle de ballet, Lucinda et elle portant casques de protection et gants réglementaires.

Charles, qui s'était attribué le rôle d'arbitre, insista pour qu'elles combattent torse nu.

– Je déteste les soutiens-gorge de sport. Veuillez m'enlever ces horreurs !

– Laissons-nous faire, chuchota Lucinda, amusée, en s'exécutant. Dans son fantasme, nous allons nous battre pour ses beaux yeux !

Elles se donnèrent à fond pendant trois rounds, dansant l'une autour de l'autre, sautillant, décochant de légers coups avant de reculer, gloussant quand, par moments, elles s'étreignaient et exécutaient ensemble quelques pas de tango avant que Charles, agacé, ne les sépare.

Au cours du dernier round, Lucinda, les yeux d'acier, se mit à cogner sérieusement. Beth, ne voulant pas être frappée au visage, battit en retraite en se protégeant avec les bras. Puis, lorsque Lucinda fut essoufflée, Beth s'avança et balança deux punchs appuyés dont l'un porta, faisant saigner le nez de son adversaire.

– *No más !* Match nul ! cria Charles en secouant la clochette de table dont il s'était servi pour marquer les reprises. Je ne veux pas que mes beautés se fassent mal ! dit-il en les prenant par les épaules, levant haut leurs bras pour signifier qu'elles se partageaient la victoire.

Après ça, l'odeur de leurs transpirations mêlées flotta dans la pièce. Stimulée par l'arôme, Lucinda se mit à peloter Beth dès que Charles lui eut soigné son nez.

– Tu ne veux pas que je me douche d'abord ? dit Beth.

– Je te veux telle que tu es !

Charles éclata de rire.

– Ma parole, les filles, vous êtes en rut !

Ils culbutèrent tous les trois sur le tapis d'escrime qui recouvrait le parquet de la salle à manger. Comme toujours, les Céspedes comblèrent Beth. Pour l'amuser, ils parlèrent d'elle en faisant comme si elle n'était pas là, comme si elle était une sorte d'objet sexuel réservé à leur usage personnel – situation que Beth aurait jugée insupportablement humiliante dans la « vraie vie », mais que, dans cette atmosphère de serre, elle trouva intensément jouissive.

Ils faisaient parfois des choses qui l'effarouchaient, se livraient à des jeux auxquels elle ne pouvait se résoudre à participer avec eux. Dans ce domaine, ce qui l'effrayait le plus, c'était ce qu'ils appelaient leurs « quêtes » : des expéditions de racolage nocturne dans les quartiers les plus sordides de la ville, où leur séduction naturelle et la splendide Facel Vega d'époque leur servaient à appâter de nouveaux partenaires pour des orgies sexuelles anonymes. Jeunes ouvriers, filles aventureuses, serveurs et liftiers rentrant du travail, putains et prostitués mâles qu'ils trouvaient dans les rues avoisinant les hôtels pour touristes : tous étaient des proies potentielles.

Les Céspedes se montraient d'une courtoisie sans faille avec ces gens qu'ils draguaient. Ni snobs ni condescendants, ils leur parlaient avec gentillesse, leur proposaient un tour en voiture, abordaient subtilement la question du sexe et les attiraient ainsi dans la maison cubique : là, ils les emmenaient dans leur chambre, faisaient l'amour avec eux, leur offraient le lendemain matin du *café con leche*, du pain et de la confiture, puis les mettaient poliment dans un taxi payé d'avance.

Après le départ de leurs « objets de désir », ils s'amusaient à les disséquer. Ils faisaient venir Beth dans leur chambre et lui décrivaient en s'esclaffant les travaux d'approche, les gestes maladroits, les remarques naïves, tout en reconnaissant que ces inconnus avaient parfaitement comblé leurs besoins.

Beth, atterrée, déclara à Charles et Lucinda qu'elle ne voulait en aucun cas être mêlée à ces extravagances. Elle prit l'habitude de fermer à clef la porte de sa chambre lorsque ces étrangers étaient dans la maison. C'était un jeu trop dangereux, leur dit-elle.

— Mais nous prenons toujours nos précautions, lui assura Charles.

— Là, tu parles des MST. Moi, je te parle d'un couteau dans le ventre.

— Oh là là ! répliqua Lucinda. Vous ne nous comprenez absolument pas, vous autres Américains ! Nous faisons *l'amour* avec ces gens-là. Notre but commun, c'est la recherche du plaisir. Personne n'irait rompre ce pacte.

— Nous faisons confiance à notre instinct, ajouta Charles. Nous savons distinguer les bons des mauvais.

— Regarde comment nous t'avons recueillie, *toi*, en te laissant disposer de notre maison !

— Attends un peu ! Je suis professeur d'université ! protesta Beth.

Ils hurlèrent de rire.

— C'est vrai, une intellectuelle ! dit Charles. Nous sommes assurément en sécurité avec un de ces spécimens !

— Tu t'es montrée snob, là, sais-tu ? observa gentiment Lucinda.

— Ce que tu n'imagines pas encore, dit Charles, c'est à quel point ces membres des classes inférieures peuvent être délicieux. Ils ont une excellente hygiène personnelle.

— Des coupes de cheveux à dix pesos.

— Des eaux de toilette bon marché.

– Des mains calleuses.

– Un argot fascinant.

– Le garçon que nous avons ramené cette nuit, il appelait son pénis « ma louche », gloussa Lucinda. Du genre : « Puis-je tremper ma louche dans votre soupière ? » C'était hilarant !

– L'autre nuit, nous avons eu une lesbienne. Elle répétait à Lucinda : « Jouons aux tortillas. » Tu sais... ces espèces de galettes de maïs. C'était son expression pour dire « frotti-frotta ».

Amusée et contrite, Beth accepta de les suivre, cette nuit-là, quand ils se mirent en chasse.

– Mais en simple spectatrice, les avertit-elle. Je resterai à l'écart et j'agirai suivant l'inspiration du moment.

À minuit, quand ils commencèrent à sillonner en voiture les quais de La Boca, Beth se sentit gagnée par la peur. Sabina l'avait mise en garde contre ce quartier, l'un des plus mal famés de la ville.

Ils rebroussèrent chemin jusqu'à Puerto Madero, le secteur du port où Poli Ríos avait son loft. Ils se garèrent dans les ombres, à l'affût d'un serveur ou d'un portier ayant la séduction requise et travaillant dans l'un des nombreux restaurants situés au rez-de-chaussée du lotissement.

Ils jetèrent finalement leur dévolu sur un garçon que Lucinda repéra à cause de ce qu'elle appelait « les merveilleux méplats de son visage farouche ».

– Il doit être bolivien, dit-elle. Il a certainement du sang indien dans les veines.

L'ayant choisi, Lucinda fut déléguée pour aller le chercher. Elle descendit de la Facel Vega et appela le jeune homme, qui s'arrêta. Elle l'aborda alors et entama la conversation. Incapable d'entendre ce qu'ils disaient, Beth observa leurs gestes. Deux minutes plus tard, le garçon montait à côté d'elle à l'arrière.

Il lui sourit timidement. Beth fit de même.

– Je trouve que nous formons un quatuor véritablement charmant, commenta Lucinda.

Le garçon, dont les traits avaient quelque chose de sauvage au repos mais s'adoucissaient quand il souriait, tendit la main pour prendre celle de Beth.

Beth comprit alors que Lucinda avait dû l'appâter en lui disant que son amie américaine avait besoin d'un cavalier.

Elle donna sa main au garçon, qui se mit à lui gratouiller la paume avec le majeur. Ce geste, qui se voulait une titillation, contraria Beth à tel point qu'elle s'écarta pour se blottir dans le coin opposé de la banquette. Le garçon parut vexé.

– Je ne peux pas faire ça, dit-elle à Lucinda en anglais.

– Oh! allez, répliqua sèchement Lucinda. Tu nous as raconté comment tu avais dragué ton « Rêve d'Amour » à San Francisco!

– C'était dans un club de tango.

– Là, c'est Puerto Madero.

– Allez, sois chic, la pressa Charles.

Elle regarda le garçon de plus près. *C'est vrai qu'il est plutôt mignon...*

Elle ne parviendrait à aller jusqu'au bout, décida-t-elle finalement, que si elle pouvait d'abord danser un moment avec lui. Il y avait quelque chose dans le tango, un aspect « préliminaires », qui pouvait rendre admissible une rencontre anonyme.

Mais quand elle demanda au garçon s'il dansait le tango, il secoua la tête catégoriquement.

– Nan! dit-il. Moi, je suis rap et techno.

Affaire réglée. Elle ne put se résoudre à poursuivre. Sans tango en guise de prélude, elle serait tout bonnement incapable de coucher avec lui.

Lorsqu'ils arrivèrent à la maison, elle s'excusa et courut se réfugier dans sa chambre. L'oreille collée à la porte, elle écouta les Céspedes et leur nouvelle recrue bavarder un moment avant de monter à leur tour l'escalier.

– Tu sais comment sont les *gringas*, dit Lucinda à haute voix de manière à être entendue de Beth. Crois-moi, on s'amusera mieux sans elle.

Beth entendit le déclic familier de la porte quand ils s'enfermèrent dans leur chambre pour l'exclure de leurs jeux.

Le lendemain matin, elle ne descendit pas avant d'avoir entendu le taxi repartir. Lorsqu'elle fit son apparition, Charles et Lucinda, attablés devant le petit déjeuner, la regardèrent avec un grand sourire narquois.

– Ben dis donc, tu as raté un grand moment! lui lança Charles.

– Pas mon truc, répondit-elle. Ça aurait peut-être marché pour moi si on avait pu danser un peu avant.

– Une leçon que nous avons tirée de nos aventures, dit Charles, c'est qu'il ne faut jamais imposer nos préférences aux autres. Ces partenaires d'une nuit sont aussi des humains, tu sais. Il faut parfois « se laisser porter par le courant ».

Elle le dévisagea. Il était on ne peut plus sérieux. Un ou une partenaire, venait-il de l'informer, n'était pas simplement un « objet de désir » ; il ou elle était aussi un être humain. *Ça alors, se dit-elle, qui l'eût cru ? Quelle révélation d'une insondable profondeur !*

Elle épargna à Charles ses sarcasmes. Elle voyait bien, à leur façon de la regarder, qu'elle les avait déçus d'une manière importante. À l'évidence, elle n'avait pas le courage d'être une véritable dragueuse urbaine qui rôde dans la ville, la nuit, en quête de proies. Elle était viscéralement trop bourgeoise, trop lâche, pour adopter leur style de vie. Ils l'aimaient bien, l'avaient corrompue jusqu'à un certain point, mais maintenant, ils s'en rendaient compte, elle avait atteint un mur invisible qu'elle ne parviendrait pas à escalader.

Elle soutint leurs regards et les vit, eux aussi, tels qu'ils étaient. Initialement charmée par leur beauté et leur décadence, elle avait vu en eux de parfaits compagnons. N'était-elle pas venue à Buenos Aires dans le but de creuser sa fascination pour la décadence, sa conviction que le tango lui permettrait d'accéder à quelque chose de sombre et d'interdit au plus profond d'elle-même ?

Hypnotisée par leur côté flamboyant, par l'aura de danger qui émanait d'eux, elle avait dédaigné les nombreux signes d'avertissement : leur vision nietzschéenne de l'opéra ; leur notion désinvolte du droit ; le culte qu'ils vouaient aux sports violents, aux aventures sexuelles avec des inconnus, au tango en tant que jeu de conquête et de trahison. Ces derniers temps, en plus, elle avait perçu chez eux une certaine malignité : leur idée selon laquelle les humains étaient aisément interchangeables, comme des pièces de plomberie ; des opinions politiques d'extrême droite exprimées d'un ton léger au cours d'une conversation par ailleurs sans intérêt ; l'aveu spontané de leur fascination pour la cruauté et la mort.

Ils se dévisagèrent en silence, eux d'un côté de la table, elle de l'autre, tous trois conscients que leurs visions du monde étaient inconciliables, conscients aussi que leur période d'intimité touchait vraisemblablement à sa fin.

Il y eut encore un événement important avant le point de rupture : une réception à laquelle ils furent invités sur une île du delta du Río Paraná.

Dans la nuit silencieuse, ils se rendirent en voiture à la ville de Tigre, où ils embarquèrent à bord d'une vedette qui les conduisit à vive allure dans un labyrinthe de rivières et de canaux. Certaines de ces voies d'eau étaient si étroites que les arbres, de chaque côté, formaient une voûte au-dessus de leurs têtes et que les branches griffaient au passage les flancs du bateau.

Ils arrivèrent finalement en vue d'une grande maison, sur une île privée, qui rappela à Beth certaines villas qu'elle avait vues sur la Côte d'Azur : une imposante demeure palladienne agrémentée d'un luxe de détails, entourée de terrasses et de jardins magnifiquement entretenus.

Elle était habituée aux amis des Céspedes appartenant au milieu du tango : jeunes gens séduisants, du même âge qu'eux, qui dansaient remarquablement et cancanaient sans fin sur le sexe, la mode et les célébrités. En l'occurrence, toutefois, plusieurs invités lui parurent d'un genre différent. Leur hôte, un homme entre deux âges, lui dédia un sourire austère, et les convives les plus âgés avaient une lueur particulière dans les yeux, une lueur que Beth associait au fanatisme.

Charles lui proposa une cigarette de marijuana dans un étui en or, incrusté de lapis-lazuli, qui lui venait de son père. Lucinda et elle en prirent une, qu'il leur alluma avec sa galanterie coutumière à l'aide d'un briquet assorti. Ensuite, ils se vautrèrent tous les trois ensemble, Charles au milieu, sur un divan adossé à un mur d'où ils pouvaient observer le déroulement de la réception.

Des gens passaient sans bruit d'une pièce à l'autre, parlant à voix basse, ce qui créait une atmosphère de conspiration. Elle n'entendait pas grand-chose de ce qu'ils disaient, mais, de temps à autre, à travers le brouillard de la marijuana, elle saisissait un mot ou une phrase.

Un homme âgé, d'allure distinguée, vêtu d'un smoking blanc, employa l'expression « nos ennemis » en parlant à un homme plus jeune, en tenue de safari, les cheveux coupés ras à la mode militaire. Les mots « action de déstabilisation » et « épuration interne » parvinrent également jusqu'à elle. L'homme en tenue de safari évoqua d'un ton détaché « la nature purificatrice bien particulière de la violence ».

Intriguée, Beth se tourna vers les Céspedes. Charles était allongé, les yeux mi-clos ; Lucinda, qui tirait lentement sur son joint, avait le regard perdu dans le vague.

Son impression qu'il régnait dans la pièce une atmosphère de complot ne fit que croître quand elle se leva et commença à circuler. Désireuse d'échapper à la fumée, elle se retrouva sur une terrasse donnant sur l'eau. Le ciel était illuminé d'étoiles. Une fois ses yeux accoutumés à l'obscurité, elle remarqua une demi-douzaine d'hommes silencieux, tout de noir vêtus, postés çà et là, fusil à la main, qui gardaient la maison.

Elle rentra dans la villa et réveilla Charles.

– Hé ! Il y a des types armés dehors !

Charles haussa les épaules.

– Je suppose que c'est pour décourager les intrus, dit-il avant de refermer les yeux.

Poussant plus loin son exploration, Beth se rendit compte qu'il y avait en fait deux réceptions qui se déroulaient en même temps : l'une, dont elle semblait faire partie, réunissait des jeunes gens bien habillés, détendus, beaux, qui sirotaient des cocktails en fumant de l'herbe ; l'autre comprenait des gens plus âgés, sobres et ardents, qui donnaient l'impression de se mêler au premier groupe mais qui gardaient en réalité leurs distances, formant entre eux de petits cercles isolés.

Alors qu'elle se promenait, Beth eut droit aux regards inquisiteurs des convives de la seconde catégorie. Elle essaya bien de se fondre parmi eux, mais sans grand succès. Dès qu'elle s'approchait, les gens s'arrêtaient de parler, lui souriaient, puis serraient les lèvres et chuchotaient sur son passage des phrases du genre : « Qui est-ce ? », « Avec qui est-elle ? », « C'est la première fois que je la vois. »

Le barman, en veste blanche à épaulettes dorées, affichait une raideur toute militaire. Quand elle tenta de bavarder avec lui, il se montra poli mais peu expansif. Poursuivant son chemin, elle croisa deux femmes dont l'une utilisa l'expression *« la hora de la espada »* : le temps du glaive. Elles s'interrompirent, attendant que Beth se soit éloignée. Elle entendit des rires et passa près d'un autre groupe, à l'instant précis où un homme disait en parlant de quelqu'un d'autre : « Bah, après tout, ce n'est qu'un *Juif* ! »

Voyant certains de ces invités plus âgés, solennels, se diriger vers l'arrière de la villa, elle suivit le mouvement et se retrouva face à de doubles portes closes devant lesquelles était posté un garde, type ninja. Beth lui sourit. Comme il demeurait impassible, elle détourna les yeux. Une odeur de cigare lui parvint, ainsi qu'une voix grave, masculine, qui parlait de l'autre côté. Mais elle eut beau tendre l'oreille, les paroles étaient trop étouffées pour qu'elle puisse les distinguer.

Soudain, l'une des portes s'ouvrit. L'homme en tenue de safari qu'elle avait repéré plus tôt apparut, chuchota quelques mots au garde et s'éloigna d'un pas martial. Par la porte ouverte, Beth aperçut alors une scène qui ne la quitta plus de toute la soirée. Un homme d'une cinquantaine d'années, grand et mince, légèrement voûté, se tenait debout face à plusieurs autres assis sur des chaises. Tout en parlant, il tenait entre ses mains un objet allongé que Beth crut être un poignard. Derrière lui, elle vit sur le mur un grand tableau représentant un homme massif, en uniforme, sur fond de décor alpin. Elle s'efforça d'en voir davantage, mais, à cet instant, quelqu'un ferma énergiquement la porte de l'intérieur. Le garde l'observait d'un air sévère. Elle haussa les épaules et retourna dans la pièce du devant, où elle retrouva Charles et Lucinda vautrés sur le divan, dans la position même où elle les avait laissés.

Pendant le trajet de retour à Belgrano dans la Facel Vega, Beth interrogea ses compagnons sur leur hôte. Ils répondirent par un haussement d'épaules, puis demeurèrent silencieux quand elle leur raconta la scène dont elle avait été témoin.

— Il y a une chose que nous voudrions te dire, déclara Charles, changeant de sujet.

— Quoi donc ?

— Lucinda et moi allons concevoir un enfant.

Alors là, rien de tel pour tuer la conversation !

— Nous en discutions depuis quelque temps. Nous savons que ça peut paraître bizarre, mais notre décision est prise.

— Avez-vous... déjà essayé ? demanda Beth.

— Oui. Et il semble bien que nous ayons réussi.

Bon Dieu ! Elle ne sut que dire. « Félicitations ! » ne semblait pas vraiment approprié.

— Ce sera notre enfant de l'amour, dit Lucinda. Un surhomme.

Un surhomme ? C'est quoi, ce délire ?

— Notre contribution à la nation, expliqua Charles. Le précurseur d'une nouvelle race d'hommes et de femmes destinés à être le salut de notre pays.

— C'est le moins que nous puissions faire, ajouta Lucinda. L'Argentine a été bonne pour nous, après tout.

Beth comprit alors qu'ils étaient fous. Pour la première fois depuis qu'elle les connaissait, elle eut vraiment peur. Elle avait bien senti, dès le début, qu'ils avaient quelque chose de très étrange : leur attachement aux vêtements en cuir noir ; les immenses pièces vides de leur maison ; le plaisir narcissique qu'ils tiraient de leur beauté physique ; leur façon militante de danser le tango. Toutefois, rien ne l'avait préparée à cette toute dernière révélation : leur intention déclarée d'engendrer un enfant qui serait le « précurseur » d'une espèce de race supérieure.

Et soudain, à la lumière des comportements inquiétants qu'elle avait observés à la réception, les pièces du puzzle trouvèrent leur place. Non seulement ils étaient fous, riches, incestueux, mais ils étaient également dangereux : compagnons de route, semblait-il, d'une sorte de groupe d'extrême droite qu'elle connaissait par les journaux mais n'avait jamais rencontré avant cette nuit, peut-être des tortionnaires et des assassins qui subsistaient de l'ancienne dictature militaire et qui projetaient, par des menées secrètes, de reprendre le contrôle du pays et d'instaurer un nouveau gouvernement proto-fasciste.

Alerté par le silence de Beth, le couple changea à nouveau de sujet. Lucinda lui passa un bras autour des épaules tandis que Charles, tout en conduisant, parlait avec délices des folies érotiques auxquelles ils allaient se livrer tous les trois dès qu'ils seraient à la maison.

Beth fut prise de tremblements. Il était temps – plus que temps ! – de les quitter. Oui, il fallait qu'elle les quitte, et le plus tôt serait le mieux... sans quoi elle risquait d'être aspirée encore davantage dans leur vortex.

15

LES IMMACULÉS

Peu avant trois heures du matin, le téléphone sonna. Marta, réveillée en sursaut, attrapa le combiné.

– Inspecteur Abecasis ? s'enquit une voix féminine, cultivée.

– Oui ?

– Tanya Vargas à l'appareil, la mère de Raúl.

Marta se redressa, le buste raidi.

– Oui, docteur Vargas ?

– Raúl a reçu une sévère raclée. Il est à Alemán, au service des urgences. Il vous réclame depuis tout à l'heure. S'il vous plaît, venez maintenant si vous le pouvez. Je sais qu'il en serait heureux.

– J'arrive.

Elle fonça dans les rues nocturnes en jurant : *Salopards ! Salopards !*

Sa colère et son chagrin lui firent prendre conscience qu'elle n'avait pas seulement un petit faible pour Raúl : elle l'aimait comme un frère cadet.

C'est ma faute. Je lui ai fourgué cette histoire, je me suis servie de lui pour régler mes comptes... et maintenant, il a payé les pots cassés.

Elle connaissait bien l'hôpital Alemán. Situé à Recoleta, il avait la réputation – contestable – d'être le meilleur hôpital privé de la ville. Elle exhiba son insigne à l'entrée, se gara dans la zone réservée aux ambulances et se précipita dans le bâtiment. Trois minutes plus tard, elle était auprès des parents de Raúl, les Drs Hugo et Tanya Vargas, qui contemplaient le visage et le corps esquintés de leur fils.

Le tabassage avait dû être horrifique, pensa-t-elle. La moitié inférieure du visage de Raúl disparaissait sous les pansements. La peau,

282

autour des yeux, était noire et violacée, tellement enflée que Marta distinguait à peine les pupilles. Il avait les deux mains plâtrées et un tube dans la poitrine.

Quand elle se pencha pour l'embrasser, Raúl tenta de lui faire un clin d'œil.

— Je suis navrée, dit-elle dans un murmure.

— Collapsus du poumon droit, lui dit Hugo Vargas.

Il avait bien l'air d'un psy, songea Marta, avec sa barbiche grise et ses lunettes à grosse monture noire.

— Ils lui ont cassé quatre côtes, reprit-il. Et aussi le nez, la mâchoire et les mains. Il se rétablira, mais il souffre beaucoup.

— C'est pour ça que j'ai un sourire grimaçant, dit Raúl d'une voix plus sourde qu'à l'ordinaire.

— Qui a fait ça ? demanda-t-elle.

Raúl secoua la tête. Il avait reçu un coup de téléphone, lui dit-il, d'un homme courtois, à la voix douce, qui affirmait détenir des informations importantes ayant trait à son récent article sur l'Inspecteur, le Politicien et les Truands.

Raúl avait donné rendez-vous à son correspondant dans une station-service d'Almagro, à minuit. Après avoir attendu une demi-heure à la cafétéria de la station-service, il avait décidé de s'en aller. Il était habitué à ce qu'on lui pose des lapins ; les informateurs potentiels se dégonflaient souvent. Il était sur sa Kawasaki, arrêté à un feu rouge, quand une voiture, sur sa droite, s'était rangée à sa hauteur. Le conducteur, baissant sa vitre, l'avait appelé par son nom en disant « Suivez-moi » d'une voix douce — la voix même de l'homme que Raúl devait rencontrer.

— En temps normal, expliqua le journaliste, j'aurais refusé. Mais il avait l'air inoffensif et s'exprimait poliment, alors j'ai accepté. Mal m'en a pris.

Il avait suivi la voiture dans un dédale de rues, puis dans une impasse située près du parc de Chacabuco. Il descendait de sa moto quand trois autres hommes l'assaillirent par-derrière. Deux lui emprisonnèrent les bras, le troisième lui mit un bandeau sur les yeux, puis il fut plaqué brutalement contre un mur.

Il entendit des chuchotements inintelligibles, puis des rires. Deux des hommes le remirent debout, puis quelqu'un lui caressa doucement les joues comme pour lui faire comprendre le sort qui l'attendait. Et le tabassage commença, administré lentement, méthodiquement, par un type muni de gants de boxe.

– Il s'est d'abord attaqué à mes côtes, puis à mon visage. Je ne peux rien te dire de lui, à part qu'il empestait l'eau de cologne. Il n'a pas prononcé un mot. Les autres non plus, d'ailleurs. J'entendais sa respiration ahanante, des gloussements au loin... et aussi, bien sûr, les cris et les gémissements que je poussais. Quand il en a eu terminé avec moi, j'ai entendu une voiture démarrer, et ensuite quelqu'un est parti sur ma moto. Puis le silence est retombé... et, soudain, ils m'ont écrasé les mains avec une brique ou je ne sais quoi.

Marta grimaça.

– Parle-moi de cette eau de cologne ?

– Elle était forte, comme si le fabricant avait essayé de recréer le parfum de la violette mais avait loupé son coup en forçant trop la dose.

– Est-ce que tu reconnaîtrais le type qui t'a interpellé en voiture ?

Quand Raúl acquiesça, Marta s'excusa un moment, se rendit rapidement à la planque, empocha la photo du garde du corps de Pedraza et reprit le chemin de l'hôpital.

À son retour, elle trouva dans la chambre de Raúl un nouveau visiteur, un homme grisonnant au visage bienveillant et aux yeux curieusement liquides. Hugo Vargas le présenta comme étant un ami de la famille.

Marta lui serra la main et montra la photo à Raúl.

– Ouais, c'est bien lui, dit-il. Très poli, la voix très douce.

– C'est le type qui a essayé de m'acheter. Je sais où le trouver. Je sais également qui t'a tabassé. Ce n'était pas un homme, mais une femme.

– Qui ça ?

– Liliana Méndez. Ne t'en fais pas, je m'en occupe.

– Je veux récupérer ma Kawasaki.

Elle l'embrassa sur le front.

– Je vais tâcher de te la retrouver. Ton job, maintenant, c'est de te rétablir.

Dans le couloir, elle discuta brièvement avec les Vargas. Elle retrouva les yeux de Raúl chez sa mère et son sourire caractéristique sur les lèvres de son père. Ils étaient tous deux atterrés et médusés que leur fils ait pu être victime d'une telle violence.

– Nous lui disions d'être prudent, qu'il allait souvent trop loin dans ses articles, déclara Hugo Vargas.

– Il répondait qu'on ne peut jamais aller trop loin quand on dit la vérité, ajouta Tanya. Et maintenant, ils lui ont brisé les mains pour qu'il ne puisse plus écrire.

– Il écrira! leur assura Marta. Raúl est le meilleur journaliste d'investigation d'Argentine. Il est aussi mon ami. Je sais qui lui a fait ça et je vous promets qu'ils paieront.

Elle comprit à leur pâle sourire que, pour eux, la justice serait certes la bienvenue, mais ce qui les perturbait le plus, c'était de voir que le danger – avec lequel leur fils avait choisi de flirter – avait fini par le rattraper.

– Dieu merci, ils ne l'ont pas tué, soupira Tanya Vargas.

Marta s'abstint de leur dire que, d'après son expérience de cas similaires, si le corps se rétablissait en quelques semaines, les dégâts psychologiques causés par un passage à tabac prenaient souvent de nombreux mois à guérir.

Le lendemain après-midi, Marta était assise au fond d'un café de Colegiales, en diagonale par rapport à la rue où habitait le Dr Osvaldo Pedraza. Étant donné que le garde du corps de Pedraza connaissait Marta pour avoir tenté de la soudoyer, elle ne pouvait courir le risque d'être repérée. En revanche, Rolo, inconnu du gorille, était installé bien en vue à une table en terrasse, d'où il observait attentivement la maison.

La limousine de Pedraza, conduite par un chauffeur, arriva à sept heures du soir. Pedraza en descendit et conféra brièvement avec son garde du corps avant d'entrer dans la résidence. Marta et Rolo en profitèrent pour regagner prestement leur voiture. Quand la limousine repartit, ils la prirent en filature.

– Apparemment, le chauffeur ramène le garde du corps chez lui, dit Rolo. Exactement ce qu'on espérait.

Ce matin-là, quand Marta lui avait raconté ce qui était arrivé à Raúl, il avait voulu directement aller agrafer Liliana.

– Elle a bousillé la scène du crime de Santini; elle ou son père – ou les deux – ont engagé Pereyra et Galluci pour t'enlever; et cette nuit, elle a tabassé ton ami!

– Ouais, mais nous ne pouvons rien prouver de tout ça. N'empêche, c'est une occasion inespérée. Nous pouvons prouver que le garde du corps de Pedraza a tenté de m'acheter et que, cette nuit, il a attiré Raúl dans une embuscade. Le meilleur moyen de coincer Liliana, c'est de faire parler le gorille. Persuadons-le de manger le morceau et elle sera à nous. Ensuite, si on arrive à retourner Liliana, nous découvrirons peut-être enfin qui tire les ficelles.

La limousine de Pedraza s'arrêta devant une rangée de hauts immeubles, au numéro 1300 de Larrea.

285

– Il descend, dit Marta. Je vais le suivre à pied. Toi, gare la voiture et reviens dare-dare.

– Sois prudente, Marta. Les gardes du corps sont armés.

Elle opina du chef.

– Si jamais il entre dans un immeuble, je te téléphone pour te dire lequel.

Elle le fila sur la longueur du bloc et le rejoignit juste au moment où il se penchait pour déverrouiller la porte d'un immeuble. Elle lui enfonça le canon de son Sig dans le rein droit, lui ordonna d'ouvrir la porte et le poussa sans ménagement dans le hall. Comme il n'y avait personne en vue, elle le plaqua brutalement face contre le mur, lui menotta les mains derrière le dos, le palpa, trouva un Browning .38 dans un holster et un minuscule Beretta .22 dans un étui fixé à sa cheville. Elle le propulsa dans l'ascenseur, lui empoigna les cheveux et fit pivoter sa tête vers elle.

– Marta Abecasis... tu te souviens de moi ?

– Oui, señora.

– Señora inspecteur pour toi. Quel étage ?

– Dixième.

– L'appartement avec terrasse ? C'est d'un chic !

Elle le fit mettre à genoux, le menotta au radiateur de la cuisine, puis téléphona à Rolo. Le temps qu'il la rejoigne, elle avait le nom de son prisonnier – Andrés Quintana – et une première impression, fondée sur une rapide inspection de l'appartement, qui coïncidait avec les manières courtoises et feutrées de l'individu.

L'appartement, meublé avec goût et impeccablement rangé, comportait une petite terrasse encombrée de plantes entretenues avec soin. À côté du lit, une bibliothèque remplie de classiques : Borges, Cortázar, Fuentes, García Márquez, ainsi que des auteurs américains et européens traduits en espagnol : Conrad, Hemingway, Camus et Graham Greene. Les livres étaient usés, beaucoup de passages soulignés. Tout, ici, dénotait un homme cultivé, doté d'une sensibilité que Marta n'aurait pas soupçonnée chez le garde du corps d'un idéologue fasciste.

Elle s'accroupit devant lui pour le regarder dans le blanc des yeux.

– J'ai deux bonnes raisons de t'arrêter, lui dit-elle. Tentative de corruption d'un policier fédéral et complicité de coups et blessures sur un journaliste. L'un ou l'autre de ces délits te vaudrait une peine de prison. Les deux ensemble... le nombre d'années augmentera.

Il soutint son regard sans ciller.

– Tu crois peut-être que si Viera, le copain de ton patron, décroche la présidence, tu seras amnistié. En fait, tu seras probablement victime en prison d'un malencontreux accident, pour éviter que tu t'apitoies sur ton sort et que tu mettes en cause des gens qui te sont supérieurs. Réfléchis bien à ça, Andrés, et demande-toi où doit aller ta loyauté : à toi-même ou à des types qui, s'ils arrivent au pouvoir, ne te renverront certainement pas l'ascenseur.

Le laissant à ses réflexions, Rolo et elle effectuèrent une perquisition en règle. Ils découvrirent quatre autres armes de poing, plusieurs trophées de tir, diverses médailles et citations militaires, dont l'une signée du général Videla, le président argentin à l'époque du Processus. Andrés était un ancien officier qui avait obtenu autrefois le grade de capitaine.

– Va voir s'il a un tatouage de Croco, ordonna-t-elle à Rolo en continuant à fouiller dans les documents du prisonnier.

Quelques instants plus tard, il revint annoncer :

– Je l'ai fait mettre torse nu... pas de tatouage. Il est poli, parle d'une voix douce, comme un... comment dit-on ? ... « un gentleman de la vieille école ».

Marta avait eu la même impression d'Andrés lorsque celui-ci l'avait abordée devant l'épicerie. Sa garde-robe, elle aussi, était celle d'un gentleman : plusieurs costumes classiques, chaussures de fabrication anglaise, bien cirées, trois chapeaux de feutre.

Elle prit le cadre contenant son brevet d'officier, retourna dans la cuisine, s'accroupit devant le prisonnier, lui montra le document, haussa les sourcils.

Il se recroquevilla, comme embarrassé d'être agenouillé à moitié nu en présence de Marta.

– Pourquoi un gentleman élégant et cultivé comme toi fait-il un travail de lèche-bottes pour un taré comme Pedraza ? Es-tu antisémite, toi aussi ?

– Certainement pas, señora inspecteur ! se récria-t-il, atterré qu'on puisse penser une chose pareille.

– Dans ce cas, pourquoi travailles-tu pour lui ?

– Il faut bien gagner sa vie.

– On l'a déjà entendue, celle-là.

Elle le regarda fixement. Il baissa les yeux.

Il lui reste peut-être une étincelle de décence...

– Nous t'avons repéré quand Pedraza est allé au 142 Avenida Alvear, l'autre jour. On surveillait l'immeuble. Tu sais qui il va voir, là-bas ?

– Je crois que c'est sa maîtresse, señora inspecteur.

Elle sourit.

– Par « maîtresse », tu veux dire une dame d'un certain standing qui se trouve être son amante, c'est ça ? (Andrés acquiesça.) Et si je te disais que cette femme-là est une travailleuse du sexe dont la spécialité est le psychodrame sadomasochiste ? Dans le cas de ton patron, elle l'entraîne à résister aux interrogatoires. Ça signifie qu'elle le ligote et le torture comme l'ont fait tes petits copains de l'armée pendant le Processus. La différence, c'est que tes potes faisaient réellement souffrir leurs victimes, alors que la douleur qu'elle inflige à Pedraza le fait simplement bander !

Pendant qu'elle parlait, Andrés se recroquevilla sur lui-même. Quand elle eut terminé, il détourna les yeux.

– Tu ne me crois pas ? Tu veux que je te fasse écouter l'enregistrement ?

– Non, s'il vous plaît, señora inspecteur. Je préfère pas... si vous n'y voyez pas d'inconvénient.

– Tu n'étais pas au courant des « goûts spéciaux » de ton employeur ?

Andrés secoua la tête.

– Par contre, tu es au courant d'autres choses qui nous intéressent : par exemple, tu sais qui a tué Ivo Granic et Silvia Santini. Je te propose un marché, Andrés : tu nous dis tout, tu deviens un témoin du gouvernement, tu témoignes devant un juge, et tout se passera en douceur pour toi. Mais si tu refuses de parler... (Marta haussa les épaules.) Je suis juive et Raúl Vargas est mon ami ; donc, outre les motifs que j'ai de t'arrêter, j'ai d'excellentes raisons personnelles de vouloir t'expédier en prison.

Elle dit à Rolo de rendre sa chemise à Andrés, de l'asseoir sur une chaise de la cuisine, mains menottées dans le dos, et de le laisser seul. Elle ne s'attendait pas à ce que ce soit facile de le faire parler. Elle savait par expérience qu'il était difficile de retourner un sous-fifre. Peur des représailles, scepticisme justifié sur les arrangements proposés par la police, machisme latin – « On ne moucharde pas les gens qui vous paient » –, tout cela rendait compliquée la tâche de transformer un complice en indic. Pourtant, il y avait chez Andrés quelque chose qui lui donnait de l'espoir : les plantes soignées avec amour sur sa terrasse, ses placards et tiroirs bien rangés, ou encore les classiques littéraires écornés de sa bibliothèque. Ou alors, peut-être, le profond désarroi qu'elle avait lu sur son visage à l'idée qu'elle puisse le croire antisémite.

Après avoir effectué une seconde perquisition, Rolo et elle s'assirent dans le salon pour échanger leurs vues.

– Un type entre deux âges, calme et poli... c'est idéal de l'avoir près de soi, dit Rolo. Son allure de gentleman, combinée à des talents de tireur d'élite et à une solide expérience militaire, voilà qui en fait un excellent garde du corps.

– Il est parfait aussi pour s'occuper des tâches *soft* : par exemple, me proposer un pot-de-vin ou attirer Raúl dans un piège. Mais quand ils veulent recourir à l'intimidation, ils utilisent quelqu'un d'autre... des gros bras comme Galluci et Pereyra.

– En tout cas, ça ne lui a pas plu d'apprendre que ça fait jouir son patron d'être torturé.

– Il n'a pas protesté quand j'ai présenté Viera comme étant « le copain de son patron ».

– À force de passer ses journées avec Pedraza, il doit savoir un tas de choses.

– On va en avoir le cœur net. Préparons du café, amenons-le ici et écoutons ce qu'il a à dire pour sa défense.

La confession vint si facilement, songea Marta, qu'elle semblait avoir été répétée en prévision du jour où se présenterait un confesseur ad hoc. Tout en écoutant, elle s'aperçut qu'elle avait bien, comme le disait Ricardi, un talent spécial pour persuader les gens de soulager leur conscience.

Oui, avoua Andrés, il avait attiré Raúl Vargas sur les lieux de l'agression. Mais le Dr Pedraza, insista-t-il, n'avait rien à voir là-dedans.

– Qui a donné l'ordre, si ce n'est pas Pedraza ? interrogea Marta.

– Un certain Ubaldo Méndez. Lui et sa fille, Liliana, étaient furieux d'un article écrit par Vargas, dans lequel ils n'étaient pas désignés par leur nom mais néanmoins faciles à identifier. Ils voulaient donner une leçon au gamin.

– Donc, tu t'es arrangé pour qu'un gamin maigrichon se fasse tabasser par une championne de boxe de la police ?

Andrés baissa les yeux.

– Je m'en veux pour ça, señora inspecteur. Mais je ne pouvais pas refuser.

– Pourquoi donc ?

– Parce que Ubaldo Méndez est responsable de la sécurité d'un des associés de mon patron.

– Qui s'appelle ?...

– Le père Hugo Charbonneau.

Ça commence à se préciser.

– Continue.

– Méndez et sa fille sont sans pitié. Si j'avais refusé, ils se seraient retournés contre moi. Charbonneau se serait peut-être plaint au Dr Pedraza, et je serais maintenant à la rue... ou pis.

– Tu veux dire qu'ils t'auraient tué ? dit Rolo, sceptique.

Andrés inclina la tête.

– Je sais certaines choses. Ces gens-là ne plaisantent pas.

– Quel est le lien entre Charbonneau et Pedraza ? s'enquit Marta.

Après un silence, Andrés se décida à parler. Marta avait vu juste : Viera était l'homme du Dr Pedraza. Charbonneau faisait la liaison entre les deux. Pedraza l'avait placé auprès de Viera en qualité de stratège et de conseiller pour la course à la présidence. Pedraza était convaincu que Charbonneau parviendrait à métamorphoser Viera en leader charismatique – une sorte de Perón qui, correctement guidé pendant la campagne électorale, pourrait forger un lien mystique avec les masses populaires argentines.

Le Dr Pedraza, expliqua Andrés, gardait ses distances avec la politique et ne se salissait jamais les mains dans des actions violentes. Les amis qu'il avait chez les Crocos s'en chargeaient pour lui.

– Les meurtres de Granic et de Santini, par exemple ? demanda Marta.

– C'est ce que j'ai entendu dire, mais je n'ai aucune information directe. Le Dr Pedraza a des réunions régulières avec un petit groupe. Ils se font appeler les Immaculés. Le père Charbonneau en fait partie. Il y en a six ou sept autres. Je ne sais pas grand-chose sur eux, parce qu'ils sont très secrets. Quand ils jugent qu'il y a une action à exécuter, ils le disent aux Crocos et les Crocos s'en occupent.

– Tout à l'heure, tu t'es vanté de « savoir certaines choses ». Dis-nous quelque chose que Pedraza et Charbonneau ne voudraient pas qu'on sache.

Andrés sourit.

– Vous avez déclenché une grosse agitation avec les photos de lesbiennes.

– Elles se sont révélées truquées.

– Mais ça, personne ne le savait au départ. Quand le père Charbonneau en a parlé au Dr Pedraza, celui-ci a été furieux. Il a dit que,

290

si les photos étaient publiées, elles réduiraient à néant tous nos efforts. Il a ordonné au père Charbonneau de dire à Viera de régler l'affaire. D'après ce que je sais, Viera était si secoué qu'il est rentré chez lui pour administrer à sa femme une raclée de première. Ensuite, quand il a appris que tout était bidon, qu'elle n'avait jamais couché avec la prostituée, il s'est senti dans ses petits souliers et a imploré le pardon de la señora Viera. Mais il était trop tard : elle a exigé le divorce. Le père Charbonneau a tenté de la raisonner, puis le Dr Pedraza a autorisé le versement d'une grosse somme pour que la señora accepte de se taire et de rester avec Viera au moins jusqu'au terme de la prochaine élection. Voilà le genre de choses dont ils ne voudraient pas que je vous parle.

Intéressant, pensa Marta. *Voilà qui amuserait beaucoup Raúl. Ça plairait aussi à Shoshana et à ses amis. Mais les ragots politiques d'extrême droite ne m'avancent pas dans mon enquête.*

— Je veux savoir qui a tué Granic, dit-elle.

Andrés haussa les épaules.

— Je vous le répète, je n'en sais rien. Ce sont sans doute des Crocos. Ou peut-être les Clowns.

Rolo roula des yeux effarés.

— Les « Clowns » ?

— Qui diable sont les Clowns ? dit Marta.

— Ce sont des gros bras, d'anciens flics contrôlés par Ubaldo Méndez, qui ont pour spécialité les kidnappings et l'intimidation de témoins. On les appelle les Clowns à cause de leur technique favorite : ils sonnent à votre porte, par deux, déguisés et maquillés en clowns, un bouquet de ballons à la main. Quand vous leur ouvrez, ils vous poussent brutalement à l'intérieur et vous disent sur un ton très sérieux que vous n'avez été témoin de rien du tout. L'avertissement menaçant, par contraste avec leurs sourires peints et leurs gros nez rouges, terrorise les gens.

— Ubaldo Méndez est-il un Croco ? Et Liliana ?

— Je ne sais pas. Je n'ai jamais fait partie de ce groupe. J'étais juste un capitaine ordinaire.

— Tu as peur des Méndez, hein ?

Andrés eut un sourire sinistre.

— Je serais fou de ne pas en avoir peur.

— Le corps de Silvia Santini a été balancé sur le secteur de Liliana, qui s'est arrangée pour que ses hommes bousillent la scène du crime. Plus tard, elle ou son père – ou peut-être les deux – ont payé un duo de truands pour me menacer et me malmener. Ils ont dit qu'ils me donnaient une leçon parce que je n'avais pas accepté ton pot-de-vin.

Andrés la regarda avec insistance.

– Je me souviens très bien de notre rencontre devant l'épicerie, señora inspecteur. Vous m'avez surpris. Je n'en ai pratiquement pas dormi de la nuit.

– Pourquoi ? Parce que je ne voulais pas de ton argent ?

Il acquiesça.

– J'avais entendu parler de vous. Comme tout le monde, je suppose. « La Incorrupta », tout ça... Je pensais que c'était juste de la publicité, qu'au fond vous étiez aussi corrompue que tous les autres flics. Et vous étiez là, un gros rouleau de billets de cent dollars dans les mains – quinze mille dollars américains, pour être précis –, et non seulement vous avez refusé de prendre l'argent mais vous n'avez pas tenté de marchander pour obtenir davantage. Au contraire, vous m'avez demandé de tenir vos paquets afin d'avoir les mains libres pour me passer les menottes. Je n'en croyais pas mes oreilles. Depuis lors, cette rencontre m'obsède.

Andrés marqua une pause avant de poursuivre :

– Si je vous ai fait certaines révélations, c'est à cause de ça, pas parce que vous m'avez menacé d'une longue peine de prison. Bien sûr, je n'ai pas envie d'aller en prison. Je crois que vous avez raison : là-bas, il m'arriverait sans doute quelque chose. Mais ce n'est pas pour ça que je parle. C'est parce que j'ai senti, ce soir-là, que vous étiez vraiment « la Incorrupta », qu'il était possible qu'une *incorrupta* existe réellement, et que, s'il y en avait une, alors pourquoi pas un *incorrupto*... ou plusieurs... ou même une police qui en compterait beaucoup. Et cette idée était si déstabilisante qu'elle a ébranlé toutes mes convictions sur la réalité de ce pays et la façon dont nous vivons ici. Alors, oui... j'essaierai de vous donner des renseignements sur les Méndez, peut-être de quoi les faire arrêter. Je ne sais pas grand-chose, mais je ferai de mon mieux. En échange, veuillez comprendre que j'aurai besoin d'être protégé, parce que, étant donné ce que je vous ai déjà dit, ma vie ne vaudra désormais plus rien dans la rue.

Andrés avait dit vrai : il ne savait pas grand-chose sur les Méndez, juste les anecdotes habituelles – et non avérées – concernant la corruption d'Ubaldo et la brutalité de Liliana.

Selon la rumeur, dit-il, Ubaldo procurait de faux certificats « de bonne conduite » à d'anciens braqueurs condamnés, en échange d'un pourcentage de leur butin sur les hold-up à venir. On racontait aussi qu'il dirigeait un racket de protection, qu'il extorquait de grosses mensualités à des revendeurs de drogue sur le secteur de Liliana. Ses encaisseurs étaient les Clowns, composés d'anciens flics parmi les plus brutaux et les plus corrompus – des flics tellement pourris que même les commissaires corrompus de la police de la province de Buenos Aires n'en voulaient pas.

– Tout cela est très intéressant, lui dit Marta, mais beaucoup trop vague. Que peux-tu nous raconter sur Liliana ?

– On dit qu'elle aime tabasser les gens, que ça lui procure un frisson de jouissance.

– Est-ce que tu l'as vue tabasser Raúl Vargas ?

– Non, je ne suis pas resté pour la raclée. Je n'aime pas ça. Par contre, avant de partir, j'ai senti une bouffée de son parfum – cette horrible eau de cologne qu'elle utilise. Ça m'a donné la nausée. J'ai vu Liliana adossée à une voiture pendant que sa petite amie lui laçait ses gants de boxe en rigolant.

– Qui est cette petite amie ?

– Bianca Portela. Elle aime s'habiller en cuir. Je ne serais pas étonné qu'elle ait fauché le blouson de Vargas quand elles en ont eu fini avec lui.

– Qui lui a volé sa moto ?

– Aucune idée. Elle doit être au Paraguay à l'heure qu'il est... ou désossée dans un atelier, en attendant d'être vendue en pièces détachées.

– Le tabassage de Vargas est un délit grave, mais malheureusement pas suffisant. Il me faut quelque chose sur Liliana qui lui flanquera la pétoche, quelque chose qui la forcera à parler.

– Il y a une histoire dont je sais qu'elle est vraie. L'année dernière, un flic de son commissariat, Miguel Giménez, a eu un différend avec elle. Il avait servi sous mes ordres dans l'armée. C'est un type d'une cinquantaine d'années, aujourd'hui retraité, du genre médiocre. Bref, il n'avait plus qu'un an à tirer avant la retraite, et il a trouvé moyen d'enfreindre un banal règlement de police. Une affaire sans gravité, mais qui aurait pu lui coûter sa pension si ça s'était su. Liliana l'a convoqué dans son bureau et lui a mis le marché en main : soit elle déposait une plainte officielle, auquel cas il devrait passer en commission disciplinaire, soit il acceptait la punition directement infligée par elle, à savoir une amende et une raclée. C'était à lui de choisir. (Andrés secoua la tête.) Il a décidé de se mettre à la merci de Liliana.

Rolo ouvrit des yeux exorbités.

– Nom de Dieu ! Pourquoi n'est-il pas retourné la voir, un micro planqué sur lui, pour lui faire répéter ce qu'elle avait dit et l'enregistrer ?

– Il avait trop la frousse. Il savait qu'elle avait le bras long et que, de toute façon, il serait flanqué à la porte. Comme c'est un type costaud, il s'est dit qu'après tout, bon sang, il arriverait bien à encaisser les coups de Liliana.

« Elle lui a collé une amende représentant la moitié de son salaire annuel. Quant à la raclée, il en a eu pour deux jours d'hôpital avec des côtes fracturées. Toute l'affaire était grotesque. Elle lui a ordonné de venir un dimanche à l'appartement de sa petite amie. Quand il est arrivé, il l'a trouvée en soutien-gorge de sport et short de boxe. Elle lui a dit de se mettre en caleçon et l'a conduit sur le toit de l'immeuble, où était installé un ring à ciel ouvert. Sa petite amie Bianca les attendait, vautrée dans un énorme hamac. Liliana a lancé une paire de gants de boxe à Miguel en lui ordonnant de les enfiler. Elle lui a dit qu'ils disputeraient six rounds de trois minutes, avec une pause d'une minute entre chaque. Bianca agiterait une clochette à la fin de chaque round. Elle exhorta Miguel à essayer de la frapper ou, s'il était trop lâche, à tenter de parer les coups. Quelle que soit la tactique qu'il adopte, lui dit-elle, il pouvait s'attendre à prendre une sacrée trempe.

Marta secoua la tête. Liliana se révélait encore pire qu'elle l'avait imaginé. La harpie avait décidé dès le départ d'utiliser le pauvre bougre comme punching-ball, qu'il ose se défendre ou non.

– Que s'est-il passé ? demanda-t-elle.

– Elle l'a roué de coups pendant la totalité des six rounds. Bianca, allongée dans son hamac, observait le spectacle avec jubilation, agitant la clochette et grillant des cigarettes. Au début, Liliana envoyait à Miguel des gifles pour rire, du plat de la main, histoire de le provoquer et de miner sa confiance. Et puis elle s'est mise à lui décocher des directs, boxant dans le vide dans l'intervalle. Puis d'autres directs, plus appuyés et plus rapides. Puis des volées de coups mêlées à des manchettes. Les deux derniers rounds, elle le cognait de toutes ses forces.

« Elle s'attaquait surtout à son torse, lui martelait l'abdomen et les côtes. Ce qui faisait le plus mal à Miguel, ce n'était pas tant la douleur. Il avait été soldat et flic : il s'était pris des mauvais coups plus d'une fois. Non, c'était l'humiliation, la façon dont elle le manipulait, les trucs qu'elle lui disait pendant qu'elle le corrigeait. Elle proférait des obscénités, le traitait de « femmelette » et de « salope » tout en échangeant des coups d'œil et des sourires hilares avec sa petite amie. Pendant ce temps-là, Bianca excitait sa copine, lui lançait des trucs du genre : « Ben alors, Lil ? Pourquoi tu le ménages comme ça, ce porc ? » Et Liliana, en sueur, riait.

« Le combat terminé, elle lui a dit de se reposer. Puis elle a ôté ses vêtements de sport et s'est envoyée en l'air avec Bianca dans le hamac. Juste sous le nez de Miguel ! Sans vergogne ! Comme si c'était un vulgaire animal, donc peu importait qu'il assiste à leurs ébats. Les femmes ont pris leur pied, et ensuite Liliana a conduit Miguel à la clinique de la police, où on lui a bandé les côtes. Selon la version officielle, il s'était fait agresser en promenant son chien.

– Je n'ai jamais rien entendu de pareil, murmura Rolo. Cette femme est une psychopathe.

– Peut-être... je ne sais pas. En tout cas, elle est indéniablement sadique.

– Et donc, tu connais ce Miguel Giménez ? demanda Marta.

– Depuis vingt ans.

– Est-ce qu'il confirmera l'histoire ?

– Il la confirmera si je viens avec vous. Maintenant qu'il est à la retraite, il n'a plus rien à perdre.

Cela suffirait peut-être à effrayer Liliana, à la pousser aux aveux. Si jamais ça venait à se savoir qu'elle avait extorqué de l'argent à un subordonné, ce serait la fin de sa carrière dans la police... et ça, elle le savait. En outre, si Marta lui disait qu'Andrés l'avait vue tabasser Raúl, elle n'aurait aucun moyen de savoir si c'était vrai. En la cuisinant de façon appropriée, elle serait forcée de marchander. Et quand les marchandages commençaient, on pouvait faire craquer un détenu en s'y prenant habilement.

Elle se tourna vers Andrés.

– Tu as joué franc-jeu avec nous, ce que nous apprécions beaucoup. Mais tu n'as toujours pas craché le morceau sur les meurtres de Granic et Santini. Alors, je te repose la question : as-tu entendu Pedraza donner un tel ordre... à Charbonneau, à Ubaldo Méndez ou à quelqu'un d'autre ?

Andrés la regarda dans les yeux.

– J'aimerais pouvoir vous répondre par l'affirmative. Je peux vous dire que le Dr Pedraza était dans tous ses états quand il a appris qu'un agent israélien faisait du chantage pour tenter d'infiltrer son cercle de fidèles. Mais je ne l'ai jamais entendu commanditer un double meurtre. De toute manière, il est trop intelligent pour donner ce genre d'ordre devant témoins.

Marta le dévisagea.

– Je te crois, Andrés. Tu as été franc avec nous, ce qui est tout à ton honneur. Nous allons te mettre sous protection policière. Mais d'abord, appelle ton ami Miguel pour lui dire que nous arrivons, que nous voulons coincer Liliana Méndez et que le moment est venu pour lui de se venger.

16

LE POIGNARD DE GOERING

Hank Barnes observa la femme assise en face de lui, plongée dans la lecture du press-book qu'il lui avait remis : compilation d'articles de journaux et de magazines qui confirmaient son statut d'expert dans le domaine des objets militaires du Troisième Reich.

Ils se trouvaient dans le bar aux boiseries d'acajou du très élégant Alvear Palace, indéniablement plusieurs crans au-dessus du Castelar. Aux tables voisines étaient installés des hommes et des femmes vêtus avec recherche. L'atmosphère était feutrée, l'éclairage tamisé, le service exemplaire, les prix astronomiques.

– Ça la mettra à l'aise de vous rencontrer là-bas, lui avait assuré DiPinto. Elle se sentira en sécurité parmi des gens comme elle.

Et comment est-elle, au juste ? se demanda Hank, observant la señora Pedraza qui continuait à éplucher son press-book.

Max Rosenfeld, le bijoutier, l'avait qualifiée d'arrogante. « Une bourgeoise typique du Barrio Norte », avait-il dit. Hank, pour sa part, la voyait comme une « femme d'un certain âge » vaniteuse et très soignée, sans doute adepte de la chirurgie esthétique, à en juger d'après la peau trop lisse de son front et un manque d'expression révélateur autour de la bouche.

Il se pencha en avant. Elle n'avait apparemment pas de fanons au cou, mais il nota plusieurs rangs de rides habilement camouflés derrière un collier en or et un foulard Hermès noué avec désinvolture.

Lorsqu'il releva les yeux, elle le scrutait par-dessus ses lunettes.

– Vous semblez bien être l'homme que vous prétendez être, dit-elle en comparant son visage avec la photographie illustrant un article du *Chicago Tribune*.

Elle eut un sourire – rusé, jugea-t-il – avant d'ajouter :

– On n'est jamais trop prudent, de nos jours.

Elle parlait un excellent anglais, ce qui n'avait rien d'étonnant : en effet, DiPinto avait expliqué à Hank qu'elle avait vécu en Afrique du Sud à l'époque de l'apartheid, où son mari, le Dr Osvaldo Pedraza, enseignait la théorie politique à l'université de Johannesburg.

– Cette ville est infestée d'escrocs, reprit-elle. Nous les appelons des *chantas*. Dites-moi, monsieur Barnes, maintenant que vous avez prouvé votre bonne foi, quelle est cette « affaire urgente » dont vous désiriez discuter ? (Elle eut de nouveau son sourire roublard.) Ou, pour être plus précise, quel genre d'escroquerie comptez-vous infliger à la pauvre femme crédule assise en face de vous ?

Amusé, il commença à la trouver sympathique.

– Je ne pratique pas l'escroquerie, dit-il.

– Tout le monde la pratique, répliqua-t-elle du tac au tac. Certains appellent ça des transactions d'affaires, mais, au bout du compte, tous les hommes d'affaires sont des escrocs et tous les contrats d'affaires sont des arnaques. C'est mon opinion, en tout cas. Alors, dites-moi, monsieur... pourquoi avez-vous demandé à me rencontrer ?

– J'espérais que mon press-book vous mettrait sur la voie.

Elle le regarda sans ciller, attendant qu'il s'explique. Il hésita, sachant que, si son explication sonnait faux, elle n'hésiterait pas à le planter là. Il avait répété plusieurs fois son boniment, en choisissant ses mots avec soin. Car si la señora Pedraza envisageait de divorcer et désirait, pour cette raison, vendre les pierres précieuses du poignard de son mari, cela prouvait qu'il régnait entre les époux une extrême méfiance ; dans ces conditions, elle aurait toutes les raisons de soupçonner Hank d'être un agent chargé par son mari d'apporter la preuve qu'elle mijotait de lui voler ses biens.

– Il y a six mois, commença-t-il, une certaine dame a apporté un poignard dans une bijouterie de Buenos Aires. (Il jeta un coup d'œil à la señora Pedraza. Elle était extrêmement attentive.) Elle voulait en faire estimer les pierres précieuses pour savoir si ça valait la peine de les dessertir afin de les remplacer par de la verroterie.

Il la regarda d'un air entendu. Comme elle le fixait avec froideur, il poursuivit :

– D'après ce que je sais, le bijoutier n'a pas offert grand-chose à la dame pour les pierres. Par contre, il lui a dit que si elle lui vendait le poignard en l'état, il serait prêt à payer un bon prix. La dame lui a répondu qu'elle ne pouvait pas vendre le poignard et a quitté la boutique.

– Fin de l'histoire ?

– Fin de la première partie. Si ça vous intéresse, je vais passer à la seconde.

– C'est trop amusant, dit la señora Pedraza en riant. Je *tiens* absolument à entendre la seconde partie ! Mais d'abord, veuillez m'expliquer comment cette anecdote insignifiante vous est revenue aux oreilles, dans votre lointaine Amérique du Nord ?

Bien ! Elle a mordu ! Maintenant, montrons-lui un peu l'appât !

– Vous avez lu mes coupures de journaux, señora. Vous connaissez ma spécialité. J'achète et je vends des articles du Troisième Reich, particulièrement des sabres et des poignards d'apparat. Le poignard que cette dame a montré au bijoutier a été identifié grâce aux armoiries gravées sur la lame : celles-ci tendraient à prouver qu'il aurait appartenu autrefois à une importante personnalité du Troisième Reich. Toutefois, comme il n'a pas été authentifié, on ne peut pas savoir si c'est vraiment le cas. Mais, dans l'affirmative, ce poignard serait d'un grand intérêt – et, par conséquent, d'une extrême valeur – pour des collectionneurs spécialisés... Il n'est donc guère surprenant qu'une rumeur concernant l'apparition d'un objet de ce genre sur le marché soit parvenue jusqu'à moi.

– Mais d'après votre histoire, monsieur Barnes, la dame a refusé de vendre le poignard.

– Exact. Je me suis donc demandé, tout naturellement, pourquoi ça l'intéressait de vendre les pierres mais pas l'ensemble.

– Et votre conclusion ?...

– Selon moi, la dame était prête à vendre les pierres – à condition qu'elles aient une valeur suffisante – parce qu'elle savait que son mari, le propriétaire, ne remarquerait pas la substitution. Par contre, le poignard avait une telle importance pour lui qu'il serait très contrarié si celui-ci venait à disparaître... peut-être même risquait-il de soupçonner sa femme de l'avoir dérobé.

– Plausible. Mais si vous avez raison, pourquoi être venu de si loin pour rien ?

– Je suis venu parce que j'ai une solution à proposer à la dame. Le bijoutier aurait remplacé les pierres précieuses par du verre coloré ; moi, je suis en mesure de remplacer le poignard lui-même par une réplique rigoureusement identique.

Les yeux de la señora Pedraza s'éclairèrent.

– Ah, *voilà* qui est intéressant ! (Soudain, un nuage assombrit son regard.) Mais une telle réplique serait certainement très coûteuse et demanderait très longtemps à fabriquer ?

Elle me prend toujours pour un chanta. *À sa place, d'ailleurs, je penserais la même chose !*

– Normalement, oui. Mais si je vous disais que la copie existe déjà ? Elle aura peut-être besoin de légères retouches. Il faudrait que je voie l'original pour me faire une idée. Plus précisément, il faudrait que je voie l'original avant de faire une offre... pour m'assurer qu'il s'agit bien du poignard authentique.

Elle sourit.

– De même, il faudrait que la dame voie la copie avant même d'envisager une telle transaction.

– Elle pourra la voir sans problème. La copie est en haut, dans ma chambre. Si elle veut, je peux la lui montrer sur-le-champ.

Le sourire de la señora Pedraza s'élargit.

– Je doute qu'une dame de son rang coure le risque d'être vue entrer dans la chambre d'hôtel d'un gentleman inconnu. Toutes sortes de vilaines choses pourraient se produire. Qui sait ? Elle pourrait être ravagée !

Oh, extra ! Nous flirtons, maintenant !

Il haussa les épaules.

– Elle pourra la voir au moment et à l'endroit qui lui plairont. En même temps qu'elle me montrera l'original, peut-être.

– Vous n'iriez pas profiter de l'occasion pour échanger les poignards, n'est-ce pas ? minauda-t-elle.

– Non, señora, répondit-il en riant, cette idée ne me viendrait pas à l'esprit. La dame, pour être tout à fait rassurée, n'aura qu'à organiser deux rendez-vous séparés : l'un pour voir l'original, l'autre la réplique. Ainsi, personne n'aura l'occasion de faire l'échange et chaque partie pourra vérifier que l'autre a bien ce qu'elle veut. À ce stade, en supposant qu'il juge l'original authentique et qu'elle trouve la réplique indiscernable, ils pourront conclure le marché.

– Je suis impressionnée, monsieur Barnes. Il est clair que vous avez pensé à tout. Mais j'imagine que la dame aurait besoin, au préalable, de connaître le prix que vous avez en tête, de peur de perdre son temps avec des fariboles.

– Je peux assurer à la dame que le prix sera substantiel.

– Oui, mais ce qui est « substantiel » pour l'un ne se révèle-t-il pas souvent « loin du compte » pour l'autre ?

– Je serai franc avec vous, señora. Je ne suis pas homme à marchander. Quand je fais une offre, elle est définitive et expire à une date donnée. À ce moment-là, il revient à l'autre partie d'accepter ou de refuser. En tant que marchand, je cherche naturellement à réaliser un bénéfice. Si je devais acquérir le poignard, ce serait dans l'espoir de doubler ma mise sur la revente. C'est l'objectif de tous les antiquaires et je ne fais pas exception à la règle. Mais je pense que, dans ce cas précis, l'offre que je propose est unique. Primo, parce que j'ai été honnête sur l'authenticité – probable, à mon sens – de cet objet. Secundo, parce que j'en ai déjà une copie sous la main. Et tertio, parce que je garantis la discrétion. Quand vous me vendez un article, ce n'est pas comme si vous le vendiez lors d'une vente aux enchères : la transaction est privée et l'argent est versé en dollars américains, en cash. Le poignard, en cas de revente, serait destiné à la collection personnelle d'un de mes clients réguliers. Dans l'hypothèse improbable où on apprendrait par ici qu'un tel objet se trouve aux États-Unis dans une collection privée, le propriétaire sud-américain de l'original pourrait décider de faire estimer son poignard par un professionnel. Dans ce cas, l'expert (à supposer qu'on puisse en trouver un ici) l'informerait qu'il possède une réplique parfaite. Mais le propriétaire n'aurait aucun moyen de savoir s'il a depuis toujours une copie en sa possession ou si quelqu'un d'autre, mettons sa femme, ou... (Hank sourit)... son ex-femme, a fait l'échange. Il n'en aurait en tout cas aucune preuve, et je puis vous assurer que la plupart des gens trouveraient cette idée absurde.

La señora Pedraza éclata de rire.

– Je dois dire que vous me plaisez, monsieur Barnes. Vous avez une délicieuse façon de présenter les choses. Toutefois, supposons que la dame refuse votre proposition, persuadée qu'un autre marchand lui offrirait davantage ? Après tout, si Hank Barnes a eu vent de la visite de la dame chez le bijoutier, peut-être qu'un de ses collègues est également au courant.

– Excellente remarque. Cependant, pour des raisons que je ne peux expliciter, c'est tout bonnement impossible.

Cette fois, elle eut un sourire à la fois rusé et charmeur. Ils se dévisagèrent un moment, hilares, puis elle consulta sa montre.

– Merci de m'avoir raconté cette intéressante histoire, dit-elle en se levant. J'ai été ravie de vous rencontrer.

– Aurai-je de vos nouvelles, señora ?

– Peut-être. Peut-être pas.

– Je quitte Buenos Aires dans une semaine.

– Dans ce cas, si vous n'avez pas de nouvelles de moi, vous repartirez avec votre copie... n'est-ce pas, monsieur Barnes ?

Elle lui tendit la main. Il la serra. Elle fit quelques pas, puis se retourna.

– Vous séjournez dans cet hôtel ?

– Chambre 620.

Elle inclina la tête.

– *Adiós*, monsieur Barnes. Je vous souhaite un agréable séjour.

Il attendit dans sa luxueuse suite que DiPinto le rejoigne. Sans doute le détective voudrait-il s'assurer que la señora Pedraza était partie avant de venir débriefer Hank sur leur rencontre.

En attendant, Hank passa son plan en revue. Une rencontre publique avec la señora, c'était acceptable ; davantage, ce serait imprudent. S'il était victime d'un coup monté, plus on le verrait avec elle, plus sa position serait dangereuse. Il savait que les agents du Mossad étaient impitoyables. Ceux-ci avaient investi beaucoup de temps et d'argent dans leur opération. Il ignorait quel genre de piège ils avaient en tête, mais il devait s'enfuir avant qu'ils ne l'actionnent. Et, dans l'intervalle, il ne devait avoir qu'un seul et unique objectif : découvrir si le poignard détenu par Pedraza était authentique. Dans la négative, Hank repartirait par le premier avion. Dans l'affirmative, il se décarcasserait pour l'emporter avec lui.

Mais peut-être présumait-il de son habileté ? En effet, si jamais il parvenait à s'approprier le poignard, le Mossad ne se lancerait-il pas à ses trousses pour le récupérer ? D'un autre côté, pourquoi en voudraient-ils ? Il ne voyait aucune raison plausible. Ce qui les intéressait, décida-t-il, c'était la réplique. *Mais pour quoi faire ?* Il se posait cette question lorsque DiPinto entra dans la chambre.

– Elle est partie, dit le détective en se vautrant dans l'un des fauteuils.

Il paraissait très sûr de lui, songea Hank, comme un type qui a la situation bien en main.

– Je l'ai bien observée quand elle est montée dans sa voiture. Elle avait l'air tout excitée. Comment ça a marché ?

Hank lui décrivit l'entrevue, sans omettre l'aspect badinage, mais il se garda de dire à DiPinto qu'il avait révélé à la señora Pedraza qu'il savait que c'était *elle* qui avait porté le poignard à la bijouterie. Le détective lui avait enjoint catégoriquement de ne pas parler de la bonne, sous prétexte que cela entraînerait le renvoi de Luisa Kim. La véritable raison, bien sûr, était tout autre : la bonne n'était pas du tout une domestique mais une actrice. Néanmoins, DiPinto avait fait valoir que, maintenant qu'ils avaient corrompu Luisa avec leur pot-de-vin, elle serait facile à manipuler par la suite. « C'est toujours une bonne chose d'avoir un agent dans la place », avait-il expliqué.

– Vous vous êtes débrouillé comme un chef, dit-il à Hank lorsque celui-ci eut terminé. Elle a bel et bien mordu à l'hameçon.

– Je n'en suis pas si sûr. Elle ne s'est pas précipitée pour examiner la réplique.

– Elle est rusée. Elle ne voulait pas paraître trop intéressée. Maintenant, elle a une grande décision à prendre. Vous aurez de ses nouvelles très bientôt.

DiPinto déclara à Hank qu'il le voulait à pied d'œuvre, dans sa chambre, quand la señora appellerait.

– Vous voulez dire que je suis confiné ici comme un prisonnier ?

Souriant, DiPinto embrassa la pièce d'un geste large.

– Drôlement luxueuse, la cellule. Vous êtes bien payé, ça ne me paraît donc pas une contrainte bien terrible de devoir passer une journée ou deux ici. Vous pouvez commander tout ce qui vous plaira : nourriture, champagne, caviar... ça m'est égal. Ce que je ne veux pas, c'est qu'elle renonce à la transaction parce qu'elle n'a pas envie de laisser un message à la standardiste de l'hôtel.

Hank s'allongea sur le lit.

– Elle s'est comportée comme si j'étais une espèce de *chanta*.

DiPinto parut amusé.

– À ce que je vois, vous avez appris un peu d'argot argentin. N'oubliez pas une chose : c'est une *chanta*, elle aussi, si elle nous vend un objet appartenant à son mari.

– Autrement dit, nous sommes tous des *chantas*, c'est ça ? Vous, elle, moi et Mr G.

DiPinto se caressa la barbiche, haussa les épaules.

– Mais oui, Hank, nous sommes tous des *chantas*. Plus vous resterez ici, plus vous le constaterez : Buenos Aires est la capitale des *chantas*.

Il s'approcha de la penderie, sortit du coffre-fort la copie du poignard et se retourna vers Hank.

– Je vous parie cinq dollars qu'elle appellera avant demain midi. Si vous avez besoin de moi, je serai dans la chambre voisine.

La señora Pedraza téléphona à dix heures du matin.

Son mari vient sans doute de partir pour la journée, se dit Hank.

Elle déclara qu'elle souhaitait examiner la réplique mais n'était pas emballée à l'idée de monter dans la chambre de Hank.

– Parce que vous craignez d'être « ravagée » ?

– Ce n'est pas *cela* qui me fait peur, grand benêt. J'ai certaines amies qui fréquentent l'Alvear ; je ne voudrais pas tomber sur l'une d'elles et qu'elle s'imagine que j'ai un amant.

Hank lui proposa un mode de rencontre – mis au point par DiPinto – qui présentait toutes les garanties de sécurité. Il allait réserver la chambre voisine, puis laisser la clef à la réception, dans une enveloppe cachetée, à l'intention de la señora. Celle-ci n'aurait qu'à passer la prendre, monter discrètement dans la chambre, mettre le poignard de son mari dans le coffre de la penderie, régler la combinaison à sa convenance, puis frapper à la porte de communication. Hank la ferait alors entrer dans sa chambre, lui montrerait la copie, après quoi il irait dans la pièce voisine examiner son poignard à elle. S'il le reconnaissait comme authentique, elle pourrait le marquer en plusieurs endroits avec du scotch rouge pour se prémunir contre un tour de passe-passe. Il apporterait alors la copie, ils compareraient les deux poignards, puis il les photographierait côte à côte pour indiquer à son artisan les éventuelles modifications à apporter. Après cela, il lui soumettrait son offre.

– Le plan me paraît bon, dit-elle. Mais j'apporterai mon propre ruban adhésif pour faire les marques.

– Vous vous méfiez encore de moi ? dit Hank, amusé.

– Je suis prudente. Votre plan est trop détaillé. Pourquoi du scotch rouge ? Pourquoi pas vert ? Ou jaune ? Ou orange ? Dans une situation comme celle-ci, je serais stupide de m'en remettre complètement à vous. Non par manque de confiance, mais simplement par principe.

– Oh, c'est vrai ! Nous sommes, vous et moi, extrêmement portés sur les principes !

À la demande de la señora Pedraza, le rendez-vous fut fixé à dix-huit heures – le meilleur moment, selon elle, pour se faufiler dans un ascenseur au milieu de toutes les allées et venues du hall.

– Si je suis repérée et que je ne peux pas monter, je vous passe un coup de fil.

– Entendu. Mais n'utilisez pas le téléphone de votre domicile, lui dit Hank. À partir de maintenant, nous communiquerons uniquement par portables.

Ils échangèrent leurs numéros, après quoi Hank appela DiPinto pour lui annoncer qu'il avait gagné son pari.

*

À midi, le détective débarqua avec tout le matériel que Hank avait commandé : un microscope binoculaire pour examiner les poignards ; une balance pour les peser ; un tissu de velours noir pour servir de toile de fond ; un bon appareil photo 70 mm, des pellicules, un trépied et une série de spots pour la photographie. En ce qui concernait le démontage du poignard de Pedraza, Hank avait apporté de Chicago sa trousse personnelle d'outils spécialement conçus pour désassembler les poignards allemands d'époque. DiPinto, qui avait loué une troisième chambre au bout du couloir, installa des micros dans les chambres 620 et 622 afin de pouvoir épier chaque mot de la conversation.

Peu après six heures, Hank entendit un coup étouffé à la porte de communication. Il tira son verrou et frappa à son tour. Quand la señora Pedraza ouvrit de son côté, ils se regardèrent de part et d'autre du seuil.

Elle souriait.

– Nous devrions vraiment cesser de nous rencontrer ainsi !

Il fut de nouveau frappé par son attitude provocante.

– Je me croirais dans un film d'espionnage.

– Moi aussi ! s'exclama-t-elle, les yeux brillants. C'est follement amusant, non ?

Lorsqu'il apporta la copie, elle mit ses lunettes, prit le poignard et l'inspecta attentivement. Elle fit glisser la lame hors du fourreau, toucha l'acier du bout des doigts, rengaina la lame, puis, sortant une loupe de bijoutier, se mit à examiner les pierres précieuses.

Soudain, elle leva la tête.

– Ce sont de véritables diamants !

Hank acquiesça.

– Les petits, oui. Le gros, sur le pommeau, est un zircon.

– Ça a dû coûter une fortune !

– Ça a coûté un paquet, convint Hank. Rassurez-vous, il en sera tenu compte dans ma proposition.

– Je ne peux pas croire que vous ayez fait fabriquer cette copie sur un simple coup de dés. Vous ne pouviez pas savoir que j'accepterais de vous vendre le poignard, ni même de vous rencontrer.

Hank avait une réponse toute prête :

– C'est une copie déjà ancienne. Je l'ai depuis des années, je la gardais pour le cas où l'original referait surface.

– Je vais la marquer.

Ouvrant son sac à main, elle en sortit des ciseaux et un petit rouleau de scotch blanc. Elle découpa plusieurs morceaux triangulaires, qu'elle colla sur l'étui et sur la garde.

– Astucieux, señora ! Je vous avais suggéré de marquer l'original, vous choisissez de marquer la copie. Toujours faire le contraire... par principe, bien entendu !

Elle rit, satisfaite de cet hommage à son intelligence. Posant de côté la réplique, elle sortit de son sac l'autre poignard, enveloppé – comme l'avait indiqué Max Rosenfeld – dans un foulard Hermès.

Saisi d'une grande excitation, Hank prit l'objet et le soupesa dans sa main. L'équilibre était parfait. Il fut pris de vertige tandis qu'un sixième sens lui soufflait que le poignard était authentique.

Oublie cette connerie de sixième sens ! Ressaisis-toi ! Fais les choses dans les règles !

Il passa une demi-heure à examiner le poignard, millimètre par millimètre, d'abord à l'œil nu, puis au microscope. Tout était parfait : l'aigle de la Luftwaffe, en brillants, qui ornait le quillon ; l'aigle de maréchal du Reich, serti de diamants ; les bâtons croisés et la croix gammée en haut de l'étui. La lame d'acier, sans défaut, était la plus belle lame forgée à la main qu'il eût jamais vue. Le manche d'ivoire était superbement cannelé. Hank ne put déceler la moindre imperfection. Et quand, enfin, il utilisa ses outils spéciaux pour dévisser la bague, juste sous le pommeau, et démonter l'assemblage de la garde afin d'exposer la partie cachée de la lame, son cœur fit un bond : il repéra sur le talon l'estampille de Paul Müller et, sur la partie intérieure du quillon, les initiales gravées du professeur Herbert Zeitner.

Le poignard, constata-t-il, n'avait encore jamais été démonté. Selon toute vraisemblance, ses précédents propriétaires n'avaient pas osé s'y risquer. De toute manière, ils n'auraient probablement pas su s'y prendre, vu qu'il fallait manipuler la bague du pommeau d'une manière spéciale avant de pouvoir la dévisser.

Il avait sous les yeux un poignard qui avait été fabriqué pour – et caressé par – l'un des plus grands mégalomanes du vingtième siècle. Et lui, il était là, dans une luxueuse chambre d'hôtel de Buenos Aires, à contempler le Saint-Graal des objets militaires de collection du Troisième Reich.

Ce n'était pas tant le fait que ce poignard eût appartenu à Hermann Goering qui lui inspirait cette fascination mêlée d'incrédulité, mais la beauté et la perfection artisanale de l'objet lui-même. Il savait que, s'il trouvait un moyen de se l'approprier, il pourrait en tirer une colossale somme d'argent.

– Êtes-vous en transe? s'enquit la señora Pedraza.

Hank leva la tête.

– Je vous demande pardon?

– Cela fait presque une heure que vous reluquez cet objet.

– Excusez-moi... il est tellement sublime...

– Vous le croyez donc authentique?

– Il *est* authentique. Plus vrai que vrai. Aucun doute là-dessus!

– Je le pensais bien.

Il entreprit de peser d'abord l'original, puis la réplique. Celle-ci faisait trois grammes de moins. Il disposa les deux poignards côte à côte sur le velours noir, nota quelques petites différences d'usure et de couleur. Ensuite, il les éclaira et les photographia ensemble : envers, endroit, haut, bas et côtés. Il photographia également les parties internes de l'original, non pour permettre à Gerhard Adler de reproduire l'estampille et les initiales, mais simplement pour archiver la qualité d'exécution. Enfin, il assembla de nouveau l'original, le rendit à la señora Pedraza et se dirigea vers le minibar en lui demandant ce qu'elle désirait boire.

– Une limonade, ce sera parfait.

Ah, la dame tient à rester sobre!

Il lui décapsula une bouteille, la vida dans un verre, puis se prépara un whisky à l'eau et alla s'asseoir en face d'elle dans un fauteuil, près de la fenêtre.

Il voyait bien qu'elle était nerveuse. À juste titre. Elle détenait un objet qu'il désirait énormément, et elle savait qu'il était le seul acheteur susceptible de se présenter. Donc, d'un côté, ce pouvait être le marché du siècle; de l'autre, elle craignait de faire capoter la transaction.

Il lui avait dit qu'il ne marchanderait pas, qu'il lui ferait une offre à prendre ou à laisser. Mr G l'avait autorisé à aller jusqu'à cent mille dollars : prix dérisoire pour une pareille pièce. Hank estimait que, pour les quatre ou cinq collectionneurs fanatiques qui pourraient s'offrir le poignard, celui-ci vaudrait près d'un million. En tout cas, certainement pas moins de huit cent mille dollars. Mais ça, la señora n'avait aucun moyen de le savoir.

Pour se préparer à la discussion, il avait apporté le catalogue d'un antiquaire bien connu qui présentait le « Poignard Industriel de Goering » fabriqué par la firme Solingen, à Alcoso. Le prix, indiqué

307

sous le descriptif et la photo, était de cent mille dollars. Lorsqu'il montra le catalogue à la señora Pedraza, il ne précisa pas que la lame d'origine, cassée, avait été remplacée par une autre lame fabriquée dans les années soixante.

– C'est le seul poignard comparable qui soit entre des mains privées. Comme vous pouvez le voir, señora, il est magnifique... et cependant bien différent.

– Alors, que me proposez-vous ?

– Exactement la même somme.

– Cent mille dollars ?

– Oui. En liquide. C'est là, vous en conviendrez, un excellent prix de gros, puisque le catalogue que je vous ai montré indique le prix de détail.

– Offre tentante, mais il faut que j'y réfléchisse.

– Naturellement. Toutefois, rappelez-vous que je ne peux rester qu'une semaine et que je dois faire exécuter les retouches sur la copie avant que nous fassions l'échange. Plus vite j'expédierai la réplique, plus vite je la récupérerai... de même que l'argent liquide, conclut-il avec un regard entendu.

– Je vous appellerai demain avant midi.

– J'attendrai ici votre coup de fil.

– Sensationnel, Hank ! s'exclama DiPinto, débordant d'enthousiasme. Superbe prestation ! Je n'imaginais pas que vous feriez preuve de tant de maestria.

Quelque chose, dans le sourire satisfait de DiPinto, fit comprendre à Hank que le moment était venu de jouer son va-tout.

– Si ça ne vous fait rien, Luis, je voudrais mes vingt mille dollars.

DiPinto le regarda avec des yeux ronds.

– Hein ?

– Je devais recevoir dix mille dollars pour authentifier le poignard, et encore dix mille pour négocier son achat. Maintenant que j'ai fait les deux, j'aimerais être payé.

– Euh... oui, bien sûr, bredouilla DiPinto, un peu douché. Seulement... elle n'a pas encore accepté votre marché.

– Dans ce cas, donnez-moi dix mille maintenant et l'autre moitié demain, quand elle aura accepté.

DiPinto plissa les yeux.

– Qu'est-ce qui se passe, Hank ? Qu'est-ce qui vous turlupine ?

– J'ai rempli ma part du contrat. Maintenant, à vous de remplir la vôtre.

– Vous avez l'air contrarié...

– Quoi d'étonnant à cela ?

– Que voulez-vous dire ?

– Vous ne seriez pas contrarié, *vous*, si vous aviez conscience de vous être fait posséder ? D'avoir été trompé, abreuvé de mensonges, utilisé par une bande de *chantas* ? Mais peut-être êtes-vous plutôt des agents étrangers, qui me destinent à être le bouc émissaire de l'opération que vous mijotez, quelle qu'elle soit ? Je vous le répète, Luis... j'ai joué mon rôle. Maintenant, donnez-moi mon dû, que je puisse rentrer à la maison. Parce que, voyez-vous, j'ai une idée assez précise de ce que vous êtes, vous et les autres. Et même si j'ignore quel genre de coup fourré vous avez concocté, je ne resterai pas dans les parages pour payer les pots cassés.

D'un seul coup, DiPinto se vida de sa belle assurance.

Il s'aperçoit qu'il m'a sous-estimé. Regardez-le se tortiller !

– Désolé, Hank, je ne comprends pas de quoi vous parlez.

– Parfait ! Puisque vous voulez jouer au plus fin, je boucle mes valises et je pars sur-le-champ.

– Mais la transaction n'est pas encore terminée !

Très juste ! Et maintenant que j'ai négocié avec la señora Pedraza, vous ne pourrez pas conclure l'affaire sans moi.

– Terminez-la vous-même... si vous le pouvez !

Hank ouvrit un tiroir de la commode, jeta des sous-vêtements et des chemises sur le lit.

– Vous êtes sérieux ? Vous voulez vraiment partir ?

– Puisque vous refusez de me payer... *oui !*

– Bonté divine ! Bien sûr que si, on va vous payer ! Je vous apporte vos dix mille dollars d'ici une heure.

Hank alla prendre sa valise dans la penderie, la posa sur le lit et entreprit de la remplir.

– L'ennui, Luis, c'est que je n'ai pas confiance en vous. Et ce, depuis que j'ai découvert que Luisa Kim était une simulatrice. (Il se tourna vers DiPinto.) Inutile de postillonner, Luis. Inutile aussi de nier. Je l'ai suivie quand elle est allée à son cours de comédie avant de déjeuner avec sa bonne amie Laura.

– *Suivie ?*

– Tout juste. J'ai été détective privé, dans le temps. Quand vous avez vérifié mes antécédents, vous n'êtes pas remonté assez loin. (Il plia son unique costume dans la valise.) Vous ai-je dit que j'ai aussi localisé la Bijouterie Rosenfeld et que j'ai discuté le bout de gras avec Max ? Je sais que Gerhard Adler a fabriqué la copie. Il est l'un des trois seuls artisans au monde qui en étaient capables, et je me suis renseigné auprès des deux autres. Adler vit en Israël. C'était un précieux indice. Donc, Luis, comme vous le voyez, j'ai une idée des paramètres, et je n'ai pas envie de jouer au... quel est le mot yiddish pour désigner le gars qui porte le chapeau ? Le *schlemiel* ? C'est bien ça ? À Chicago, on l'appelle « le pigeon ».

— Nous devrions nous asseoir et bavarder, Hank. Je peux vous expliquer...

— Quoi ? Que vous m'avez tendu un piège ? Ça ne m'intéresse pas d'entendre des paroles lénifiantes, surtout de votre bouche. Il n'y a qu'une seule personne que je sois disposé à écouter. Non pas que j'aie confiance en elle, entendez-moi bien ! Mais au moins, j'écouterai ce qu'elle a à dire.

— Marci ?

— Précisément. Qu'elle radine ici son joli petit cul, si vous voulez que je reste. Elle devra me dire toute la vérité, avouer le coup monté et tout ce qui s'y rattache. Sinon, je pars. Vous avez un téléphone. Appelez-la immédiatement et passez-la-moi.

DiPinto le scruta comme pour évaluer s'il parlait sérieusement. Il finit par acquiescer.

— Je vais voir ce que je peux faire. Excusez-moi, le temps de consulter mon équipe.

Hank continua de faire ses bagages après que le détective eut quitté la chambre.

Trois minutes plus tard, on frappait un léger coup à la porte. Hank alla ouvrir. Marci se tenait sur le seuil, sourire aux lèvres.

— Hello, Hank, dit-elle. Il paraît que tu es dans tous tes états. Puis-je t'aider ? Puis-je entrer ?

Il la regarda, interloqué.

— Mais oui, Hank. Mon « joli petit cul », pour reprendre ta délicieuse expression, était ici même depuis le début.

17

CONTRE-ATTAQUE

Il pleuvait depuis l'aube, une pluie froide, désagréable, automnale. Le ciel était gris ardoise, les rues glissantes. Les automobilistes, sembla-t-il à Marta, conduisaient encore plus imprudemment que d'habitude.

Rolo et elle venaient de quitter la planque de Barracas où ils avaient mis en sûreté Andrés Quintana et son ami Miguel Giménez. Ils étaient maintenant en route pour la brigade criminelle, afin d'obtenir du chef Ricardi l'autorisation d'agrafer Liliana Méndez.

– Le timing sera crucial, dit Marta. Nous devrons surprendre Liliana au moment où elle sera le plus vulnérable.

– Quand elle sera au pieu avec sa copine, par exemple ?

Marta sourit ; elle avait noté l'œil égrillard de son cousin. Comme la plupart des flics machos, il trouvait les lesbiennes infiniment fascinantes et mystérieuses.

Il avait réglé l'autoradio sur *Radio La Colifata*. Un vieil homme, obsédé par les complots, déversait sa paranoïa :

« Il faut regarder au-delà des apparences, chercher celui qu'on ne peut pas voir. (Sa voix éraillée se fit murmure :) Vous savez de qui je parle... *le Magicien* ! »

– Éteins, s'il te plaît, dit Marta. La vie est suffisamment dingue comme ça.

Rolo passa à une station de tango.

– N'empêche... le vieux fou n'a peut-être pas tort.

– Tu te demandes pourquoi nous perdons notre temps à courir après du menu fretin, si Charbonneau est « le Magicien » ?

– Je sais que tu procèdes étape par étape, Marta. Mais chaque fois qu'on apprend quelque chose de nouveau, on a l'impression que la conspiration prend davantage d'ampleur.

Marta pensait la même chose. C'est pourquoi, pendant que la juge Lantini interrogeait Andrés et Miguel, elle avait téléphoné à Shoshana, son contact au Mossad, pour lui communiquer les révélations du garde du corps.

– Vous m'avez aidée l'autre jour, je vous renvoie l'ascenseur.

D'après le témoignage d'Andrés, expliqua-t-elle, Viera, croyant que les photos de sa femme avec Silvia étaient authentiques, lui avait administré une sévère raclée.

– Merci ! lui dit Shoshana. Au moins, ces photos auront servi à quelque chose !

– Que savez-vous sur un groupe qui se fait appeler les Immaculés ?

Silence, puis :

– Nous savons certaines choses sur eux, mais je ne peux rien vous en dire. Désolée.

Ricardi n'eut guère de réaction quand Marta lui raconta comment Liliana avait tabassé Raúl. Peut-être estimait-il, dans une certaine mesure, que le journaliste ne l'avait pas volé. En revanche, quand elle lui décrivit les circonstances dans lesquelles Liliana avait extorqué de l'argent à Miguel Giménez, la sueur perla sur le crâne rasé du chef.

– Cette femme est tout ce que je déteste chez un flic ! gronda-t-il. Vous avez ma bénédiction pour lui faire mordre la poussière.

– Elle est championne de boxe, chef, intervint Rolo. Elle ne va pas se rendre bien gentiment.

– Encore mieux, dit Ricardi avec une joie mauvaise. Je vous prête quatre de mes hommes les plus costauds.

Marta secoua la tête.

– Merci, chef... mais Rolo et moi, on pourra se débrouiller.

Bianca Portela habitait un quartier calme et respectable, non loin de la nouvelle Bibliothèque nationale, immense, construite en cantilever.

– Elle est au nid. Elle vient juste de rentrer, dit Rolo à Marta au téléphone. Tu ne vas pas y croire : elle est arrivée en moto, sur une grosse Kawasaki Ninja noire, du même modèle que celle de Raúl.

Liliana est-elle vraiment stupide à ce point-là ?

– La moto a-t-elle la plaque d'immatriculation de Raúl ?

– Elle a une plaque provisoire en carton. J'irais bien vérifier le numéro de série, mais elle est garée juste devant l'immeuble. Si elle me voit tournicoter autour, ça flanquera notre plan par terre.

– Tant pis, il faut savoir si c'est celle de Raúl. Si oui, Liliana est flambée.

Malgré son étonnement, Marta pouvait imaginer un scénario possible : après le tabassage, pendant que les copains de Liliana brisaient les mains de Raúl, Bianca et elle avaient pris la Kawasaki pour faire un tour et se griser de vitesse. Fascinée par la moto, Bianca avait imploré Liliana de l'autoriser à la garder un peu avant de la faire désosser dans un atelier clandestin. Liliana avait cédé. *Comment aurait-elle pu résister aux ardentes supplications de son amante ?* D'autant que Bianca avait fière allure sur cet engin, avec son pantalon de cuir moulant et son blouson de cuir noir ultra-chic ! Liliana avait donc collé une plaque provisoire par-dessus celle de Raúl, en donnant à Bianca la permission de sillonner la ville à moto pendant un jour ou deux. Après tout, Vargas était à l'hôpital... qui diable serait au courant ?

Le ciel s'était éclairci lorsque Marta arriva à l'adresse indiquée, un immeuble de deux étages à toit plat, subdivisé en appartements. Le soleil automnal, qui se couchait plus tôt chaque jour, projetait sur les trottoirs les ombres noires, allongées, des piétons qui se hâtaient de rentrer chez eux après le travail.

Marta repéra tout de suite la Kawasaki noire garée devant l'immeuble. Elle trouva Rolo assis dans sa voiture obscure, quelques portes plus loin.

– Je me suis renseignée au commissariat, dit-elle en montant à côté de lui. Liliana quitte son service à huit heures.

– À pied, c'est à cinq minutes d'ici. Bianca est sortie il y a une heure pour faire le plein de provisions.

– Tant mieux ! Elles vont dîner sur place.

– Comment saura-t-on à quel moment elles baisent ?

– On ne le saura pas. Il vaut mieux les surprendre dans leur sommeil.

Rolo indiqua les fenêtres de Bianca au dernier étage.

– On leur tombera dessus une heure après l'extinction des feux, lui dit Marta. Espérons que Liliana soit fatiguée... après une longue journée passée à faire respecter la loi. (Elle jeta un coup d'œil à Rolo.) J'ai réfléchi à ce que tu as dit ce matin, quand ce toqué a parlé du « Magicien ». Nous ne sommes pas autorisés à enquêter sur Charbonneau pour obstruction, mais ni Ricardi ni la juge Lantini ne m'ont interdit d'enquêter sur lui pour meurtre.

À neuf heures et demie, un taxi se rangea devant l'immeuble. Liliana en descendit, en survêtement, un sac de sport à la main.

– Elle est allée au gymnase, dit Rolo. Son revolver et son uniforme doivent être dans le sac.

– J'espère que ses gants de boxe y sont aussi. Si le labo relève des traces du sang de Raúl, ça nous donnera un autre moyen de pression sur elle.

Ils virent Liliana faire quelques pas vers la porte, puis s'arrêter subitement. Elle regarda fixement la Kawasaki, mit les poings sur ses hanches en secouant la tête, puis dégaina son portable. Quelques instants plus tard, Bianca apparut à la porte d'entrée. Elle s'approcha de Liliana, qui indiqua la moto en faisant des gestes mécontents. Bianca baissa la tête, tel un chien battu, et enfourcha la Kawasaki. Elle fit rugir le moteur et démarra à toute allure. Trois minutes plus tard, elle réapparut à l'autre bout de la rue, gara la moto dans les ombres de l'immeuble, donna une petite tape affectueuse sur la selle et rejoignit son amie. Liliana l'étreignit, lui passa un bras autour de la taille, et les deux femmes s'engouffrèrent dans l'immeuble.

– Parfait ! dit Rolo. Maintenant, nous pouvons vérifier le numéro de série.

Marta prit une lampe torche dans la boîte à gants en disant qu'elle s'en chargeait. En s'approchant de la moto, elle sentit son pouls s'accélérer. L'engin était encore chaud de la virée de Bianca autour du bloc. Accroupie, Marta repéra le numéro de série, le nota, puis s'arrêta sous un réverbère pour le comparer avec celui qui était inscrit sur son carnet.

Les numéros coïncidaient. Marta exulta. La carrière de Liliana dans la police était pour ainsi dire terminée !

Rolo, en bon flic des Stups, voulait faire une entrée en force. Marta n'était pas d'accord. La meilleure méthode, lui dit-elle, consistait à prendre Liliana par surprise, la séparer de sa petite amie, lui montrer la moto volée et la bousculer pour qu'elle se mette à table.

– Pas de fusillade. Tout le monde garde son sang-froid. Plus Liliana sera calme, plus elle verra qu'elle n'a pas d'issue.

– Et si elle choisit de se battre ?

– Alors, on la neutralise. Espérons qu'on n'en arrive pas là.

Elle chargea Rolo de trouver le concierge de l'immeuble, d'obtenir un plan de l'appartement ainsi que les clefs des portes de devant et de derrière.

Une heure plus tard, il revint avec les clefs, un croquis à main levée de la disposition des lieux, des boissons non alcoolisées et un sac d'*empanadas*. Tout en mangeant, ils étudièrent le plan et se mirent d'accord sur une stratégie, un moyen d'arrêter les deux femmes avant qu'elles aient compris ce qui leur arrivait.

Rolo insista pour agrafer Liliana pendant que Marta s'occuperait de Bianca.

– D'accord, lui dit-elle, mais sois prudent. Si elle te flanque un coup de poing, tu seras dans le pétrin. Si elle résiste, n'hésite pas à l'assommer.

La plupart des lumières s'éteignirent peu après onze heures. À la fenêtre de la chambre, la lueur vacillante d'un poste de télévision brilla pendant encore une demi-heure. Une fois la télé éteinte, ils attendirent quarante-cinq minutes, déclenchèrent leurs chronomètres et gagnèrent leurs entrées respectives.

Marta grimpa l'escalier de service sur la pointe des pieds, attendit derrière la porte pour s'assurer que tout était silencieux. Au bout de cinq minutes, elle inséra sa clef et la fit tourner avec précaution dans la serrure.

Sur le seuil, elle sentit une odeur de bœuf grillé. Les femmes avaient dîné d'un steak. Elle ôta ses chaussures, les posa près de la porte et entra dans la cuisine, où les effluves étaient encore plus perceptibles.

De nouveau, elle s'immobilisa pour écouter. Entendant craquer le plancher de l'une des pièces du devant, elle comprit que Rolo était entré sans anicroche par l'autre porte.

Elle attendit que ses yeux soient accoutumés à l'obscurité. Elle ne voulait pas risquer de renverser quelque chose. Elle consulta sa montre et, à pas de loup, se dirigea vers le hall.

Un pâle rectangle de lumière se découpait par terre, provenant de l'une des fenêtres qui donnaient sur la rue. Elle s'arrêta, entendit respirer, vit bouger une ombre. C'était Rolo, lui aussi déchaussé, pistolet braqué devant lui. Quand il se tourna vers Marta, ils n'étaient qu'à trente centimètres l'un de l'autre.

Ils scrutèrent le hall obscur. Il y avait une porte fermée au milieu et une porte ouverte à l'extrémité. D'après le plan du concierge, la première devait être la chambre ; l'autre, la salle de bains.

Marta allait s'avancer quand elle sentit la main de Rolo sur son bras. Elle pivota vers lui. Il fronça les sourcils, se toucha l'oreille pour indiquer que l'appartement lui semblait trop silencieux. Ils se figèrent pour mieux écouter. Après une minute, n'entendant rien, Rolo secoua la tête. Il n'était pas satisfait.

Puisque les deux femmes n'étaient pas sorties, soit elles avaient le sommeil très discret, soit elles avaient flairé les intrus et les guettaient maintenant dans leur chambre, attendant de bondir sur eux à leur entrée.

Je ferais peut-être mieux de tout annuler.

À cet instant, Marta entendit au-dessus d'eux des pas, suivis d'un bruit de porte.

– Elles sont sur le toit ! chuchota-t-elle. En voilà une qui descend !

Ils battirent en retraite dans le salon. Marta se souvint alors, trop tard, qu'elle avait laissé ses chaussures près de la porte de service. Pas le temps de les récupérer ; la clef tournait déjà dans la serrure.

L'arrivante ne repéra apparemment pas les chaussures, car elle ne marqua aucune pause et ne prit même pas la peine d'allumer. Elle traversa rapidement la cuisine et entra dans le hall. Marta l'aperçut de dos. Elle n'avait jamais vu Bianca Portela, mais la mince femme nue qui se dirigeait vers la salle de bains n'était manifestement pas Liliana Méndez.

Par gestes, Rolo indiqua qu'ils devaient se mettre en position pour capturer Bianca quand elle sortirait. Sans bruit, ils s'approchèrent de la salle de bains et se postèrent de chaque côté de la porte. Entendant la chasse d'eau, Marta se raidit. Dès que la porte s'ouvrit, Rolo saisit Bianca à bras-le-corps et la fit pivoter tout en lui plaquant une main sur la bouche.

La jeune femme, terrifiée, se débattit pour se libérer. Marta, craignant qu'elle ne morde la main de Rolo, se rapprocha. L'eau de cologne de Liliana imprégnait la peau nue de Bianca.

– Nous sommes flics, chuchota-t-elle. Nous venons arrêter Liliana. Elle est sur le toit, hein ?

Comme Bianca essayait de lui balancer des coups de pied, Marta lui enfonça son pistolet dans le ventre.

– Cessez de gigoter ou je tire. Vous avez volé une moto. Vous êtes bonne pour la prison.

Les yeux de Bianca s'agrandirent, puis son corps s'affaissa.

– Est-ce que Liliana a un flingue, là-haut ?

Bianca fit non de la tête.

– Il est dans la chambre ?

Bianca ne bougea pas.

– Allons voir.

Marta se dirigea vers la chambre, suivie de Rolo qui tenait Bianca de manière que ses pieds ne touchent pas le plancher. Marta repéra le sac de gym de Liliana et trouva à l'intérieur son revolver, ainsi qu'une paire de gants de boxe. Elle renifla les gants, dépouilla un oreiller de sa taie et les fourra dedans. Elle vida le revolver et empocha les balles. La literie empestait l'eau de toilette de Liliana.

– Je vais vous poser deux ou trois questions, dit-elle à Bianca. Rolo enlèvera sa main de votre bouche pour vous permettre de répondre. Parlez tout bas, sinon il vous fera mal. Compris ?

La jeune femme acquiesça.

– Mets-la à plat ventre sur le lit, ordonna Marta.

Quand Rolo se fut exécuté, elle reprit :

– Plaque-lui la figure dans l'oreiller et attrape-la par les cheveux. Maintenant, ôte lentement ta main de sa bouche. Si elle fait un bruit... étouffe-la !

Lorsque Bianca fut en position, Marta s'agenouilla près d'elle.

– Où, sur le toit ? murmura-t-elle. Dans le hamac ?

Bianca ne réagit pas.

Elle se demande comment je suis au courant.

– Est-ce que le ring de boxe est installé ?

Bianca bredouilla quelque chose d'inintelligible.

– Laisse-la parler, dit Marta à Rolo.

Celui-ci souleva d'une fraction la tête de Bianca.

– PUTE... !

Rolo lui renfonça la tête dans l'oreiller, étouffant son cri.

– Stupide garce ! gronda Marta, furieuse. Ligote-la et bâillonne-la, dit-elle à Rolo.

Elle n'aurait su dire si Liliana avait entendu. De toute façon, même dans l'affirmative, celle-ci n'aurait aucune raison de se douter qu'il y avait des intrus dans l'appartement. Elle risquait néanmoins de descendre voir ce qui retardait son amie.

Sur la pointe des pieds, Marta regagna la cuisine, enfila ses souliers et attendit juste derrière la porte, son pistolet à bout de bras pour le cas où Liliana ferait son apparition.

Au bout de cinq minutes, elle crut comprendre la situation : les deux femmes avaient dû s'endormir, Bianca s'était éclipsée pour aller aux toilettes et Liliana, toujours dans les bras de Morphée, n'avait pas encore remarqué l'absence de son amie.

317

Elle retourna dans la chambre. Bianca, bâillonnée, était allongée à plat ventre sur le lit, les poignets menottés aux chevilles.

— Je monte la chercher, murmura Marta à Rolo. Toi, reste ici en renfort.

— Je croyais que c'était moi qui devais l'épingler ! protesta-t-il.

— À ce moment-là, on ne savait pas qu'elles étaient sur le toit. Au risque de blesser ta fierté, Rolo, tu sortirais probablement perdant d'un combat à mains nues. Elle ne te connaît pas ; moi, elle me connaît et elle sait que je suis bonne tireuse.

Elle monta l'escalier menant au toit, pistolet brandi, la peur au ventre. Elle faisait confiance à ses talents, mais elle avait uniquement tiré sur des cibles, jamais sur des êtres vivants. Il y avait une grande différence entre les deux ; la meilleure chose à faire était de ne pas y penser et de se concentrer sur le tir.

Depuis le coucher du soleil, un brouillard dense planait de nouveau sur la ville. La lune, à peine visible, était juste une pâle lueur dans le ciel. En prenant pied sur le toit, Marta se demanda : *Quel intérêt de dormir à la belle étoile par un temps pareil ?*

Au début, elle ne distingua que des cheminées. Puis, en longeant sans bruit la petite structure couverte d'où elle sortait, elle vit les supports du ring de boxe et, juste derrière, le dos d'un double hamac.

Elle contournait le ring avec précaution quand la voix de Liliana, douce, presque tendre, lui parvint à travers le brouillard.

— Ben alors, qu'est-ce qui t'a pris si longtemps, mon poussin ?

Merde ! Elle est réveillée !

Marta se plaqua contre le ring, sans cesser de se rapprocher du hamac.

— On joue à cache-cache, mon poussin ?

— C'est Marta Abecasis, Liliana. Mains sur la tête. Vous êtes en état d'arrestation.

— *C'est quoi, ce bordel ?*

Faisant voler les couvertures, Liliana jaillit du hamac, nue, diffusant une rafale de son eau de cologne.

Marta fit deux pas en arrière.

— Mains sur la tête !

— *Ben voyons !* fit Liliana en s'avançant vers elle, menaçante.

Marta recula encore d'un pas.

— Arrêtez-vous ou je tire !

Liliana s'immobilisa et la regarda avec un large sourire.

– Nenni, salope... tu n'oserais pas !

– Ne me provoquez pas, Liliana !

– Tu n'es qu'un vulgaire inspecteur de la Criminelle. Moi, je suis commissaire. Tu sais ce que je vais te faire, salope ? Je vais balancer ton petit cul pathétique par-dessus le toit !

Liliana s'élança sur Marta, qui tira.

Liliana poussa un cri et tomba sur un genou. Le visage déformé par la souffrance, elle tenta de se redresser. N'y parvenant pas, elle fut prise de fureur.

– *Putain ! Tu m'as éclaté la rotule ! Je te tuerai pour ça, bordel !*

Elle fit une nouvelle tentative pour se lever mais retomba lourdement sur le toit, face contre terre. Elle demeura un moment immobile, puis roula sur le dos et se mit à hurler sa douleur.

Dans l'ambulance qui fonçait vers les urgences d'Alemán, Marta, perchée sur un siège à côté de la civière à roulettes, exposa la situation à Liliana aussi calmement qu'elle le put.

– Vous avez tabassé Raúl Vargas, comme la misérable lâche que vous êtes, pendant que vos copains le maintenaient. On vous a vue et je suis bien sûre que nous trouverons du sang sur vos gants de boxe. Vous et Bianca, vous avez aussi volé la moto de Raúl. Elle sera couverte de vos empreintes à toutes les deux. Votre carrière dans la police est terminée ; votre carrière de boxeuse aussi, probablement, maintenant que votre rotule est en morceaux. La seule question est de savoir combien de temps vous passerez en prison.

– Pour un tabassage et une moto ? Mon cul, oui !

– Vous avez également extorqué de l'argent à un subordonné, Miguel Giménez, pour fermer les yeux sur une infraction mineure. Il est encore temps d'alléger toutes ces charges. Vous devrez payer les dommages infligés à Raúl, naturellement, mais il renoncera peut-être à porter plainte si vous lui offrez la matière d'un ou deux bons articles. Vous devrez aussi rembourser Miguel, démissionner de la police et m'assister dans mon enquête. Si vous faites tout ça... alors, peut-être, vos problèmes s'arrangeront.

Liliana fixa sur elle un regard haineux. Sa douleur s'était en grande partie calmée. L'infirmier, qui lui avait mis un goutte-à-goutte alors qu'ils étaient encore sur le toit, s'en servait pour lui administrer de la morphine pendant que l'ambulance roulait à vive allure dans les rues.

– Et Bianca ?

Marta crut déceler une larme, voire deux, dans les yeux de Liliana.

– La juge Lantini lui offrira probablement l'immunité pour témoigner contre vous. Je suis persuadée que, si elle vous aime, elle refusera. Mais si vous faites une déposition sincère, comme je vous y engage, je pourrai peut-être lui épargner ce dilemme. La juge Lantini voudra tout savoir, à commencer par votre rôle dans l'affaire Granic.

Liliana secoua la tête.

– J'ignore tout de cette histoire, à part que quelqu'un m'a dit de saccager la scène du crime.

– Qui ?

– C'était juste une voix au téléphone.

– Et vous avez obéi sans même savoir à qui ? Ne me faites pas rire !

– *Je t'emmerde, salope ! Cherche-moi des crosses et tu es morte !*

Marta sourit. Liliana était tellement prévisible ! *D'abord elle larmoie, ensuite elle injurie et menace.*

– OK, faites la méchante, dit Marta. Mais j'en suis capable, moi aussi, ne l'oubliez pas.

Elles reprirent leur dialogue dans la salle des urgences en attendant que l'équipe chirurgicale se prépare.

– C'est vous ou votre père, lui dit Marta. Celui de vous deux qui parlera le premier aura droit à mon aide.

– *Trahir mon père ?* hurla Liliana. *Ça va pas, bordel !*

– Il vous trahira quand il s'apercevra que c'est le seul moyen d'échapper à la prison.

– *Jamais !*

– Parfait ! Je trouverai d'autres témoins et, à ce moment-là, vous plongerez tous les deux. (Marta haussa les épaules.) Pour moi, c'est du pareil au même.

Laissant Liliana se mordiller la lèvre, Marta sortit dans le couloir téléphoner à Ricardi. Lorsqu'elle revint dans la salle, Liliana refusa de la regarder. Puis, comme prévu, elle tenta de marchander.

Elle avait des informations sur la corruption policière. Si la juge Lantini lui accordait la protection réservée aux témoins, elle dénoncerait des gens haut placés dans la hiérarchie.

– Ce serait assurément un service à rendre au pays, lui dit Marta. Mais d'abord, vous devez m'aider à boucler mon enquête. Je crois savoir qui, à l'origine, a donné l'ordre de commettre les meurtres. Je crois aussi connaître la chaîne de commandement. Maintenant, il me faut des preuves. Si vous m'aidez, je vous aiderai.

– *Pas question que je balance mon père ! Si c'est ça que vous voulez, allez vous faire foutre ! Et Ricardi aussi !*

– Et le patron de votre père ?

– Qui ça ?

– Ne faites pas l'idiote !

Une infirmière entra pour les informer que le chirurgien en chef était arrivé. Il était déjà au bloc opératoire, en train de se préparer.

– Nous en reparlerons quand ils auront rafistolé votre genou, dit Marta en donnant une petite tape sur la main de Liliana. Je serai là à votre réveil. En attendant, je vais m'entretenir avec Raúl, voir ce qu'il est disposé à faire. J'irai aussi bavarder avec Bianca, voir si elle est prête à négocier.

– *Allez vous faire foutre !*

Marta lui lança un regard apitoyé.

– Bonne chance, Liliana. Gardez vos forces pour l'opération.

L'intervention, lui dit-on, durerait approximativement quatre heures : intervalle de temps suffisant, jugea-t-elle, pour tout mettre en place. Ricardi n'étant pas encore arrivé, elle monta rendre visite à Raúl.

Elle le trouva assis dans son lit médicalisé, en train de dicter joyeusement un article à une séduisante jeune fille aux très longs cheveux blonds qui travaillait avec zèle sur un ordinateur portable. Il la présenta comme étant Alicia Ramírez, une journaliste stagiaire à *El Faro*.

– Je n'arrive peut-être pas à taper, dit-il en brandissant ses mains bandées, mais je suis encore capable d'écrire un article du feu de Dieu !

– J'ai récupéré ta Kawasaki, lui dit Marta. En parfait état. Pas une égratignure.

– Merci, Marta !

Elle craignit un instant que, dans son excitation, Raúl ne saute du lit pour l'embrasser.

– Mes côtes me font un mal de chien, lui dit-il, mais à part ça je me sens mieux. Demain, ils m'enlèvent le tube dans la poitrine. Et après-demain, ils me renvoient à la maison.

Quand Marta lui annonça que Liliana Méndez était au bloc opératoire, il demanda ce qui lui était arrivé.

– Malheureusement, j'ai été obligée de tirer sur elle.

– *Toi ? Tu es vraiment incroyable !* (Une lueur dansait dans les yeux de Raúl.) Et quel article ! « La Incorrupta tire sur La Corrupta ! » J'ai l'exclusivité, d'accord ?

Elle lui assura qu'il serait le premier informé lorsqu'elle aurait fini d'interroger Liliana. En attendant, elle avait un scoop encore plus sensationnel à lui offrir, une histoire qu'il pouvait utiliser tout de suite.

– Tu te rappelles ces photos truquées de Graciela Viera et de Silvia Santini en lesbiennes ? Tu pensais qu'elles avaient pu être fabriquées par l'entourage de Viera pour faire croire à un faux « coup tordu »... Eh bien ! quand il les a vues, Viera a été tellement furax qu'il est rentré chez lui foutre une pâtée à sa femme.

– Bonté divine ! Fabuleux !

– Il y a mieux ! Quand Viera, découvrant que les photos étaient truquées, a présenté ses excuses à Graciela, celle-ci a exigé le divorce. Charbonneau l'a convaincue d'y renoncer, au moins jusqu'après l'élection. Et il lui a donné un paquet d'argent pour qu'elle garde le silence sur la raclée, même par la suite.

– C'est de la dynamite ! (Raúl se tourna vers Alicia.) Il faut qu'on interviewe la dame. Mais si elle a été payée pour se taire, elle ne confirmera pas... sauf si on peut lui montrer que nous avons des preuves.

Il se hissa en position assise avant de poursuivre, absorbé dans ses réflexions :

– Si elle envisageait de demander le divorce, elle a presque certainement consulté un avocat. Lequel avocat, s'il est bon, l'aura fait photographier pour prouver qu'elle avait été battue. Si nous pouvons mettre la main sur ces photos et les montrer à la dame, elle ne pourra plus nier. À ce moment-là, elle nous donnera sa version personnelle de ce qui s'est passé.

– Comment fait-on pour se procurer les photos ? s'enquit Alicia.

– Tu contactes la sœur laide.

– Qui ça ?

Raúl agita ses mains pansées.

– Il y a toujours une sœur laide, jalouse, ou un frère, ou un père, ou une mère qui condamnent : un membre de la famille, rongé d'amertume, qui a toujours détesté le célèbre mari de la jolie petite sœur. Cette « sœur laide » nous donnera les photos. Si ça se trouve, elle les aura prises elle-même. Trouve-la, procure-toi les photos, puis va voir Graciela et dis-lui que nous les publierons avec ou sans son consentement. Alors là, crois-moi, elle dira quelque chose... quelque chose de juteux qui détruira le bonhomme !

Marta se délecta de voir Raúl au travail, coachant une Alicia tout excitée d'apprendre les secrets du reportage d'investigation par un as en la matière. Le plus réconfortant, c'était de constater que Raúl, malgré le féroce tabassage qu'il avait subi, était resté lui-même : un journaliste avide d'informations, sur la piste d'un scoop fantastique, dressant des plans pour voir comment Alicia et lui pourraient l'obtenir.

En redescendant, elle trouva Ricardi qui faisait les cent pas devant la porte du bloc opératoire. Elle le conduisit à la cafétéria de l'hôpital, où ils se servirent du café avant de s'asseoir à une table isolée.

Pendant que Ricardi buvait son café en mastiquant un croissant, Marta lui exposa de nouveau sa théorie sur les homicides et les événements qui avaient suivi.

— Je pense que Charbonneau et les autres ont été sacrément agacés quand vous m'avez confié l'affaire, dit-elle. Ils ont été encore plus contrariés quand j'ai débarqué dans le bureau de Charbonneau avec des photos de Silvia en train de faire l'amour avec la femme de Viera. Ces faux documents compromettants, forgés de toutes pièces par les Israéliens, avaient pour but de m'indiquer la bonne direction. Charbonneau et compagnie, voyant que je m'intéressais à eux, ont chargé un type de me remettre un pot-de-vin. Cette tentative ayant échoué, ils ont envoyé Galluci et Pereyra me kidnapper et m'intimider. Là-dessus, j'ai découvert – par un pur coup de chance – que le type chargé de me graisser la patte était le garde du corps personnel de Pedraza. J'ai fait pression sur lui pour qu'il me donne de quoi mettre Liliana Méndez en état d'arrestation. Comme elle résistait et menaçait de me balancer par-dessus le toit, je lui ai tiré une balle dans le genou.

Ricardi l'observa. Elle n'avait jamais vu tant d'admiration dans ses yeux.

— C'est tout ? murmura-t-il de son ton le plus ironique.

— Ouais, à peu près.

— Ce que vous décrivez là, c'est un énorme complot politique impliquant des agents étrangers – des Israéliens, excusez du peu ! – et un candidat à la présidence... sans parler des Crocos, des Clowns et d'un groupe clandestin appelé les Immaculés. Pour dénoncer un complot de cette envergure, il faut des preuves en béton, sinon personne n'y croira. Vous n'avez pas encore de preuves, juste des bouts de ficelle. Au fond, tout ce que vous avez, c'est un tas de présomptions sans lien entre elles et une théorie fascinante.

Marta le regarda attentivement. *Où veut-il en venir ? Se prépare-t-il à me démolir ?*

— Vous avez une idée derrière la tête, pas vrai ? dit-il.

— Oui. Quand Liliana sortira du bloc opératoire, j'espère pouvoir l'amener à balancer son père, et l'amener ensuite, lui, à balancer les tueurs. Une fois que tous les protagonistes commenceront à se dénoncer entre eux, j'espère que l'un d'eux pointera du doigt Charbonneau. Pour ce qui est de Pedraza... il est sans doute trop bien protégé. Mais peut-être qu'on pourra aussi retourner Charbonneau.

— Pardonnez-moi de vous dire ça, Marta, mais... vous me semblez avoir les yeux plus gros que le ventre.

— Ce ne sera pas facile, je le sais bien... mais j'ai quelques idées.

Elle exposa alors son plan à Ricardi.

— Vous appelez Ubaldo Méndez, vous l'attirez ici en lui disant que sa fille a été blessée par balle et se fait opérer. Quand il arrive, on s'arrange pour que Liliana le voie avec vous. Avec un peu de chance, elle supposera – sur la base de ce que je lui ai dit – que son père la trahit. De son côté, Ubaldo, toujours avec un peu de chance, quand il verra Liliana avec moi, supposera – sur la base de ce que vous lui aurez raconté – qu'elle le dénonce. Nous ne les laisserons pas communiquer entre eux, juste un bref coup d'œil, puis nous les laisserons tirer leurs propres conclusions. Ils sont tellement sournois et corrompus, l'un comme l'autre, que les intérêts personnels risquent de l'emporter sur les liens familiaux.

Ricardi sourit.

— Persuader un père et sa fille de se trahir mutuellement parce que chacun croit que l'autre a déjà trahi... l'idée est intéressante, mais bien aléatoire.

— Le seul moyen de savoir si ça marche est encore d'essayer, pas vrai ?

Ricardi partit d'un grand rire.

— *Absolument !*

Quand Liliana se réveilla, Marta attendait, comme promis, sur un tabouret près de son lit. La matinée était déjà bien avancée. Une infirmière s'affairait dans un coin. Le ciel était nuageux et les carreaux des fenêtres étaient striés d'une tendre pluie tombée un peu plus tôt.

— L'opération s'est bien passée, dit Marta lorsque Liliana eut complètement émergé de l'anesthésie. D'après le chirurgien, vous boiterez probablement... mais, avec de la rééducation, vous arriverez à marcher sans canne.

Liliana battit des paupières plusieurs fois, puis regarda Marta avec dédain.

— Et c'est censé me réconforter ? Vous êtes cinglée, ma parole, de tirer sur une collègue à cause d'une putain de moto !

Elle est toujours en colère. Tant mieux !

— Je ne vous aurais pas tiré dessus si vous vous étiez rendue, lui dit Marta. Vous êtes une grande fille, alors comportez-vous comme telle. Parce que, pour l'instant, vous êtes dans de très sales draps.

— *Allez vous faire foutre !*

L'insulte fit sourire Marta.

— Je vous ai déjà dit ce que vous aviez à faire. J'ai discuté avec Raúl. Ça ne l'intéresse pas de toucher des dommages-intérêts, mais il exige que vous lui présentiez des excuses écrites et que vous lui serviez d'informatrice pour une série d'articles sur la corruption dans la police. Ce qui signifie : donner des noms et être citée nommément. (Marta observa une pause.) À la place de Raúl, je ne serais certainement pas aussi clémente.

Liliana détourna la tête.

— Miguel Giménez, pour sa part, exige également des excuses écrites, plus le double de la somme que vous lui avez extorquée. Quant à Bianca, elle ne nous intéresse pas. Si vous coopérez, on la laissera tranquille.

Liliana regardait droit devant elle. Marta enchaîna :

— Voici le marché que je vous propose. Vous me racontez tout ; si je suis satisfaite, vous signez votre déposition devant la juge Lantini. Si vous dites la vérité, vous obtenez l'immunité. Si vous mentez, c'est la taule et le procès. (Marta se leva.) Je vous laisse réfléchir. Mon offre expire dans une heure.

Elle se dirigea vers la porte.

— *Pas question que je balance mon père, bordel !*

Marta se tourna vers le lit. Liliana paraissait toute menue, comme ratatinée par la colère et la peur.

— J'admire votre loyauté, Liliana. Sincèrement. Hélas, votre père est en ce moment même dans une autre chambre, au bout du couloir, en train de parler à Ricardi.

– *C'est un mensonge !*

– Vous croyez ? (Marta haussa les épaules.) À votre aise.

Lorsqu'elle retourna dans la salle de réveil, dix minutes plus tard, elle trouva Liliana assise dans son lit, l'air boudeur, le regard rivé au mur.

– Je viens de discuter avec votre père. En échange de l'immunité, il est prêt à tout nous dire. C'est un malin. J'espère que vous êtes maligne, vous aussi.

– Je veux le voir !

Marta inclina la tête.

– Ricardi et lui vont venir à la porte, mais il n'y aura pas de conversation entre vous. Plus tard, quand nous aurons réglé notre affaire, il pourra venir vous rendre visite.

Liliana acquiesça. Marta ressortit dans le couloir pour chercher Ricardi et Méndez. Elle avait rencontré Ubaldo pour la première fois une heure auparavant et ne l'avait guère trouvé impressionnant. Il n'avait pas l'allure d'un maître du crime, ancien chef de la brigade anti-kidnapping de la province de Buenos Aires qui avait dirigé dans l'ombre un juteux racket. Il n'avait pas l'air non plus du genre d'homme à contrôler un groupe de sbires appelé les Clowns. Il était plus petit que sa fille, arborait un demi-sourire pincé et plissait les yeux d'un air sournois qui rappela à Marta les flics d'une autre époque, quand un uniforme de policier était un permis officiel de brutaliser et de dévaliser.

En réalité, Ubaldo n'avait rien avoué pour le moment, mais Ricardi l'avait apparemment bien mis en condition. Il avait beau regarder Marta avec un grand sourire, elle perçut dans ses yeux une subtile lueur de panique, le regard d'animal aux abois d'un homme qui se sait pris au piège. Marta espérait que Liliana, en voyant cette expression, comprendrait ce qu'elle avait à faire.

La rencontre sur le seuil ne dura que quelques secondes. La fille regarda son père d'un air inquisiteur ; le père soutint son regard, puis détourna les yeux. Juste à l'instant où Ubaldo allait ouvrir la bouche, Ricardi l'entraîna dans le couloir.

Marta ferma vivement la porte, se tourna vers Liliana, jeta un coup d'œil sur sa montre.

– Vous feriez mieux de vous mettre à table. Et que les choses soient bien claires : vos deux versions ont intérêt à coïncider.

Liliana ferma les paupières. Marta l'observa, persuadée de lui avoir présenté un choix raisonnable. C'était, elle le savait, le pivot sur lequel tournerait toute son enquête. Si Liliana parlait, les énigmes seraient résolues et la théorie de Marta serait prouvée ; si Liliana gardait le silence, l'obscurité prévaudrait et la théorie de Marta resterait une simple théorie.

– Alors ?

– *Je t'emmerde, salope* ! hurla Liliana. *Tu ne me retourneras jamais ! Jamais !*

18

LA VILLE DES COUTEAUX

Il y eut de nombreux articles consacrés au suicide de Carlos Peña. Tomás Hudson les lut tous. Dans une ville où, en une période de grand stress et de profond désarroi économique, les suicides étaient devenus monnaie courante, ce geste désespéré d'un leader de la communauté psychanalytique donna matière à une réflexion nationale.

QUE NOUS APPREND SUR NOUS-MÊMES CE TERRIBLE ÉVÉNEMENT ? titrait à la une le quotidien *El Faro*.

L'article débutait ainsi : « Qu'un homme comme le Dr Peña, symbole de maîtrise et de charisme personnel, ait choisi de mettre fin à ses jours doit être pour notre pays l'occasion d'une introspection approfondie. Le Dr Peña nous a envoyé un message. À nous, maintenant, d'en déchiffrer le sens... »

Des monceaux de fleurs furent déposés à l'endroit où Carlos s'était écrasé dans la rue. Près de cent gerbes furent livrées à la réception de l'Institut. Les collègues, nota Tomás, semblaient en proie à une sorte d'hébétude. Quant à lui, il était tellement hanté par son ultime entrevue avec Carlos qu'il ne pouvait guère penser à autre chose. Il ne cessait de rejouer la scène dans son esprit. Quel était l'indice, l'événement déclencheur ? À quel point de son monologue le rythme de la respiration de Carlos s'était-il modifié ?

Il avait quelques idées là-dessus, mais il les rejeta rapidement. Les signes indiquaient une direction dans laquelle il ne voulait pas aller.

On demanda à Tomás de prendre la parole à la cérémonie commémorative, prévue dix jours après la mort de Carlos. Il déclina la requête.

– Nous étions trop proches, dit-il à Victoria Fabiani. Je ne saurais pas trouver les mots... Je suis trop anéanti.

Il avait le sentiment, honteux, de s'être défilé, d'avoir fui ses responsabilités à l'égard d'un ami. Mais qu'aurait-il pu dire, en dehors des habituelles platitudes, sans perturber encore davantage ceux qui pleuraient Carlos ? D'un autre côté, *ne pas* exprimer ses pensées, *ne pas* analyser ses soupçons, reviendrait à tricher avec lui-même et avec la communauté.

La cérémonie eut lieu dans l'auditorium même où il avait prononcé son allocution sur les orphelins. Cette fois encore, la salle était remplie à craquer, obligeant les retardataires à se masser dans l'escalier. Membres de la famille, collègues, étudiants, patients d'hier et d'aujourd'hui : Carlos n'avait pas seulement été immensément admiré, il avait été aimé de tous ceux qui avaient croisé son chemin.

Un violent orage éclata au beau milieu du premier discours. Le tonnerre gronda, des éclairs déchirèrent le ciel, la pluie martela les fenêtres de l'auditorium, contraignant l'orateur à crier pour se faire entendre.

D'autres orateurs lui succédèrent, luttant eux aussi contre l'orage pour exprimer leur désarroi : Qu'est ce qui avait bien pu conduire cet homme exemplaire à un tel acte d'autodestruction ? Si Carlos était devenu instable, pourquoi personne ne s'en était-il aperçu ? Comment un homme si doué pour restaurer la santé mentale d'autrui avait-il pu tomber si gravement malade lui-même ?

Des théories furent avancées :

« Il avait pris sur ses épaules tous les fardeaux de notre profession. »

« Cet acte ultime était-il un message adressé à une nation qui a lamentablement fait défaut, dans tant de domaines, à ses enfants ? »

« Y a-t-il dans ce pays maudit quelque chose qui mine les meilleurs d'entre nous, quelque chose de malsain – de mauvais, même – qui ronge nos âmes ? »

« Si un homme tel que Carlos Peña peut en être réduit à une telle extrémité, qui, parmi nous, est véritablement à l'abri ? »

Tomás détesta cette rhétorique lénifiante. L'autoflagellation était, après le football, le second sport favori du pays. Néanmoins, pendant que les orateurs péroraient, couvrant le fracas de la pluie, il écouta attentivement, à la manière d'un analyste, dans l'espoir de saisir quelque indice sous-jacent. Mais il eut beau tendre l'oreille, il n'entendit rien de neuf.

La pluie cessa de fouetter les vitres à l'instant même où se terminait le dernier discours. Lorsque Tomás sortit du bâtiment, il n'y avait plus qu'un léger crachin. Il entreprit de remonter le trottoir mouillé, enjambant les flaques, et il repéra Ana Moreno qui marchait trente mètres devant lui, vêtue d'un imperméable beige à ceinture.

Il la rattrapa en courant et lui toucha le bras. Quand elle se retourna, il fut frappé par la triste beauté de ses yeux.

Il l'invita à prendre un café avec lui.

– À moins que tu n'aies un patient, évidemment...

– Non, dit-elle. J'ai annulé tous mes rendez-vous d'aujourd'hui.

– Moi aussi.

Tomás lui frôla la joue pour essuyer des gouttes de pluie – ou peut-être des larmes.

Il la prit par le bras et la conduisit dans un troquet sans caractère, à plusieurs blocs de là. Il voulait discuter d'une affaire confidentielle, lui dit-il, et ne souhaitait donc pas aller dans un café où ils risquaient de tomber sur des collègues ou de ne pas pouvoir parler tranquillement.

L'endroit qu'il choisit était presque trop éclairé et tout en plastique, un cadre d'une neutralité appropriée à la bombe qu'il s'apprêtait à lâcher.

Ana lui tendit la perche dès qu'ils furent assis.

– J'ai été surprise que tu ne prennes pas la parole. Et je n'ai pas été la seule.

Il acquiesça. Il avait envie de lui toucher les cheveux, mais il se borna à lui expliquer pourquoi il avait décidé de garder le silence. Il décrivit sa dernière rencontre avec Carlos, cette terrible dernière séance qui le hantait, le seul signe indiquant que quelque chose avait affreusement mal tourné. Avant même qu'il ait fini de lui exposer le motif de cette entrevue – « le Problème Tony », comme il l'appelait –, Ana l'interrompit.

– Je vois où tu veux en venir, Tomás. Mais c'est impossible ! Tout bonnement impossible ! Carlos n'aurait jamais pu faire une chose pareille. *Jamais !*

– Bien sûr que non ! C'est ce que je ne cesse de me répéter. Mais comment expliquer autrement son algarade ? Avant que je m'allonge sur son divan, il était aussi chaleureux et compatissant que d'habitude. Dix minutes plus tard, il s'était métamorphosé en bête sauvage. Donc, c'était *forcément* lié à ce que je lui avais dit.

– C'est exactement ce que pense la fille qui était en séance avec lui quand il s'est enfui du cabinet. J'ai pris la suite de son traitement. Elle est convaincue que c'est quelque chose qu'*elle* a dit qui l'a poussé à se jeter dans le vide.

— Carlos lui a-t-il parlé comme il l'a fait avec moi ?

Ana fit non de la tête.

Elle est toujours la femme la plus désirable que je connaisse.

De nouveau, il eut envie de lui toucher le visage. Il se contenta de lui prendre la main.

— S'est-il passé quelque chose de bizarre, demanda-t-elle, avant que tu lui racontes ce qui te perturbait ?

— Oui. J'ai trouvé étrange qu'il m'ordonne plus ou moins de m'allonger sur son divan.

— Tu ne lui avais rien dit du motif de ta visite ?

— Non, juste que j'avais besoin d'un conseil. Je croyais lui avoir clairement fait comprendre que je venais le voir en tant qu'ami.

— Et pourtant, il t'a allongé sur le divan... c'est effectivement étrange, murmura Ana. Il m'est arrivé bien souvent d'aller lui demander conseil, et pas une seule fois il n'a fait ça avec moi.

— Il avait un sixième sens. C'est ce que je me suis dit sur le moment : il sentait à quel point j'étais troublé et il pensait pouvoir m'aider plus efficacement si je m'allongeais, lui étant hors de vue. (Silence.) Si c'est Carlos qui a dénoncé Sarah...

— *Impossible !*

— Je le sais. Mais *si* c'est bien lui, cela expliquerait tout, sa sortie explosive et son suicide quelques heures plus tard. Mais *comment* y croire ? Il aimait Sarah, nous aimait tous les deux. Quand elle a été arrêtée, il a fait la tournée des ministères, a appelé tous ses contacts au gouvernement. Il a été le seul à prendre mon parti quand le conseil a refusé d'intervenir. Ça ne peut donc pas être lui, n'est-ce pas ?

Il plongea son regard dans le gris profond des yeux d'Ana. Aujourd'hui, il ne se lassait pas de contempler ses yeux.

— Et pourtant... cela n'expliquerait-il pas les propos qu'il m'a tenus, et son effondrement quelques heures plus tard ? Pour le moment, personne n'a pu fournir d'explication. Victoria, qui le côtoyait tous les jours, affirme n'avoir rien vu venir. Je n'arrête pas de me dire qu'il a joué un rôle à mon intention, en grossissant le trait pour produire l'effet désiré : me montrer la pire partie de moi-même, incarner la bête féroce qu'il voyait tapie en moi, se présenter comme mon miroir afin que je rejette toute idée de vengeance... Seulement voilà : il n'y a pas eu ensuite de mise en perspective, pas d'éclaircissement – et, plus important, pas d'analyse. Carlos n'exerçait pas de cette manière. Je ne l'ai jamais vu recourir à ce genre de stratagème dérisoire.

– Donc, qu'est-ce que tu en conclus ?

– J'essaie juste de comprendre ce qui s'est passé.

– Mais la seule explication que tu avances en est une qui, nous le savons tous les deux, est totalement impossible.

Il lâcha la main d'Ana, détourna les yeux, puis l'étreignit à nouveau. Il se rendit compte, soudain, à quel point il avait besoin d'elle, de sa compréhension et de son amitié.

– Je vais suggérer une hypothèse invraisemblable, j'en conviens. Mais s'il te plaît, Ana, écoute-la jusqu'au bout avant de critiquer mon analyse. J'ai besoin, désespérément besoin, que tu fasses ça pour moi. Tu veux bien ?

– Naturellement, quelle question !

Il lui fut reconnaissant de sa réaction. Ana était maintenant, songea-t-il, sa plus proche amie au monde. De tous ses amis, elle était la seule qui puisse éventuellement remplacer un jour Carlos.

– Suppose un instant, dit-il, que Carlos ait bel et bien dénoncé Sarah. Pas pour les ignobles raisons habituelles, mais en croyant – à tort – que l'arrestation d'une personne aussi incontestablement innocente suffirait à briser la neutralité étudiée de l'Institut ? Peu plausible, je te l'accorde, mais durant cette période très sombre, beaucoup de gens respectables ont fait des choses insensées. Nous avons des exemples, toi et moi, d'actes altruistes qui ont mal tourné, de héros qui se sont mués en démons, de tentatives malencontreuses qui, censées mobiliser l'opposition, ont abouti à des arrestations et des disparitions. Donc, en suivant cette logique, suppose que Carlos se soit dit que les nervis du Processus se rendraient vite compte que Sarah était du « persil » (terme délicieux par lequel ils désignaient les innocents) et qu'ils seraient contraints de la relâcher. Elle s'en sortirait indemne, mais son arrestation pourrait marquer un tournant décisif dans la résistance. Seulement il avait oublié un fait important : à cette époque-là, il n'y avait aucun sens des réalités, aucun sens de la justice. Et donc, tragiquement, son plan stupide (si j'ai raison) s'est mal terminé, Sarah a été « disparue », spoliée de sa vie, et Carlos a vécu avec cette culpabilité pendant plus de vingt ans. Et puis, il y a dix jours, j'ai débarqué avec mon histoire et Carlos a compris que sa faute allait enfin être révélée au grand jour. Depuis tout ce temps-là, il était comme une bombe attendant d'exploser. Et le récit de ma rencontre avec Tony a été l'étincelle qui a allumé la mèche. Il a bel et bien explosé, d'abord contre moi, puis contre lui-même. (Tomás se tut un instant avant de conclure :) Cela ne pour-rait-il pas expliquer ce qui s'est passé ?

Ils en discutèrent pendant plus d'une heure, examinant cette hypothèse sous tous les angles, la démontant, la remontant, avant d'explorer d'autres possibilités. Finalement, convinrent-ils, toutes les théories qu'ils échafaudaient n'étaient que pure spéculation – et, même si certaines paraissaient moins spéculatives que d'autres, elles n'en restaient pas moins de simples théories. La seule certitude, dans cette affaire, était que Carlos avait craqué.

– Nous sommes donc d'accord : il nous sera impossible de connaître un jour la vérité, dit Tomás. À un détail près...

– Tony ?

– Oui. Supposons que j'accepte son marché, que je le paie pour avoir son information et qu'il me dise que Carlos était le dénoncia-teur... Cela confirmerait mon hypothèse.

– Cela *tendrait* à la confirmer. Mais qu'est-ce qui te prouverait qu'il t'a dit la vérité ?

– Rien, et c'est là que le bât blesse. De toute façon, maintenant que Carlos n'est plus là, est-ce que ça a encore de l'importance ?

Ils haussèrent les épaules en même temps, désemparés, épuisés, remplis de culpabilité et de désespoir. Ils ne sauraient jamais, certes, mais ce n'était plus le problème. La seule chose qui comptait, c'était qu'ils avaient perdu un grand professeur, un grand ami et mentor... et qu'ils ne sauraient jamais pourquoi.

L'orage avait passé. Le soleil brillait à travers une trouée entre les nuages sombres. Sur le trottoir, Tomás prit Ana dans ses bras et la serra fort.

Je l'aime encore, je l'aime terriblement. Mais il eut peur de le lui avouer en cet instant. *Pas aujourd'hui, le jour de l'hommage à Carlos. Mais bientôt, très bientôt, je le lui dirai... et à ce moment-là, ce sera à elle de dire si mon amour est réciproque ou non.*

Tomás Hudson savait que le meilleur moyen de se remettre du traumatisme causé par le suicide de Carlos Peña était de se consa-crer pleinement à ses patients. Carlos lui-même avait enseigné cette leçon dans ses séminaires : « Dans les pires moments, nos patients les plus perturbés deviennent notre refuge. »

Le patient le plus perturbé de Tomás était Claudio Gillabel, qui était également son préféré et celui pour lequel il nourrissait les plus grands espoirs. Il fut donc agréablement surpris lorsque Claudio, en début de séance, lui montra une nouvelle série de dessins de ses parents adoptifs détestés en disant :

– Vous voyez, il m'arrive de suivre vos suggestions.

Tomás lui avait proposé de dessiner les Soler comme s'ils imploraient son pardon – approche qui, espérait-il, inciterait Claudio à leur pardonner. Mais si les Soler, sur ces portraits, n'avaient pas l'air malveillant, ils paraissaient plus sinistres que sincères.

Toutefois, se dit Tomás, un certain progrès avait été accompli. Mais quand Claudio entreprit de lui raconter son ahurissante visite nocturne chez les Soler, Tomás se demanda si le jeune homme parviendrait un jour à se libérer de sa haine.

– Il y a quelques jours, peu après minuit, je me suis réveillé d'un cauchemar. Je ne me souviens pas de quoi il s'agissait, mais mon cœur battait à se rompre et mes draps étaient trempés. Je me suis levé, douché, habillé, j'ai pris un vieux couteau de gaucho que j'avais depuis l'enfance, j'ai enfourché ma moto et je suis allé là où ils habitent.

– Ils ?

– Les Soler.

Ce n'est pas de bon augure ! pensa Tomás.

– Je me suis garé au bout de la rue et, sans bruit, j'ai contourné la maison jusqu'à la fenêtre de leur chambre, qui était ouverte. Les rideaux étaient tirés, mais il y avait un espace assez large pour me permettre de jeter un coup d'œil à l'intérieur. Je les ai vus qui dormaient à moins d'un mètre de moi. Je n'ai jamais compris pourquoi ils mettaient leur lit si près de la fenêtre ; en tout cas, il a toujours été à cet endroit. Bref, j'étais donc là, si près qu'il me suffisait d'écarter les rideaux, d'entrer dans la chambre et de les poignarder en plein cœur. (Claudio observa une pause avant de poursuivre :) J'ai vraiment envisagé de le faire. Je me voyais brandissant au clair de lune la lame ensanglantée, annonçant aux mânes de mes vrais parents que j'avais enfin vengé leur mort.

Tomás sentit son estomac chavirer mais parvint à rester impassible. Il ne voulait pas montrer à Claudio combien il trouvait cette histoire dérangeante.

– Je veux être sûr de bien comprendre, dit-il. Il ne s'agissait pas d'un rêve, vous étiez réellement devant leur fenêtre, armé d'un couteau ?

– Oui. Et, comme je vous l'ai dit, j'ai imaginé que je les tuais. Je ne l'ai pas fait, naturellement. Je n'ai pas l'étoffe d'un meurtrier. Quand j'ai rebroussé chemin dans la nuit, je me faisais l'effet d'un cinglé absolu. En fait, la lune ne brillait même pas. Tout ça ressemblait à une sorte de fantasme en cours de répétition, mais mes envies de meurtre étaient parfaitement réelles.

Tomás, en analyste expérimenté, se gardait bien de donner des conseils à ses patients. Son job n'était pas de conseiller mais d'aider chacun à comprendre les processus de son inconscient et de soulager ainsi sa douleur. Pourtant, en entendant le récit de Claudio, il mit de côté cet axiome de pratique orthodoxe. S'il existait une situation qui appelait un conseil, c'était bien celle-là.

– Votre histoire me fait froid dans le dos, dit-il, notant la surprise sur le visage de Claudio. Je suis bien convaincu que vous n'êtes pas un tueur. D'autre part, je comprends les fantasmes de vengeance ; j'ai moi-même une certaine expérience dans ce domaine. Comme vous le savez, ma femme a été « disparue ». J'ai passé des années à imaginer ce que je ferais à ses assassins et à celui qui l'avait dénoncée, si jamais je les retrouvais un jour. Mais voyez-vous, Claudio, la vengeance ne peut que vous diminuer, réduire votre autorité morale et saper votre moi profond. Quand on s'abaisse au niveau des meurtriers – et je ne dis pas que les Soler soient des meurtriers, même s'ils ont collaboré avec un régime meurtrier –, on devient alors comme eux. Et à ce moment-là, ce sont eux, les oppresseurs et les tueurs, même des gens bien intentionnés et pathétiquement bornés comme les Soler, ce sont *eux* qui gagnent. Quand on devient comme eux, le mal qu'ils ont commis se trouve cautionné. Et vous, qui avez toutes les raisons de consacrer votre vie à éradiquer ce mal, vous devenez celui-là même qui le cautionne.

Tomás se pencha en avant. Il voulait maintenant parler à Claudio en toute sincérité, non pas dans le rôle du thérapeute mais dans celui d'un père parlant à son fils déboussolé.

– Je vois en vous un talent magnifique... miné par la rage. Les fantasmes de vengeance n'atténueront pas votre rage, ils ne feront que l'alimenter. Afin de libérer votre talent, nous devons mettre au point des stratégies qui dissiperont votre colère. C'est seulement à ce moment-là que vous pourrez vous réaliser pleinement et créer de grandes œuvres d'art. Réfléchissez-y ! Devenir un grand artiste... voilà qui serait une douce vengeance ! Pourrait-on imaginer plus grande justification, plus beau cadeau à vos parents biologiques ? Que pourriez-vous faire, dans votre vie, qui soit comparable à cela ?

Tomás s'adossa à son siège. Il avait enfreint une règle primordiale, mais au moins avait-il dit à Claudio la vérité. Le jeune homme le regardait maintenant avec des yeux ronds, comme stupéfait que son thérapeute, d'ordinaire si posé, ait laissé échapper pareille tirade.

– Docteur Hudson, on ne m'a jamais parlé avec autant d'affection que vous venez de le faire. Il y a quelques semaines, je vous aurais probablement dit que je préférerais perdre toute autorité morale que de continuer à vivre avec une si grande injustice. Mais j'ai changé. Je n'éprouve plus le même sentiment. Et je dois vous en remercier. (Ses yeux se remplirent de larmes.) Peut-être que maintenant, en gardant vos paroles à l'esprit, je pourrai dessiner les Soler un peu mieux, d'une manière plus conforme à la réalité. En tout cas, je vais essayer...

Tomás fut touché par la gratitude de Claudio, et aussi par la façon dont il avait prononcé le nom de ses parents adoptifs : d'un ton normal, neutre. C'était la première fois qu'il en parlait sans mépris.

Peut-être faisons-nous quelques progrès, en définitive.

La séance était terminée. Claudio se leva et Tomás le raccompagna à la porte. Ils s'étreignirent.

De sentir la chaleur du corps de Claudio, Tomás fut de nouveau ému. Le jeune homme avait besoin de ce contact physique... et Tomás s'aperçut que lui aussi. Il ne chercha pas à camoufler ses sentiments.

Ça lui fait du bien de voir que son sort me tient à cœur.

Claudio parti, Tomás s'allongea sur son divan et pleura. Il pleura pour eux deux, et aussi pour toutes ces années où il avait suivi les règles draconiennes de sa profession en restant neutre, en évitant de s'impliquer.

Certains de ses collègues, il le savait, l'auraient méprisé de réagir avec tant d'émotion face à un patient.

« Nous ne sommes pas des entraîneurs de foot ni des prêtres... nous sommes des psychologues », prêchait Carlos dans ses séminaires. « Nous ne proposons pas des conseils ni du réconfort ; nous proposons une *analyse*. »

Et c'est peut-être justement ce qui ne va pas chez nous, pensa Tomás. *Et c'est peut-être là, pauvre cher Carlos, que vous avez vous-même échoué.*

Cette nuit-là, il prit sa décision : il ne passerait pas la petite annonce destinée à prévenir Tony qu'il était prêt à négocier. C'était sa séance avec Claudio qui l'avait amené à ce choix. Au fond, peut-être que dans sa supplique au jeune homme il s'était en réalité adressé à lui-même. Quant au possible rôle de Carlos dans la dénonciation de Sarah, ça ne l'intéressait plus.

Le moment est venu d'enterrer le passé.

Maintenant, il pensait tout le temps à Ana. Il se languissait d'elle... mais ne lui téléphonait pas, craignant une rebuffade. Ils avaient été amants pendant neuf ans ; et puis, un jour, il avait dit une chose qui l'avait blessée si profondément qu'elle ne supporta plus de vivre avec lui.

Quand ils en avaient discuté, elle lui avait dit qu'elle ne pouvait pas croire que sa réflexion était innocente. Elle était persuadée, au contraire, qu'il avait révélé par là ses sentiments les plus intimes – des sentiments dont elle ne mettait pas en doute la sincérité et qu'elle se découvrait incapable de pardonner.

De fait, Tomás en convenait, sa remarque avait été cruelle. Mais, dès lors qu'il l'avait prononcée, il ne pouvait plus la ravaler. Ce qui était dit était dit. Comme l'avait souligné Ana avec raison, son commentaire, pour cruel qu'il fût, était parti du cœur.

Cela s'était passé par une magnifique journée de printemps : l'air était suave et parfumé, les fleurs s'épanouissaient aux quatre coins de la ville, les jacarandas en fleur tapissaient les trottoirs de pétales bleu pâle.

Ils avaient passé l'après-midi à faire paresseusement l'amour, comme ils aimaient à le faire le dimanche : ils échangeaient des caresses, restaient un moment enlacés après, se douchaient ensemble, puis s'habillaient pour aller se balader sur les avenues.

Elle agrafait son soutien-gorge pendant qu'il boutonnait sa chemise. C'est à cet instant qu'il l'avait dit :

– Tu sais, Ana, quand nous faisons l'amour, j'ai parfois l'impression que Sarah est au lit avec nous... comme un fantôme allongé entre nous deux, tu vois ? Et à ce moment-là, je suis rempli de honte.

Elle se tourna vers lui, le visage empourpré de souffrance.

– Qu'est-ce que tu dis ?

– Juste une pensée qui me traversait l'esprit. Rien d'important.

– Mais si ! s'exclama-t-elle. C'est très important ! (Elle le regarda froidement.) Tu ne comprends pas, hein ? Tu ne comprends vraiment pas !

– Hé ! Nous avons passé un super après-midi. Ne va pas le gâcher maintenant, je t'en prie.

– Parce que c'est *moi* qui le gâche ?

– Ana, s'il te plaît, je ne voulais pas te blesser. Crois-moi, je ne...

– Eh bien, c'est raté ! *Complètement raté !*

Sur le moment, il trouva sa réaction disproportionnée. Il avait été le mari de Sarah, après tout, et Ana l'une de ses meilleures amies. Cependant, comme elle le fit observer, ils n'avaient commencé à coucher ensemble que plusieurs années après la disparition de Sarah, et ils n'avaient jamais flirté. En fait, Ana s'était exilée aux States avant l'enlèvement et n'était revenue de New York que trois ans après la chute de la dictature.

Donc, pourquoi avait-il dit une chose pareille ? Et pourquoi son fantasme absurde – Sarah au lit avec eux – lui faisait-il tellement honte ? Ana était-elle pour lui un exutoire de substitution ? Était-ce ainsi qu'il la considérait ? Ne comprenait-il pas que la vie continuait et que les gens, au cours de leur existence, se perdaient de vue et se retrouvaient de différentes manières ? Se sentait-il réellement coupable de faire l'amour avec elle ? Avait-il vraiment le sentiment que leur plaisir était une trahison de sa défunte épouse et de la défunte amie d'Ana ?

Il serait bien inspiré d'examiner toutes ces questions, lui dit-elle, et de réfléchir sérieusement à la signification de ses paroles. En attendant, qu'il ait l'amabilité de partir immédiatement de chez elle. Et pas la peine de la relancer, de l'importuner avec des coups de téléphone, ou des lettres d'excuse, ou des tentatives de médiation par des tiers. Pour tout dire, elle lui serait extrêmement reconnaissante de bien vouloir la laisser tranquille. *Oui, tout de suite ! Immédiatement ! Sans un mot de plus, bon Dieu !* Parce qu'elle était avant tout une personne, un être humain vulnérable, et qu'en l'occurrence elle n'en avait rien à foutre qu'ils soient tous deux psychanalystes. « Soignez votre putain d'ego, docteur ! » lança-t-elle d'une voix perçante avant de le flanquer littéralement à la porte.

Ils ne s'adressèrent pas la parole pendant plus d'un an, sauf quand c'était nécessaire sur le plan professionnel. Ana se mit à sortir avec d'autres hommes. Elle confia à ses amies – qui s'arrangèrent pour que ça revienne aux oreilles de Tomás – qu'elle ne se mettrait plus jamais avec un analyste. Mieux valait un simple maçon, un éboueur, un étudiant attardé... n'importe qui, du moment que ce n'était pas *un satané psy à la con* !

En définitive, elle se fiança avec un professeur d'astronomie à la retraite, un homme dont les cheveux blancs et la courte barbe lui conféraient une saisissante ressemblance avec Freud. Quelques semaines avant la date prévue pour leur mariage, il fit un arrêt cardiaque dans un restaurant et mourut pendant son transfert à l'hôpital. En apprenant la nouvelle, Tomás téléphona à Ana pour lui présenter ses condoléances. Puis, d'un ton hésitant, il lui offrit son amitié. Elle le remercia de son appel et accepta sa proposition. Par la suite, ils se retrouvèrent pour un café et, au bout d'un an, se mirent occasionnellement à dîner ensemble.

Chacun appréciait la compagnie de l'autre. Ils cancanaient sur des collègues, échangeaient des références et des opinions sur la stratégie à employer avec des patients difficiles. Ils se soutenaient mutuellement, assistaient à leurs conférences respectives et se substituaient l'un à l'autre quand, pour cause de maladie ou d'empêchement, l'un ou l'autre n'était pas en mesure d'assurer un séminaire programmé à l'Institut.

Aujourd'hui, quatre années avaient passé. Tous les jours, il songeait à téléphoner à Ana pour lui dire combien il l'aimait, combien il regrettait ses paroles stupides, blessantes, indélicates, et à quel point il désirait reprendre leur liaison. Il voulait lui dire qu'il en avait fini avec la culpabilité, que son esprit s'était ouvert, que c'était l'amitié d'Ana qui avait rendu cela possible. Mais il craignait de s'entendre répondre – très gentiment, bien sûr : « Oh, Tomás, nous avons déjà emprunté cette route. Ne gâchons pas les choses. Restons bons amis et ne revenons pas en arrière. »

Borges avait écrit un superbe poème en prose intitulé *Le Poignard*. Celui-ci s'imposa à l'esprit de Tomás quand il imagina Claudio, son couteau de gaucho à la main, observant par la fenêtre les Soler endormis.

Les derniers vers, à ses yeux, étaient particulièrement puissants :

```
... le poignard rêve sans fin son simple rêve de
tigre, et quand la main s'en empare, elle s'anime parce
que le métal s'anime, elle sent dans chaque contact le
tueur pour qui il a été façonné.
    Parfois, il m'émeut jusqu'à la pitié. Tant de force
et de détermination, tant d'impassibilité et de fierté
innocente, et les années s'écoulent, inutilement.
```

Certains appelaient Buenos Aires « la Ville des fleurs ». C'était assurément vrai. Tout comme « la Ville du deuil » et « la Ville du désespoir », car elle l'était effectivement devenue aujourd'hui. « La Ville de la nostalgie », « la Ville des mystères », « la Ville de ce-qui-aurait-pu-être » : elle était tout cela et bien davantage encore. Mais l'expression que Tomás préférait était « la Ville des couteaux », souvent employée à cause des nombreux duels au couteau qui avaient lieu dans les clubs de danse et les bars : des duels pour une femme, pour un mot, pour un geste ou un regard mal interprété.

De nombreuses chansons de tango relataient ce genre de combats, et Tomás savait par ses patients que l'imagination des jeunes en était imprégnée. Les danseurs de tango, bien souvent, par leur jeu de jambes, donnaient l'impression de livrer un combat au couteau. Mais si Tomás aimait cette appellation et la trouvait particulièrement appropriée à Buenos Aires, c'était parce qu'elle véhiculait la violence naissante dissimulée sous la beauté de la ville, une violence implicite qui, pour reprendre les mots de Borges, l'émouvait parfois jusqu'à la pitié.

Cette nuit-là, en se promenant dans les rues du centre-ville, il se sentit le cœur léger, ce qui ne lui était pas arrivé depuis le soir de sa conférence, ce fameux soir où, pour la première fois, il avait entendu sur son répondeur l'horrible voix blanche, bureaucratique, de Tony.

Il était soulagé d'avoir décidé de ne pas donner suite à la proposition de l'escroc, de ne pas s'être laissé tenter par des fantasmes de vengeance. Là aussi, Borges avait été son guide. Le Poète avait écrit quelque part que la seule véritable vengeance consistait à rejeter le souvenir de ceux qui vous avaient fait du tort, et même d'oublier le tort lui-même.

La ville était si complexe, si labyrinthique, qu'il ne se lassait jamais de l'arpenter. Cette nuit-là, il se demanda si ses promenades obéissaient à une logique quelconque, si elles étaient moins dénuées de but qu'il le croyait. Notion glaçante : son inconscient le poussait-il à suivre un itinéraire particulier, à tourner à des coins particuliers, à rebrousser chemin par des rues particulières ? Si tel était le cas, le motif n'était pas clair à ses yeux... et ne le serait probablement jamais.

Arrivé devant la grille fermée du passage Güemes, il s'arrêta. Dans la journée, cet endroit grouillait de gens, de centaines de milliers de piétons. À présent, il était désert.

Ce passage avait pour lui une signification spéciale, car il était décrit dans une merveilleuse nouvelle de Julio Cortázar : l'auteur s'imaginait qu'il entrait dans la Galería Güemes, à Buenos Aires, et qu'il en ressortait – comme par magie – par la galerie Vivienne, à Paris.

Tomás souriait, charmé par cette idée ingénieuse, quand il prit conscience d'une présence furtive derrière lui. Se retournant, il aperçut un homme qui se cachait dans une embrasure de porte, quelques immeubles plus loin.

Il ne pensait pas être paranoïaque. Malgré tout, était-il possible que quelqu'un le suive ? Les voleurs, la nuit, traquaient les passants solitaires. Et, ces temps-ci, la ville était remplie de voleurs. Les faits divers criminels inondaient les quotidiens et les journaux télévisés. Les temps étaient durs, les gens désespérés. Cambrioleurs, pickpockets, escrocs, chauffeurs de taxi sans scrupules : le crime était devenu si répandu que des gens d'ordinaire honnêtes s'étaient mis à fourrer leurs mains dans les poches d'innocents promeneurs, en quête de portefeuilles, et à arracher des chaînes en or pendues au cou des femmes, même en plein jour, sur les passages piétonniers qui divisaient l'Avenida 9 de Julio.

Fouillant du regard la Calle Florida, il repéra un sans-abri accroupi sur le trottoir, comme endormi. Ce rôdeur qu'il avait aperçu n'était peut-être qu'une illusion.

Il rebroussa chemin en direction du Retiro. À peine avait-il fait quelques pas qu'un petit homme émergea d'une porte et se planta devant lui, jambes écartées, en plein milieu de la voie piétonnière.

C'était Tony.

– C'est donc vous, dit Tomás en s'avançant. Vous aviez promis de ne pas me relancer. C'était à moi de vous faire signe en passant la petite annonce. (Il voulait que sa contrariété se voie.) Qu'est-ce que vous voulez, bon sang ?

Tony continua de lui barrer le chemin, même quand Tomás fut à moins d'un mètre de lui.

– C'était bien notre contrat, non ? dit Tomás d'un ton cassant. Vous pensiez peut-être que j'avais oublié ?

Tony haussa les épaules avec déférence, mais ses petits yeux sournois luisaient de colère.

– Maintenant que vous êtes arrivé au terme des quatre semaines, je voulais m'assurer que c'était réellement votre décision.

– Donc, vous m'avez suivi ? (Et, comme Tony ne répondait pas :) *C'est* ma décision... alors, déguerpissez !

– Là, docteur, je dois dire que j'ai peine à y croire. Enfin quoi... comment peut-on *ne pas* vouloir connaître une information de cette nature ?

– Ça ne m'intéresse pas.

Tomás fit mine d'écarter Tony, qui le saisit par le revers de sa veste.

– Vous ne pouvez pas partir comme ça.

– Bien sûr que si. Votre proposition me dégoûte. *Vous* me dégoûtez. Lâchez-moi !

Abandonnant son attitude obséquieuse, Tony devint soudain méchant. Le petit homme, avec son haleine qui sentait la saucisse et sa petite moustache humide, découvrit ses dents en un rictus mauvais.

– Puisque vous ne voulez pas savoir, je vais m'adresser à votre fils. Il s'appelle Javier, je crois ? Mon information l'intéressera peut-être, *lui*.

Tomás ne put s'empêcher de rire. Javier, si Tony le contactait, lui flanquerait probablement son poing dans la figure. Mais Tomás n'aimait pas être menacé. Il avait intérêt à se libérer avant de perdre son sang-froid.

Il sortit son portable de sa poche intérieure.

– J'appelle les flics. Nous verrons ce qu'ils penseront de cette affaire.

D'un geste brusque, Tony frappa la main de Tomás, faisant tomber son portable sur la chaussée. Puis, d'un seul mouvement, il dégaina un couteau et appuya sur un bouton qui fit jaillir la lame, la bloquant en place.

Nous voilà au cœur même de la « Ville des couteaux », pensa Tomás avec un parfait détachement. *Vais-je finir dans une flaque de sang, poignardé par cet horrible vautour ?*

Il sentit sa colère enfler. *Non !*

La fureur le submergea. Indifférent au risque d'être blessé, il agrippa à deux mains le bras et le poignet de Tony et tourna de toutes ses forces. Il entendit un craquement, un cri de douleur, puis le tintement métallique du couteau qui heurtait le trottoir.

Au lieu de s'arrêter, Tomás continua de tordre le poignet de Tony jusqu'à ce que celui-ci, gémissant, s'effondre à genoux. Il lui décocha alors un coup de pied dans le côté et se jeta sur lui, le plaquant au sol.

Il s'agenouilla brutalement sur la poitrine du petit homme, l'entendit s'étouffer. Il lui sembla sentir du vomi dans son haleine.

– Je vais te faire coffrer pour extorsion et tentative de meurtre.

Tony, qui redoutait une sévère raclée, se mit à pleurnicher.

– Je ne vous aurais pas tailladé, docteur, je vous assure. Et je ne sais rien. J'avais tout inventé.

Tomás le regarda dans les yeux. *Cet imbécile croit encore que j'en ai quelque chose à faire !*

– Tu n'es donc qu'un vulgaire escroc, un *chanta*. Mon fils s'en doutait. Combien de malheureux as-tu rackettés de cette manière ?

– Seulement quelques-uns, je vous assure.

Il continuait de geindre. La peur et la douleur de son poignet cassé déformaient ses traits.

Le voilà qui implore, maintenant ! Il s'imagine que je vais le tuer s'il a racketté plus de « quelques » victimes !

– Qui es-tu, espèce de petite merde ?

Tout en clouant Tony au sol avec ses genoux, Tomás lui prit son portefeuille et lut le nom indiqué sur la carte d'identité.

– « Ignacio Piglia Scaparelli, enquêteur matrimonial. » Au moins, tu n'avais pas menti sur ce point !

Tony se tortillait sous le poids de Tomás, essayait toujours de s'échapper.

– Si vous me dénoncez, on me retirera ma licence. Je ne pourrai plus manger.

Scrutant le visage de Tony, à quelques centimètres du sien, Tomás vit l'incarnation de ce qu'il y avait de pire dans la société argentine : un vautour qui se repaissait du tourment des familles de disparus. Mais Tomás se sentait en paix avec lui-même ; il avait résisté aux manipulations de ce *chanta*. À la pensée que la tentation avait reposé sur du vent, il se mit à rire.

– Combien comptais-tu me faire payer ?

Tony, terrifié par le rire de Tomás, tenta de se redresser.

– Combien ? répéta Tomás en le repoussant contre le trottoir.

L'autre gargouilla sa réponse d'une voix stridente :

– Autant que le marché pouvait rapporter.

– Ah ! oui, « le marché » ! Et si j'étais tombé dans le panneau, si je t'avais payé, qu'est-ce que tu m'aurais raconté ?

Comme Tony le regardait d'un air ahuri, Tomás comprit que ce détail n'avait pour lui aucune importance : il se serait sauvé avec l'argent, ou aurait inventé un nom, ou en aurait choisi un au hasard. Ou alors, étant un détective professionnel, il aurait mentionné – sur la base de ses recherches – un ami ou une connaissance de Tomás.

Peut-être même aurait-il cité le nom de Carlos Peña, auquel cas, même si Carlos avait nié avec la dernière énergie, leurs relations n'auraient plus jamais été les mêmes.

Révulsé, Tomás se releva, épousseta ses vêtements et toisa Tony avec dédain.

– Tu es un répugnant charognard. Est-ce que tu t'en rends compte, au moins ?

– Oui, je sais... je sais..., geignit Tony. Mais il faut bien nourrir sa famille, il faut bien manger...

Ce minable pathétique n'a pas conscience de ce qu'il fait.

Il était temps de partir, ça ne valait pas la peine de livrer Tony aux flics.

– Oui, évidemment, il faut bien manger, convint Tomás.

Il tourna les talons et poursuivit sa promenade. Il passa devant la Galería Güemes, s'engagea sur Rivadavia, à gauche, continua jusqu'à la cathédrale, puis la Plaza de Mayo, au bout de laquelle la Casa Rosada, siège du pouvoir politique argentin, luisait d'un rose tendre sous les projecteurs.

À leur séance suivante, Claudio apporta un cadeau : un portrait de Tomás dans son rôle de thérapeute, superbement dessiné, le visage empreint d'une profonde compassion.

Ému, Tomás se demanda s'il présentait vraiment cette image-là pendant qu'il écoutait ses patients.

Bienveillant, empathique... j'espère que c'est ressemblant !

– Merci ! Vous ne pouvez pas savoir ce que ça représente pour moi.

Mais Claudio avait une autre surprise.

– J'ai beaucoup pensé aux Soler, et je me dis qu'il sera peut-être possible de leur pardonner. Pas expressément, bien sûr. Ça, ils ne le méritent pas ! Mais en moi-même, dans mon cœur. (Il secoua la tête, sourit.) Ce ne sera pas facile, mais je finirai peut-être par y arriver.

Claudio avait encore une troisième surprise, qu'il révéla seulement à la fin de la séance. Il avait rencontré une fille qui lui plaisait ; elle lui plaisait même tellement qu'il avait l'intention de nouer une relation suivie avec elle.

Cette nouvelle fit immensément plaisir à Tomás.

– Et qu'est-ce que vous aimez le plus chez elle ?

– Sa compassion, répondit Claudio. Nous sommes allés danser. C'était amusant. Et puis, plus tard, elle a pleuré quand je lui ai raconté l'histoire de ma vie.

– Une fille comme ça, il ne faut pas la laisser échapper.

Après le départ de Claudio, Tomás contempla la ville par la fenêtre.

Quelle sorte de psy suis-je donc, si je suis incapable de donner à mon propre fils l'affection que je donne à mes patients ?

Le lendemain après-midi, lorsque Javier et lui se retrouvèrent au Palermo Tennis Club, le jeune homme se montra ravi à la perspective d'une revanche contre son « vieux » père.

– Tu sais, dit-il à Tomás, je demande d'habitude cinquante dollars pour un match.

– Ne fais pas d'exception pour moi. Je paierai très volontiers.

– Suivras-tu mes instructions ? Ça fait partie du contrat.

– Bien sûr que je suivrai tes instructions. C'est toi le plus fort, après tout.

Cette fois, leur match, quoique extrêmement disputé, ne fut pas entaché de conflit œdipien.

Ayant déjà tué le Père, peut-être le Fils est-il maintenant disposé à lui faire l'aumône de deux jeux supplémentaires !

En fait, leur match se termina sur un score tout aussi déséquilibré que la fois précédente : Javier gagna facilement, mais Tomás parvint à remporter son service à peu près la moitié du temps.

Après la partie, Javier se répandit en compliments.

– Tu es en bonne forme, papa. Tes coups sont solides, mais tu as besoin d'améliorer ta stratégie et ton placement.

– Tu es trop gentil, dit Tomás, ravi.

– Je te le dis comme je le pense ! Avec une douzaine de leçons et beaucoup d'entraînement, je pourrais faire de toi un excellent joueur dans ta catégorie. Nous avons ici un tournoi seniors. En plus, je crois que tu ferais un bon partenaire de double.

– Et avec qui me ferais-tu jouer ?

– Avec moi, quelle question !

Devant le sourire de Tomás, Javier expliqua :

– Tous les ans, au printemps, nous avons un tournoi par équipes pères-fils.

Une fois douché, Tomás rejoignit Javier sur la terrasse pour prendre un verre. Les ombres étaient longues. Le soleil déclinait. À six heures et demie, des projecteurs s'allumèrent, éclairant les courts en contrebas. Des membres du club jouaient pour évacuer le stress de leur journée de travail. Tomás et Javier, silencieux, sirotaient leurs drinks en écoutant les cris qui montaient vers eux, les « 0-15 ! », « égalité ! », et le son mat des balles qui rebondissaient sur la terre battue.

Au bout d'un moment, ils se mirent à parler : politique, insécurité grandissante, malaise ambiant généralisé. Pourtant, dit Javier à Tomás, il ne percevait aucun signe de désespoir dans son club de tango favori.

– Les gens qui aiment la danse y trouvent du réconfort dans les périodes de crise : il en a toujours été ainsi. Il y a beaucoup de joie au club où je vais. Je pense que tu serais surpris.

– Je ne savais pas que tu pratiquais sérieusement le tango, dit Tomás.

– Je l'aime depuis l'enfance. Je m'y suis mis aux States. Pendant toutes ces années à Boston avec Grand-père et Grand-mère, c'était une façon de garder le contact avec la vie d'ici.

– Nous allions souvent danser, ta mère et moi. Elle adorait le tango. C'était une *milonguera* sensationnelle. Je ne lui arrivais pas à la cheville.

– Tu m'en diras tant !

– Je n'ai pas dansé depuis des années, murmura Tomás d'un ton mélancolique.

– Tu devrais t'y remettre. Je parie que ça te reviendrait tout de suite. « Danseur un jour, danseur toujours », dit-on.

Tomás sourit.

– Pourquoi ne viendrais-tu pas avec moi, un samedi soir ? enchaîna Javier. Le club que je fréquente n'est pas sophistiqué, mais les danseurs sont très bons. Pas de pression. Tu peux danser si tu en as envie, ou rester simplement assis à regarder.

Tomás inclina la tête.

– C'est d'accord, dit-il.

19

BUENOS AIRES DE JOUR

Beth Browder leva les yeux de la table du petit déjeuner et rencontra le regard de Sabina Bernays. Un arôme de café remplissait la pièce.

Sabina but une gorgée de son *café con leche*, reposa sa tasse.

– Ne prenez pas cela en mauvaise part, mon petit, mais je pense que vous faites une dépression nerveuse. Voilà cinq jours que vous êtes revenue et vous n'êtes pas allée danser une seule fois. En réalité, vous avez à peine quitté votre chambre. Je sais que vous avez traversé des moments pénibles. Ces gens chez qui vous séjourniez m'ont l'air épouvantables. Mais où sont passés votre joie de vivre, votre amour du tango ? À vous voir errer comme une âme en peine, il est clair que quelque chose ne va pas.

La cuisine de Sabina était propre mais pas du tout en ordre. Les étagères débordaient d'assiettes, de saladiers, de verres, de flacons d'herbes et de conserves. Des poêles et des spatules étaient accrochées aux murs. Des couteaux gisaient pêle-mêle sur les plans de travail. De grandes casseroles pendaient à un râtelier, au-dessus de la gazinière.

Les autres pensionnaires de l'appartement dormaient encore, car il était seulement onze heures du matin. Quand Beth, ayant fui les Céspedes, avait débarqué en pleine nuit, Sabina l'avait installée dans une chambre minuscule, à l'arrière, qu'elle réservait aux urgences. Beth ne s'était absentée que trois semaines, mais il y avait eu dans l'intervalle un changement complet parmi les *milongueras*. Kirstin Anders était repartie pour la Suède, l'Allemande qui avait fait le malheur de Kirstin était retournée à Francfort, la Sud-Africaine et la Française étaient également rentrées au pays. Elles étaient remplacées par deux Écossaises enthousiastes, originaires de

Glasgow, une danseuse de Turin, âgée d'une quarantaine d'années, et une ballerine russe très jeune et toute frêle qui, lorsque sa troupe était repartie pour Saint-Pétersbourg, était restée sur place avec la ferme intention de maîtriser le tango argentin.

— Le problème, avec la dépression, dit Sabina d'un ton bienveillant, c'est que ça empire si on ne s'en occupe pas.

Beth haussa les épaules.

— Avez-vous envisagé de rentrer aux States ?

— Je ne peux pas, répondit Beth. J'ai sous-loué mon appartement jusqu'à la fin juin. Si je rentre maintenant, je n'aurai aucun endroit où aller. De toute façon, je n'en ai pas encore terminé ici.

Sabina alla se resservir de café et revint s'asseoir en face de Beth.

— Je pense que vous devriez consulter une psychothérapeute, dit-elle. Nous en avons beaucoup d'excellentes.

— Comme cette idiote que Kirstin allait voir ? Merci bien, Sabina, très peu pour moi !

— Non, mon petit, certainement pas quelqu'un comme elle. Kirstin l'avait dégotée à une *milonga*. Moi, je vous parle d'une thérapeute de première classe, l'une des meilleures de la ville. C'est une vieille amie, bonne danseuse de surcroît, même si elle n'est pas obsédée comme nous. Votre espagnol est excellent, mais vous pourrez lui parler en anglais : pendant la Sale Guerre, elle a exercé à New York. Avec elle, aucun risque de vous tromper ; compte tenu de votre état actuel, une oreille compatissante ne pourra que vous aider.

Beth déclara qu'elle y réfléchirait. Elle regagna sa petite chambre et attendit que tout le monde soit parti pour la journée. Elle n'avait pas envie de rester à table avec les quatre nouvelles pensionnaires, à écouter leurs histoires de tango et leurs mécomptes amoureux, d'autant que Sabina lui avait dit que le Jorge de Kirstin s'était collé avec la dame italienne, et que Fernando, son ex à elle, tournicotait déjà autour de la Russe. Elle s'allongea donc sur son lit pendant deux heures pour lire des nouvelles de Borges. Lorsque l'appartement fut enfin déserté, elle sortit de son antre, alla trouver Sabina dans son cabinet de travail, resta timidement sur le seuil jusqu'à ce que Sabina lève la tête.

— Je crois que j'aimerais rencontrer cette psy dont vous m'avez parlé.

— Sage décision, mon petit. Je vais lui téléphoner de ce pas, voir si elle peut vous caser cet après-midi.

Le Dr Ana Moreno n'était pas du tout la psychothérapeute rin-garde que Beth s'attendait à voir, pas plus qu'elle ne ressemblait à la psy-*milonguera* aguicheuse de Kirstin. C'était une femme d'une cinquantaine d'années, extrêmement séduisante, bien habillée, très posée, avec de tendres yeux gris-bleu, un sourire plein de chaleur et de beaux cheveux gris qui lui arrivaient aux épaules. Beth la trouva d'emblée sympathique. Elle s'exprimait couramment en anglais et avait une excellente capacité d'écoute. Cette dernière qualité se révéla particulièrement importante : en effet, durant la première moitié de l'entretien, Beth parla sans discontinuer, relatant son séjour chez les Céspedes avec une telle intensité que, son récit ter-miné, elle dut reprendre son souffle.

Tandis que le Dr Moreno prenait des notes, Beth observa le cabi-net de consultation. Il était meublé à peu près comme devait l'être, supposa-t-elle, un cabinet de psy aux États-Unis. On relevait toute-fois quelques touches argentines : une paire de chandeliers en bois de la période coloniale, une estampe de danseurs de tango exécutée par Antonio Berni, plus un trio de photographies « arrangées », sur-réalistes, qui fascinèrent Beth au point qu'elle s'interrompit pour demander au Dr Moreno qui en était l'auteur.

– Une artiste nommée Grete Stern, qui est née en Allemagne et a émigré ici vers 1930. Au départ, ce sont des rêves. La photo de l'homme qui jette un filet sur la femme s'intitule *Rêve n° 13, Consentement*. Celle de la femme, pliée en deux de douleur dans la rue, s'intitule : *Rêve n° 46, Désunion*. Laquelle des trois vous émeut le plus ?

– *Désunion*.

– Intéressant. Il faudra que nous en reparlions, mais pas aujourd'hui. Aujourd'hui, je voudrais comprendre pleinement ce que vous ressentez, ce qu'est – selon *vous* – votre problème.

– Overdose de tango, répondit vivement Beth.

– Ne pensez-vous pas que c'est un peu plus compliqué que cela ?

– Peut-être.

– Ces gens chez qui vous séjourniez... quelle était la nature de votre attirance pour eux ?

– Purement sexuelle. Le premier soir, en dansant avec Lucinda, j'étais incroyablement excitée. Ensuite, quand ils m'ont invitée à m'installer dans leur maison, je me suis dit qu'avec eux je pourrais danser à un autre niveau.

Le Dr Moreno hocha la tête.

– Je pense que vous recherchiez la sensation sous le déguisement de la danse. Le vrai tango est une danse d'accouplement. Il parle d'amour et de tendresse, de rencontrer quelqu'un, d'établir un lien... le genre de lien que vous avez créé avec cet homme que vous cherchez.

– Mon Rêve d'Amour.

– Oui. Mais ce lien n'intéresse pas votre couple frère-sœur. D'après votre description, je dirais qu'ils s'intéressent uniquement au sexe, au pouvoir et à eux-mêmes. Ce sont des fascistes narcissiques, des prédateurs sexuels, des séducteurs. Ils *utilisent* le tango. Ils vous ont *utilisée*. Vous en avez pris conscience, et c'est pour cela que vous êtes déprimée.

– Vous avez raison, bien sûr, dit Beth. Mais ce qui me trouble, c'est que je le savais depuis le début... et pourtant, je suis restée avec eux. Qu'est-ce qui m'est passé par la tête ?

– Nous sommes tous sensibles à la séduction, Beth. Rien de mal à ça. L'important, c'est qu'en définitive vous ne soyez *pas* restée avec eux. Vous avez fait une escapade de trois semaines avec la décadence, et puis vous êtes partie. Maintenant, vous êtes libérée de ce fantasme, libre de faire ce que vous voulez.

– Je voudrais me remettre à la danse, mais j'en ai apparemment perdu le goût. Je ne sais pas pourquoi. J'espérais que vous pourriez m'aider à le retrouver.

Quand le Dr Moreno l'observa, adossée à son fauteuil, Beth sentit qu'elle s'était placée en de bonnes mains.

Elle me plaît. En plus, elle est intelligente ; elle arrivera peut-être à y voir clair en moi.

– Dites-moi... pourquoi êtes-vous venue à Buenos Aires ? Que cherchiez-vous ici ?

Beth haussa les épaules.

– Tant de choses... Je voulais explorer la sous-culture du tango, m'immerger dedans. Une immersion totale, quoi.

– Et vous l'avez fait. Qu'attendiez-vous en retour ?

Après réflexion, Beth répondit :

– Je cherchais mon Rêve d'Amour. Ce que certaines d'entre nous, au pays, appellent « le Prince du Tango ».

Le Dr Moreno sourit.

– Je comprends. Pas nécessairement le jeune homme de San Francisco, mais un « rêve d'amour » en général. Un super partenaire.

Beth acquiesça sans mot dire.

— Vous êtes bien consciente que, pour le trouver, vous devez vous-même danser. Malgré ce que semble croire ce couple frère-sœur, le tango ne se nourrit pas de duels au couteau ou de trahison. Il vise à se mettre en harmonie avec soi-même et avec un autre. Au fond de votre cœur, vous le savez, ça aussi.

De nouveau, Beth acquiesça. Elle le savait très bien, en effet.

Au terme de leur première séance, le Dr Moreno proposa à Beth de venir la voir deux fois par semaine, aussi longtemps que la thérapie lui apporterait quelque chose.

— Vous serez ici trop peu de temps pour qu'une analyse soit envisageable. Et je ne vais pas vous prescrire d'antidépresseur. Par contre, en complément de nos séances bihebdomadaires, je vous recommande de travailler avec un nouveau professeur de tango, un homme avec qui j'ai moi-même étudié. Il s'appelle Carlos Santos. Il ne donne que des cours particuliers, surtout aux étudiants confirmés. Pour l'essentiel, il vous apprend à revenir aux fondamentaux. Je pense que c'est ce qu'il vous faut dans l'immédiat : revenir en arrière, redécouvrir le tango que vous aimiez, le tango qui vous a attirée ici. Et s'il existe à Buenos Aires un professeur capable de vous redonner la joie du tango, c'est bien Carlos.

Carlos Santos était un homme entre deux âges, chauve, d'apparence modeste, avec une barbe blanche bien taillée et un ventre rebondi. Mais quel danseur ! Le salon de son appartement du deuxième étage, qui lui servait de studio, avait un parquet souple et bien lisse. Deux portes-fenêtres ouvraient sur des petits balcons à balustrade en fer forgé qui surplombaient l'avenue. À part une chaîne stéréo et un radiateur électrique dans l'âtre, la pièce était nue.

Dans ses bras, Beth se sentit incroyablement légère et agile. Il ne pratiquait ni battements de pieds ni crochets de jambes, pas la moindre figure sophistiquée. Son style était épuré, antithéâtral, opposé aussi au style militant qui prévalait au Club Noir. C'était du pur tango, d'un naturel rafraîchissant : des mouvements simples exécutés à la perfection.

— Vous êtes une excellente danseuse, lui dit-il après l'avoir testée pendant plusieurs minutes. Mais j'aimerais voir davantage de « pavé » dans votre façon de danser. Moins de fioritures, moins d'effort, plus de naturel.

Et, après encore plusieurs minutes :

351

– Il ne suffit pas de bouger simplement au rythme de la musique. Vous devez la sentir en profondeur. Dansez la *musique*, pas les figures. Le tango est un moyen de vous définir. Pour bien danser, vous devez d'abord apprendre qui vous êtes, puis devenir cette personne en mouvement. Voilà sur quoi nous allons travailler. Nous pouvons le faire en commençant par des figures toutes simples. Même si c'est moi qui guide, c'est à vous de me montrer qui vous êtes. Pas seulement comme danseuse, mais aussi comme femme. Et sans effort visible.

Carlos sourit.

– Au début, c'est un travail exigeant. Ça commence à être amusant quand ça devient une seconde nature. Alors dites-moi, Beth... voulez-vous épater la galerie ? Paraître branchée, sexy, brillante ? Ou alors, voulez-vous me montrer votre véritable personnalité ? Cela comporte des risques. Vous devrez tomber votre masque de danseuse, vous rendre vulnérable. C'est ce que font tous les grands danseurs.

Elle adora son approche et sa façon d'enseigner, si différente de ce qu'elle avait connu avec ses précédents professeurs de danse. Ses cours relevaient presque de la psychothérapie. Entre Carlos et Ana Moreno, peut-être parviendrait-elle à faire des progrès spectaculaires.

– *Sentez* le plancher. *Caressez*-le, lui enjoignit-il. Le tango est une expression formelle de la passion. Chaque fois que vous dansez, créez une histoire différente. *Écoutez* votre partenaire... et ensuite, dites-lui *qui* vous êtes.

La danse, commença-t-elle à comprendre, était en réalité une quête : harmonie avec un partenaire, fusion avec la musique – et, en définitive, voyage à la découverte de soi.

– Si vous vous révélez, lui dit Carlos, votre façon de danser vous révélera. Si vous êtes sincère, votre façon de danser sera sincère. La plupart des studios de danse ont trop de miroirs. Je ne crois pas aux miroirs. Ne pensez pas à l'image que vous offrez aux autres. Quand vous danserez bien, vous le sentirez sans avoir besoin de vous regarder dans des miroirs.

Sentir ! Sentir ! Sentir ! Telle était la substance de l'enseignement de Carlos.

– Si vous sentez la musique et mettez votre âme à nu, alors, je vous le promets, vous serez sensationnelle !

Elle adopta une nouvelle routine : séances de thérapie avec le Dr Moreno les lundis et mercredis après-midi ; cours de tango avec

Carlos Santos les mardis et jeudis matin. Certains soirs, elle se joignait aux deux filles de Glasgow pour des incursions dans les clubs. Mais la danse pratiquée dans ces lieux ne l'intéressaient plus et elle constata avec surprise qu'elle n'attirait pas beaucoup de partenaires.

— Je dois dégager des vibrations négatives, dit-elle au Dr Moreno. Il y a un mois, trop de types m'invitaient. Aujourd'hui, je fais pratiquement tapisserie.

— Peut-être que vous ne fréquentez pas les bons clubs. Le style de tango qu'enseigne Carlos n'est pas à l'honneur dans les endroits où tout le monde s'efforce d'être cool.

— Avant, j'adorais ces endroits-là. Maintenant, je les trouve ennuyeux.

— Demandez à Sabina de vous indiquer certaines salles de tango du quartier. Vous risquez de vous y plaire davantage.

— Vous voulez dire, des salles où il y a plus de « pavé » dans la danse ? demanda Beth d'un ton sarcastique.

— Comprenez-vous ce que Carlos entend par là ?

— Il veut dire une certaine rugosité, comme dans la rue.

— Que signifie « la rue » pour vous ?

Elle haussa les épaules.

— Ça évoque la façon dont on dansait le tango, les premiers temps, dans les rues pavées de La Boca.

— C'est une façon de voir les choses. Néanmoins, pour autant que je me souvienne, Carlos ne danse pas « rugueux ». Au contraire, sa manière de danser est incroyablement fluide.

Beth commençait à s'impatienter.

— Mais alors, *que* veut-il dire ?

— Pour lui, « pavé » signifie réel. « Le réel des trottoirs », si vous préférez.

— Et c'est quoi, ça ?

— Vous le découvrirez si ça vous intéresse. Regardez un peu autour de vous. Buenos Aires est une grande ville. La vie est loin de se limiter à ce qui se passe la nuit dans les clubs chics.

— Autrement dit, vous pensez que je suis déconnectée ?

— Vous-même, qu'en pensez-vous ?

— Je n'ai visité aucun truc touristique, si c'est ce que vous voulez dire.

— Je ne parle pas des « trucs touristiques ». Je parle de la réalité d'ici, la réalité de la rue.

Quand Beth quitta le cabinet d'Ana, elle était contrariée. Que signifiait ce dernier échange ? Qu'elle vivait dans un monde de rêve, un faux Buenos Aires tel que l'incarnaient les clubs ? Ana croyait-elle que Beth avait fait tout ce chemin uniquement pour s'amuser et prendre, et non pour participer et apprendre ?

Le lendemain, au début de son cours de danse, elle demanda à Carlos ce qu'il entendait par « pavé ».

– Venez, je vais vous montrer.

Il mit sur la chaîne stéréo un superbe CD de vieilles chansons de Pugliese, puis se tint devant elle et la regarda dans les yeux, bras ouverts. Ils s'enlacèrent lentement, comme il le lui avait appris, et restèrent immobiles pendant plusieurs mesures. D'une infime pression sur le dos, il indiqua à Beth qu'à la mesure suivante il commencerait à bouger.

Il l'entraîna alors dans une très belle marche qui se termina en élégant *ocho*. Elle se sentit transportée. Comme d'habitude, elle eut l'impression d'être incroyablement légère dans ses bras et en parfaite harmonie avec la musique, au point d'en devenir partie intégrante. Mais cette fois, il se passait quelque chose de plus, quelque chose de transcendant qu'elle ne pouvait définir. Elle se sentait non seulement en harmonie avec la musique, mais avec quelque chose de plus grand qui la dépassait.

Qu'était-ce donc ? Une fusion avec le monde, une fusion cosmique ? Cela semblait prétentieux, grandiloquent. Peut-être était-ce la ville... car elle entendait les bruits de la rue qui s'engouffraient par les portes-fenêtres. C'était peut-être l'essence de Buenos Aires, tout simplement, que Carlos mettait dans leur façon de danser. Était-ce donc cela qu'il voulait dire par « pavé » ? Ce n'était pas seulement la Magie du Tango ; c'était la Magie du Tango *et* de Buenos Aires. La chanson terminée, elle regarda son professeur avec attention.

– C'était extraordinaire, dit-elle. Qu'est-ce qui faisait la différence ?

– La musique.

– Dans les clubs, ils passent du Pugliese tout le temps.

– Oui, ils le passent, les gens l'entendent, dansent sur ses paroles... mais ils ne ressentent pas toujours ce qu'il dit.

Elle rit.

– Pendant une minute, là, j'ai cru que c'était dû aux bruits de la ville qui montaient de l'avenue.

– C'est vrai aussi.

– Ça devient mystique.

– Pas mystique. *Réel !* Le tango peut vous transporter, mais il est toujours fondé sur la réalité. Vous êtes dans un autre monde, mais toujours bien ancrée en Argentine.

– Cet autre monde, vous m'y emmenez parce que vous êtes un fabuleux partenaire.

– Merci pour le compliment, Beth, mais aucun partenaire ne peut mettre à lui seul du « pavé » dans la danse. Il faut toujours être deux, le sentir ensemble. Un danseur peut exécuter de magnifiques figures, mais seul un couple peut créer cet effet-là, puis le rendre sublime.

Tous les matins, elle se mit à arpenter les rues, à explorer cette ville où elle vivait depuis tant de semaines dans un état qu'Ana Moreno appelait « la transe du danseur ». Les rues, découvrit-elle, étaient très animées. Elle se rappela son premier jour seule à Buenos Aires, après le départ de Sandi Barnett : elle avait marché, marché, jusqu'à ne faire qu'un avec le flot, ce qui lui avait procuré un sentiment d'euphorie. Par la suite, à un moment donné, elle avait perdu la notion de l'endroit où elle était. À présent, elle s'efforça de retrouver ses repères.

Elle s'aperçut que la ville, malgré sa splendeur, était livrée au désespoir. Elle vit des familles entières, en plein jour, fouiller dans les poubelles, remplir de rebuts des chariots volés. Elle passa devant des vieilles femmes, accompagnées de tout petits enfants, qui mendiaient à voix basse, tapies dans des renfoncements obscurs. Elle vit des hommes qui faisaient la queue devant des monts-de-piété pour mettre en gage les outils avec lesquels, jusque-là, ils avaient gagné leur vie. Devant une sellerie de luxe, elle croisa une femme accroupie sur le trottoir, le visage couvert d'horribles plaies ouvertes, qui vendait de minables soutiens-gorge en polyester disposés à même le bitume. Des hommes et des femmes donnaient des coups de marteau dans des vitrines de banques condamnées par des planches. D'autres frappaient des poêles l'une contre l'autre, à la manière de cymbales, en criant leur colère face au manque d'emplois et de nourriture.

Que lui avait donc dit Sandi, le premier après-midi ? Que la plupart des *milongueros* ne se rendaient pas compte que l'Argentine était dans une situation « prérévolutionnaire ». Beth n'était pas sûre que ce fût le terme exact ; le désespoir lui semblait trop profond pour inspirer une rébellion. D'après les journaux, qu'elle lisait désormais attentivement à la terrasse des cafés, il n'existait aucune solution indolore à la crise. Chaque jour, le pays n'arrivait pas à honorer le remboursement de prêts bancaires étrangers. Chaque jour, son crédit diminuait. Les gens commençaient à dire que seul un homme à poigne, « un chevalier blanc », pourrait améliorer les choses. Entendant cela, Beth se rappela la réception sur l'île où elle était allée avec les Céspedes et les phrases qu'elle y avait glanées : « un temps pour l'épuration » et « un temps pour le glaive ». La situation n'était peut-être pas prérévolutionnaire, pensa-t-elle, mais plutôt préfasciste.

Elle vit partout des indices de ce qu'elle lisait dans les journaux : la classe moyenne était décimée, les citoyens les plus diplômés quittaient le pays en masse.

Comment avait-elle pu passer à côté de tout cela ? Dans quel monde de rêve avait-elle vécu ? Buenos Aires n'était pas un décor servant de toile de fond à la vie illusoire que menaient, la nuit, les visiteurs étrangers. C'était une ville bien réelle, peuplée de gens bien réels... dont un grand nombre, à l'évidence, souffraient.

Il y avait à plusieurs coins de rue des imitateurs de Gardel, dont un vieil homme qu'elle croisait chaque fois qu'elle se rendait à pied chez Ana pour une séance. Celui-là avait l'air particulièrement ravagé, le visage tanné par le soleil et creusé de rides profondes, le dos voûté par l'âge. Gardel, le plus grand de tous les chanteurs de tango, avait quarante-cinq ans lorsqu'il était mort dans un accident d'avion, en 1935. Cet imitateur, lui, paraissait en avoir au moins soixante-dix. De près, on voyait l'épais maquillage appliqué sur son visage et les racines blanches de ses cheveux teints en noir, lissés en arrière. Et pourtant, il articulait les paroles de ses disques de Gardel avec une énergie qui éveillait chez Beth une profonde nostalgie. Quand il était là, elle s'arrêtait toujours pour l'écouter un moment. Elle lui souriait, puis mettait quelques pièces de monnaie dans son chapeau retourné.

Lui aussi, comprit-elle, était « de la rue », évoquait un sens du tragique qu'elle pourrait incorporer à sa façon de danser. C'était peut-être cela que voulait dire Carlos quand il utilisait le mot « pavé »... mais elle refusait de l'interroger à nouveau sur ce point. Apparemment, il s'agissait d'une notion à découvrir par soi-même.

Et puis, un jour, elle pensa avoir trouvé. C'était le *désir inassouvi*... un désir ardent de vivre et de s'attacher.

Oui, voilà ce qu'est le tango : une danse de désir inassouvi.

Enfin en possession de ce secret, elle eut la conviction de pouvoir danser à l'avenir avec davantage de sentiment.

Quelques jours après cette révélation, elle se sentit moins déprimée. Le Dr Moreno ne manqua pas de commenter ce changement, ainsi que Sabina, au cours d'un de ces petits déjeuners qu'elle prenait en tête à tête avec Beth en milieu de matinée.

– Vous paraissez en pleine forme, mon petit, lui dit-elle. Ana voudrait que je vous emmène dans l'une des salles de tango où je danse, dans le quartier.

– Vous pensez que j'y serai à l'aise ? demanda Beth.

– Il y a très peu d'étrangers... mais je ne vois pas pourquoi ce serait gênant. C'est un endroit essentiellement familial, où les couples peuvent aller se détendre le samedi soir. Les célibataires aussi, bien sûr... des jeunes gens en quête de nouveaux partenaires.

– Et la danse ?

– Elle est toujours de bonne qualité, parfois superbe. Vous verrez des gens que vous ne rencontrerez jamais dans les clubs du centre-ville. Ils ne sortent pas danser tous les soirs mais, quand ils sont sur la piste, ils dansent magnifiquement.

– « Sincèrement », comme aime à le dire Carlos.

– Oui, sincèrement... et c'est ce qu'il y a de mieux, non ?

Elles convinrent d'aller ensemble, très bientôt, dans un club de l'un des quartiers nord. Sabina lui promit que l'expérience serait pour elle une découverte.

– Rien de chic, de décadent ou de sophistiqué comme au Club Noir. Là, je vous parle d'authenticité : le *cœur* du tango. La *source*.

Ana et Carlos, chacun dans son domaine, avaient beaucoup à lui apprendre. Ana se concentra sur l'obsession de Beth pour son Rêve d'Amour.

– Le fait que vous l'appeliez « Rêve d'Amour », lui dit-elle un jour, me donne à penser que vous lui avez conféré un aspect onirique.

– Vous ne croyez pas qu'il existe pour de vrai ?

– Oh ! je ne doute pas que vous ayez décrit un homme bien réel. Mais vous l'avez paré d'une dimension romanesque, élevé au rang de mythe. Vous êtes venue à Buenos Aires à la poursuite d'un rêve indéfini. Votre Rêve d'Amour en faisait partie.

Pendant une leçon entière, Carlos fit faire à Beth un unique exercice. Il passa une chanson et lui demanda d'en danser les différentes composantes : « Dansez le piano » ; « Dansez le bandonéon » ; « Maintenant, dansez les paroles ».

357

Durant une autre séance, il lui décrivit différents styles de tango, démonstrations à l'appui :

– Il y a le tango bête, le tango comique : quand vous le dansez, il vous donne envie d'éclater de rire.

De fait, la démonstration de Carlos la fit rire.

– Et puis il y a le tango excentrique, plein d'attaques impétueuses et de contre-attaques inattendues.

Cette démonstration-là la fit trébucher.

– Il y a ensuite le tango acrobatique.

Il la fit tournoyer en une série de figures athlétiques à vous couper le souffle.

– Le tango compliqué.

Il la tint contre lui, puis évolua avec elle dans une étreinte collé-serré.

– Pour moi, dit-il, le meilleur est le tango psychologique, où la relation entre les partenaires s'approfondit à mesure qu'ils dansent.

Ce style-là convint parfaitement à Beth.

– Le suspense est dans les pauses, lui expliqua Carlos tout en la guidant. Je marque une pause et je me demande : « Qu'est-ce qu'elle va faire ? Comment va-t-elle meubler ? » À ce moment-là, quand vous faites ce que vous êtes en train de faire... oui ! comme ça !... j'en apprends davantage sur vous. Je vous montre alors que j'ai vu votre réaction et que celle-ci m'a plu. Ensuite, si vous voulez me tenter davantage, vous pouvez m'en montrer un peu plus... mais pas trop. Voyez-vous, c'est tout aussi important de savoir ce qu'il ne faut *pas* faire, comment il ne faut *pas* bouger, que de savoir donner de soi-même. Quand je fais une pause, je vous donne de l'espace pour briller, mais c'est à vous de décider jusqu'à quel point. J'appelle ce style « psychologique » parce que tout se passe strictement entre nous deux. Peu nous importe ce que les autres voient. Nous dansons uniquement l'un pour l'autre. Pour ce faire, nous devons toujours être *en éveil*, nous *sentir* l'un l'autre, nous *écouter* l'un l'autre, nous *délecter* l'un de l'autre à mesure que notre relation s'approfondit.

Deux jours plus tard, par un doux après-midi, après une revigorante promenade de deux heures faisant suite à sa séance de psychothérapie, Beth regagna l'appartement pour trouver Sabina qui l'attendait, l'air grave, dans son salon.

– Il est arrivé quelque chose, lui dit Sabina.

– Quoi donc ?

– Asseyez-vous, je vais allumer la télévision. On en a parlé aux infos tout l'après-midi.

Beth attendit, immobile, espérant qu'il n'y avait pas eu de coup d'État militaire ou, pis encore, une nouvelle attaque terroriste de grande envergure aux États-Unis.

En réalité, il s'agissait d'un fait divers local : un jeune couple avait été assassiné. Il fallut quelques secondes à Beth pour se rendre compte qu'elle connaissait les victimes.

Laura González, de Channel 6, une jeune et jolie journaliste au visage expressif, s'adressait au présentateur du journal, Roberto Morales. Elle se trouvait dans la rue, devant la blanche maison cubique des Céspedes. À l'arrière-plan, des flics allaient et venaient entre des barrages de police pendant que Laura parlait :

– Les corps nus de Charles et Lucinda Céspedes, fils et fille du défunt Juan Céspedes, joueur de polo renommé qui disputa de nombreux matchs dans l'équipe nationale d'Argentine, ici et à l'étranger, ont été retrouvés ce matin par leur femme de ménage dans le sauna de leur domicile de Belgrano. La baignoire, carrelée de blanc, était paraît-il éclaboussée de sang, et un couteau à cran d'arrêt ensanglanté gisait sur le sol entre les cadavres. Selon une source policière, les corps nus étaient réduits en charpie. Selon cette même source, les jeunes Céspedes avaient lutté férocement pour défendre leur vie...

Voyant Beth porter une main à sa bouche, Sabina lui passa un bras autour des épaules.

Laura González se tourna vers un homme d'âge moyen, corpulent, au crâne rasé, identifié sur l'écran comme étant Héctor Ricardi, chef de la brigade criminelle au sein de la police fédérale.

– Comment se présente la scène du crime, chef ?

Ricardi secoua la tête.

– Pas beau à voir.

– Nous croyons savoir que les victimes ont des blessures de défense sur les mains.

– Il y a du sang partout, dit Ricardi dans un murmure rauque. Même sur les murs.

– Qui a bien pu faire ça ? Vous avez une idée ?

– Nous savons qui est le coupable, répondit Ricardi.

Laura González parut estomaquée.

– Voilà ce qui s'appelle un scoop ! S'il vous plaît, chef, dites-nous tout.

Ricardi sourit. Il semblait ravi d'avoir déstabilisé la jeune journaliste.

– Ce matin, en fin de matinée, un gamin de douze ans a essayé de vendre les montres des victimes au marché aux puces de la Plaza Dorrego. Comme les montres avaient une très grande valeur, l'un des marchands nous a passé un coup de fil. Nous avons arrêté le gamin, qui nous a conduits à son frère aîné, un prostitué qui fait le tapin autour des hôtels de luxe et qui est connu de notre brigade des mœurs. L'aîné a avoué, déclarant que les Céspedes l'avaient dragué cette nuit, derrière le Mariott Plaza, à bord d'une voiture de collection restaurée. Ils l'ont ramené ici, à Belgrano, où, selon ses propres termes, ils lui ont demandé d'exécuter des « actes innommables ». Devant son refus, ils se sont fâchés et ont voulu le jeter dehors. Il y a eu bagarre. Le suspect affirme qu'ils l'ont attaqué avec des sabres d'escrime. Nous avons effectivement retrouvé, à l'étage, une paire de fleurets par terre. D'après le suspect, il est redescendu au sauna pour récupérer ses vêtements et, pendant qu'il se rhabillait, ils l'ont de nouveau attaqué. Cette fois, il a sorti son couteau et s'est battu. Après les avoir tués, il a pris leurs montres et s'est enfui.

– Nous croyons savoir que le frère et la sœur étaient nus.

– Exact.

– Que s'est-il passé, à votre avis ?

Ricardi haussa les épaules.

– À mon avis... « des actes innommables ».

Appelé par un inspecteur, Ricardi s'excusa et sortit du champ de la caméra. Laura s'adressa alors au présentateur :

– Et voilà, Roberto. « Des actes innommables » ! Nous avons une petite idée de ce que cela pourrait vouloir dire. Certaines rumeurs circulent, parmi les voisins, au sujet de ces frère et sœur si séduisants... des rumeurs selon lesquelles ils vivaient ensemble comme mari et femme. Quoique non confirmées, ces rumeurs évoquent un style de vie décadent qui semble cadrer avec la version du meurtrier. Roberto, c'est à vous !

– Merci, Laura. Excellent reportage... Un autre crime a été commis la nuit dernière à La Boca, un crime tout aussi violent mais loin d'être aussi glamour. Notre journaliste, Nelsón Franco, est sur place...

Même après que Sabina eut éteint le poste, Beth continua de fixer l'écran noir.

– Ce sont les gens chez qui vous avez séjourné ?

Beth acquiesça. Elle avait l'impression de dégringoler dans le vide.

– Encore heureux que vous les ayez quittés. Si vous aviez été là, vous auriez pu être tuée aussi.

360

– Je sais.

Elle se sentit tomber encore plus rapidement, tournoyer dans un puits sans fond.

– Je crois que vous devriez parler à Ana sans délai.

Beth leva les yeux.

– Je l'ai vue il y a deux heures, dit-elle d'une voix lointaine, comme ouatée.

– Il s'agit d'une urgence, Beth. Vous avez besoin d'aide. Je vais l'appeler. Si elle est libre, je suis sûre qu'elle viendra.

Elles lui tinrent compagnie la moitié de la nuit, Ana d'un côté, Sabina de l'autre. Lorsque les *milongueras* résidantes regagnèrent peu à peu l'appartement pour s'habiller en vue de leur soirée dans les clubs, Sabina leur dit de ne pas faire de bruit, que Beth traversait un moment difficile. Elles battirent en retraite dans leurs chambres respectives avant de se regrouper pour le dîner.

– Vous êtes sous le choc, lui dit Ana. Vous avez été très proche de ces gens pendant quelque temps, même si vous aviez rompu avec eux. Vous avez le droit d'éprouver du chagrin, mais aussi d'être heureuse de vous être enfuie. Pour eux, le désastre était inévitable. Vous l'avez senti, c'est pourquoi vous avez refusé de vous joindre à eux quand ils allaient racoler. Vous n'auriez strictement rien pu faire pour changer le cours de leur destin. Il est donc légitime de votre part de les pleurer, mais injustifié de vous sentir coupable. Les seuls coupables, ce sont eux et le garçon qui les a tués. Vous n'avez joué aucun rôle dans cette tragédie.

Beth se mit à verser des larmes silencieuses.

– Lucinda m'avait dit qu'elle était enceinte. Elle était persuadée de porter un enfant mâle qui serait le sauveur de la nation.

– Ce sont des inepties, dit Ana. En plus de tout le reste, ils avaient des idées délirantes.

– Oui... mais un enfant a été conçu.

– Peut-être que oui, peut-être que non. Quoi qu'il en soit, c'est terminé.

Beth acquiesça, s'essuya les yeux, remercia Ana pour son aide.

– J'ai l'impression que mon rêve de Buenos Aires est en mille morceaux, maintenant. (Elle étreignit Sabina.) Il est peut-être temps que je rentre à la maison, finalement.

20

LE DELTA DEL PARANÁ

Marta fut surprise de la tournure que prenaient les événements. Malgré tous ses efforts pour manipuler Liliana Méndez, celle-ci refusait de parler. Plus étonnant encore, son père, Ubaldo Méndez, semblait presque impatient de trahir.

Marta eut du mal à en croire ses oreilles quand l'ex-flic endurci, célèbre pour avoir été simultanément chef d'une brigade anti-kidnapping et patron d'une bande de kidnappeurs, vida son sac sans se faire prier lorsque Ricardi et elle l'interrogèrent dans la planque de Barracas.

– C'est peut-être l'approche de la vieillesse, dit Ricardi à Marta quand ils prirent une pause. Il ne supporte pas l'idée d'aller en prison.

– Ou alors, c'est juste un type qui ignore le sens du mot « loyauté ».

L'interrogatoire se déroulait dans la même chambre sordide où Rolo et elle avaient cuisiné Galluci. Dehors, une pluie diluvienne marbrait la surface huileuse du Riachuelo.

Affalé sur sa chaise, affichant son sourire narquois de flic à l'ancienne, Ubaldo admit que c'était Charbonneau qui lui avait donné l'ordre de lâcher ses gros bras sur Marta.

– Le père Charbonneau m'a dit : « Employez les moyens que vous voudrez, mais arrangez-vous pour que cette garce laisse tomber cette satanée enquête pour meurtre ! » J'ai choisi Galluci et Pereyra pour le boulot, pensant qu'ils vous flanqueraient une pétoche de tous les diables. (Les yeux plissés, Ubaldo regarda Marta.) En fait, vous étiez plus coriace qu'on le pensait. Après, Galluci est venu me voir en disant : « Elle a une paire de *cojones*, cette nana ! » Enfin... on ne peut pas gagner à tous les coups. Le père

Charbonneau était fumasse, vous pouvez me croire. Surtout quand vous avez débarqué le lendemain dans son bureau. Il m'a dit : « Apparemment, vos gros bras n'ont pas été à la hauteur du job. Peut-être bien que vous ne l'êtes pas non plus ! »

– C'est pour ça que vous êtes si pressé de témoigner contre lui ? s'enquit Ricardi.

– C'est une raison. J'en ai deux autres. Une chose est sûre : je ne porterai le chapeau pour aucun de ces mecs-là.

– Quels mecs ? intervint Marta.

– Le père C. et les autres. Ils n'hésiteraient pas une seconde à me jeter aux chiens... pourquoi je ne ferais pas pareil ?

– Qui sont « les autres » ? demanda Ricardi.

Ubaldo haussa les épaules.

– Aucune idée. Ils sont tout un groupe. Ils veulent tout contrôler. Pour eux, Viera n'est qu'une simple marionnette.

– C'est vous qui avez chargé Andrés Quintana de m'acheter, déclara Marta.

Ubaldo se redressa. Il était de petite taille, beaucoup plus menu que sa robuste fille.

– Qui vous a dit ça ? glapit-il.

Marta sourit.

– Nous sommes très au courant, Ubaldo. C'est ce qui nous permet de savoir quand vous mentez et quand vous dites la vérité.

Ubaldo eut son sourire narquois, comme pour dire : *Vous croyez le savoir, mais détrompez-vous.*

Il leur dit qu'il ignorait totalement qui avait tué Granic et Santini. Comme toutes les autres personnes interrogées par Marta, il déclara avoir entendu dire que les Crocos avaient fait le coup.

– Ben voyons ! murmura Ricardi de son ton le plus ironique. Charbonneau va vous trouver quand il veut terroriser l'inspecteur Abecasis, mais il s'adresse à quelqu'un d'autre quand il veut faire zigouiller Granic !

– Qui vous dit que Charbonneau a commandité ce meurtre ?

– Que savez-vous à ce sujet ?

– Mettons bien les choses au point, chef : je ne donne pas dans l'assassinat. Kidnapping, racket, intimidation de témoins... ce sont mes spécialités. Mais tuer, non. Je laisse ça aux militaires.

– C'est une forme d'aveu, dit Marta.

– Je me contente de dire la vérité.

– Vous êtes prêt à répéter tout ça à la juge Lantini ?

– Je suis prêt, répondit Ubaldo. Persuadez-la de signer mon immunité, et ensuite faites-la venir !

Ricardi fit signe à Marta de le suivre dehors. Sans prendre la peine de menotter Ubaldo, ils le laissèrent seul avec Rolo en faction à la porte.

Ils sortirent de la maison, remontèrent le capuchon de leurs cirés et se baladèrent le long du fleuve. Même sous la pluie, le Riachuelo empestait. Des bateaux abandonnés, rongés par la rouille, en bordaient les berges. Ces carcasses nautiques exsudaient de l'huile et des produits chimiques, embellissant l'eau de reflets irisés.

Ricardi remonta son col.

– Commence à faire froid. On va avoir un hiver précoce. (Il se tourna vers Marta.) Alors, votre opinion ?

– Il s'est montré plutôt honnête. J'ai été surprise qu'il admette avoir ordonné à Liliana de saccager la scène du crime Santini. Ça n'a pas dû lui être facile d'impliquer sa fille. D'un autre côté, s'il reconnaît l'avoir appelée, il refuse de dire sur l'ordre de qui.

– Il en sait beaucoup plus qu'il n'en dit.

– Et c'est un ancien flic... il connaît les règles du jeu.

– Par conséquent, il sait que nous devons être satisfaits. J'ai ma petite idée sur la façon de lui tirer encore les vers du nez. Ce serait stupide de faire intervenir la juge trop tôt.

De retour dans la planque, Ricardi annonça à Ubaldo qu'ils avaient décidé de le mettre sous les verrous.

– Vous n'êtes pas assez causant. Il n'y aura pas d'arrangement tant que vous ne nous aurez pas tout raconté.

– Vous voulez savoir qui m'a demandé de téléphoner à Liliana ?

Marta sourit. *Il connaît toutes les ficelles ! Cacher quelque chose, puis manger le morceau dès qu'on augmente la pression.*

– Fini de jouer, Ubaldo, gronda Ricardi. Nous ne sommes pas d'humeur.

– Vous croyez que ça me fait plaisir de vous parler, les gars ? De dénoncer ma fille unique ? C'est une brave petite... coriace, intelligente, sacrément douée dans sa partie. Ses préférences sexuelles ne sont pas forcément de mon goût, mais c'est son affaire. Les temps ont changé.

– Venez-en au fait.

– J'ai reçu un coup de fil...

Nous voilà repartis, se dit Marta.

— ... le correspondant ne s'est pas présenté, mais il savait très bien qui j'étais. Il a dit : « On va balancer un cadavre près du mur de Recoleta. Dites à votre fille de bousiller la scène. »

— Et, comme un zombi, vous avez obéi sans discuter ? dit Ricardi en secouant la tête d'un air excédé.

— Ouais... parce que j'avais une idée assez précise du type qui appelait. Pas son nom, ce n'est pas ce que je veux dire. Mais je savais que c'était un Croco. C'était évident à sa façon de parler.

— Et donc, vous avez passé la consigne à Liliana ?

— Évidemment ! (Ubaldo sourit jusqu'aux oreilles.) Qu'est-ce que j'en avais à foutre ? Je n'avais tué personne.

— Faites quelque chose pour nous, dit Ricardi. Imitez la façon de parler d'un Croco.

Ubaldo se lança dans une imitation d'un militaire dur à cuire aboyant des ordres. Marta trouva sa prestation pas mauvaise, tout en sachant pertinemment qu'il les menait en bateau.

— Tout le monde nous dit : « Je crois savoir que les Crocos ont fait le coup. » Comme si nous étions censés accepter ça comme excuse, dit-elle.

Ubaldo la scruta de ses yeux plissés. Cette fois, elle n'eut pas le sentiment qu'il cherchait à l'intimider, mais plutôt à évaluer avec roublardise s'il devait ou non leur faire une révélation d'importance. Ricardi, lui aussi, perçut le changement. Il jeta à Marta un coup d'œil qui signifiait : *Le mec est prêt à se mettre à table.*

— Supposons que je vous dise quelque chose de *très* intéressant, qui n'a rien à voir avec Granic mais beaucoup à voir avec les Crocos ? Par exemple : ce qu'ils complotent, quel est leur plan et où vous les trouveriez si vous cherchiez bien ?

— On vous écoute, dit Ricardi.

— Les Crocos dont je parle pourraient être ceux qui ont éliminé Granic. Mais c'est une affaire qui va bien plus loin que Granic, bien plus loin que Charbonneau – même si le prêtre est sans doute dans le coup lui aussi. C'est l'information la plus précieuse que je possède. Seulement voilà...

— Vous voulez conclure un arrangement avant de nous la révéler ?

Ubaldo acquiesça. Il était maintenant on ne peut plus sérieux.

— Vous m'avez compris, chef.

— Vous connaissez le protocole, dit Ricardi. Vous devez d'abord nous donner la substantifique moelle.

– Ouais, je sais.

Ubaldo baissa la voix, obligeant les autres à se rapprocher. Puis il hésita.

Ce gars-là s'y connaît en manipulation.

– Supposez que je vous dise, murmura-t-il, qu'il existe un plan pour faire évader Kessler de prison ?

Ricardi se pencha en arrière, ne voulant pas montrer sa curiosité.

– Ouais, dit-il, ce serait assez intéressant. Dites-nous-en davantage.

– Certains Crocos, faisant probablement partie de la bande qui a tué Granic, organisent l'opération. Ils auront des appuis à l'intérieur de la prison de Magdalena, des gardiens sympathisants. Ils s'entraînent depuis quelque temps dans un endroit secret. Ils ont des revolvers, des explosifs, tout un arsenal. À ce qu'il paraît, ils comptent créer une diversion en faisant sauter une centrale électrique, puis embarquer Kessler à bord d'un hélicoptère détourné et le transporter jusqu'à leur planque.

– Comment savez-vous tout ça ?

– Ma femme l'a appris par une amie de son groupe de bridge dont le mari est Croco. Un soir, il s'est saoulé et a raconté des trucs à sa bourgeoise, qui s'est empressée de tout répéter à une paire d'amies. Je ne peux évidemment pas vous donner son nom. Si on remontait la piste jusqu'à ma femme, je n'ai pas besoin de vous expliquer ce qui se passerait.

– Pourquoi devrait-on vous croire ? demanda Ricardi.

– Rien ne vous y oblige. Vous êtes flics. Dès que nous aurons conclu un arrangement, je vous dirai l'emplacement du camp. Vous pourrez alors vérifier par vous-mêmes.

– Ça sent le piège, la combine pour nous mettre dans une situation embarrassante.

– À quoi ça m'avancerait ? (Ubaldo semblait presque les supplier de le croire.) Qu'est-ce que ça vous coûte d'aller voir ?

– Du temps, marmonna Ricardi en faisant signe à Marta de le rejoindre dans le couloir.

– Si ce qu'il raconte est vrai, c'est un truc énorme, dit Ricardi.

– Mais Charbonneau, dans tout ça ?

– Ubaldo témoignera que Charbonneau lui a donné l'ordre de vous soudoyer, puis, comme ça ne marchait pas, de vous terroriser. Si on le croit, Charbonneau sera condamné.

– Ce sera la parole d'un flic discrédité contre celle d'un prêtre.
Ricardi haussa les épaules.

– Même si Charbonneau échappe à une inculpation criminelle, il
sera politiquement anéanti. Vous n'aurez plus alors qu'à lui intenter
un procès civil et vous gagnerez. Contrairement à lui, vous êtes
sympathique.

Ça ne me déplairait pas, songea Marta. *Et si Raúl dégomme
Viera avec ses révélations, encore mieux. Mais il restera Pedraza...*

– Ubaldo veut l'immunité pour Liliana, dit Ricardi. Elle devra
démissionner, évidemment.

– Et dédommager Raúl et Miguel Giménez !

– Ouais, bien sûr...

Ricardi resta avec Ubaldo pendant que celui-ci téléphonait à son
avocat, après quoi les trois hommes s'attelèrent à la rédaction d'un
arrangement. Pendant ce temps-là, Marta se rendit au palais de justice pour soumettre à la juge Lantini le contrat proposé.

– C'est un bon arrangement, déclara Elena Lantini lorsque Marta
lui en eut décrit les grandes lignes. Dommage que vous n'ayez pas pu
coincer le prêtre, mais je pense que Ricardi a raison : même si Charbonneau s'en tire au procès, ce sera un homme fini. (Elle observa
Marta.) Ne soyez pas découragée. On ne peut pas gagner à tous les
coups. Je reconnais avoir été troublée par certains aspects de cette
enquête. Il n'en reste pas moins que vous avez fait un travail fabuleux.

Le visage de Marta s'éclaira.

– Merci.

– Si l'information d'Ubaldo Méndez se vérifie et si vous capturez
ce gang de Crocodiles, peut-être que l'un d'eux vous révélera qui a
donné l'ordre de tuer Granic et Santini. Il va de soi qu'Ubaldo ne
bénéficiera d'aucune immunité si son histoire se révèle fantaisiste.
Mais je n'imagine pas un ex-flic racontant des salades sur un coup
comme celui-là. Il mettrait sa vie en jeu.

Ce fut une nuit éreintante, suivie d'une journée épuisante. Lorsque
Marta regagna enfin son appartement, elle était exténuée. Et elle se
sentait sale.

*Non seulement j'ai tiré sur quelqu'un, mais j'ai passé la journée à
marchander avec des ordures.*

Elle avait également subi, de la part de Liliana, des agressions verbales à haute dose. Elle en avait minimisé l'importance sur le
moment, mais elle devait maintenant admettre que ça l'avait atteinte.

Seigneur, j'aurais tant voulu buter cette garce! Ou, mieux encore, lui fracasser l'autre genou!

Au moins, une chose la réconfortait : quand elle avait tiré sur Liliana, elle n'avait pas visé pour tuer, au mépris d'une règle inculquée dans les écoles de police : *Quand votre vie est en danger, utilisez la force maximale.*

Elle savait que, sur le toit de l'immeuble, sa vie avait bel et bien été en danger. Liliana s'était montrée résolue à la jeter dans le vide et l'aurait peut-être fait si la balle dans le genou ne l'avait pas terrassée.

D'un bon coup de poing, elle m'aurait sans problème expédiée par-dessus bord.

Peu après cinq heures du matin, son téléphone sonna, l'arrachant à un profond sommeil.

C'était Raúl.

– Désolé de te réveiller, Marta, mais je n'ai pas pu résister. Alicia vient de passer devant ton immeuble pour déposer sur les marches un exemplaire du *El Faro* de ce matin. Jettes-y un coup d'œil, ça devrait te plaire.

Il raccrocha sans lui laisser le loisir de protester.

Elle resta au lit encore plusieurs minutes, irritée d'avoir été réveillée. Finalement, elle sourit. L'enthousiasme de Raúl la charmait. En plus, il était courageux, ce gamin. Héroïque, en vérité. Son épreuve, loin de le briser, l'avait rendu encore plus audacieux.

Elle enfila un peignoir et descendit au rez-de-chaussée. Le journal était, comme promis, sur le perron de son immeuble, apparemment jeté là d'une voiture qui passait.

Marta le ramassa en se demandant : *A-t-il envoyé Alicia aux quatre coins de la ville pour balancer des exemplaires devant toutes les portes ?*

Remontant l'escalier, elle déplia le journal et regarda la première page. Même à la faible lueur de l'ampoule qui éclairait l'escalier, l'énorme photo lui sauta aux yeux. Le cliché montrait une jolie jeune femme, le visage tuméfié, les yeux au beurre noir, le nez écrasé, les lèvres fendues. Le gros titre était sensationnel :

« IL M'A DIT QU'IL ALLAIT ME DONNER UNE LEÇON ! » DÉCLARE LA SEÑORA VIERA, L'ÉPOUSE BATTUE DU MINISTRE DES FINANCES

L'article d'accompagnement, signé « Raúl Vargas et Alicia Ramírez », brossait un portrait dévastateur de José Viera, le décrivant comme un homme dont le caractère violent démentait la suave façade charismatique. Raúl et Alicia avaient apparemment persuadé Graciela Viera de tout leur raconter, obtenant même sa réaction à la requête de Charbonneau la suppliant de garder le silence jusqu'après l'élection (« Le regard perçant du prêtre était clairement destiné à m'effrayer pour que je me montre docile... »). Toutefois, ils passaient sous silence le pot-de-vin offert en contrepartie.

Il y avait également un entrefilet explicatif dans le coin inférieur droit de la page :

```
Notre journaliste d'investigation Raúl Var-
gas est actuellement à l'hôpital, où il se remet
d'un brutal passage à tabac administré par un
haut fonctionnaire de la police fédérale, en
représailles à un article récemment publié dans
nos colonnes. Dans l'édition de demain matin,
Mr Vargas décrira à nos lecteurs l'agression
dont il a été victime et ses conséquences.
```

Marta fut au comble de l'exaltation. Shoshana et ses amis, sans aucun doute, le seraient aussi. Le récit de Graciela mettait un terme à la campagne de Viera avant même que celui-ci ait officiellement annoncé sa candidature.

— Ils s'entraînent dans un camp secret sur une île du delta del Paraná, leur dit Ubaldo lorsqu'il eut terminé sa confession sous serment devant la juge Lantini.

Marta et Rolo échangèrent un coup d'œil. La salle d'interrogatoire de la planque semblait d'une exiguïté oppressante après la magnificence du bureau de Lantini.

— C'est tout ce que vous avez ? ricana Ricardi.

— Ça suffit pas ?

Ubaldo parut inquiet de la réaction du chef ; inquiet aussi, sembla-t-il à Marta, d'avoir trahi un secret d'une telle importance. Il devait savoir que, maintenant, il avait atteint le point de non-retour.

— Il y a des centaines de petites îles dans le delta.

— Plus de trois mille, précisa Marta.

— Alors, glapit Ricardi, de laquelle parlez-vous ?

– Je n'en sais rien, je n'y suis jamais allé. (Ubaldo paraissait sévèrement anxieux.) Ce que je sais, c'est que c'est une île privée. Et aussi qu'il y a une grande villa avec des dépendances à l'arrière. Les Crocos logent dans les dépendances. D'après l'amie de ma femme, ils sont une douzaine de fanatiques purs et durs, extrêmement compétents dans leur domaine. Ils ont un stand de tir, des tranchées, une tour de guet, une maquette de la prison de Magdalena, et ils s'entraînent dur tous les jours. L'amie de ma femme dit que ce groupe a fait plein de sales besognes. Pour moi, ça signifie que ces gars-là pourraient bien être ceux qui ont buté Granic.

– Ouais... on creusera cette piste, dit Ricardi. En attendant, nous vous gardons ici par mesure de sécurité.

– Je n'ai pas le droit d'aller voir ma fille ? protesta Ubaldo, indigné.

– Pas avant que nous ayons vérifié votre histoire.

Cette fois, ils l'enfermèrent dans l'une des minuscules cellules avant de descendre au rez-de-chaussée pour faire le point.

– Dans le genre dingue, un plan comme celui-là tient debout, dit Ricardi lorsqu'ils furent tous les trois réunis dans la pièce du quartier général, avec le tableau de Marta fixé au mur.

– Comment ça ? demanda Rolo.

– S'ils réussissent à faire évader Kessler, ils provoqueront une crise. Compte tenu du délabrement économique, ça pourrait suffire à faire tomber le gouvernement de transition.

– Et après ?

Ricardi haussa les épaules.

– Kessler et ses partisans font leurs choux gras de la confusion politique. La confusion, la rupture de l'ordre public et de la confiance populaire... Dans ce genre de situation, les gens rêvent d'un leader fort.

– « Un chevalier blanc », opina Marta. Nous en avons déjà eu plus que notre part, de ceux-là, non ?

Ricardi gratta son crâne rasé.

– Une évasion planifiée n'est pas un homicide. Toutefois, d'après notre informateur, les types qui préparent ce coup pourraient être ceux-là mêmes qui ont tué Granic. Donc, dans le cadre de notre enquête, nous laissons de côté l'histoire d'évasion, mais nous donnons suite à l'information selon laquelle les tueurs que nous recherchons opèrent à partir de cette île. Pas besoin d'en référer à qui que

370

ce soit. À notre connaissance, il s'agit simplement d'un nouveau développement dans un double meurtre non élucidé et extrêmement complexe.

Marta sourit. Ça, c'était du Ricardi pur jus. Et elle savait que, s'il voulait garder pour eux trois le tuyau d'Ubaldo, ce n'était pas uniquement pour que la brigade criminelle recueille tous les lauriers ; c'était aussi parce que, s'il partageait ledit tuyau avec d'autres, il y avait de fortes chances pour que les conspirateurs en soient avertis, auquel cas l'île serait évacuée et l'opération Kessler abandonnée.

– Comment voulez-vous procéder ? demanda-t-il à Marta.

– Rolo et moi allons nous procurer les plans cadastraux du delta, en limitant d'abord nos recherches aux îles à propriétaire unique – des îles suffisamment importantes pour dissimuler un camp d'entraînement. Ensuite, nous nous limiterons aux îles comportant une seule grande villa avec dépendances. Ensuite, vous réquisitionnerez un hélico de la police et nous effectuerons une discrète reconnaissance aérienne. Pas à trop basse altitude ; juste un survol en passant pour voir ce qu'il en est.

– Ça me paraît bon, dit Ricardi. Allez-y. Pendant ce temps-là, je vais voir le patron de la police d'assaut, qu'il mette à notre disposition un hélico et un commando prêt à intervenir.

Rolo et elle passèrent la journée à examiner les plans cadastraux. Bien que la zone du delta fût immense, leur tâche fut grandement facilitée par la numérisation des données immobilières. Des centaines d'îles appartenaient à un seul propriétaire, mais, dans cette catégorie, seulement un peu plus de cent abritaient des bâtiments. En consultant les registres de taxes foncières, ils purent réduire leur champ d'investigation à vingt-quatre îles ayant un unique propriétaire et une villa de taille significative. Ils consultèrent ensuite des photos aériennes pour déterminer lesquelles, dans le lot, possédaient des dépendances. À la fin de la journée, ils se retrouvèrent ainsi avec trois propriétés « possibles », qu'ils cochèrent sur une carte.

Marta téléphona à Ricardi.

– Nous sommes prêts à aller sur place, lui annonça-t-elle. Je sais qu'il est tard pour un vol de reconnaissance, mais s'ils préparent un coup de force contre la prison de Magdalena, quelque chose me dit qu'ils s'entraînent la nuit. Je suggère donc que nous survolions les lieux à minuit, avec du matériel de vision nocturne, pour voir si nous repérons des mouvements suspects. Dans l'affirmative, si nous sommes certains d'avoir trouvé l'île qui nous intéresse, nous les attaquerons à l'aube, juste au moment où ils s'endormiront.

– Excellent plan ! dit Ricardi. Rentrez chez vous prendre un peu de sommeil. Je vous enverrai une voiture à onze heures. (Il marqua une pause.) Vous êtes au courant, pour Viera ?

– Je sais seulement ce que j'ai lu ce matin dans *El Faro*.

– Il a démissionné du gouvernement cet après-midi. Bon débarras, hein ?

– Ouais, bon débarras !

Quand elle la vit pour la première fois à la télévision, aux infos de dix-huit heures, elle jugea que c'était une scène stupéfiante dans un reportage en tous points extraordinaire. Et, chaque fois qu'on la rediffusa (c'est-à-dire tout au long de la soirée, comme si on voulait s'assurer que personne, dans le pays, ne puisse la manquer), elle la trouva à chaque fois plus stupéfiante : une scène qui résumait à la perfection la personnalité de José Viera.

On voyait une meute de journalistes indisciplinés, photographes et cameramen de journaux télévisés, se bousculer à l'entrée du ministère des Finances, attendant que Viera émerge de l'édifice après l'annonce-surprise de sa démission.

Avant même la sortie du politicien, un certain nombre de larbins apparurent, formant une phalange pour le protéger. Un autre larbin passa la tête par la porte, jaugea la situation d'un coup d'œil, puis battit en retraite.

Ensuite, une demi-douzaine de flics costauds franchirent la porte, suivis de près par Viera, et se frayèrent un chemin à coups de coude dans la foule tapageuse jusqu'à la limousine garée contre le trottoir, prête à emporter rapidement l'ex-ministre.

Comme Viera fendait la cohue, les journalistes l'encerclèrent, transformant le bref trajet en parcours du combattant avec flashs crépitants et questions pressantes, criées sur tous les tons : Viera admettait-il avoir brutalement battu son épouse, Graciela, à cause de photos truquées la montrant dans l'étreinte d'une lesbienne assassinée ?

Viera traversa ce tunnel avec une indifférence étudiée. Puis, arrivé à la voiture qui l'attendait, il se retourna, leva le menton – pour exprimer, sans nul doute, sa supériorité sur la piétaille – et arbora un air avantageux, tandis que les flashs lacéraient son visage comme autant d'éclairs.

Ce fut seulement à ce moment-là, après une pause interminable, qu'il lança sa réplique :

— Pourquoi voulez-vous tellement de photos de moi, bande de connards ? Vous comptez vous masturber devant ?

Avec un rictus mauvais, il regarda les flashs qui continuaient de le cingler. Puis, calmement, il se pencha pour monter dans sa voiture. L'un des flics claqua la portière ; aussitôt, la limousine démarra vers l'Avenida La Rábida et contourna la Casa Rosada avant de disparaître.

C'était ce rictus mauvais, accompagnant la réplique vulgaire, que Marta trouvait stupéfiant. Car c'était là, se dit-elle, le véritable visage de Viera, celui qu'il cachait derrière son expression habituelle de compassion et de force, expression qui aurait fleuri sur ses affiches électorales si Raúl n'avait pris sur lui de détruire son image de rectitude et, ce faisant, n'avait réduit à néant ses ambitions politiques.

Cinq heures du matin sur le Río Paraná de las Palmas, à bord d'une vedette de la police : Marta sentait la fraîcheur et l'humidité la pénétrer. La nouvelle lune se reflétait à la surface de l'eau, devant eux, tandis que les remous provoqués par le bateau formaient à l'arrière un V qui allait en s'élargissant.

Elle observa la ligne du rivage. Il n'y avait pas un souffle de vent. Les arbres immobiles évoquaient des sentinelles ou des monstres aux bras multiples... ou encore, songea Marta, des dinosaures pétrifiés au bord de l'eau. D'ici, la vue était très différente de celle qu'ils avaient eue quelques heures plus tôt, Ricardi et elle, quand ils avaient survolé la zone, localisant avec certitude l'île où les Crocos avaient installé leur camp d'entraînement.

Elle se tourna vers le chef qui fumait à côté d'elle, le regard fixé droit devant lui.

— En plein jour, murmura-t-il, on dit que l'eau ici est « couleur lion ».

— En l'occurrence, elle est d'un noir d'encre. À donner la chair de poule.

Ricardi acquiesça, jeta sa cigarette dans l'eau.

— Nous allons bientôt virer.

Elle rejoignit Rolo à l'avant. Elle sentait l'odeur du rivage, un mélange de végétation tropicale et de décomposition automnale. Le capitaine de la police fluviale, qui commandait la vedette, se tenait à côté de son barreur.

Au signal du capitaine, le bateau, qui avait vogué rapidement dans l'obscurité, ralentit subitement. Ses lumières s'éteignirent tandis qu'il se glissait sans bruit dans l'étroit Arroyo El Banco.

Marta se retourna. Deux bateaux plus importants, transportant chacun dix hommes de la police d'assaut, virèrent à leur tour. Quand la vedette tourna de nouveau, cette fois dans un arroyo encore plus resserré, les moteurs devinrent tellement silencieux qu'elle perçut à peine leurs vibrations.

Les trois bateaux parcoururent lentement un réseau d'étroites rivières qui s'entrecroisaient, tournant à droite puis à gauche, à droite puis à gauche, jusqu'au moment où elle s'aperçut qu'elle était perdue.

Encore un labyrinthe... comme toute cette maudite affaire !

Ils se trouvaient dans le dédale de cours d'eau qui constituait le delta del Paraná, zigzaguant entre des centaines de petites îles séparées par d'étroits canaux, où on distinguait des grappes de maisons, de simples cabanes de pêcheurs, une luxueuse villa ici ou là. Mais le plus souvent, les îlots étaient envahis de saules, de roseaux et d'hortensias qui, dans l'obscurité, formaient une barrière aussi épaisse et impénétrable qu'une jungle. Les sons en provenance du rivage évoquaient également la jungle : cris perçants d'oiseaux exotiques, hurlements de créatures nocturnes en quête de nourriture.

Le delta del Paraná était une destination très prisée des *Porteños* pour le week-end. Leon et elle y avaient amené une fois Marina ; ils avaient pris le train jusqu'à Tigre avant d'explorer le complexe réseau de fleuves et de rivières, dans un bateau de location appartenant à un pêcheur qui les avait promenés tout l'après-midi.

À l'époque, Marta avait été émerveillée par la beauté exotique de ces îles ; mais cette excursion, destinée à échapper au bruit et à la pollution de la ville, avait eu lieu en plein jour. En l'occurrence, cette visite était toute différente. Cette nuit, ils étaient là – elle, Rolo, Ricardi et le commando de la police d'assaut – pour attaquer une île. L'hélicoptère de la police qu'ils avaient utilisé plus tôt était parqué à Tigre, attendant l'ordre de Ricardi d'intervenir en renfort.

Elle scruta l'obscurité. Les bateaux, moteur coupé, dérivaient silencieusement vers le croisement d'Arroya de las Gaviotas et d'Arroya Les Reyes.

L'île qu'ils s'apprêtaient à prendre d'assaut s'appelait « l'île aux Mouettes », mais Marta avait appris par le capitaine que les gens du cru la baptisaient « Dignidad », du nom de la superbe villa palladienne qui se dressait, grandiose, à une trentaine de mètres du débarcadère.

Tandis que les deux grands bateaux s'éloignaient dans des directions opposées, de manière à flanquer l'île, Ricardi convoqua Marta à l'arrière.

– Si les Crocos ne sont pas surpris en plein sommeil, ils vont se battre. Je sais que vous êtes une tireuse d'élite, Marta, mais je veux que vous restiez en retrait. Laissez la police d'assaut faire son boulot.

Elle acquiesça, non pour indiquer qu'elle considérait ces paroles comme un ordre, mais simplement pour montrer qu'elle l'avait entendu. Il avait tenté plusieurs fois de la dissuader de se joindre au raid ; chaque fois, elle lui avait répondu qu'elle n'avait nullement l'intention de rester les bras croisés.

Les membres du commando portaient des uniformes tout noirs et des casques noirs munis de matériel de communication et de vision nocturne. Ils étaient équipés de fusils, de grenades, de bombes lacrymogènes et d'armes automatiques.

Elle les regarda gagner le rivage, sous la conduite de leurs leaders, puis s'enfoncer dans les buissons en communiquant par gestes. Suivit un long silence, puis, au loin, une salve d'armes à feu légères. Soudain, elle vit un éclair et une explosion derrière la maison. À l'instant précis où les lumières de la villa s'éteignaient, la police d'assaut tira des fusées éclairantes. Marta distingua alors des silhouettes d'hommes qui se croisaient devant la maison, entendit d'autres échanges de tirs, puis deux grosses explosions du côté des dépendances, à l'arrière.

Quand elle vit un policier s'effondrer, elle fut incapable de se contenir plus longtemps. Elle se précipita vers la maison, pistolet au poing, progressant en zigzag, trébuchant sur des racines d'arbres, s'étalant de tout son long, traversant un réseau de lianes en jouant des bras comme une nageuse, avant de rouler, enfin libre, dans un parterre de fleurs mortes.

Elle rampa vers un buisson touffu, se redressa prudemment à la première accalmie, s'accroupit de nouveau en entendant reprendre la fusillade.

Elle vit l'un des membres du commando balancer une grenade sur la porte d'entrée de la maison. Quand le panneau sauta, quatre autres policiers se ruèrent à l'intérieur. Elle bondit sur ses pieds et se joignit à eux, tenant son pistolet à deux mains devant elle.

Dans le hall, elle avisa des débris de verre, des chaises démolies, les restes d'un lustre. Indifférente aux détonations, elle prit dans une seule main sa torche électrique et son pistolet, traversa au pas de course les pièces du rez-de-chaussée et se retrouva finalement devant de doubles portes fermées.

Elle s'avança, secoua les poignées. Celles-ci tournèrent, mais les portes demeurèrent closes. Reculant d'un pas, elle visa soigneusement la serrure et tira. Les deux battants s'ouvrirent avec fracas.

La pièce était vaste, très haute de plafond. Faisant pivoter sa torche, elle vit qu'il n'y avait personne. Pour tout mobilier, huit fauteuils recouverts de cuir étaient disposés en demi-cercle, comme pour enlacer l'immense tableau qui était accroché au mur du fond.

Ce fut ce tableau qui attira Marta dans la pièce. Elle l'éclaira avec sa torche, examina sa surface brillante. C'était un portrait en pied, plus grand que nature, d'un homme corpulent portant une casquette d'officier, une culotte de cheval, de hautes bottes noires, luisantes, et une longue veste d'uniforme d'apparat couverte de médailles et de décorations. Dans une main, il tenait une sorte de bâton richement décoré. Son autre main reposait sur le manche d'un poignard tout aussi ouvragé, suspendu à une paire de cordons en soie fixés à l'épais ceinturon en cuir noir qui lui enserrait la taille.

Le décor était alpin. Des pics enneigés dominaient l'arrière-plan. Le ciel était couvert mais un éclatant rayon de soleil filtrait à travers les nuages, illuminant le visage de l'homme, lui conférant une aura de sagesse comme en avait vu Marta sur certains tableaux religieux montrant des visages de saints.

Mais le visage de cet homme, quoique idéalisé, n'avait rien d'angélique. Rond, mâchoire volontaire, presque féroce, il rappela à Marta ces bustes de cruels empereurs romains qu'elle avait vus en photo. Il était représenté de trois quarts, les yeux fixés sur un point distant dans l'espace et le temps. Un demi-sourire de défi retroussait légèrement les lèvres du personnage.

S'avançant, elle remarqua une plaque de cuivre fixée au bas du cadre. Elle se rapprocha, braqua sa torche et se pencha pour lire :

REICHSMARSCHALL HERMANN GOERING
por OSCAR VALASCO, 1992

Elle avait entendu parler du portraitiste et se rappelait le nom de Goering, appris à l'époque de ses cours d'histoire. Elle était absorbée dans la contemplation du tableau quand, soudain, un faisceau de lumière crue l'enveloppa et une voix familière, tranchante, l'interpella du bout de la pièce :

– Tiens, tiens... « la Incorrupta » en personne !

Elle se retourna. Il n'y avait personne sur le seuil. Mais, au-dessus de la porte, sur un petit balcon, elle vit une silhouette qui braquait sur son visage une lanterne directionnelle à usage industriel.

Tout à coup, une fusée éclairante explosa derrière les fenêtres, illuminant toute la pièce. Elle reconnut alors l'homme perché sur le balcon. C'était Charbonneau, qui la toisait avec un dégoût non dissimulé.

Il ne semblait pas aussi maître de lui qu'à l'ordinaire, mais il n'était pas non plus apoplectique comme le jour où elle avait tenu tête à Viera dans son bureau. Il était bizarrement vêtu d'une chemise de nuit blanche qui lui faisait comme une robe, couvrant tout sauf ses jambes osseuses. Une croix en bois toute simple, retenue par un bout de ficelle, pendait à son cou.

Ils se regardèrent en chiens de faïence tandis que, lentement, la lumière de la fusée diminuait. Une fois la pièce replongée dans les ténèbres, il éteignit sa lanterne. Quand elle pointa sa torche électrique sur le balcon, il avait disparu.

Elle se rua hors de la pièce, regagna en courant le hall d'entrée, ordonna à un policier de bloquer l'escalier de derrière, puis s'élança dans le grand escalier menant au premier étage.

Il était quelque part là-haut, elle le savait. C'était un miracle de l'avoir débusqué dans cette villa le jour même de la démission de Viera. Maintenant, elle voulait le capturer. De tous les gibiers qu'elle avait traqués, Charbonneau était celui auquel elle tenait le plus. Il était la clef de tout, la seule personne en mesure d'impliquer Pedraza dans les assassinats commandités.

Elle ouvrit des portes à la volée, fouillant rapidement chambres, salles de bains, placards, avançant méthodiquement le long du couloir central, criant son nom sans discontinuer. Elle le tenait. Il n'avait aucune chance de lui échapper.

Dans l'une des chambres, elle s'arrêta pour regarder par la fenêtre. Derrière la maison, des feux brûlaient. Une tour de guet était en flammes. Les fusillades étaient devenues sporadiques. Elle vit plusieurs cadavres gisant sur la pelouse, bras et jambes écartés. La police d'assaut escortait une demi-douzaine de Crocos désarmés, torse nu, les mains menottées derrière le dos.

Retournant dans le couloir, elle hurla :

– Montrez-vous, Charbonneau ! Plus personne ne fera évader Kessler ! C'est terminé pour vous et les Immaculés ! Rendez-vous avant que tous vos hommes se fassent tuer !

Figée en posture de combat, tenant son pistolet à deux mains, elle attendait, certaine qu'il allait se montrer, mais sans trop savoir s'il essaierait de la prendre par surprise.

– Que savez-vous sur les Immaculés ?

La voix de Charbonneau, à la fois étouffée et toute proche, provenait de la pièce suivante, un peu plus loin dans le couloir.

Elle se dirigea vers la porte, qui n'était pas complètement fermée. Du pied, elle la poussa avec précaution. Sur le moment, elle fut désorientée : la pièce semblait beaucoup trop petite, il y avait une rambarde juste devant et, au-delà, un grand vide. Naturellement ! C'était le balcon qui surplombait la grande salle. Mais où était Charbonneau ?

Promenant autour d'elle le faisceau de sa torche, elle découvrit sur sa gauche un étroit espace voûté, une minuscule chapelle. Un homme en chemise de nuit, dos tourné, était agenouillé devant un crucifix accroché au mur.

– Je sais beaucoup de choses sur eux, dit-elle. Pedraza est leur chef. C'est lui qui a ordonné les meurtres et vous avez ensuite fait passer les consignes.

– Ah ! notre *Juana de Arco* est astucieuse, une vraie petite futée.

Il la regarda par-dessus son épaule, un sourire équivoque sur les lèvres. Elle braqua la torche sur son visage.

– Vous en savez trop, dit-il à mi-voix en prenant un objet entre ses genoux.

Marta fut en position de tir avant même d'avoir vu le revolver. Elle hésita seulement quand il tourna l'arme vers lui.

– Soyez sûre que nous finirons par gagner, lui dit-il en appuyant le canon contre sa tempe.

Il sourit de toutes ses dents, ferma les yeux et pressa la détente, éclaboussant de son sang le crucifix derrière lui.

Une fois les corps évacués, les prisonniers emmenés, les incendies éteints, les pièces à conviction – armes, plans d'évasion, maquette de la prison de Magdalena – rassemblées, répertoriées et emportées, Héctor Ricardi, qu'elle connaissait seulement sous son aspect ronchon et dur à cuire, la serra dans ses bras.

– Vous n'auriez pas pu l'empêcher de se suicider, Marta. Qui aurait imaginé qu'un prêtre commettrait ainsi un péché mortel ? Soyez indulgente avec vous-même. Parce qu'enfin merde ! vous avez réussi, vous leur avez fait mordre la poussière...

Si c'était vrai – ce dont elle n'était pas encore sûre –, elle en tirait étonnamment peu de satisfaction. Pedraza était toujours en liberté. Sans Charbonneau, elle n'avait aucun moyen de l'impliquer dans les meurtres.

Elle fut tentée de téléphoner à Shoshana pour lui dire tout ce qu'elle savait sur Pedraza, en laissant ensuite les Israéliens régler la question à leur convenance.

Mais elle ne pouvait pas faire ça. Pour que la justice soit rendue dans les règles, il fallait que Marta soit en mesure de prouver sa thèse. Et comme elle en était incapable... les choses en resteraient là.

En revanche, il y avait un autre coup de téléphone qui ne pouvait pas attendre. Ce serait le plus beau coup de fil de sa vie : un appel à Montevideo pour rapatrier Leon et Marina, pour dire à sa petite famille de rentrer à la maison.

21

MOSSAD, FIN DE PARTIE

Hank Barnes regarda Marci d'un air sceptique tandis qu'elle lui promettait solennellement d'être franche avec lui à partir de maintenant. Elle comprenait, lui dit-elle, qu'il ne lui fasse pas confiance, mais elle espérait au moins qu'il l'écouterait jusqu'au bout avant de l'ajouter à sa liste de fieffées menteuses.

– OK, dit-il, je vais t'écouter. Mais pas ici, dans ma chambre d'hôtel truffée de micros.

– D'acc, sortons nous promener. Prends ton portable, s'il te plaît, pour le cas où la señora Pedraza appellerait. (Elle sourit et se rapprocha de lui, bras écartés.) Palpe-moi, Hank. Assure-toi que je ne suis pas truffée de micros, moi aussi.

Tout en la tâtant, il ne put s'empêcher de rire.

– Mon corps te manque toujours ?

– Chut !

– Quoi ? Tes collègues ne sont pas au courant, pour nous deux ? Elle le fusilla du regard.

– Bien sûr que si ! chuchota-t-elle.

– Ouais, je m'en doutais.

En traversant le hall de l'hôtel, il scruta les alentours pour voir si l'un ou l'autre des collègues de Marci les observaient. Il ne repéra aucun visage connu, mais il était bien persuadé que l'équipe comptait d'autres membres à qui on ne l'avait pas présenté.

Dehors, il faisait nuit. Les réverbères recourbés diffusaient une lueur jaune dans l'air brumeux. Marci, d'un geste, lui proposa de prendre l'Avenida Alvear. Il savait, de par ses promenades, que c'était l'une des plus belles avenues résidentielles de Buenos Aires, bordée de gracieux immeubles qui rappelaient ceux de Paris.

Sa première exigence, lui dit-il, était d'avoir avec elle une conversation à cent pour cent honnête. À ce stade, il ne se contenterait pas de réponses vagues. Il réclama également une nouvelle chambre d'hôtel. Si jamais il décidait de mener à bien l'échange de poignards – et c'était là, lui dit-il, « un très gros si » –, il le ferait à l'Alvear, mais il n'y dormirait pas une nuit de plus. Selon la validité des explications de Marci, il s'installerait dans un autre hôtel ou s'acheminerait vers l'aéroport.

Elle acquiesça.

– C'est correct, Hank. Parfaitement compréhensible.

Exact ! Et tu accepteras bien d'autres choses avant qu'on en ait terminé !

– Donc, quid des Pedraza et quid du poignard ? demanda-t-il en entraînant Marci vers une rue transversale.

– Continuons tout droit, dit-elle. Je voudrais te montrer quelque chose. Nous parlerons en marchant.

Ils croisèrent un jeune homme qui tenait en laisse une douzaine de chiens de races différentes. Deux joggers les dépassèrent avant de tourner au petit trot au coin de la rue. Un garçon, juché sur une bicyclette sans phare, slalomait dangereusement entre les voitures arrêtées au feu rouge.

Osvaldo Pedraza, lui dit Marci, était le leader idéologique d'un groupe clandestin de néonazis qui se faisait appeler les Immaculés. Ceux-ci contrôlaient eux-mêmes un groupe plus important, illégal, de militaires d'extrême droite connus sous le nom de Crocodiles. L'état-major des Immaculés avait hérité d'un poignard nazi : le poignard d'apparat du Reichsmarschall Hermann Goering, introduit en Argentine par Walter Hobler, l'aide de camp du maréchal. Hobler avait fondé les Immaculés en 1954, avec l'aide d'un prêtre sympathisant nazi. Le poignard avait une double signification : d'une part, il était le symbole des racines nazies des Immaculés ; d'autre part, il était utilisé comme totem par le groupe.

– Tu veux dire qu'ils le vénèrent ? J'ai du mal à y croire.

– J'ignore s'ils le vénèrent, Hank, mais en tout cas ils lui vouent un immense respect. Quand les responsables se réunissent, leur leader, Pedraza, place le poignard sur la table. Après ça, chaque orateur qui s'exprime le tient entre ses mains pendant son intervention. Quand il a terminé, il le fait passer au suivant et ainsi de suite. C'est donc un totem dans le sens où celui qui prend le poignard peut du même coup prendre la parole.

Hank eut une moue sceptique. Pour lui, c'était un tissu d'insanités.

– Comment sais-tu tout ça ?

– Nous les observons depuis des années. Nous connaissions l'existence de ces sectateurs de Goering. Ils ont commandé un portrait de lui il y a dix ans. Nous savions également que le poignard était ici ; mais, jusqu'à récemment, nous ne savions pas sa signification, ni que le leader l'avait en sa possession, ni même qui était le leader actuel. Cette dernière année, nous avons monté une opération d'infiltration qui a apporté beaucoup d'informations nouvelles. Là-dessus, l'officier qui dirigeait cette opération a été identifié ; il a été torturé et tué, ainsi qu'un autre agent.

– C'est arrivé quand ?

– Il y a un mois et demi.

– Tu m'as contacté il y a six mois, au MAX.

– Oui. À ce moment-là, déjà, nous avions en tête un rôle pour toi ou pour un homme dans ton genre, capable de mettre la main sur ce poignard.

– Dont vous aviez entendu parler par Max Rosenfeld ?

Elle acquiesça.

– Quand la señora Pedraza l'a apporté chez lui pour estimation, il l'a tout de suite reconnu, l'a photographié et a remis ses clichés à quelqu'un de notre ambassade. Quand nous avons appris, par la suite, que la señora avait besoin d'argent parce qu'elle voulait divorcer, nous avons envisagé dans un premier temps de la payer pour qu'elle nous aide à voler le poignard. L'objectif était de discréditer Pedraza en le rendant responsable de sa disparition. Mais, après l'assassinat de notre agent, nous avons mis sur pied un deuxième plan, beaucoup plus ambitieux et complexe.

Comme ils passaient devant un immeuble à porte cochère, Hank vit Marci lever les yeux vers une fenêtre éclairée, à l'un des étages supérieurs.

– Tu connais quelqu'un qui habite là ?

– Non. C'est un bel immeuble, n'est-ce pas ?

– Pourquoi ce double jeu avec moi, Marci ? Pourquoi cette histoire bidon de domestique coréenne ?

– Ça, c'était une erreur de Luis.

– Il s'appelle vraiment Luis ?

Elle sourit.

– Allons, Hank ! Les véritables noms n'ont aucune importance. La domestique, c'était l'idée de Luis. Il s'imaginait que, si l'histoire du poignard venait d'elle, tu la goberais plus facilement. Il a oublié une chose : plus un plan est compliqué, plus il risque de capoter. En plus, il t'a sous-estimé. Je lui avais pourtant dit que tu étais intelligent ; mais, à ses yeux, un expert en poignards nazis ne pouvait être qu'un débile.

— Tu n'étais pas de cet avis ?

— Absolument pas ! J'avais de l'affection et du respect pour toi. Et, que tu le croies ou non, j'ai pris beaucoup de plaisir à faire l'amour avec toi.

Hank jeta un coup d'œil par-dessus son épaule pour voir s'il était suivi. Il ne repéra ni DiPinto ni Laura, seulement deux joggers qui traversaient la rue et plusieurs femmes bien habillées, munies de pochettes en plastique arborant les noms de boutiques de luxe.

— Charmant de ta part de le dire, Marci, mais j'ai dépassé le stade où ça m'importe.

— Je comprends.

Il s'arrêta sous un réverbère, s'approcha d'elle pour la regarder dans les yeux.

— *Vraiment ?* demanda t-il. Comprends-tu *vraiment* ? As-tu la moindre idée de ce que ça fait d'être pris pour un imbécile ?

— Je ne voulais pas...

— Bien sûr que si !

La lumière donnait au visage de Marci un aspect fantomatique.

— Écoute, dit-elle, c'est mon job de manipuler les gens. Ça ne signifie pas pour autant que je les prenne pour des imbéciles, ni que leur sort m'indiffère, ni que j'oublie qu'ils sont aussi des êtres humains.

— Délicates pensées.

Il prononça ces mots d'un ton dédaigneux, voulant lui faire sentir toute la force de son mépris.

Elle le conduisit vers un bâtiment qu'il reconnut : l'ambassade de France, peut-être l'édifice le plus élégant de toute la ville. Des projecteurs illuminaient sa coupole, ses corniches et ses combles à la Mansart. La grille d'enceinte en fer forgé et les balcons finement ouvragés se découpaient sur les fenêtres éclairées.

Pendant qu'il contemplait l'ambassade, elle dégaina son portable et tapa rapidement un numéro. Sans prendre la peine de s'écarter, elle parla en hébreu à un débit accéléré. Il ne comprit pas un traître mot.

— Je voudrais te faire rencontrer quelqu'un, dit-elle en refermant son téléphone d'un geste sec. Elle nous attend. Nous allons prendre par là.

Ils traversèrent l'Avenida 9 de Julio.

– Tournons ici, lui dit-elle à l'approche d'Arroyo. J'ai quelque chose à te montrer. C'est juste au bout de la rue.

Haussant les épaules, il la suivit jusqu'à un endroit où la rue décrivait une courbe. Là, ils tombèrent sur une guérite installée devant une chaîne qui clôturait un petit parc en forme de trapèze. Marci s'arrêta.

– C'est ici que se trouvait l'ambassade d'Israël, soufflée en 1992 par un attentat à la voiture piégée. Il y eut vingt-neuf tués, beaucoup plus de blessés. L'attaque fut exécutée par le Hezbollah, avec l'aide des Immaculés. Ce petit parc est le mémorial.

Hank avait entendu parler de l'attentat mais ne s'était pas rendu compte que le site était si près de l'hôtel où il séjournait.

– Émouvant mémorial, observa-t-il. Je ne nierai pas que je suis touché. Serait-ce le moment où je suis censé fondre intérieurement et m'engager à vous assister dans votre opération ?

– Si tu es sincèrement touché, c'est suffisant.

– Que veux-tu de moi, Marci ?

– Nous voulons que tu nous aides.

– Qu'est-ce que j'ai à y gagner ?

– Tu auras tes trente mille dollars, Hank.

– En bon argent ou en faux billets ?

– Tu crois vraiment qu'on s'abaisserait à ce niveau-là ?

– Et la señora Pedraza ? Va-t-elle vraiment recevoir cent mille dollars cash ?

– Oui.

– Ça fait beaucoup d'argent.

– Tu peux le dire !

– Vous devez attendre beaucoup en échange.

– En effet.

– J'espère sincèrement que vous aurez satisfaction. Quant à moi, il y a une seule chose qui m'intéresse là-dedans... à supposer que j'accepte de vous aider.

– Le poignard.

– Oui. Le vrai, pas la copie.

Comme ils se remettaient en marche vers le quartier appelé Retiro, il se demanda où elle le conduisait ainsi.

– Puis-je te proposer quelque chose ? dit-elle.

Ils traversaient maintenant l'élégante Plaza Libertador General San Martín.

– Bien sûr, propose.

– J'ai acheté beaucoup d'affaires au MAX. Quand nous en aurons fini ici, il faudra vendre tout ça. Le poignard de Goering aussi : une fois cette opération terminée, nous n'en aurons plus l'usage. Évidemment, nous ne voulons pas qu'il tombe dans de mauvaises mains.

– Ça va de soi !

– Suppose que nous te prenions comme agent, Hank... que tu vendes le tout pour notre compte ? Avec ta commission habituelle, bien sûr. Si tu arrives à vendre le poignard un million, ça te fera cent mille dollars dans la poche. En plus, tu auras les trente mille dollars promis et dix pour cent de la somme que tu pourras tirer du reste. (Elle le regarda.) Pas mal payé, hein ?

– Pas mal, en effet. Tu me mettrais ça par écrit ?

– Je dois d'abord en référer à mes supérieurs.

– Il s'agit donc simplement d'une « proposition hypothétique » ?

– Je suis sérieuse, Hank. Pour moi, ce marché est correct. Je pense qu'il le sera pour eux aussi. Nous sommes à un stade crucial où nous avons grand besoin de ton aide. J'estime que tu as droit, en retour, à une récompense substantielle. (Elle s'arrêta au centre du parc, se tourna vers lui.) Puis-je leur dire que tu es prêt à coopérer ?

Un SDF était prostré sur un banc proche, encerclé de sacs-poubelle en plastique. Un petit cireur de chaussures s'approcha de Hank et l'implora de le laisser cirer ses souliers. Marci donna quelques pièces au garçon et le renvoya d'un geste.

– Montrer toutes tes cartes comme ça, Marci... tu n'es pas très douée pour le poker.

– Il ne s'agit pas d'une partie de poker, Hank. Tu as bien dit que tu voulais « une conversation honnête à cent pour cent » ?

– Que dois-je faire en contrepartie ?

– Conclure la vente et faire l'échange avec la señora Pedraza.

– C'est tout ?

– C'est tout.

C'était une *très* bonne proposition, il s'en rendait bien compte. Mais il avait encore des questions et ne digérait pas la duplicité avec laquelle on l'avait traité.

– Pourquoi ne pas m'avoir fait cette offre dès le départ ?

– Je ne pouvais pas. Cette opération est extrêmement secrète.

– Pourquoi ne pas avoir pris un de vos collègues pour jouer le rôle du marchand ?

– Pour réussir ce coup-là, il nous fallait un véritable expert. C'était l'avis de Luis... et il avait raison.

– Qui est Mr G ?

– Un autre membre de l'équipe.

– Luisa Kim ?

– Une apprentie comédienne. Elle fait des petits boulots pour nous, au contrat.

– Laura ?

– Elle est membre de l'équipe.

– Il y en a d'autres ?

– Ça, je ne peux pas te le dire.

Ils se remirent en marche.

– Vous aviez peut-être besoin de moi pour acheter ce poignard, lui dit-il, mais ça ne s'arrêtait pas là. Vous vouliez aussi me piéger.

– Qu'est-ce qui te fait dire ça ?

– J'ai été vu au bar de l'Alvear avec la señora Pedraza. Je suis bien sûr que vous avez des photos de nous ensemble et un enregistrement de notre conversation dans ma chambre. Si jamais on l'interroge, si on lui demande qui a acheté le poignard, qui l'a en sa possession, elle donnera mon nom. À ce moment-là, les Immaculés ou les Crocodiles – quelle que soit leur foutue appellation – se lanceront à mes trousses. D'autre part, si quelque chose tourne mal et que vous devez abandonner votre opération, c'est moi qui porterai le chapeau. C'est pour ça que je suis là, en réalité, pas vrai ? Pour payer les pots cassés ? Pour être le bouc émissaire, la dupe – le *schmuck*, comme on dit en américain.

Marci sourit.

– Qu'est-ce que ça a de drôle, bon Dieu ?

– En yiddish, *schmuck* veut dire pénis.

– D'accord, je suis un gland. Écoute, tu prétends avoir besoin de mon expertise. *Pourquoi*, Marci ? Qu'est-ce que ça peut vous faire, que le poignard de Pedraza soit authentique ou non ? Vous ne collectionnez pas les souvenirs militaires du Troisième Reich ! L'important, là-dedans, c'est la réplique, n'est-ce pas ? Vous voulez fourguer la réplique à Pedraza. Accouche, dis-moi quel est le plan. Sinon, je ne coopère pas.

Ils avaient traversé le parc et se trouvaient maintenant devant un impressionnant gratte-ciel Arts déco.

– Une amie à moi habite ici, déclara Marci. Elle nous attend. Monte, je vais te la présenter. (Le voyant hésiter, elle ajouta :) Ne t'inquiète pas, Hank. Je te promets qu'il n'y a pas d'entourloupe.

Dans l'ascenseur qui les montait au douzième étage, elle lui dit que le building – baptisé « le Kavanagh » – avait été, à une certaine époque, le plus haut édifice d'Amérique du Sud.

– Il est aujourd'hui passablement délabré, mais il fut superbe en son temps.

– Ici, j'entends dire ça en permanence. À croire que c'est le refrain local.

Dans l'appartement, Hank fit la connaissance de l'amie de Marci, une femme d'une quarantaine d'années, d'une intensité frappante, aux cheveux bruns coupés court et aux yeux de braise. Marci la présenta sous le nom de Shoshana Rifkind, puis les deux femmes s'étreignirent et échangèrent quelques mots en hébreu. Marci dit à Hank que Shoshana allait lui montrer une cassette vidéo ; pendant ce temps-là, elle lui réserverait une nouvelle chambre au Mariott Plaza, tout à côté, et y ferait transférer ses bagages.

Shoshana le précéda dans le salon, qui dominait la ville. D'ici, Buenos Aires évoquait un gigantesque damier étincelant de millions de points lumineux.

La vidéo de Shoshana était une compilation de reportages sur le mouvement néonazi en Argentine : ruines incendiées après l'explosion de l'ambassade israélienne ; même spectacle après l'attentat dévastateur contre l'AMIA ; images de tracts argentins antisémites et de virulents sites web néonazis ; informations concernant la pénétration du Hezbollah dans la zone des « trois frontières » et la collusion entre, d'une part, certains groupes terroristes du Moyen-Orient et, d'autre part, des éléments de l'armée et de la police argentines. Ces documents étaient entrelardés d'interviews de journalistes et de défenseurs des droits de l'homme décrivant la montée en puissance du mouvement néonazi en Argentine. Par ailleurs, un avocat accusait un ancien président argentin d'avoir accepté un pot-de-vin de dix millions de dollars pour mettre un terme à l'enquête sur les attentats antijuifs.

– Nous voulons vous faire comprendre contre quoi nous luttons, dit Shoshana lorsque la présentation fut terminée. Et pourquoi c'est si important pour nous.

Hank identifia la vidéo pour ce qu'elle était : une dose de propagande saturée d'émotion. Il la trouva néanmoins convaincante. Il croyait sans peine que des secteurs entiers du gouvernement étaient truffés de néonazis et que les Juifs argentins avaient de bonnes raisons de se sentir menacés. Bon nombre d'entre eux, lui dit Shoshana, avaient émigré en Israël, mais la communauté juive de Buenos Aires était encore substantielle : la quatrième de l'hémisphère Sud en importance.

Lorsque Shoshana quitta la pièce, Marci rejoignit aussitôt Hank.

— Ton amie s'y entend pour travailler les gens à l'estomac, lui dit-il.

— Shoshana est une femme très sérieuse. Que penses-tu de ce qu'elle t'a montré ?

— Que veux-tu que j'en pense ? C'est effrayant, évidemment.

— Mais ?...

— Je m'interroge : pourquoi m'avoir passé cette vidéo ?

— Pourquoi, à ton avis ?

— Vous voulez me faire voir mon erreur, à moi, pauvre type qui gagne sa vie en vendant des souvenirs militaires du Troisième Reich.

— Et la vois-tu, Hank, cette erreur ?

Il haussa les épaules.

— Il y a une grande différence entre approuver les thèses nazies et faire commerce d'objets datant de cette époque.

— Le symbolisme est le même. Toutes ces croix gammées... C'est trop simpliste, Hank, d'établir cette distinction, et c'est trop facile de t'aveugler sur la signification de ces objets précis.

Il secoua la tête.

— Je suppose que, maintenant, je suis censé me sentir coupable et décider de vous aider dans votre opération pour me racheter d'avoir bassement profité de ce marché putride.

— Vas-tu le faire ?...

Shoshana rentra dans la pièce et s'immobilisa, attentive.

— Je veux d'abord que tu m'expliques mon rôle de bouc émissaire dans cette histoire.

— Je vais laisser Shoshana s'en charger, dit Marci.

Shoshana se mit à arpenter la pièce.

— Il y a plus de quarante ans, nous avons kidnappé Eichmann ici même. Et cela, les Argentins ne nous l'ont toujours pas pardonné. Nous ne pouvons pas nous permettre de recommencer le même coup. Donc, oui, vous deviez être le bouc émissaire si jamais les choses tournaient mal. Par contre, nous n'étiez pas destiné à payer les pots cassés si Pedraza découvrait que sa femme avait vendu le poignard. Primo, elle n'irait jamais reconnaître les faits : cela reviendrait à signer son propre arrêt de mort. Secundo, quand nous aurons fini de retoucher la réplique, Pedraza ne saura jamais qu'il y a eu échange.

— Nous l'expédions ce soir même avec tes photos, intervint Marci. Notre service artistique va peaufiner la copie, ajouter trois grammes et la rendre impossible à distinguer de l'original.

— Ce n'est pas Gerhard Adler?

— Il a fabriqué la copie avec l'assistance d'un maître joaillier. Nos artisans se chargeront des finitions.

Hank les regarda à tour de rôle.

— Voyons si j'ai bien saisi. Un matin, une femme entre dans une bijouterie de Buenos Aires avec un poignard; et vous, à partir de cette simple visite, vous avez mis sur pied cette vaste opération, aussi coûteuse qu'alambiquée.

— Oui, c'est à peu près ça.

— Sidérant!

— D'une certaine manière, c'est vrai, convint Shoshana.

— Vous ne m'avez toujours pas expliqué le but de la manœuvre.

Les deux femmes échangèrent un regard, puis Shoshana haussa les épaules.

— Il y aura un mouchard à l'intérieur de la réplique, dit Marci. Comme ça, nous pourrons suivre Pedraza à ses réunions.

— Vous pourriez aussi bien installer un mouchard sur sa voiture. Non, il y a forcément autre chose.

— Il y aura aussi un micro. Quand les responsables du groupe se réuniront, nous pourrons entendre tout ce qu'ils diront.

Hank lâcha un ricanement.

— Ça me paraît loin d'être suffisant.

— C'est *plus* que suffisant! contra Shoshana. Ce pays traverse une grave crise économique et politique, une crise qui est pain bénit pour les fascistes. Exactement le genre de situation qui a amené Hitler et Mussolini au pouvoir. Le fascisme est toujours fondé sur un mélange de nationalisme et d'antisémitisme... ou, d'une manière plus générale, sur la haine de « l'autre ». Selon moi, l'espèce humaine est programmée pour le fascisme. Il fait appel à quelque chose de profondément déficient dans la nature humaine. C'est pourquoi nous autres, Israéliens, sommes toujours sur nos gardes. Nous sommes tenus à une vigilance perpétuelle car nous savons que, là où les Juifs sont menacés, les graines du fascisme sont également présentes.

Elle se pencha en avant.

– Pendant longtemps, ces graines ont poussé ici. Il y a dans ce pays un homme politique important, un sérieux prétendant à la présidence, qui est lié de près au groupe de Pedraza. Si nous parvenons à dévoiler ces liens à l'opinion publique, nous pourrons éviter tout risque qu'il soit élu. Mais il nous faut pour cela des preuves solides : par exemple, un enregistrement d'une réunion des Immaculés où ce sujet précis est abordé.

Marci regarda Hank.

– Tu as raison, fourguer la réplique à Pedraza est bel et bien le but de l'exercice. Comme te l'a expliqué Shoshana, l'enjeu est de taille pour nous. C'est l'une des raisons qui font que nous n'allons pas mettre en danger toute l'opération en payant la señora Pedraza avec de faux dollars. J'ai une question pour toi : une fois que les deux poignards seront apparemment identiques, seras-tu encore capable de les distinguer ?

– Naturellement ! Rien qu'au toucher.

– Tant mieux... parce que la señora pourrait être tentée d'effectuer un tour de passe-passe : empocher nos cent mille dollars et te refiler la réplique, mettant ainsi la main sur l'argent sans avoir à trahir son très dangereux mari.

Hank n'avait pas songé à cette possibilité. C'était peut-être pour cela que la señora Pedraza s'était montrée si méfiante à son égard : pour détourner les soupçons de sa propre personne.

Marci se leva.

– Ta nouvelle chambre est prête. À l'heure qu'il est, tes affaires ont dû arriver. Allons t'installer, après quoi nous irons manger un morceau.

Elle s'adressa à Shoshana en hébreu et l'embrassa. Leur hôtesse serra gravement la main de Hank.

– Vous êtes une avocate très efficace, lui dit-il.

Pour la première fois depuis qu'ils avaient été présentés, Shoshana lui dédia un petit sourire crispé.

Dans la rue, Hank se tourna vers Marci. L'air nocturne était maintenant plus épais, imprégné de l'arôme du Río de la Plata.

– Donc, cette opération consiste à espionner le groupe de Pedraza au moyen d'un micro pour vous permettre de découvrir leurs liens politiques.

– Et d'identifier tous les protagonistes.

– Dans quel but ?

– Pour que nous puissions nous occuper d'eux. Ils sont dangereux. Ils ont fait tuer nos compatriotes.

– S'il te plaît, Marci, une petite précision : ça signifie quoi, exactement, « pour que nous puissions nous occuper d'eux » ?

– Ça, Hank, il vaut mieux que tu ne le saches pas.

Il la regarda attentivement. Il était temps de mettre certaines choses au point.

– Pourquoi m'as-tu appelé quand j'étais en transit à Miami ? Que signifiait cette mise en garde contre des « individus peu recommandables » ?

– Crois-le ou non, je me faisais du souci pour toi.

– Tu me recrutes, tu me conditionnes pour être le pigeon, et tu te fais du *souci* pour moi ?

– C'est la vérité.

Il haussa les épaules.

– Admettons. Voici ma dernière question : toi ou tes collègues, est-ce que vous m'avez volé mon stock, à Pittsburgh, pour me déstabiliser en vue de tes travaux d'approche ?

Elle le regarda droit dans les yeux.

– Absolument pas, Hank ! Je te le jure ! *Jamais, jamais, jamais !*

Il la crut, peut-être à cause de son démenti catégorique, ou alors parce qu'il ne supportait pas l'idée qu'elle y ait été mêlée. Il savait qu'il n'avait toujours aucune raison de lui faire confiance... mais c'était plus fort que lui.

Ils se livrèrent à de nombreuses activités durant les jours suivants, mais la principale, celle qui devait à jamais rester gravée dans la mémoire de Hank, fut l'activité sexuelle.

Ils baisèrent sur tous les meubles de sa nouvelle chambre d'hôtel : le lit, bien sûr, le divan, les fauteuils Morris, mais aussi sur le tapis et contre les murs. Ils firent l'amour à toute heure du jour et de la nuit, dans des tonalités différentes : violents accouplements (surtout les deux premiers jours) ; tendres étreintes affectueuses ; copulations tantriques, d'une lenteur excitante ; enfin, diverses formes de coït qui allaient de la stridente partie de jambes en l'air « à s'en crever les tympans » aux relations sexuelles plus retenues et classiques.

À la moindre occasion, ils se tâtaient, se goûtaient, se caressaient, se léchaient, se reniflaient jusqu'à se retrouver, épuisés, dans les bras l'un de l'autre. Et pendant tout ce temps-là, entre deux marmonnements affectueux, il exprimait à Marci sa méfiance.

– Est-ce que ça faisait partie du plan ? lui demanda-t-il après une séance particulièrement tempétueuse.

– La baise est toujours en option, répliqua-t-elle, amusée.

– Tu es sacrément douée dans ce domaine. C'est à l'école du Mossad qu'on vous enseigne ces choses-là ?

Elle gloussa.

– Je crois que c'est plus ou moins inné.

Plus tard ce soir-là, en la regardant venir vers lui, nue au sortir de la douche, il lui rappela la réflexion qu'elle lui avait faite à Pittsburgh, comme quoi elle trouvait sa tristesse séduisante.

– Tu as dit que je te faisais penser à un personnage d'un roman de John Le Carré. Tu t'en souviens ?

– Je m'en souviens.

– L'allusion à une histoire d'espionnage était un indice, je suppose ?

– Hmm, fit-elle en se glissant près de lui. Je me suis presque trahie, là, dirait-on.

– Comment veux-tu que je te fasse confiance ? lui demanda-t-il le troisième jour, alors qu'elle se nichait dans ses bras. Comment puis-je être sûr que tu ne me trahiras pas ?

– Pour une raison simple : maintenant, tu en sais trop. (Elle l'embrassa.) Je t'ai tout dit. Évidemment, nous pourrons faire disparaître nos traces si besoin est, mais il nous sera impossible d'effacer complètement la piste.

– Donc, on me croira. C'est réconfortant, je suppose. (Il lui caressa la poitrine.) Pourquoi te déboutonner ainsi avec moi ?

– Pourquoi pas ? répliqua-t-elle en le tripotant. Et, à propos... qu'est-ce qui me prouve que tu ne vas pas nous laisser tomber ?

Comme promis, la señora Pedraza téléphona le premier matin. Quand son portable sonna, Hank se promenait avec Marci dans la Calle Florida, où un enfant infirme mendiait des pièces.

La señora déclara que, après réflexion, elle était arrivée à la conclusion que le juste prix pour le poignard était de cent cinquante mille dollars. Quand Hank lui dit que le prix était fixé à cent mille, elle proposa cent trente, puis, devant son nouveau refus, cent dix mille.

– Non, lui dit-il. Je suis le seul acheteur légitime dans cette ville et je suis le seul ayant à sa disposition une copie. Donc, c'est cent mille dollars ou rien. À prendre ou à laisser.

À contrecœur, elle accepta.

La conversation terminée, Marci regarda Hank avec un sourire épanoui.

– Qu'est-ce qu'il y a ? demanda-t-il.

– Apparemment, tu viens de rejoindre notre équipe.

– Tiens... oui, dit-il, surpris. Oui, je crois bien !

Le troisième jour, la réplique revint d'Israël. Hank jugea le travail de finition remarquable. Comparant avec les photos de l'original, il reconnut que les deux poignards paraissaient maintenant identiques.

– Mais si je peux les distinguer au toucher, dit-il à Marci, n'est-il pas possible que Pedraza le puisse aussi ?

– J'en doute. Pour lui et ses fidèles, le poignard est un totem. Contrairement à toi, ils ne le manipulent pas en connaisseurs.

Il n'insista pas, mais la question continua de le tarauder. Si jamais Pedraza décelait la différence, l'entreprise échouerait. Peut-être Marci s'était-elle trop investie dans l'opération pour concevoir l'éventualité d'un échec ?

Ce même après-midi, Marci l'emmena à ce qu'elle appelait une « réunion de réconciliation » avec Luis DiPinto à l'Alvear Palace. Quoique tout disposé à passer l'éponge, Hank ne put résister à l'envie de taquiner son vieil adversaire, d'autant que DiPinto était visiblement nerveux en sa présence.

– Votre numéro avec la fausse bonne était franchement tocard, lui dit-il. Vous deviez vraiment me croire stupide pour imaginer que je tomberais dans le panneau.

– Je suis désolé, dit Luis. J'ai fait de l'excès de zèle.

Adouci par ces excuses, Hank fut le premier surpris de s'entendre proposer un conseil :

– Un bon tuyau, Luis. Il y a une petite fouine de détective privé qui occupe le bureau juste en face du vôtre. Je pense qu'il a des soupçons sur vos activités.

– Le détective matrimonial, Piglia ?

– Oui. Il semblait très intéressé par vos allées et venues.

– Merci. Nous comptions fermer ce bureau dans deux jours, mais je m'en occuperai dès cet après-midi.

Comme prévu, la señora Pedraza insista pour examiner la copie retouchée. Hank la laissa faire, attentif à ne pas quitter le poignard des yeux. Lorsqu'il lui montra l'attaché-case rempli de billets, elle essaya de ne rien laisser paraître, mais son regard trahit sa cupidité.

La señora insista également pour vérifier l'authenticité de l'argent. Elle feuilleta les liasses de billets de cent dollars, puis en préleva cinq au hasard.

– Je vais les faire contrôler par un expert, dit-elle à Hank. Je reviens d'ici une demi-heure.

– Vous ne me faites toujours pas confiance.

Elle sourit.

– Je ne suis pas idiote à ce point-là.

L'échange du poignard contre l'argent eut lieu le quatrième jour, juste six jours après leur première rencontre au bar de l'hôtel. Cette fois encore, la señora apporta le poignard de son mari enveloppé dans un foulard Hermès. Hank l'inspecta attentivement, le compara avec la copie, pendant que la señora comptait et recomptait les billets.

– Partez-vous vraiment demain ? s'enquit-elle, son calcul terminé.

Comme il acquiesçait, elle enchaîna :

– Je quitterai moi-même le pays la semaine prochaine. Je ne tiens plus à mon mari. Ma sœur vit en Espagne. Je lui rendrai visite comme chaque hiver... mais, cette fois, je ne reviendrai pas.

– Je vous souhaite bonne chance, señora, dit Hank en lui serrant la main sur le seuil.

– Je vous en souhaite autant. (Elle sourit.) Dans la mesure où nous venons de commettre un délit ensemble, vous allez probablement trouver ma réflexion absurde, monsieur Barnes, mais... dès le premier instant, j'ai senti que je pouvais vous faire confiance. Vous avez, comment dire ?... un regard honnête.

Étant donné que Hank devait s'envoler pour Miami le lendemain matin, Marci suggéra, après un après-midi consacré au sexe, qu'ils passent une dernière nuit en ville pour fêter son départ. Elle le quitta un moment pour s'occuper d'une affaire non spécifiée, puis revint le chercher en taxi à neuf heures du soir.

Ils allèrent d'abord dîner dans un restaurant de Recoleta, où, attablés devant des steaks, elle lui annonça que ses supérieurs avaient approuvé le marché qu'elle proposait.

– Je ne peux pas te mettre les conditions par écrit, dit-elle, puisque rien de ce que nous avons fait ici n'est arrivé officiellement.

Mais tu peux y compter : le poignard te sera livré à Chicago dans une semaine au plus tard. Il t'arrivera en recommandé, avec toutes les marchandises que j'ai achetées au MAX.

– Je peux te faire confiance là-dessus ?

– À cent pour cent !

Après le fromage et un dessert léger, suivi d'un café, ils remontèrent dans le taxi qui avait attendu devant le restaurant.

– Tu l'as réservé pour la soirée ? demanda Hank en indiquant le chauffeur.

– C'est un taxi spécial. Il travaille exclusivement pour nous.

– Où va-t-on ?

– J'ai une destination en tête, mais j'ai d'abord une affaire à régler. Ça ne t'ennuie pas si on fait un arrêt pendant le trajet ?

Hank haussa les épaules.

– Comme tu voudras...

Le taxi les emmena au cœur du Barrio Norte avant de s'arrêter finalement dans une rue résidentielle de Colegiales. Il y avait, au coin, un café occupé par de rares clients, puis une rangée de boutiques – teinturerie, cordonnerie, fleuriste – toutes fermées. En face, il y avait quatre petits pavillons à un étage, bien entretenus, et une autre maison, plus grande, qui faisait l'angle.

Cette maison-là, comme tant d'autres du même genre à Buenos Aires, présentait un pan coupé, créant une façade oblique qui donnait directement sur le carrefour. Cette particularité architecturale, lui expliqua Marci, s'appelait une *ochava*.

– Le mot vient de *ocho*, qui signifie huit. L'angle, vois-tu, fait un huitième d'angle droit, soit onze degrés un quart.

Son attitude avait quelque chose d'étrangement calme tandis qu'elle observait la maison au coin de la rue. Gagné par son intérêt, Hank l'examina à son tour. Les fenêtres étaient éclairées. Il distingua la lueur vacillante d'une télévision dans une pièce du premier étage.

– L'automne touche à sa fin, dit-elle. Il commence à faire froid. L'hiver arrive, apportant avec lui le vent de l'Antarctique que les *Porteños* appellent le *sudestada*.

Hank regarda la nuque du chauffeur de taxi. L'homme était d'une immobilité absolue.

– Que faisons-nous ici ? demanda-t-il à Marci.

– Cette maison nous intéresse, répondit-elle. Celle avec l'*ochava*. Tu vois les deux types qui traînent devant ? Ce sont des gardes du corps, probablement des Crocodiles. (Elle se tourna vers lui.) C'est là qu'habite Pedraza.

Hank sentit un frisson lui parcourir l'échine.

– Bon Dieu, que faisons-nous ici ? répéta-t-il.

– Une simple commission, dit-elle en extirpant son portable de son sac à main.

– C'est là que tu me doubles ?

– Ne sois pas ridicule, Hank. C'est là que je sauve tes fesses.

– Je ne...

– Chut ! (Elle frappa les touches de son téléphone.) J'en ai pour deux secondes. Ensuite, nous repartons.

Un instant, il fut tenté de lui arracher le portable. Mais Marci était si calme, dégageait une telle assurance, qu'il décida de rester tranquille.

Elle se mit à parler en espagnol dans l'appareil. Il put néanmoins saisir ce qu'elle disait :

– Allô ? Señora Pedraza ? Je voudrais parler à votre mari. Il s'agit d'une affaire urgente... merci.

Elle jeta un coup d'œil à Hank, posa sa main libre sur son genou pour l'apaiser.

– Oui, allô, docteur Pedraza ? Vous êtes bien le docteur Osvaldo Pedraza ? Oui, s'il vous plaît, monsieur... une minute, je vous passe votre correspondant.

Écartant le téléphone de son oreille, elle tapa un numéro avec application. Au même instant, il y eut un éclair aveuglant au premier étage de la maison, suivi d'une explosion.

– *Bordel de merde !*

Entendant le vacarme, les gardes du corps se précipitèrent à l'intérieur tandis que le chauffeur de Marci démarrait en trombe.

– *Seigneur ! Qu'est-ce que tu as fait, putain ?* hurla Hank tandis que le taxi effectuait un virage sur les chapeaux de roue et fonçait sur une avenue déserte.

– Avec un peu de chance, j'ai fait sauter la moitié de la tête de Pedraza, répondit Marci.

Elle referma son portable et le remit dans son sac.

– *Tu l'as tué avec ton putain de téléphone ?*

– Celui de la señora, en fait. C'est une méthode efficace, que nous avons déjà utilisée avec grand succès. Et qui présente en outre l'avantage de porter notre signature. Non, Hank, ça n'avait rien à voir avec toi ni avec la copie du poignard. Nous avons cloné le téléphone de la señora avant d'opérer la substitution chez son coiffeur, il y a une semaine. Tout ce temps-là, elle s'est baladée avec une petite bombe dans son sac... mais il n'y avait aucun danger, la méthode est infaillible. J'étais la seule à pouvoir déclencher la bombe, et seulement avec un code spécial.

— C'est moi qui t'ai donné son numéro de téléphone, tu te souviens?

— C'est vrai. Je suppose donc que tu es impliqué aussi... si tu tiens à voir les choses sous cet angle.

— Pourquoi as-tu fait ça? demanda-t-il, tremblant.

Le taxi avait ralenti, roulait maintenant à une allure normale. Hank n'aurait su dire si c'était le choc de l'attentat ou le calme de Marci qui le perturbait le plus.

— Pourquoi? (Elle le regarda.) Pour plusieurs raisons. Primo, parce que Pedraza avait ordonné le meurtre d'un de nos agents : nous ne laissons jamais un tel acte impuni. C'est la politique d'Israël. D'autre part, comme tu l'as souligné, il existait une possibilité – même infime – qu'il découvre l'échange des poignards. En le supprimant, nous avons éliminé ce risque. C'est pour ça que je t'ai dit que je sauvais tes fesses. Cela étant, je peux t'assurer que la señora n'a pas été blessée. Nos bombes téléphoniques sont extrêmement directionnelles, conçues pour exploser uniquement à l'oreille de la personne qui répond. Une troisième raison, importante, est que le commandement des Immaculés, ainsi que le poignard, vont maintenant revenir à quelqu'un d'autre. Le nouveau chef, quel qu'il soit, n'aura aucun moyen de savoir que le poignard est une réplique. Nous l'utiliserons, comme je te l'ai expliqué, pour espionner leurs réunions. Une fois que nous aurons identifié le nouveau chef, nous l'exécuterons à son tour. Et puis le suivant, et encore le suivant, et peut-être même celui d'après... Le meilleur de l'histoire, c'est qu'ils ne se douteront jamais que leur précieux poignard de Reichsmarschall est responsable de leurs malheurs. Par contre, ils sauront que c'est *nous* qui procédons aux exécutions. Ils se tritureront les méninges pour essayer de comprendre comment nous connaissons leur identité. Si tout se passe comme prévu, ils ne tarderont pas à se soupçonner mutuellement. Ils se retourneront alors les uns contre les autres, jusqu'au moment où, avec un peu de chance, ils s'autodétruiront.

Voilà donc quel était le plan. Elle ne lui avait pas menti; elle avait simplement omis de lui préciser toutes les ramifications de l'opération. Ce n'était pas seulement Pedraza qu'ils voulaient mais tous les Immaculés, jusqu'au dernier.

— Garez-vous, ordonna-t-elle au chauffeur.

Lorsqu'il eut obtempéré, elle lui dit quelques mots en hébreu. Il descendit, contourna la voiture et vint se poster en sentinelle devant la portière de Hank.

— C'est notre dernière rencontre, dit-elle à Hank. Quand nous aurons fini de parler, tu t'en iras, je repartirai... et nous ne nous reverrons jamais. Je te le dis avec un regret sincère. Je t'aime beaucoup. J'adore faire l'amour avec toi et j'apprécie grandement ta compagnie. Tu es un type formidable et tu vas me manquer énormément. Cela dit, je regrette de n'avoir pu partager avec toi tous les détails de notre opération et de t'avoir entraîné – parlons franc – dans un assassinat qui, en plus, ne sera que le premier de toute une série. Ce sont des hommes intrinsèquement mauvais, Hank... des hommes qui ne reculent devant rien. Ils ne méritent aucune pitié. Ils sont nos ennemis héréditaires. C'est eux ou nous.

Elle observa une pause avant de poursuivre :

— J'ai un autre aveu à te faire. Le marché que j'ai négocié avec mes supérieurs n'est pas le même que celui que je t'ai proposé. Il m'a semblé que tu méritais bien davantage qu'un vulgaire dix pour cent ; alors, je leur ai dit que tu nous aiderais uniquement en échange du poignard pour solde de tout compte. Naturellement, nous devrons récupérer nos cent mille dollars ; tu les prélèveras sur le produit de la vente. Mais tout ce que tu pourras obtenir en sus sera à toi. De même que les trente mille dollars pour ton temps et les dix pour cent sur la revente des articles que j'ai achetés. Ça représente énormément d'argent. Il m'a fallu beaucoup de persuasion pour les convaincre d'accepter. J'espère que tu es heureux de cet arrangement. J'espère que ça compense, au moins en partie, ma duplicité.

— *Tu me fais marcher !*

— Non, pas du tout. Le poignard est à toi. Verse-nous les cent mille premiers dollars de la somme que tu en tireras et garde le reste pour toi.

— Je ne sais que dire !

— Ne dis rien. Tu mérites jusqu'au dernier *cent*. Tu nous as aidés à faire quelque chose de très important. C'est nous, en vérité, qui sommes tes débiteurs. (Nouveau silence.) Une dernière chose avant de nous dire adieu. Tu es dans le commerce d'objets militaires. Tu

398

as maintenant franchi une frontière, participé à une véritable guerre. C'est une expérience toute différente, n'est-ce pas ? Peut-être qu'elle te fera réfléchir plus profondément à ton métier. J'espère qu'après avoir vendu le poignard et les autres marchandises, tu décideras de changer de spécialité. Pourquoi pas des sabres de la guerre de Sécession ou des winchesters et des colts du vieil Ouest ? Mais pas des objets nazis. En tout cas, j'espère que tu y réfléchiras.

– Promis.

– Tu sais pourquoi c'est si important pour moi ?

– Tu détestes ces trucs-là. Je comprends.

– C'est plus personnel que ça. Quand je penserai à toi à l'avenir – et, crois-moi, ça m'arrivera –, je ne veux pas t'imaginer dans ce contexte-là.

Il la dévisagea, surpris de voir à quel point il avait envie qu'elle reste.

– Je penserai à toi, moi aussi, dit-il. Tu es une fille étonnante, Marci. Je ne t'oublierai jamais.

Elle sourit.

– C'est gentil à toi de le dire, mais j'insiste pour que tu m'oublies... sachant que, dans le domaine sentimental, ces choses-là ne se commandent pas. (Elle pointa l'index.) Il y a un club de tango à deux cents mètres. Tu trouveras des taxis devant l'entrée. Tu seras peut-être tenté d'y passer un moment avant de regagner ton hôtel. Les danseurs y sont exceptionnellement bons, et je ne pense pas que tu reviennes en Argentine de sitôt.

Elle se pencha vers lui, frôla ses lèvres d'un baiser. Puis elle l'embrassa pour de bon, avec fougue, avant de s'écarter.

– Il est temps, Hank. (Il vit des larmes briller dans ses yeux.) Le moment est venu de t'en aller. Alors, décampe !

Elle toqua à la vitre et le chauffeur ouvrit la portière de Hank.

– Bonne chance ! lança-t-elle.

Debout au bord du trottoir, il regarda le taxi s'éloigner. Elle ne se retourna pas. Il ne l'espérait d'ailleurs pas.

Lorsque le taxi eut disparu, il consulta sa montre. Minuit. Largement le temps de rentrer faire ses valises avant d'attraper son avion. Remontant la rue, il vit une enseigne : *Club Sunderland*. Il fit encore quelques pas et entendit bientôt de la musique : une musique fataliste, mélancolique, qui le fit penser aux habitants de Buenos Aires, à leur façon de marcher et de sourire comme pour masquer leur douleur.

22

DANSEURS DE LA DANSE...

Debout sur le seuil du Club Sunderland, Marta eut l'impression d'avoir devant les yeux une scène du Buenos Aires de son enfance : une ville de plaisirs simples, régentée par de belles femmes épanouies et des hommes d'une élégante courtoisie.

– Voilà un club de tango selon mon cœur ! dit-elle à Leon en parcourant la pièce du regard.

Durant la semaine, la salle faisait office de gymnase. Des panneaux de basket en plexiglas étaient fixés à chaque extrémité. L'endroit était caverneux, lumineux et dépouillé, équipé d'une bonne sono, d'une lampe tournante de dancing et de ventilateurs suspendus au plafond. Chaises et tables encerclaient la piste de danse, qui portait les marques d'un terrain de basket. Des affiches décoraient les murs, ainsi que diverses publicités : agents immobiliers, entrepreneurs, ateliers de réparation de voitures. Les serveurs, en gilet et nœud papillon noirs, s'affairaient à satisfaire les commandes.

Marta, absorbant la musique, savoura le mélange de sons : les gémissements plaintifs du bandonéon, les vigoureux accents du violon, les fioritures en cascade du piano. La musique lui parlait de destin et aussi de défi ; elle évoquait un sentiment de perte, remplissant Marta d'une douce mélancolie. C'était, assurément, la musique de sa ville. *Peut-être « le Cri de la Ville »,* songea-t-elle.

Elle se tourna vers Marina, qui paraissait éblouie par la scène. Leon, les rejoignant par-derrière, leur mit un bras autour des épaules.

– Nous entrons ?

Marina, rayonnante, demanda à Marta :

– Je peux courir voir si cousin Manuel est là ?

400

Ayant reçu la permission, Marina détala – *comme une gamine qui se précipite dans la cour de récréation,* pensa Marta. Elle sentit ses yeux se mouiller. La musique et la danse lui rappelaient l'ancien temps... tout comme sa tenue vestimentaire. Elle mettait rarement des bijoux ; mais, ce soir, des anneaux pendaient à ses oreilles et un collier en argent de sa mère embellissait son cou. Sa robe, qui lui dénudait les épaules, était retenue par de fines bretelles. Elle portait des souliers de tango à bout carré, retrouvés l'après-midi même au fond de son placard, qu'elle avait époussetés avec soin.

Leon et elle n'étaient pas des noctambules. Le travail et la vie de famille occupaient la majeure partie de leur temps. Mais ce samedi-là était spécial : aujourd'hui, ils fêtaient leurs retrouvailles. Ils avaient décidé d'emmener Marina avec eux pour l'occasion, et aussi pour lui faire goûter le Buenos Aires nocturne.

Marina, tout excitée, revint en sautillant auprès de sa mère.

– Ils sont là-bas ! dit-elle en indiquant l'autre côté de la piste.

Aussitôt, elle repartit à fond de train vers une table où Marta repéra Rolo Tejada et sa famille. Rolo leur fit de grands signes ; sa femme, Isabel, agita la main ; leur fils Manuel, en apercevant Marina, courut l'embrasser avant de l'escorter vers ses parents pour l'échange de baisers. Lorsque Leon et Marta les eurent rejoints, ils commandèrent une bouteille de vin pour eux et des Coca pour les enfants.

– Vous savez ce que j'aime dans ce club ? dit Marta. C'est un endroit familial. Pas de chiqué.

– Pas de m'as-tu-vu, dit Leon.

– Et pas de *psicobolches*, ajouta Rolo.

– C'est quoi, papa, des *psicobolches* ? demanda Manuel.

Rolo sourit.

– Des gens qui passent leur temps à blablater sur le communisme et la psychanalyse. Comment tu trouves, Marina ?

La fillette, les yeux écarquillés d'émerveillement, observait avec Manuel ce qui se passait sur la piste.

– Ici, les danseurs sont drôlement bons.

– Tu n'as pas peur de te joindre à eux ?

– Peut-être un peu.

– Et toi ? demanda Isabel à Manuel.

Le garçon se tourna vers Marina :

– Il faut bien commencer un jour, pas vrai ?

– Très juste, déclara Leon en se levant. Tu es partante ? dit-il à Marta.

– Je meurs d'impatience !

Parce que ce devait être la dernière nuit de Beth Browder à Buenos Aires avant son retour à San Francisco, Sabina Bernays et Ana Moreno décidèrent de l'escorter conjointement au club de tango préféré de Sabina, un club dont elle ne parlait jamais à ses pensionnaires *milongueras* de peur que cette excellente salle de quartier ne devienne une destination touristique.

– Vous allez voir ici du « pavé » à la pelle, dit Sabina à Beth tandis qu'elles payaient leurs entrées. Ce club donne dans le tango, rien d'autre.

Regardant autour d'elle, Beth fut frappée par le contraste entre l'aspect modeste de la salle et la haute qualité de la danse. La piste était accessible, non encombrée. Outre des jeunes gens séduisants, il y avait des enfants-danseurs talentueux, de bons danseurs d'âge moyen et de merveilleux couples âgés qui dansaient avec enthousiasme. Elle n'éprouva pas ici le sentiment de solitude qu'elle avait souvent ressenti dans des endroits plus branchés ; il n'y avait pas non plus l'esprit de compétition ni le culte cruel de la jeunesse et de la beauté qui sévissaient dans les clubs du centre-ville.

Lorsqu'elles furent installées à une table, à l'autre bout de la piste, Ana se tourna vers Beth :

– Regardez à quel point ils s'amusent, tous. Comme le dit Carlos : dans une bonne *milonga*, on n'a pas besoin de pénombre glauque ni de miroirs tape-à-l'œil. Peu importe que cet endroit soit un gymnase reconverti. La danse est puissante, c'est tout ce qu'on demande.

Beth acquiesça. Ce qui se déroulait sous ses yeux était exactement ce que Carlos Santos lui avait décrit durant leurs cours : le *tango liso,* un tango lisse et sans fioritures, sans les habituels battements de jambes, crochets et contre-crochets. La forme était d'une grande pureté et on mettait l'accent sur la *caminada* : les pas de marche, agrémentés à l'occasion d'*ochos.*

Ici, les couples se consacrent totalement l'un à l'autre. Aucun d'eux ne se donne en spectacle. C'est comme si j'écoutais à la porte une centaine de conversations intimes. Cet endroit est génial !

– À notre arrivée, dit-elle à Sabina, l'éclairage ne m'a pas plu. Je le trouvais trop cru. Maintenant, je crois qu'il fonctionne.

402

– Oui, parce qu'il met en valeur les danseurs.

Beth se retourna vers Ana, qui observait avec insistance l'autre côté de la piste. Suivant son regard, Beth sentit son cœur s'emballer.

– Oh, mon Dieu ! murmura-t-elle à ses escortes. C'est lui !

– Qui ?

– *Mon Rêve d'Amour !*

– Il est ici ? dit Ana.

– Oui. Juste à l'endroit où vous regardiez. Le garçon en chemise noire, à cette table, qui discute avec un homme aux cheveux gris.

– *Lui ?* s'exclama Ana, stupéfaite. Mais je le connais ! C'est Javier Hudson. L'homme plus âgé est son père.

– C'est incestueux ! dit Sabina en se tournant vers Beth. Il y avait des moments, mon petit, où Ana et moi ne savions que penser de votre Rêve d'Amour. Nous ne doutions pas de son existence, mais était-il vraiment le superbe danseur de tango dont vous nous rebattiez les oreilles ? (Elle eut un grand sourire.) Nous allons le découvrir cette nuit !

– C'est incroyable que vous le connaissiez, Ana, dit Beth en riant.

– Si je ne me trompe, susurra Sabina, Ana connaît très bien son père !

– C'est un collègue. À une certaine époque, il a aussi été mon amant. En temps normal, je ne vous ferais pas une telle confidence, mais nous sommes venues ici en amies, pas en tant que thérapeute et patiente.

– Je ne sais quc faire, gémit Beth. Je suis... abasourdie.

– Mais si, vous savez que faire ! dit Sabina. Vous allez danser avec lui, bien sûr !

– *Vous croyez ?*

– Je l'espère, dit Ana. Cette *tanda* est presque terminée. Dès que la piste sera dégagée, accrochez son regard. De mon côté, je vais lancer des œillades à Tomás. (Elle secoua la tête.) Je suis surprise de le voir ici. À ma connaissance, il n'a pas dansé depuis des années...

– Tu ne sens pas que quelqu'un te dévore des yeux, père ? s'enquit Javier.

Tomás scruta les alentours. La musique l'avait enveloppé, remuant des souvenirs. Pendant des années, il avait pensé que les chansons de tango avaient quelque chose de morbide et de psychologiquement paralysant : des textes qui parlaient toujours de perte, d'amoureux séparés, de mères défuntes, de solitude, voire de suicide. Il avait oublié le plaisir qu'il ressentait autrefois dans les clubs de danse, à se laisser envahir par la musique, à admirer le jeu de pieds compliqué des danseurs, à savourer le désir de les rejoindre sur la piste, jusqu'à ce que ce désir devienne irrésistible.

Maintenant que la musique avait cessé, la salle résonnait de rires et de conversations. Des gens continuaient d'arriver – des familles entières, parfois. Les enfants jouaient et les adolescents flirtaient.

– Qui ça ? demanda-t-il.

– Ton amie le Dr Moreno. Elle est attablée de l'autre côté de la piste. (Javier plissa les yeux.) Je n'en reviens pas ! La fille qui est assise à sa gauche... je l'ai rencontrée aux States il y a plusieurs mois !

Tomás décela une extrême excitation dans la voix de Javier. Il était excité, lui aussi, à la perspective de danser avec Ana.

– Quand tu faisais le circuit des tournois ?

Javier acquiesça.

– C'était un dimanche soir, ma dernière nuit à San Francisco. Je venais de remporter un tournoi à Carmel. Nous nous sommes rencontrés à une *milonga*, nous avons dansé, atteint ensemble ce qu'elle appelait la Magie du Tango. Excuse-moi, père, je dois la rejoindre.

– Je t'accompagne. Il y a des années que je n'ai pas dansé. J'espère ne pas me couvrir de ridicule.

– Oh, mon Dieu ! Ils viennent par ici ! glissa Beth à Ana.

La musique reprenait juste.

– Ils pouvaient difficilement refuser deux beautés telles que vous, dit Sabina en riant.

– Je suis nerveuse. Je ne connais même pas son nom.

– Il s'appelle Javier, je vous l'ai dit. C'est un joueur de tennis professionnel. Un très bon, en plus, à ce qu'il paraît. Son père est un psy réputé. Sa mère a été « disparue » quand Javier était enfant.

– Il a fière allure, en effet, dit Sabina. Et il a l'air empressé. Remarquez, il peut l'être ! (Elle marqua une pause.) Son père, en revanche, paraît un peu timoré.

– Je n'aurais peut-être pas dû lui donner le *cabeceo,* dit Ana. Je ne voudrais pas qu'il croie que je le traque.

– Je tremble ! gémit Beth.

– Voyez-moi ces traqueuses ! s'exclama Sabina en battant des mains. Qu'est-ce qui vous prend, toutes les deux ? Vous avez attiré

404

de superbes partenaires, profitez-en ! Moi, je vais faire de l'œil à celui-là, là-bas. (De la tête, elle indiqua un gentleman à moustache blanche.) Nous avons déjà dansé ensemble. Je l'ai trouvé d'une politesse raffinée. Il est l'un des trois seuls hommes avec qui je danserai ce soir. Maintenant que je suis une femme entre deux âges, j'ai le droit de me montrer sélective. Dieu sait si j'ai payé mon tribut à la piste !

Marta et Leon, étroitement enlacés, évoluaient au centre de la piste en sens inverse des aiguilles d'une montre, comme les autres couples. Le DJ passait un pot-pourri de vieilles chansons de tango – *Qué Falta Que Me Hacés !, La Descamisada* – qui mirent Marta dans l'humeur adéquate pour atteindre son objectif de la soirée : oublier qu'elle était flic.

Porter une robe au lieu d'un pantalon était assurément propice. Les hauts talons également. Mais si elle se sentait particulièrement féminine, c'était grâce au mélange de force et de tendresse que dégageait Leon. Il la guidait d'une façon bien particulière, très éloignée de la proverbiale danse d'amour et de mort : d'une manière fluide, subtile, qui permettait à Marta de glisser dans une transe tango.

Souvent, elle se sentait agressée par la ville. Buenos Aires était immense, malodorant, bruyant, dangereux – et, parfois, Marta s'y sentait prise au piège. Mais ce soir, dans les bras de Leon, toute cette pression s'atténuait. La musique – ondoyante, implorante, tourbillonnante – était remplie de passion. « Le Cri de la Ville », dur et sentimental, sensuel et pompeux, criait maintenant... *pour elle*.

– Tu me fais un effet étonnant, murmura-t-elle à Leon, dessinant un *ocho* avec son pied. Je me sens très féline, tout à coup.

Il sourit et l'entraîna dans une séquence d'*ochos en espejo* – des huit avant et arrière exécutés simultanément – avant d'en revenir à la *caminada*.

Que c'est bon ! pensa-t-elle, s'abandonnant à la musique.

– Tu as vu les enfants ? chuchota Leon.

Il la guida de manière qu'elle puisse observer discrètement Marina et Manuel par-dessus son épaule.

– Ils sont adorables ! répondit-elle sur le même ton.

Elle les regarda évoluer au milieu de la mer d'adultes. La posture de Manuel était protectrice, le visage de Marina rayonnait de plaisir.

– Elle fait très jeune fille, dit Leon en faisant tournoyer Marta. Elle grandit vite.

Marta sentit son cœur se dilater de fierté quand, en pleine volte, elle aperçut de nouveau Marina, ravissante dans sa robe neuve qui dénudait ses bras et soulignait sa poitrine naissante.

Oui, très vite... pensa-t-elle, goûtant prématurément la nostalgie douce-amère de voir s'éloigner l'enfance de sa fille. Et elle fit le vœu de la protéger de toutes les duretés du monde, tout en sachant bien qu'elle ne pourrait jamais y parvenir.

— Bien sûr que je me souviens de toi ! dit Javier avec un grand sourire. Quand on a dansé une fois avec toi, on ne peut plus t'oublier !

Nous avons fait bien plus que danser ! pensa Beth en se nichant contre lui.

— J'imagine qu'un séduisant garçon tel que toi connaît beaucoup d'aventures du même genre, murmura-t-elle.

— Et comment ! Une fille différente tous les soirs ! Je suis un Lothario latin... si tu sais ce que ça signifie. Pour ma part, je n'ai jamais compris cette expression.

— Un Lothario [1] est un séducteur.

— Existe-t-il un mot spécial pour désigner une séductrice ?

— Une sirène.

Javier éclata de rire.

— C'est ça : une sirène qui, par sa beauté, son charme et son chant, ensorcelle un malheureux et le condamne à une horrible mort contre les rochers !

Il s'écarta pour regarder Beth, puis s'arrêta... *comme pour mieux contempler ma beauté,* pensa-t-elle.

— Je suis drôlement content que tu sois venue, dit-il en l'attirant de nouveau contre lui. C'était notre arrangement, tu te rappelles ?

Elle ne se sentait plus nerveuse, mais extrêmement bien avec lui. Elle appuya son visage contre le sien, savoura la douceur de ses joues rasées de près et la sécurité de ses bras musclés, protecteurs. La Magie du Tango commençait à opérer. Et ça n'avait rien de forcé. *Nous sommes vraiment des partenaires faits l'un pour l'autre.*

— Je suis ici depuis plus de deux mois, lui dit-elle. Je t'ai cherché partout, mais visiblement pas où il fallait.

— Je suis désolé ! dit-il lorsqu'elle lui eut énuméré les clubs qu'elle avait fréquentés. J'aurais dû te dire où me trouver. Mais je

---

1. Personnage de *The Fair Penitent*, pièce du dramaturge anglais Nicholas Rowe (1674-1718). (*N.d.T.*)

n'imaginais pas un instant que tu viendrais. Stupide de ma part ! J'ai beaucoup pensé à toi. J'avais prévu un voyage aux States cet été, dans l'espoir de te rencontrer à la même *milonga*.

Elle rejeta la tête en arrière pour le regarder dans les yeux, pour évaluer sa sincérité.

– Ce ne sont pas des paroles en l'air ? lui demanda-t-elle en anglais. Parce que moi, j'ai énormément pensé à toi.

– Et moi à toi, répondit-il avec gravité. Je ne crois pas avoir jamais eu de meilleure partenaire. Quand je t'ai rencontrée, j'ai pensé que tu étais une merveilleuse danseuse. Aujourd'hui, je pense que tu es encore meilleure. Oserai-je te le dire ? Je trouve que tu es devenue une grande danseuse ! Ça arrive parfois, à Buenos Aires. Mais écoute-nous un peu ! Le tango est censé être une danse silencieuse, et voilà que nous jacassons non-stop. Je suis heureux de connaître enfin ton prénom. (Il marqua une pause.) J'ai quelque chose à te dire, Beth... *j'adore* tes yeux !

Elle plaqua ses seins contre la poitrine de Javier, sentit son souffle sur sa joue, ferma les paupières. La Magie était sur elle, affûtant tous ses sens.

Je me sens tellement vivante quand je danse avec lui ! Ce n'était peut-être pas une illusion, finalement...

– Je ne me débrouille pas trop mal, n'est-ce pas ? demanda Tomás, espérant une confirmation d'Ana.

– Tu te débrouilles très bien. C'est étrange, tu sais... c'est la première fois que nous dansons ensemble.

Est-ce possible ?

Mais oui, elle avait raison : ils n'avaient jamais dansé ensemble, même si, au fil des années, ils s'étaient étreints d'innombrables fois.

– Javier est particulièrement beau ce soir, dit Ana. Il danse avec l'une de mes patientes.

– Tu sors en ville avec une de tes patientes ? s'exclama Tomás d'un ton faussement choqué. Je devrais te signaler à l'Institut !

Ana eut un rire appréciateur.

– Ils sont bien assortis, tu ne trouves pas ? Elle m'a beaucoup parlé de lui. Mais comme elle ignorait son nom, je n'avais aucune idée qu'elle parlait de Javier. Elle est ici depuis des mois, à chercher un merveilleux jeune homme qu'elle avait rencontré à San Francisco, dans une *milonga*. Elle a connu des moments difficiles, en a vu des vertes et des pas mûres. Je suis bien contente que, ce soir, elle l'ait enfin trouvé... sans que je puisse me flatter d'y être pour quoi que ce soit. Mon amie Sabina nous a amenées ici pour nous faire découvrir une *milonga* d'un genre différent, et qu'est-ce qui arrive ? Beth retrouve Javier... et moi, je te retrouve. De quoi s'interroger sur le rôle du hasard dans la vie.

Tomás la guida dans une marche altière. C'était si bon de la tenir dans ses bras. Il voulait savourer cette proximité, si familière et si longtemps hors de sa portée.

Combien de temps cela durera-t-il ? Serait-ce un nouveau commencement ?

— Tu vois cette femme, là-bas ? dit-il à Ana en indiquant une table près de la piste. Celle qui est assise à côté d'un homme moustachu ?

— Je la vois. Je l'avais déjà remarquée. Elle dansait avec quelqu'un d'autre. Qui est-ce ?

— Une flic. On l'appelle « la Incorrupta ».

— J'en ai entendu parler ! Elle ne ressemble pas du tout à ce que j'imaginais. Tu la connais ?

— Je l'ai rencontrée brièvement quand j'étais avec les Vargas, l'autre nuit. Elle était venue voir leur fils à l'hôpital après l'agression dont il avait été victime. Elle paraissait différente à ce moment-là... bouleversée, impétueuse.

— Là, elle paraît très calme. Le tango peut avoir cet effet-là, tu sais ? Calmer les nerfs tout en stimulant les sens.

Tomás s'aperçut qu'il dansait mieux, à présent ; plus ils dansaient ensemble, plus il gagnait en assurance. C'était analogue à ce qui se passait quand il jouait au tennis avec Javier : son fils le poussait à sortir son meilleur jeu, tout comme Ana réveillait maintenant ses talents de danseur trop longtemps figés.

— C'est Javier qui m'a amené ici ce soir, dit-il. En ce moment, il me donne des leçons de tennis. Depuis quelque temps, nous nous sommes rapprochés. Mais c'est une grande première pour nous, de sortir ainsi ensemble. J'ai un peu traîné les pieds pour venir, je le reconnais... et sur qui je tombe ? Écoute, Ana, je vais te le dire d'une traite : je n'arrête pas de penser à toi depuis que nous avons pris un café ensemble, après l'hommage à Carlos. Je n'ai pas eu le courage de te l'avouer... mais, ce soir, notre rencontre inopinée me donne ce courage. Pardonne-moi si cet aveu t'indispose en quoi que ce soit...

Elle continua d'évoluer avec lui, silencieuse, comme pour se laisser le temps d'assimiler ce qu'il venait de dire. Il bannit de son esprit toute pensée de rejet et laissa la musique prendre le relais, les souder l'un à l'autre tel un couple. Peut-être trouverait-il dans la danse une façon de lui parler en silence, en profondeur.

Nous pourrons de nouveau ne faire qu'un...

Finalement, elle lui répondit :

– J'accueille tes paroles avec joie, cher Tomás. Je le dis en toute sincérité...

Il resserra son étreinte.

– J'ai tellement envie de t'aimer comme avant, lui chuchota-t-il à l'oreille.

Lorsque Hank Barnes entra dans le Club Sunderland, c'était simplement pour suivre la suggestion de Marci : observer un moment les danseurs avant de regagner son hôtel et de boucler ses valises. Mais, trouvant sur les lieux un bar chaleureux, il commanda un whisky soda et s'assit.

Ses mains, nota-t-il avec soulagement, ne tremblaient plus. Il avait recouvré son calme après une soirée comme il n'en avait jamais connu de sa vie. Il se détendit et pivota sur son tabouret de manière à embrasser la salle du regard. Quoique la musique du club de danse envahisse le bar, des gens de tous âges, regroupés aux tables, riaient, bavardaient, allaient et venaient, changeaient de partenaires avant de se risquer à nouveau sur la piste.

Les Israéliens lui enverraient-ils le poignard du Reichsmarschall ? Marci tiendrait parole, il n'en doutait pas. Néanmoins, il avait du mal à se faire à l'idée qu'il serait bientôt riche, que la quête aléatoire qui l'avait amené dans cette grande ville d'intrigues se révélerait infiniment plus lucrative qu'il n'avait osé l'imaginer.

Il avait déjà décidé comment il vendrait le poignard : il organiserait des enchères privées. Il n'y avait que cinq ou six collectionneurs au monde qui pouvaient se permettre de l'acheter ; heureusement, il les connaissait tous. Dès qu'il aurait l'objet en sa possession, il téléphonerait à chacun d'eux pour mesurer leur intérêt. Étant donné la nature quasi mythique du poignard, tout enchérisseur sérieux insisterait pour l'examiner personnellement. Non parce que l'un ou l'autre mettrait en doute la parole de Hank, mais parce que le poignard de Goering exerçait une telle fascination qu'ils voudraient tous le tenir entre leurs mains, le palper, le caresser... dans le but, avec un peu de chance, d'en tomber amoureux. Ce serait le degré de cet amour qui déterminerait la vente – ou, plus précisément, le degré de passion. Et même quelque chose de plus fort que la passion, songea Hank. La folie. *Oui, la folie !*

À ce moment-là seulement, quand il serait certain que la folie avait opéré, il lancerait les enchères. Les règles seraient simples : chaque acquéreur potentiel mettrait par écrit sa meilleure offre, dans une enveloppe cachetée, qui serait ouverte uniquement après réception de toutes les offres. Il n'y aurait qu'une seule tournée d'enchères. La plus élevée remporterait le poignard.

Ce serait la transaction de sa vie. Et après, que ferait-il ? Il était troublé par ce que lui avait dit Marci. Devait-il, comme elle l'avait suggéré, renoncer à vendre des souvenirs militaires du Troisième Reich, se dissocier de ces symboles du mal ? Devait-il se consacrer à une autre spécialité : winchesters, colts, sabres de la guerre de Sécession ?

Le mieux, se dit-il, serait peut-être de passer à une activité totalement différente. Ayant atteint ce sommet de sa carrière, il serait fondé à se retirer, à la manière d'un athlète olympique qui, après avoir remporté une médaille d'or, annonce qu'il arrête la compétition.

Cette solution lui convenait mieux. Non, ce ne serait pas par pénitence qu'il changerait de métier, ni pour atteindre une sorte de rédemption, mais simplement parce qu'il était parvenu au faîte de la réussite et n'avait désormais plus rien à prouver.

Son whisky terminé, il se dirigea nonchalamment vers le passage voûté qui donnait sur la salle de danse. La musique reprenait. Les gens traversaient le gymnase en tous sens, allant à la rencontre les uns des autres d'un pas décidé. Il observa avec étonnement ce mouvement si chaotique en apparence, qui, d'un seul coup, se disciplinait, hommes et femmes formant des couples et commençant à bouger au rythme de la musique.

Comme de la limaille de fer subitement mise en forme par un aimant...

En faisant cette comparaison, il comprit soudain ce qu'il ferait ensuite : il se remettrait à enseigner la science aux gamins, profession honorable qu'il avait beaucoup aimée.

Toutes ces années d'enseignement lui manquaient, le plaisir d'expliquer des concepts scientifiques, puis la satisfaction quand, après une démonstration réussie, il voyait s'éclairer les yeux de ses élèves, subjugués par la beauté de la chose. Il avait toujours adoré la physique, son absence d'ambiguïté, le fait qu'une théorie puisse expliquer des phénomènes autrement inexplicables. Il se rappela son excitation quand, dès son arrivée à Buenos Aires, dans sa chambre d'hôtel, il avait testé l'effet de Coriolis en regardant l'eau de sa baignoire se vider. Et aussi la délectation avec laquelle il était monté sur le toit du Castelar, la nuit, pour étudier la configuration des étoiles dans le ciel de l'hémisphère Sud.

Pourquoi avait-il abandonné tout cela? Pas pour l'argent, il le savait. À cause de la fascination que lui avaient inspirée les armes du Troisième Reich, du sentiment de transgression qu'il éprouvait à les manipuler et à les vendre.

À présent, décida-t-il, cette période était terminée. Ici, à Buenos Aires, il avait eu plus que sa part de fascination et de transgression, de quoi lui durer jusqu'à la fin de ses jours.

— J'ai déjà vu cette fille, là-bas, dit Marta à Rolo.

Ils se détendaient à leur table pendant que Leon et Isabel dansaient ensemble. De leur côté, Marina et Manuel continuaient de sidérer tout le monde en évoluant, gracieux et infatigables, au milieu des adultes.

— La jolie fille qui danse avec le beau gosse?

— Oui. Elle était chez les Céspedes, ce jeune couple fortuné que j'ai interrogé à Belgrano. Ceux qui ont été assassinés la semaine dernière.

— Ne m'as-tu pas dit qu'ils t'avaient fait des avances?

À ce souvenir, Marta secoua la tête en soupirant.

— Nous parlions dans leur salon quand cette fille est entrée dans la maison. Dès qu'elle est apparue, Lucinda est allée à sa rencontre, elles se sont étreintes et se sont éloignées main dans la main. C'est là que Charles Céspedes m'a parlé d'elle comme de leur nouvelle « chouchoute ». Je n'ai pas saisi son nom.

— Elle danse formidablement bien, dit Rolo en l'observant avec attention. Lui aussi, d'ailleurs. Ils forment le meilleur couple sur la piste.

— Oui, ils sont les vedettes du bal. Pour une fille qui a vécu avec des gens comme les Céspedes, c'est étonnant qu'elle fréquente une agréable *milonga* de quartier comme celle-ci.

Le portable de Marta sonna. Elle l'extirpa de son sac, écouta, acquiesça, marmonna : « Merci de me prévenir... », éteignit l'appareil et se pencha pour murmurer à l'oreille de Rolo :

— C'était Shoshana. Il y a une heure, Pedraza a eu la tête arrachée par un portable piégé.

Rolo émit un long sifflement.

— Ces gens-là ne plaisantent pas ! Remarque, je ne peux pas dire que ça me chagrine.

— Moi non plus, dit Marta. Ce n'est pas notre façon de procéder... mais je suppose que ça devait être fait.

La *tanda* venait de se terminer. Les couples se séparaient, les messieurs raccompagnaient les dames à leurs tables. Lorsque Leon et Isabel les eurent rejoints, Marta se tourna vers eux avec un grand sourire.

— Vous faites une paire fantastique.

Désireuse d'oublier à nouveau le travail, elle vrilla littéralement Leon du regard.

— Tu as devant toi une épouse follement éprise qui implore son mari de la faire danser, lui dit-elle, hilare.

Leon la vrilla en retour.

— Tu as devant toi un mari éperdu d'amour, répliqua-t-il en riant, qui meurt d'envie de tenir dans ses bras son incandescente épouse...

— Elle a été la maîtresse de mon père pendant des années et des années, dit Javier. Et puis quelque chose s'est passé et ils ont rompu.

Assis ensemble, Beth et lui regardaient Tomás et Ana tournoyer sur la piste.

— Je suis persuadé qu'il l'aime encore, poursuivit Javier. C'est un homme solitaire. Il a voué sa vie à ses patients. Le mois dernier, son plus vieil ami, un autre psy, s'est jeté dans le vide. Ça l'a énormément secoué.

Beth le regarda dans les yeux. Elle était en train de le découvrir. Elle était heureuse de s'apercevoir que Javier n'était pas seulement un danseur du tonnerre et un amoureux charmant, mais aussi un garçon sensible et bon. Elle avait été émue d'apprendre, par Ana, que sa mère avait été « disparue ». Elle était maintenant touchée de le voir préoccupé pour son père.

Javier but une gorgée de vin.

— Pendant des années, nous avons été des étrangers l'un pour l'autre. Il était tellement silencieux, nous échangions à peine quelques mots. Et moi, je lui en voulais... Il aurait eu tant de choses à me dire, tant de choses à m'apprendre. Ce soir, quand je les observe ensemble, quand je les regarde danser, je retrouve chez lui une légèreté que je n'avais plus vue depuis mon enfance. (Il se tourna vers Beth.) Ça me rend heureux de le voir comme ça.

– C'est formidable ! (Elle se tut un instant.) Je dois rentrer aux States après-demain, dit-elle d'un ton dégagé, se demandant quelle serait la réaction de Javier.

– Oh, non ! s'exclama-t-il. C'est beaucoup trop tôt ! Nous venons seulement de nous retrouver !

– Je sais bien...

– Y a-t-il une chance que tu modifies tes projets ? demanda-t-il, plein d'espoir.

Elle le scruta.

– J'aimerais bien. On me ferait payer un supplément pour changer mon billet, je suppose... (Elle s'anima soudain.) Je veux dire, bien sûr ! Absolument ! Maintenant que nous nous sommes retrouvés, j'adorerais prolonger mon séjour.

Le visage de Javier s'éclaira.

– Ce serait l'occasion de mieux nous connaître. J'adorerais te faire visiter la ville. J'y suis né, tu sais. (Il sourit jusqu'aux oreilles.) Tu joues au tennis ?

– Pas très bien, j'en ai peur.

Il lui prit la main.

– Peu importe. Je suis un pro, je t'apprendrai. Ça te plairait ?

– Oui, beaucoup.

Elle se tourna vers la piste de danse, suivant des yeux certains danseurs, les observant un moment avant de s'intéresser à d'autres couples. Son regard revenait sans cesse à Ana et au père de Javier. Ana était radieuse. Dans les bras du Dr Hudson, elle semblait étinceler de mille feux. Ce soir, pour la première fois, Beth la vit non pas comme une thérapeute mais comme une femme... *une femme amoureuse.* Cela se voyait à sa façon de danser, à l'éclat qui transfigurait son visage.

Est-ce que ça se voit aussi sur moi ?

Javier se leva, la prit par la main et, en silence, la guida vers la piste. Il la prit tendrement dans ses bras, la regarda dans les yeux, puis l'attira contre lui en murmurant :

– Quand nous dansons, nous devenons si proches que nos cœurs ne font plus qu'un...

Tomás sentait qu'il se passait quelque chose sur la piste, quelque chose de puissant, une véritable métamorphose.

– Tu le sens ? demanda-t-il à Ana.

– Oui. Mais qu'est-ce que c'est ?

– Je n'en sais rien, mais je trouve ça merveilleux.

C'était un sentiment de confiance, d'euphorie, qui semblait s'être propagé sur la piste à la manière d'une vague au ralenti. Avant, tous dansaient à un certain niveau, certains couples supérieurs à d'autres, mais tous compétents et en bonne forme physique. Et voilà que, soudain, le niveau semblait inexplicablement rehaussé. Il y avait là une centaine de couples qui évoluaient chacun de manière individuelle, et pourtant dans une sorte d'unisson... comme s'ils avaient tous été entraînés dans quelque chose de plus grand qu'eux-mêmes, comme si tous les couples ne faisaient désormais plus qu'un.

– Ce n'est pas uniquement nous, n'est-ce pas ? demanda Tomás.

Ana ouvrit les yeux, jeta un regard circulaire.

– Non, c'est pareil pour tout le monde. L'éclairage semble différent et le tempo semble avoir ralenti. Je ne crois pas avoir jamais éprouvé pareille sensation.

– Qu'est-ce que c'est, alors ?

– Peut-être une forme de magie, dit-elle. La Magie du Tango.

Du regard, Tomás chercha Javier et Beth, les repéra et, sans les quitter des yeux, entreprit de guider Ana vers eux. Il avait le sentiment très net que le jeune couple était à l'origine de la métamorphose, que leur façon de danser avait déteint sur le bal tout entier. Les gens leur faisaient de la place, leur donnaient de l'espace pour briller. Et ils brillaient bel et bien, au point d'en devenir presque lumineux. C'était comme si, grâce à eux, les barrières qui avaient existé entre les autres danseurs étaient tombées, permettant à chaque couple de trouver sa place dans la composition globale.

Tomás regarda autour de lui. L'éclairage, comme l'avait observé Ana, semblait effectivement avoir changé. Les murs de l'ancien gymnase paraissaient plus foncés, tandis que la lumière éclatante qui inondait les danseurs semblait auréoler chaque couple. La musique, elle aussi, semblait avoir gagné en puissance, révélant ses secrets, sa structure interne ; le temps était distendu, le mouvement ralenti, les évolutions de chaque danseur touchaient au sublime. Une communion d'ordre mystique imprégnait l'humble salle. L'air sentait bon la vie. Tous étaient solidaires. Les conversations privées de chaque couple faisaient maintenant partie d'une conversation générale, la grande conversation qu'était Buenos Aires.

Tomás, saisi de vertige en prenant conscience de cette transformation magique, eut alors une vision de cette grande ville tentaculaire qu'il aimait – comme si, ce soir, cette *milonga* sur cette obscure piste de danse *était* Buenos Aires.

Il y a tant d'histoires, ici. Et pour tous ceux d'entre nous qui y vivent, la ville est une obsession définie par ce que nous sommes : pour l'un, une magnifique métropole ; pour l'autre, un tortueux labyrinthe. Tant d'histoires, comme autant d'ornements superposés, dans notre belle ville de destins qui s'entrecroisent...

Nous rôdons dans les rues, cherchant des partenaires, évitant les ennemis, guettant des occasions de partager nos passions. Souvent, nous nous croisons. Parfois, nous échangeons un regard, puis nous passons notre chemin. Un homme se rappelle une fille anonyme qu'il a vue, au soleil couchant, le scruter par la vitre d'un bus ; pendant des années, il se souvient de son visage rougi par la lumière mourante de cette soirée d'été. Une femme se rappelle un garçon dont le regard a rencontré le sien, par un doux après-midi de printemps, dans le parc : leurs yeux se sont accrochés, elle s'est détournée par pudeur et, quand elle a regardé en arrière, il avait disparu ; l'arôme de la terre et le parfum des fleurs fraîchement écloses enflaient en elle avec tant de vigueur qu'elle a senti son âme se dilater.

Dans cette vaste cité, où il est si facile de s'égarer et de se perdre, il y a des moments comme celui-ci, des moments de grâce et de répit, où, nous tous – amoureux transis, tortionnaires pétris de bonne conscience, révolutionnaires impuissants et fascistes réactionnaires, tangueras *et* tangueros *sensuels,* chantas *rapaces,* flics incorruptibles et psychanalystes fatigués –, *nous nous trouvons réunis... danseurs de la Danse...*

POSTFACE DE L'AUTEUR

Buenos Aires est une ville immense ; environ douze millions de personnes vivent dans la zone métropolitaine. Elle compte aussi une importante population juive, près de deux cent cinquante mille âmes, ce qui en fait l'une des plus importantes communautés urbaines juives du monde. Pour plus d'informations sur les lieux juifs de la ville et l'histoire de sa communauté juive, voir le guide *Shalom Buenos Aires*, édité par Elio Kapszuk et Damián Lejzorowicz.

Si d'aucuns pensent que l'antisémitisme exprimé par divers personnages de ce roman est exagéré, je les renvoie aux paroles de l'ex-colonel argentin Mohamed Alí Seineldin, qui purge aujourd'hui une peine de prison à vie pour avoir effectué plusieurs tentatives de coup d'État à la tête de son unité, un groupe militaire d'extrême droite antisémite, baptisé les *carapintadas* ou « visages peints » (en raison de la peinture de camouflage dont les membres se badigeonnaient la figure). Seineldin a fait cette célèbre déclaration : « Il est plus facile de trouver un chien vert qu'un Juif honnête. »

Malheureusement, il reste un groupuscule de *carapintadas* encore actifs. D'autres antisémites notoires sont le politicien Alejandro Biondini, qui a assisté à des meetings politiques en uniforme de SS, et le mystérieux idéologue Norberto Ceresole, qui soutient que « l'Holocauste a été inventé par Hollywood ». La pire manifestation d'antisémitisme est peut-être la conviction, défendue par des gens pourtant cultivés, qu'il existe un prétendu « Plan Andinia », complot censément israélo-juif (analogue à celui des faux *Protocoles des Sages de Sion*) visant à tailler une seconde patrie juive dans le tiers inférieur de l'Argentine.

Pour de plus amples informations sur le mouvement néonazi en Argentine, je renvoie le lecteur à *Sombras de Hitler* (« Ombres de

Hitler »), de Raúl Kollmann. Je tiens également à remercier Mr Kollmann, journaliste d'investigation hautement respecté, de m'avoir accordé un passionnant entretien. C'est lui qui, le premier, m'a parlé d'Alejandro Sucksdorf, espion argentin antisémite qui dirigeait un camp d'entraînement néonazi sur une île du delta del Paraná et qui, suppose-t-on, complotait de faire évader de prison le colonel Seineldin.

Pour en savoir plus sur les nazis en Argentine, je renvoie le lecteur à *The Real Odessa*, de Uki Goñi, autre remarquable journaliste d'investigation.

Un mot sur les noms propres : l'Argentine, comme les États-Unis, est une nation d'immigrants. On y trouve donc, comme dans ce roman, des gens portant des noms italiens (Ricardi), espagnols (Vargas), anglais (Hudson), allemands (Kessler), séfarades (Abecasis), français (Charbonneau), etc. Toutefois, l'espagnol étant la langue officielle du pays, la plupart des prénoms sont d'origine espagnole.

Buenos Aires est un centre mondial de la psychanalyse où on trouve essentiellement des analystes freudiens classiques, mais également un nombre très important de lacaniens et de disciples de Jung. Il y a là-bas davantage de psychanalystes par habitant que dans n'importe quelle autre ville, y compris New York, qui en compte trois fois moins. Et... oui, le Café Sigi existe bel et bien ! De même que *Radio La Colifata* !

Pour avoir une excellente description du mouvement psychanalytique en Argentine, le lecteur est invité à consulter *Freud in the Pampas*, de Mariano Ben Plotkin. Je tiens à remercier Mr Plotkin de m'avoir accordé un entretien.

De 1976 à 1983, l'Argentine fut dirigée par une junte militaire qui se faisait appeler le Processus *(Proceso de Reorganización Nacional)*. Durant cette période, d'abominables atrocités furent commises : des innocents furent arrêtés, torturés et « disparus ». Plusieurs centaines de nouveau-nés, mis au monde durant leur captivité par des femmes arbitrairement arrêtées, furent illégalement adoptés par des familles de militaires, parfois par ceux-là mêmes qui avaient torturé et assassiné leurs parents biologiques. En raison des diverses amnisties décrétées par les régimes ultérieurs, la plupart des responsables de ces atrocités sont encore en liberté aujourd'hui.

Il existe de nombreux textes puissants concernant cette période, connue également sous le nom de « Sale Guerre » : *A Lexicon Of Terrorism : Argentina and the Legacies of Torture*, de Marguerite

Feitlowitz ; *Nunca Más, The Report of the Argentine National Commission on the Disappeared* ; *The Disappeared and the Mothers of the Plaza*, de John Simpson et Jana Bennett ; *The Flight, Confessions Of An Argentine Dirty Warrior*, de Horacio Verbitsky (autre brillant journaliste d'investigation) ; et, pour une perspective psychologique, *Love In A Time Of Hate, Liberation Psychology In Latin America*, de Nancy Caro Hollander.

Dans les années 90, deux attentats antisémites dévastateurs furent commis à Buenos Aires. En 1992, une bombe détruisit en totalité l'ambassade d'Israël, faisant vingt-neuf victimes. En 1994, le bâtiment de l'AMIA, organisation juive culturelle et d'entraide, centre de la vie des Juifs en Argentine, fut soufflé par une bombe. Cette explosion fit quatre-vingt-six tués et des centaines de blessés. À l'époque des faits, l'attentat contre l'AMIA fut l'attaque la plus meurtrière dirigée contre des Juifs depuis la fin de la Seconde Guerre.

Deux théories principales ont été avancées concernant ces attentats : selon la première, la police et les militaires y étaient mêlés ; selon la seconde, ces attaques avaient été orchestrées par le Hezbollah, organisation terroriste soutenue par l'Iran. On pense aujourd'hui que les deux théories sont exactes, que les attentats ont été exécutés par des agents du Hezbollah agissant à partir de l'ambassade d'Iran, avec la complicité de policiers et de militaires argentins partageant leurs idées. Malgré les énormes récompenses offertes et les nombreuses années d'enquête sous la supervision de plusieurs juges d'instruction, la lumière reste à faire sur les circonstances exactes de ces crimes.

Pour plus d'informations sur les opérations du Hezbollah dans la région des trois frontières de l'Argentine, je renvoie le lecteur aux articles suivants : *Terrorism's New Geography* (dans *Vanity Fair*), de Sebastian Junger, et *In The Party Of God* (dans *The New Yorker*), de Jeffrey Goldberg.

Le maréchal Hermann Goering possédait un certain nombre de poignards spécialement fabriqués pour lui (un poignard de mariage, un poignard de chasse, etc.), dont l'un est aujourd'hui exposé au musée de l'académie militaire de West Point. Malgré les nombreuses rumeurs et histoires apocryphes, son poignard d'apparat, incrusté de pierres précieuses, n'a jamais été retrouvé... même si on suppose que plusieurs pièces de cet objet ont refait surface. Pour plus d'informations sur les divers poignards de Goering, je renvoie le lecteur intéressé à l'ouvrage de référence en plusieurs volumes du colonel Thomas M. Johnson : *Collecting The Edged Weapons Of The Third Reich*, notamment un chapitre de Ben Swearingen, dans le volume VIII, qui traite du poignard d'apparat du maréchal et reproduit les deux photos d'époque qui en existent, avant de conclure : « Au moment où j'écris ces lignes, " la chasse " est toujours ouverte. »

Pour avoir une excellente description de Buenos Aires, de ses habitants et de leurs préoccupations, vus par un œil extérieur, je recommande l'ouvrage pénétrant et amusant de Miranda France, *Bad Times In Buenos Aires*. (La citation sur le tango de la page 47 : « Bien dansé, il doit être aussi passionné, et en même temps aussi dénué d'amour, qu'une aventure d'une nuit », est extraite de son texte.) Le livre de Mrs France parle de tango, de politique, de psychanalyse, de soccer et d'autres sujets chers au cœur de tous les *Porteños*.

Sur la corruption policière et ses répercussions sur un homicide à grand retentissement, lire *Cabezas, Crimen, Mafia y Poder*, de Enrique O. Sdrech et Norberto Colominas. Je voudrais remercier Mr Sdrech, sans doute le journaliste de Buenos Aires le plus important et expérimenté en matière d'affaires criminelles, de m'avoir accordé un entretien des plus éclairants.

Il existe de nombreux ouvrages sur le tango, son histoire, etc., mais on a peu écrit sur l'obsession du tango, particulièrement quand elle affecte les danseurs étrangers. Dans ce domaine, je recommande le livre *Paper Tangos*, de Julie Taylor ; l'article de Mindy Aloff *After The Last Tango* (dans *New Republic*) ; l'article de Laura Shin *There Will Never Be A Last Tango* (dans *The New York Times*) ; l'article de Lin Sampson sur les aspects compulsionnels du statut de *milonguera*, où j'ai rencontré pour la première fois l'expression « tango bum [1] » (The South African *Sunday Times*) ; enfin, les formidables articles en ligne de Cherie Magnus : *The Church Of Tango* et *Solo Tango in Buenos Aires*. Je tiens à remercier Ms. Magnus de m'avoir accompagné dans plusieurs clubs de tango, à Buenos Aires, et de m'avoir apporté une aide inestimable quand je faisais mes recherches pour ce livre.

La meilleure introduction au tango argentin se trouve peut-être au cinéma. Je recommande les films suivants : *La leçon de tango*, de

---

1. Fana de tango. (*N.d.T.*)

Sally Potter ; *Tango Bar*, de Marcos Zurinaga ; *Tango : The Obsession*, un documentaire réalisé par Adam Boucher ; *Tango*, de Carlos Saura ; et *Tango, Our Dance*, de Jorge Zanada.

Les paroles et la musique de la chanson *When My Dream Boat Comes Home* ont été écrites par Cliff Friend et Dave Franklin.

On pourra trouver le poème *Le Poignard* dans les *Poèmes choisis* de Jorge Luis Borges. La nouvelle de Julio Cortázar concernant la galerie Güemes s'intitule *L'autre ciel* et figure en français dans le recueil *Tous les feux le feu*.

Outre mes recherches de première main, je me suis fondé pour le background sur des dépêches de journalistes : Clifford Krauss de *The New York Times* et Sebastian Rotella de *The Los Angeles Times*.

Je voudrais exprimer ma gratitude toute particulière à Luis Harss, mon ami de quarante ans, romancier, traducteur, expert en littérature sud-américaine et lui-même *Porteño*, pour sa bienveillante assistance pendant la phase de documentation, pour m'avoir fait visiter Buenos Aires, m'accompagnant aux entretiens et dans de longues promenades à pied dans la ville, et pour avoir traqué les « perles » dans mon manuscrit. Merci, Luis, tu es vraiment un *mensch*[1] ! Et s'il reste malgré tout quelques perles, tu n'y es pour rien !

Je voudrais également remercier les personnes suivantes, qui m'ont parlé du contexte général et se sont pliées à mes nombreuses (et souvent idiotes) questions : le chef de la brigade criminelle à la retraite, Nelson Horacio Corgo (qui ne goûtait guère mon idée de mettre en scène un inspecteur de sexe féminin) ; le Dr Carlos Mario Aslán, ancien président de la Asociación Psicoanalítica Argentina, qui a eu l'amabilité de me faire visiter les locaux ; le Dr Ignacio Fojgel ; et bien d'autres qui préfèrent ne pas être cités.

De toute façon, même ceux que j'ai cités ne sont en aucune manière responsables de quoi que ce soit dans ce roman, qui est, bien entendu, une œuvre de fiction. Hormis des références à des personnalités publiques et à des événements historiques bien connus, tous les noms, personnages et péripéties sont le fruit de mon imagination, et toute ressemblance avec des personnes ou des événements réels serait purement fortuite.

WB

---

1. En yiddish : Type formidable. (*N.d.T.*)

Dans la même collection

Cesare Battisti, *Terres brûlées* (anthologie sous la direction de)
Cesare Battisti, *Avenida Revolución*
William Bayer, *Labyrinthe de miroirs*
William Bayer, *Tarot*
William Bayer, *Le Rêve des chevaux brisés*
Marc Behm, *À côté de la plaque*
Marc Behm, *Et ne cherche pas à savoir*
Marc Behm, *Crabe*
Marc Behm, *Tout un roman!*
James Carlos Blake, *Les Amis de Pancho Villa*
James Carlos Blake, *L'Homme aux pistolets*
James Carlos Blake, *Crépuscule sanglant*
James Carlos Blake, *Un monde de voleurs*
Lawrence Block, *Moisson noire 2002* (anthologie sous la direction de)
Edward Bunker, *Aucune bête aussi féroce*
Edward Bunker, *La Bête contre les murs*
Edward Bunker, *La Bête au ventre*
Edward Bunker, *Les Hommes de proie*
James Lee Burke, *Prisonniers du ciel*
James Lee Burke, *Black Cherry Blues*
James Lee Burke, *Une saison pour la peur*
James Lee Burke, *Une tache sur l'éternité*
James Lee Burke, *Dans la brume électrique avec les morts confédérés*
James Lee Burke, *Dixie City*
James Lee Burke, *La Pluie de néon*
James Lee Burke, *Le Brasier de l'ange*
James Lee Burke, *Cadillac Juke-Box*
James Lee Burke, *La Rose du Cimarron*
James Lee Burke, *Sunset Limited*
James Lee Burke, *Heartwood*
James Lee Burke, *Purple Cane Road*
James Lee Burke, *Jolie Blon's Bounce*
Daniel Chavarría, *Un thé en Amazonie*
Daniel Chavarría, *L'Œil de Cybèle*
Daniel Chavarría, *Le Rouge sur la plume du perroquet*
Daniel Chavarría, *La Sixième Île*
George C. Chesbro, *Bone*
George C. Chesbro, *Les Bêtes du Walhalla*
Michael Connelly, *Moisson noire 2004* (anthologie sous la direction de)
Christopher Cook, *Voleurs*

Robin Cook, *Cauchemar dans la rue*
Robin Cook, *J'étais Dora Suarez*
Robin Cook, *Le Mort à vif*
Robin Cook, *Quand se lève le brouillard rouge*
David Cray, *Avocat criminel*
Pascal Dessaint, *Mourir n'est peut-être pas la pire des choses*
Pascal Dessaint, *Loin des humains*
Tim Dorsey, *Florida Roadkill*
Tim Dorsey, *Hammerhead Ranch Motel*
Tim Dorsey, *Orange Crush*
Wessel Ebersohn, *Le Cercle fermé*
James Ellroy, *Le Dahlia noir*
James Ellroy, *Clandestin*
James Ellroy, *Le Grand Nulle Part*
James Ellroy, *Un tueur sur la route*
James Ellroy, *L. A. Confidential*
James Ellroy, *White Jazz*
James Ellroy, *Dick Contino's Blues*
James Ellroy, *American Tabloid*
James Ellroy, *Crimes en série*
James Ellroy, *Moisson noire 2003* (anthologie sous la direction de)
James Ellroy, *Destination morgue*
Valerio Evangelisti, *Anthracite*
Davide Ferrario, *Black Magic*
Barry Gifford, *Sailor et Lula*
Barry Gifford, *Perdita Durango*
Barry Gifford, *Jour de chance pour Sailor*
Barry Gifford, *Rude journée pour l'Homme-Léopard*
Barry Gifford, *La Légende de Marble Lesson*
Barry Gifford, *Baby Cat Face*
James Grady, *Le Fleuve des ténèbres*
James Grady, *Tonnerre*
James Grady, *Comme une flamme blanche*
James Grady, *La Ville des ombres*
Patrick Hamilton, *Hangover Square*
John Harvey, *De chair et de sang*
John Harvey, *Demain ce seront des hommes* (anthologie établie par)
Vicki Hendricks, *Miami Purity*
Vicki Hendricks, *Sky Blues*
Tony Hillerman, *Le Voleur de temps*
Tony Hillerman, *Porteurs-de-peau*
Tony Hillerman, *Dieu-qui-parle*
Tony Hillerman, *Coyote attend*
Tony Hillerman, *Les Clowns sacrés*

Tony Hillerman, *Moon*
Tony Hillerman, *Un homme est tombé*
Tony Hillerman, *Le Premier Aigle*
Tony Hillerman, *Blaireau se cache*
Tony Hillerman, *Le vent qui gémit*
Tony Hillerman, *Le Cochon sinistre*
Tony Hillerman, *L'Homme Squelette*
Craig Holden, *Les Quatre Coins de la nuit*
Craig Holden, *Lady Jazz*
Rupert Holmes, *La Vérité du mensonge*
Philippe Huet, *L'Inconnue d'Antoine*
Thomas Kelly, *Le Ventre de New York*
Thomas Kelly, *Rackets*
Helen Knode, *Terminus Hollywood*
William Kotzwinkle, *Midnight Examiner*
William Kotzwinkle, *Le Jeu des Trente*
Jake Lamar, *Nous avions un rêve*
Terrill Lankford, *Shooters*
Michael Larsen, *Incertitude*
Michael Larsen, *Le Serpent de Sydney*
Dennis Lehane, *Un dernier verre avant la guerre*
Dennis Lehane, *Ténèbres, prenez-moi la main*
Dennis Lehane, *Sacré*
Dennis Lehane, *Mystic River*
Dennis Lehane, *Gone, Baby, Gone*
Dennis Lehane, *Shutter Island*
Dennis Lehane, *Prières pour la pluie*
Elmore Leonard, *ZigZag Movie*
Elmore Leonard, *Maximum Bob*
Elmore Leonard, *Punch créole*
Elmore Leonard, *Pronto*
Elmore Leonard, *Beyrouth-Miami*
Elmore Leonard, *Loin des yeux*
Elmore Leonard, *Viva Cuba libre!*
Elmore Leonard, *Dieu reconnaîtra les siens*
Elmore Leonard, *Be cool!*
Elmore Leonard, *Tishomingo Blues*
Bob Leuci, *Odessa Beach*
Bob Leuci, *L'Indic*
Jean-Patrick Manchette, *La Princesse du sang*
Dominique Manotti, *À nos chevaux!*
Dominique Manotti, *Kop*
Dominique Manotti, *Nos fantastiques années fric*
Tobie Nathan, *Saraka bô*

Tobie Nathan, *Dieu-Dope*
Tobie Nathan, *Serial eater*
Jim Nisbet, *Prélude à un cri*
Jim Nisbet, *Le Codex de Syracuse*
Jack O'Connell, *B.P. 9*
Jack O'Connell, *La Mort sur les ondes*
Jack O'Connell, *Porno Palace*
Jack O'Connell, *Et le verbe s'est fait chair*
Jean-Hugues Oppel, *French Tabloïds*
Samuel Ornitz, *M. Gros-Bidon*
Hugues Pagan, *Tarif de groupe*
Hugues Pagan, *Dernière Station avant l'autoroute*
David Peace, *1974*
David Peace, *1977*
David Peace, *1980*
David Peace, *1983*
Andrea Pinketts, *La Madone assassine*
Andrea Pinketts, *L'Absence de l'absinthe*
Andrea Pinketts, *Turquoise fugace*
Michel Quint, *Le Bélier noir*
Rob Reuland, *Point mort*
John Ridley, *Ici commence l'enfer*
Édouard Rimbaud, *Les Pourvoyeurs*
John Shannon, *Le Rideau orange*
Pierre Siniac, *Ferdinaud Céline*
Jerry Stahl, *À poil en civil*
Les Standiford, *Johnny Deal*
Les Standiford, *Johnny Deal dans la tourmente*
Richard Stark, *Comeback*
Richard Stark, *Backflash*
Richard Stark, *Flashfire*
Richard Stark, *Firebreak*
Richard Stratton, *L'Idole des camés*
Paco Ignacio Taibo II, *À quatre mains*
Paco Ignacio Taibo II, *La Bicyclette de Léonard*
Paco Ignacio Taibo II, *Nous revenons comme des ombres*
Paco Ignacio Taibo, Sous-Commandant Marcos, *Des morts qui dérangent*
Ross Thomas, *Les Faisans des îles*
Ross Thomas, *La Quatrième Durango*
Ross Thomas, *Crépuscule chez Mac*
Ross Thomas, *Voodoo, Ltd*
Jack Trolley, *Ballet d'ombres à Balboa*
Andrew Vachss, *Le Mal dans le sang*
Jim Waltzer, *Keene en colère*

Achevé d'imprimer en mai 2006
sur les presses de Normandie Roto Impression s.a.s.
à Lonrai (Orne)
N° d'imprimeur : 061311
Dépôt légal : mai 2006

Imprimé en France